KB081876

완역
삼명통회
三命通會

총 4-1권
원문 (卷一~卷三)

楚江易水 育吾山人 萬民英 撰

安姬省 번역

BOOKK

완역
삼명통회
三命通會

총 4-1권

원문 (卷一~卷三)

楚江易水 育吾山人 萬民英 撰

安姬省 번역

BOOKK

완역삼명통회(4-1권)

발　행 | 2023년 9월 26일
저　자 | 만민영
역　자 | 안희성
펴낸이 | 한건희
펴낸곳 | 주식회사 부크크
출판사등록 | 2014.07.15.(제2014-16호)
주　소 | 서울특별시 금천구 가산디지털1로 119 SK트윈타워 A동 305호
전　화 | 1670-8316
이메일 | info@bookk.co.kr

ISBN | 979-11-410-4593-7

www.bookk.co.kr
ⓒ 완역삼명통회 2023
본 책은 저작자의 지적 재산으로서 무단 전재와 복제를 금합니다.

지은이 | 만민영

중국 명나라 때 사람으로 자는 여호汝豪 호는 육오育吾이다. 지금의 하북성(河北省)에서 태어났다. 우리나라에서는 명리학자로 알려졌다. 또한 저서인 삼명통회는 명리학의 백과사전이라고 불릴 만큼, 당대의 명리서를 총망라하여 청나라 건륭제 때『欽定四庫全書』수록될 정도로 그 가치를 인정받은 책이다.

편저 | 안희성

저자 안희성은
· 충남 청양 출생
· 국립공주대학교 대학원 동양학과 석사졸업
· 동대학원 박사졸업
· 前) 춘천 영산문화원 역학 강의
· 前) 대전대학교 평생교육원 역학 강의
· 現) 동방대학원 대학교 평생교육원 성명사주학 강의 중
· 現) 원광디지털대학교 성명사주학 및 육효학 강의 중
· 現) 상명대학교 경영대학원 부동산학과 풍수 강의 중
· 現) 계룡산 밑 비결원에서 후학 양성 중(문의 010-8451-6442)

譯者의 말

『삼명통회』, 『자평진전』, 『연해자평』, 『궁통보감』, 『명리정종』은 命理學의 5대 고전이라 불리운다. 그 중에서도 『삼명통회』는 방대한 내용과 깊이에서 '명리학 백과사전'이라 일컬어진다. 명리학에 입문한 지 수십 년에 여러 학설도 보고 많은 가르침도 많았다. 학설은 방대하고 해석은 다양하여 가닥을 잡기 힘들었지만, 명리의 전반은 『三命通會』를 벗어나지 않는다는 느낌을 지울 수 없었다. 그동안 배운 공부를 정리하여 玄正 申修勳 선생의 <眞如秘訣>로 학위 논문을 준비하면서 명리학 전반에 대한 틀을 다시 잡을 수 있었다. 이러한 과정에서 『삼명통회』의 방대한 학설과 풍부한 명조는 하나의 큰 '저수지' 같다는 느낌을 받았다. 여러 학설의 물줄기가 모여 다시 갈래로 나누어지는 양상을 보았으며, 무궁한 사색의 원천이 되고 있음을 확인하였다. 역자에게 삼명통회는 이처럼 늘 가까이 있으며 도움을 받았으나 하나로 집적되지 못했다. 여러 봉우리를 올라 보았으나 전체는 보여주지 않는 거대한 '산맥'처럼 느껴지기도 하였다.

그동안 삼명통회에 대하여 여러 동학들과 스터디하면서 틈틈이 옮겨 두었던 것을 다시 정리해서 역서로 출간하게 되었다. 워낙 방대한 내용이라 전문을 번역함에 있어 여러분들의 많은 도움을 받았다. 따라서 이 책은 비록 역자의 이름으로 출간하지만, 초벌 번역을 해주신 수기유행 카페지기 김균 선생님을 비롯한 많은 분들의 共譯이라 불러야 마땅할 것이다. 의문나는 구절에 자문을 구하고, 도움을 받으신 분들을 일일이 다 언급할 수는 없는 실정이다. 번역과 편집과 출판에 도움을 주신 여러분께 감사한 마음을 표한다.

최근 들어 命理에 대한 관점과 고조는 동양적 문화(판소리, 탈춤), 철학(동양철학), 의학(한의학)에 이어 생활문화로까지 확대되고 있다. 생활문화로서의 주요 영역은 무엇보다도 命理, 風水, 觀相을 들 수 있겠다. 이러한 영역들은 이미 우리 생활 깊숙이 자리 잡았으며, 정식 학제에 편입되어 많은 연구 성과들이 양산되고 있다. 가히 동양 생활철학의 르네상스 시대라고 불리어도 좋을 변화로 보여진다. 한편, 이러한 양적 확대에 상응하는 내적 성숙을 고민하는 것은 당면한 과제라 하겠다. 이런 의미에서 본 譯書가 命理에 대한 원론적 고찰의 심화라는 차원에서 명리학이 '術數'를 넘어 '學問'으로 발전해 나가는 데 일조가 되었으면 하는 바람 간절하다.

『삼명통회』의 저자 育吾山人 萬民英은 '命을 들음을 경건히 하라(敬聞命矣)'고 하였다. 이 말은 오늘날의 명리인들이 가슴 깊이 새겨야 할 잠언이 아닐 수 없으니, 나 역시 이 교훈으로 역자의 말을 마무리하고자 한다.

2023년 8월에
安姬省

추천사 (신수훈)

역이란 미래를 읽는 기술이요 천명을 아는 심오한 학문으로 그 이론이 정밀하고 광범하다. 식이 맑고 밝은 소박한 고대인들의 지혜와 노자를 비롯한 귀곡자, 낙록자, 이허중, 서거이, 공자, 장자, 정자, 주자 등의 도가나 유가를 망라한 여러 현인과 학자들이 탐구한 논리를 육오 산인 만민영 선생이 다양하게 수집하고 융합하여 일목요연하게 엮은 것이 삼명통회다.

태극에서 비롯한 음양오행과 천간 지지의 생성원리와 작용, 생극제화의 통변조화 논리전개를 상세하게 다루고 있는 삼명통회는 역리가 재관 녹마 시살 등의 명리로 변천 발전하는 과정을 누구나 쉽게 이해하고 숙지하여 응용할 수 있도록 종합편찬한 학술적인 고전이요 보물이다.

간지 오행, 육친 신살, 격국 용신의 기초 명리 법으로 유인되는 선연 악연 업연 등 인연을 가상 전제로 유추하면 명주의 성격, 직업, 애정 형성은 물론 인간사의 과거 현재 미래의 행불행을 예측하고 분석할 수 있다. 이 같은 진여 명리학을 전거로 천시, 지리, 인사까지 관통하여 피흉취길 하고 개운할 수 있는 <진여비결의 오주론적 특성과 그 사회적 의의에 관한 연구> 논문으로 박사학위를 받으시고 후학들을 위하여 그 어려운 삼명통회까지 일념으로 번역하신 안희성 교수의 박학다식과 열정에 감사와 찬사를 보낸다.

역을 배우고 추명을 하는 학인은 그 뜻을 성실히 하고, 그 마음을 바르게 한 다음에 삼명통회를 학습하여 격물하고, 거경궁리 하여 명리의 궁통 변화를 통달한다면 세상의 스승으로 존경받으며 홍익인간의 길을 갈 것이 분명하다.

옛 성인들이 명을 아는 자는 근심이 없다고 하였고, 천시를 알고 출사하면 허물이 없으며 터를 알고 머무르면 발복 한다고 하였다. 명리를 경건한 마음으로 배우고 익혀 생활에 활용할 수 있는 사람은 조상 음덕과 복이 많은 것이다.

명리에 입문한 사람은 자신의 앎에 한계 짓지 말고 명리의 기초에서부터 고등 실전이론을 겸비한 삼명통회를 학습 집중하여 터득하면 심오한 명리의 문리를 깨치고 달인의 경지에 이를 것이다. 50년 역술인의 길을 살아온 현정은 역우 여러분에게 진심으로 삼명통회 일독을 권하며 자신 있게 추천한다.

2021년 7월　　진여 정사에서 현정 신수훈 서

추천사 (유방현)

동양사상을 하나의 큰 강물로 비유하면 역학은 그 강물을 흐르게 하는 용천이라 할 수 있다. 맹자에 "原泉混混 不舍晝夜"라는 말이 있다. '원천이 용솟음 쳐서 밤낮을 쉬지 않는다'라는 의미이다 역학역시 넓고 깊은 샘이어서 끊임없이 無邊廣大한 無限疾走 하는 시간을 두고 온갖 대지를 적셔주고 있다.

우리나라에서 그동안 수많은 역학서 들이 번역되고 출간되어 온 것에 대하여 이견이 없다. 먼저 역학의 성립근거는 기존의 역학의 제학습의 연구를 토대로 하여 사람들이 원하는 사상성을 도출해 내는 새로운 연구 분야이기도 하다. 그러므로 지난날의 내 삶을 거울에 비추듯 지금 반조해 본다면 미래의 길은 더욱 더 환히 열리게 된다. 연구해서 얻어낸 결과이며, 철학적 사고와 종교적 사상 또한 몰입으로부터 나왔다 해도 지나친 말이 아니다. 탐내는 것과 원하는 것은 다르다. 탐내는 것은 노력을 하지 않고 얻으려고 할 때 생기는 마음이다. 원하는 것은 노력해서 얻고자 할 때 생기는 보이지 않는 미래는 오늘에 만들어 지고, 오늘의 참되 삶은 지난날에 의해 정해진다고 할 수 있다. 안희성 선생은 명리, 주역, 육효, 풍수와 더불어 성명학에 정점을 찍고 이제 쉬어가는 인생의 종착역에 또다시 새로운 영역인 방대한 분량의 『삼명통회』의 번역 출간에 방점을 찍었다는 것에 놀라움과 경의를 표할 뿐이다.

내가 아는 안희성 선생은 근 반평생을 역학에 몸 바쳐 전국에 수많은 제자가 있는 것으로 알고 있다. 이를 단적으로 나타내는 것은 역학에서는 無不通知의 경지에 이르렀음은 많은 學人諸賢들께서 이미 알고 있고 더 나아가 음지의 학문을 양지로 끌어올린 장본이기도하다. 그 증표가 되는 것은 4년제 정규 대학에서의 직접 동양학 강의를 마다않고 몸 바쳐 제자 양성에 수고와 노력을 아끼지 않는 몇 안 되는 뛰어난 역학의 고수 중 한 사람일 것이다.

맷돌을 돌리면 깎이는 것이 보이지는 않지만, 어느 땐가 다 하고, 나무를 심고 기르면 자라는 것이 눈에 띄지는 않아도 어느새 크게 자란다. 강의와 더불어 후학을 양성하는 것은 아무나 할 수 있는 것이 아니다. 몸에 밴 겸손함과 열정을 가진 뜨거운 마음을 가진 사람만이 후학을 양성하고 그가 가진 진가를 넘겨주는 그야말로 진기를 탈진하는 하나의 여정일 것이다. 또한 기존의 『三命通會』라 명칭 되어온 수많은 도서류 중 학인들이 마땅히 받아들여 공부할 수 있는 서적이 그다지 많지 않은 중 전4권으로 600여 페이지가 넘는 방대하고 세세한 학술서로서의 출현이 더없이 반갑기 그지없다. 이번에 출간하는 『三命通會』는 뼈와 살을 깎고 인고의 시간을 투자한 역작이다. 쉽지 않은 건강에 극심한 통증의 대상포진을 겪고 眼光의 빛을 발하다 얻은 백내장 등 수 없는 역경과 고통을 산고의 고통과 버금가리라 생각이 들며, 일면 안쓰럽고 일면 자랑스럽기도 한 나의 역학제자이자 동지이다. 번역 일에 치중하는가 하면 자신의 내면에 더욱 혹독하게 담금질하여 공주대학교에서 동양학 박사학위도 취득한 지성과 포용을 갖춘 보기 드문 고수이기도 하다. 이는 역학계의 또 다른 자랑이며 자긍심을 심는 기회이기도 하다. 다만 안희성 선생께서 이제는 건강도 돌보고 지켜서 오랫동안 우뚝 선 모습으로 그 자리를 지켜주기를 바랄 뿐이다.

2021년 7월.　한국전통 과학 아카데미 유방현

『삼명통회三命通會』 서문序文

옛적에 복희황제는 하도낙서河圖洛書를 본받아 괘卦를 그리고 역易을 만들어 수數로써 이理를 강구하니 천지의 신비함이 처음으로 드러났다. 주렴계는 태극도太極圖를 만들고, 『통서通書』[1]에서는 음양오행을 천명하니 이理로서 수數가 밝혀져 성명性命의 이치는 더욱 드러나게 되었다. 이理와 수數가 합일되어 천지의 조화가 이수理數를 넘지 않았다는 말이 이것이다. 지금 성가星家들은 조화造化 중에서 인간이 처음 태어난 때의 年·月·日·時를 취하여 사주四柱라 이름하고 이를 명命이라고 불렀다. 그 학설은 낙록자珞琭子에게서 시작하여 이허중李虛中에서 넓혀지고 서거이徐居易에서 번성해졌다. 그 학설을 자세히 고찰해보면 이치가 없다고 할 수는 없다. 다만, 음양오행은 천지간에 유행하는 것이고 생극제화生剋制化일 뿐이다. 지금 생극제화에 허다한 명목을 교묘히 붙여 사람의 운명에 모두 연결지으니 애초부터 천착穿鑿하는 실수를 면하기 어려웠다. 하물며 세상의 용렬한 술수는 도리를 밝히지 못하고 조화에 통달하지 못하면서 겨우 『연원淵源』과 『연해淵海』 등의 책으로 명命을 안다고 쉽게 말해 버린다. 고인古人이 논명論命한 까닭을 물으면 망망하여 대답을 하지 못한다. 그 중에 아는 자가 있어도 역시 조잡하고 천박하고 막혀서 관통하여 궁구하지 못하니 변화를 통달함에 부족함이 없겠는가. 그저 성명星命의 담론은 맞추느냐 못 맞추느냐에 있을 뿐이었다.

나는 이를 병폐로 여겨 널리 고금의 책을 구하여 음양오행과 생극제화를 언급하여 성명星命에 관련되는 것은 반드시 그 근원과 그렇게 되는 이치를 깊이 탐구하였다. 오랜 시간이 흘러 활연히 관통하여 고인古人의 추명론推命論, 납음론納音論, 간지론干支論, 격국론格局論, 재관론財官論, 녹마론祿馬論, 그리고 신살神煞이 변화를 취하는 요체에 모두 지극한 이치가 담겨 있음을 알게 되었다. 하물며 유학儒學에서의 격물치지格物致知[2]의 학문 또한 마땅히 마음을 먼저 궁구하는데 명리命理가 작은 도리라고 어찌 버리겠는가. 어떤 이는 명命의 이치는 미묘하여 성인도 말한 바가 드물었으니[3] 어찌 쉽고 자세하게 담론하는 것이 가능하겠느냐고 한다.

그러나 명命의 이치는 쉽게 말할 수 없다는 그대의 말로써 문제가 다 해결될 수 있겠는가. 명의 이치는 미묘하여 성인이 드물게 말씀하신 것이지만 그러나 일찍이 말씀하지 않은 것은 아니다. 나는 세상에서 사람들이 천명天命을 알지 못하여 망령되이 행동하고, 또 인사人事를 다하지 못하여 죄에 얽혀지는 것을 슬퍼한다. 천명을 알지 못하는 사람은 진실로 말할 것도 없으며 죄에 얽혀지는 자도 명을 알지 못한 것이다. 어째서인가. 대개 인사人事와 천명天命은 서로 유통하므로 인사를 다할 수 있어야 천명을 다할 수 있는 것이다.

명命에는 궁통窮通이 있으므로 하지 않아도 하게 되며, 이루려 하지 않아도 이르게 된다. 반드시 이르게 되어 어찌할 수 없게 된 연후에는 이런 것을 명命이라 말할 수 있다. 그래서 공자는 "군자는 편안하게 살면서 천명을 기다린다."[4]하였다.

사생死生이 명命에 있다는 성인의 뜻은 결단코 알 수 있는 것이다. 나는 이것을 깊이 생각해

---

1) 주렴계의 저술. 본래 《역통易通》이라 칭하여 《태극도설太極圖說》과 표리表裏관계이나 태극도설이 우주론宇宙論을 설명한 데 반해 이 책은 오로지 윤리설倫理說을 가리키고 있다.
2) 『大學』1, "格物 致知 誠意 正心 修身 齊家 治國 平天下"
3) 『論語』9, "子 罕言利與命與仁"
4) 『中庸』14, "君子 居易以俟命, 小人 行險以徼幸"

보았다. 성인이 가르침을 내리신 뜻은 후세에 밝혀지지 못하였고, 명리의 학설이 은미했던 까닭에 그 설명은 자세하지 않았다. 자세히 말하려면 설명할 자료가 많아야 한다. 어찌 감히 명을 쉽게 말하겠는가. 그래서 자료를 널리 모으고 먼 곳에서 인용하고 근원을 거슬러 올라가 뿌리를 찾아보았다.

그리하여 음양의 요점을 찾았고, 다시 간지干支의 시초를 궁구하고, 신살神煞의 길흉을 해석하였다. 어떤 이치에 의거하여 명해名解와 격국格局의 명의名義를 얻고, 어떤 법에 의거하여 실례를 세웠는지 연구하였다. 녹마祿馬는 어떻게 다르며, 재관財官과 납음納音은 어떻게 달라지는가를 연구하였다. 오행에서 남녀의 위상이 다르고 강유剛柔와 행동이 완전히 다르다. 노유老幼는 기운이 달라서 늙어지기도 젊어지기도 하니 그 취함이 한결같지 않다. 질병은 부여받은 기운의 치우침에 의해 정해진다. 사주가 흉하면 단명한 것은 살이 중한 까닭이다.

사주는 먼저 뿌리와 기반을 살피고, 다음으로 세운歲運의 지위와 배성配星의 어둡고 밝음을 살핀다. 그런 연후에 고금古今의 인명人命은 일시日時가 중요함을 입증한다. 이것은 일日을 얻은 전일적인 이유와 시時를 얻은 단독적인 이유를 자세히 살피는 이유이다. 그러나 사람이 일시日時는 같아도 귀천은 아주 다를 수 있다. 그러므로 월령月令과 절기節氣의 심천淺深을 봐야 한다. 팔자八字에 있어서도 장수하고 요절하는 것은 같지 않은 것은 내외內外의 업연業緣이 감응하는 것이 같지 않기 때문이다. 하물며 시간의 차이와 시각에 따라 기운이 나뉘는데 유세幼世에서는 치란治亂이 나누어지고 운運은 이에 따른다. 고금의 풍수風水는 신공神工을 빼앗을 수 있고, 음즐陰騭[5]은 천명을 바꿀 수 있으니 인생에서 때를 만나는 것을 어찌 하나의 실례에서만 논의할 수 있겠는가. 참으로 깨달으면 정신이 통하고, 밝히면 조화造化와 소식消息의 이치는 나에게 있다. 수요壽夭, 궁통窮通, 빈부貧富는 스스로 도피할 수 없다. 성인도 드물게 말씀하신 것을 감히 말하려니 나의 말로 다할 수 있겠는가.

아! 공자는 대성인이다. 스스로 나이 오십에 비로소 지천명知天命하였다고 하셨다.[6] 그래서 나에게 몇 년을 더 살게 해준다면 역易을 배우겠다고 하셨다.[7] 역易이란 것은 천명天命을 아는 학문이다. 성문聖門 제현諸賢 중에서 자공子貢보다 영오穎悟한 자는 없는데 훌륭하다는 감탄을 들은 적이 없다. 그렇다면 나의 이 저술은 하나의 역易에 대한 이론이요, 천명天命을 알고자 하는 학문이다. 역을 받아들임에 있어 어찌 쉽게 말하겠는가. 옛적에 엄평嚴平은군이 성도시成都市에서 점을 치면서 사람들이 얻은 괘를 가지고 점술이 아닌 권선징악勸善懲惡의 교훈을 베풀었는데 군자들은 지금까지 이를 칭송한다. 나의 마음이 또한 이와 같다. 그리고 어찌 내가 역을 안다고 자세하게 말하겠는가. 혹자가 "명을 들음을 공경히 하라."고 말하였는데, 나는 이 말을 펼쳐서 『삼명통회三命通會』의 서문으로 삼는다.

만력萬曆[8] 6년 戊寅年 늦가을 길일에 前進士 楚江易水 育吾山人 萬民英 쓰다.

---

5) 조상의 음덕
6) 『論語』2, "五十而知天命"
7) 『論語』7, "子曰 加我數年 五十以學易 可以無大過矣"
8) 중국 명대明代 神宗 재위의 연호, 萬曆 6년은 1578년이다.

三命通會 序

昔者 羲皇則河圖洛書劃卦作易 乃因數窮理 而天地之秘始洩 周茂叔作太極圖 通書闡陰陽五行 乃因理明數 而性命之蘊益著 理數合一而造化不越是矣. 今聖家者流 乃就造化中於人有生之初 推年月日時 立名四柱 而謂之命 其說肇於珞琭子 衍於李虛中 盛於徐居易 細考其說 不可謂無理也. 但陰陽五行 流行天地間生剋制化而已. 今乃於生剋制化 中巧立許多名目 以盡人之命 未免已失之鑿 矧世庸術 不明道理 達造化 僅能誦淵源 淵海等書 便謂知命 及詢古人論命之所以然 茫然 無以應之 間有知者 又粗淺執滯 弗能洞究 達變無怪乎 星命之談 有准與不准也. 余為此病 乃博求古今之書 凡語及陰陽五行生剋制化 有關星命者 必深探其源頭所以然之理 久則豁然通貫 乃知古人推命 論納音 論干支 論格局 論財官 論祿馬 論神煞 取用變化 要皆有至理寓焉 矧吾儒格致之學 茲亦所當究心者 惡可槩以小道棄之哉. 或曰 命之理微 聖人罕言 何談之易 而言之詳 豈命之理 盡於子之言乎. 余曰 命之理微 此聖人所以罕言然 未嘗不言也. 余悲不世人不知天命 而妄圖冥行 又悲夫人事未修 而諉罪 天命不知者 固無足言 而諉罪者 則未為得也. 何也 盡人事與天命 相為流通 能盡人事 即所以盡天命 而命有窮通 莫之為而為 莫之致而至必至 無可奈何然後 斯可以言命也. 故 孔子曰 君子居易以俟命 又曰 死生有命 聖人之意 斷可識矣. 余深念 聖人垂教之意 後世不明 而命之理微 故其說不得不詳說之 既詳故 其術不得不多 而何敢談之易也. 是故博搜遠引遡源求根 既探陰陽之精 復窮干支之始 釋神煞之吉凶 據何理而得名解 格局之名義 憑何法而立例 祿馬何異乎 財官納音何殊乎. 五行男女位分 剛柔行藏頓異 老幼氣別衰嫩 取用不同 疾病由稟受之偏 凶短本受煞之重 先察根基 次詳歲運地 配星野時 看晦晴然後 証以古今人命 重以日時 參詳以日得之傳 時得之獨故也. 然人有日時同 而貴賤迥然 乃月令節氣淺深之辯 有八字等 而壽夭不齊 寔內外業緣所感之隨 矧時差刻漏 氣判正 幼世分治亂運隨 古今風水可奪神工 陰騭可改天命 人生遭際 修為安得一例論乎 誠能會而通之神而明之 則造化消息之理在我 而壽夭窮通貴賤貧富 自莫能逃 敢謂聖人罕言 而殫於余之言乎 嗚呼 孔子大聖人也. 自敍五十始知天命 故曰 加我數年 五十以學易 易也者 知天命之學也. 聖門諸賢 領悟莫如子貢 嘆不可得而聞 然則 予所著述 一易之理 知天命之學也. 豈容以易易言哉 昔嚴君平隱 成都市 假以賣卜 因人所得之卦 而勸善懲惡 君子至今稱之 余之心 亦猶是也. 又惡知談之易 而言之詳乎. 或曰 敬聞命矣. 遂次其言 以為三命通會敍云.

萬曆 六年 戊寅 季秋 吉日 前進士 楚江易水 育吾山人 萬民英 書.

삼명통회三命通會(4-1권)

역자의 말 ··· 7
추천사 (신수훈) ·· 8
추천사 (유방현) ·· 9
삼명통회 서문 ·· 10

삼명통회 제1권

낙서지도洛書之圖 ··· 17
하도지도河圖之圖 ··· 18
1. 원조화지시原造化之始 ··· 21
2. 논오행생성論五行生成 ··· 31
3. 논오행생극論五行生剋 ··· 35
4. 논간지원류論干支源流 ··· 37
5. 논십간명자지의論十干名字之義 ··· 40
6. 논십이지명자지의論十二支名字之義 ·· 41
7. 총론납음總論納音 ··· 43
8. 논납음취상論納音取象 ··· 50
9. 석육십갑자성질길흉釋六十甲子性質吉凶 ··································· 59
10. 육십갑자납음취상六十甲子納音聚相 ·· 114

삼명통회 제2권

1. 논하도급홍범오행論河圖及洪範五行 ·· 119
2. 논천간음양생사論天干陰陽生死 ··· 121
3. 논지지論地支 ··· 132
4. 십간분배천문十干分配天文 ·· 135
5. 십이지분배지리十二支分配地理 ··· 139
6. 논지지속상論地支屬相 ··· 143
7. 논인원사사論人元司事 ··· 145
8. 논사시절기論四時節氣 ··· 148
9. 논일각論日刻 ··· 152
10. 논시각論時刻 ··· 153
11. 논태양전차태음납갑급출입회합論太陽躔次太陰納甲及出入會合 ····· 158

12. 논오행왕상후수사병기생십이궁論五行旺相休囚死並寄生十二宮 ················· 163

13. 논둔월시論遁月時 ·· 166

14. 논년월일시論年月日時 ·· 167

15. 논태원論胎元 ·· 170

16. 논좌명궁論坐命宮 ·· 173

17. 논대운論大運 ·· 174

18. 논소운論小運 ·· 182

19. 논태세論太歲 ·· 184

20. 총론세운總論歲運 ·· 187

21. 논진교퇴복論進交退伏 ·· 189

22. 논십간합論十干合 ·· 190

23. 논십간화기論十干化氣 ·· 195

24. 논지원육합論支元六合 ·· 201

25. 논지원삼합論支元三合 ·· 204

26. 논장성화개論將星華蓋 ·· 207

27. 논함지論咸池 ·· 208

28. 논육해論六害 ·· 209

29. 논삼형論三刑 ·· 212

30. 논충격論衝擊 ·· 218

삼명통회 제3권

1. 논십간록論十干祿 ·· 221

2. 논금여論金轝 ·· 226

3. 논역마論驛馬 ·· 226

4. 총론록마總論祿馬 ·· 235

5. 논천을귀인論天乙貴人 ·· 236

6. 논삼기論三奇 ·· 245

7. 논천월덕論天月德 ·· 248

8. 논태극귀論太極貴 ·· 251

9. 논학당사관論學堂詞館 ·· 252

10. 논정인論正印 ··· 258

11. 논덕수論德秀 ··· 260

12. 논겁살망신論劫煞亡神 ··· 260

13. 겁살일십육반劫煞一十六般 ······································· 262

14. 망신십육반亡神十六般 ··· 265

15. 논양인論羊刃 ·· 269

16. 논공망論空亡 ·· 272

17. 논원진論元辰(屬毛頭星) ·· 278

18. 논암금적살論暗金的煞 ·· 280

19. 논재살論災煞 ·· 281

20. 논육위論六危 ·· 282

21. 논구교論勾絞 ·· 283

22. 논고진과숙論孤辰寡宿 ·· 283

23. 논천라지망論天羅地網 ·· 286

24. 논십악대패論十惡大敗 ·· 287

25. 논간지제자잡범신살論干支諸字雜犯神煞 ·················· 290

26. 총론제신살總論諸神煞 ·· 292

27. 인신사해사궁호환신살寅申巳亥四宮互換神煞 ············ 300

28. 자오묘유사궁호환신살子午卯酉四宮互換神煞 ············ 315

29. 진술축미사궁호환신살辰戌丑未四宮互換神煞 ············ 325

30. 전투복항형충파합戰鬪伏降刑衝破合 ························· 331

낙서지도洛書之圖

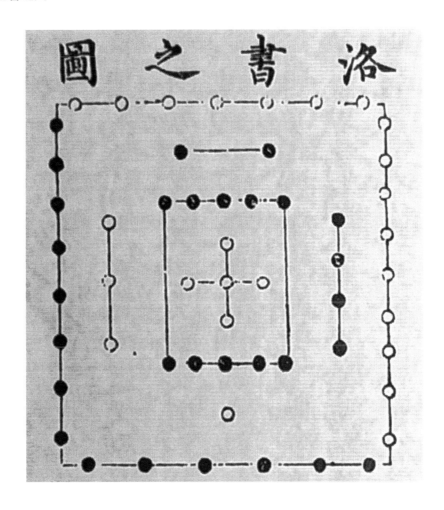

　낙마출서洛馬出書, 낙서洛書가 처음 나타났을 때, 하나의 백점과 여섯 개의 흑점이 있었다. 그 북쪽 꼬리 가까이에는 일곱 개의 백점과 두 개의 흑점이 있었고, 등 부분의 머리 가까이에는 세 개의 백점과 여덟 개의 흑점이 있었다. 등 왼쪽에는 아홉 개의 백점과 네 개의 흑점이 있었으며, 등 오른쪽에는 다섯 개의 백점과 열 개의 흑점이 있었다. 등 가운데에는 대요씨大撓氏가 확정하여 一과 六이 아래에 있게 되어 북쪽으로 합쳐져서 水를 생하니 亥와 子가 소속하게 되었다. 二와 七은 위에 있어 남쪽과 합쳐져서 火를 생하니 巳와 午가 소속되었다. 三과 八은 왼쪽에서 동東으로 합하게 되어 水를 생하니 寅과 卯가 소속되었다. 四와 九는 오른쪽에 있고 서쪽과 합쳐져서 金을 생하니 申과 酉가 소속하게 되었다. 五와 十은 가운데 있어 중앙과 합치게 되어 土를 생하니 辰戌丑未가 속하게 되니 이것이 사유四維이다. 이로써 땅의 기운이 무겁고 탁해지게 되었다. 　(夫洛馬出書之初有一白點六黑點在北近尾七白點二黑點在背近頭三白點八黑點在背之左九白點四黑點在背之右五白點十黑點在背之中大撓定之一六在下合于北生水亥子屬焉二七在上合于南生火巳午屬焉三八在左合于東生水寅卯屬焉四九在右合于西生金申酉屬焉五十在中合于中生土辰戌丑未屬焉四維也.斯地之氣重濁焉.)

하도지도河圖之圖

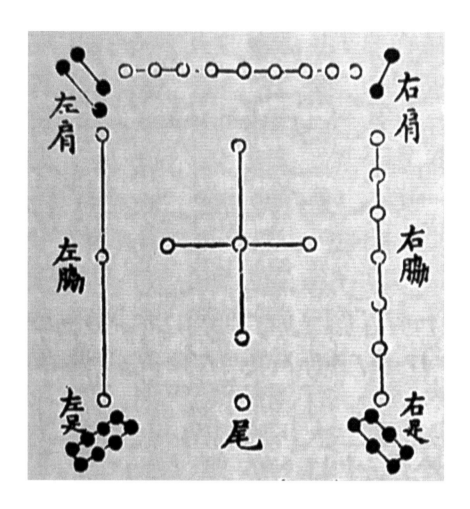

하룡부도河龍負圖, 하수河水에서 용龍이 그림을 등에 지고 나타났다고 할 때, 그 용은 용이 아니라 큰 거북이다. 그 등위에 있는 무늬는 하나의 긴 획과 두 개의 짧은 획이었다. 하나의 백점에는 꼬리 가까이에 아홉 개의 자주색 점이 있었고, 머리 가까이에는 네 개의 푸른 점이 있었다. 어깨의 왼쪽에는 두 개의 흑점이, 어깨의 오른쪽에는 여섯 개의 백점이 있었다. 발의 오른쪽 가까이에는 여덟 개의 백점이, 발의 왼쪽 가까이에는 세 개의 푸른 점이 있었다. 옆구리 왼쪽에는 일곱 개의 붉은 점이, 옆구리 오른쪽에는 다섯 개의 누런 점이 있었다. 등 가운데에는 아홉 개가 있었는데 모두 일곱 색이었다. 복희 황제가 이 아홉 자리로서 방향을 정하였고, 두 개의 긴 획과 두 개의 짧은 획으로 효를 만들고, 삼재三才:天地人로서 방위를 설립하니 역의 도리는 이로 말미암아 생겨나게 되었다. (夫河龍負圖者非龍也.乃大龜也.其背上所有之紋一長劃二短劃一白點近尾九紫點近頸四碧點在肩之左二黑點在肩之右六白點近足之右八白點近足之左三祿點在脇之左七赤點在脇之右五黃點在背之中九所而七色焉義皇以九位而定方以二長劃二短劃而生爻以三才而設位易道由是而生矣.)

내가 고찰해보니, 역易에서 하도河圖와 낙서洛書를 말한 이래로 성인이 이를 본받아 일찍이 밝게 말하지 않은 적이 없다. 하도와 낙서에 보이는 숫자들은 한유漢儒들이 지적해서 본 바와 같이, 복희伏羲가 이를 보고 방향을 정하고, 괘卦를 그렸다. 대우大禹가 범주의 차례를 정할 때 오행을 머리에 두었으니 술가術家들의 학설들이 이것이다. 하물며 낙서洛書의 수수數는 술가에서는 대요씨大撓氏가 확정한 것이라 여겼으니 우리 유자들의 설과는 아주 다르다. 송宋나라 정주程朱는 一과 六이 북쪽에 있어 하도는 九를 머리에 이고 一을 밟아 낙서가 되었다고 한다. 이것은 한유들의 구설舊說에서 말한 것일 뿐이다. 준천왕자浚川王子는 복희가 역을 만들 때 음양이라는 두 개의 획에서 시작하였을 뿐이었다고 말한다. 그래서 역에는 태극이 있고, 태극은 음양을 생하고, 음양은 사상四象을 생하고, 사상은 팔괘八卦를 생하니 선후先後와 자연의 차례는 인간의 힘으로 억지로 배열한 것이 아니었다. 지금은 하도의 수로써 역을 만드니 이것은 따르지 않는다. 태극을 역으로 보는 것이 어찌 중니仲尼에게 맞지 않는다면, 역에 태극이 있다는 논의는 잘못이리라! 역은 하도낙서와 연계되었으니 성인이 이를 본받은 뜻은 팔괘의 획이 천지에서 나와 보여주는 것이 자연의 무늬이다. 그 실제는 성인聖人 신도神道가 가르침을 베푼 뜻인 것이다. 한유漢儒는 여기에서 벗어나지 않았다. 이것이 복희가 괘를 그린 것으로 하도의 무늬에 근본을 둔 것이다. 대우大禹는 펼쳐 범주로 만들었으니 낙서洛書의 무늬를 꾸며서 말한 것이다. 역에 말하길, 천天은 一, 지地는 二, 천은 三, 지는 四, 천은 五, 지는 六, 천은 七, 지는 八, 천은 九, 지는 十이니 이로서 천은 양이 된다. 그래서 숫자로는 一·三·五·七·九이다. 지는 음이니 숫자로는 二·四·六·八·十이 된다. 이것이 오로지 시초蓍草를 배열하는 뜻이다. 그래서 먼저 천지天地와 기수, 우수의 숫자 五와 十이 있음을 말하였다. 五는 성인이 대연의 五를 뽑아 사용하였고, 十은 천하 기우의 숫자를 본받는 것을 드러내었다. 아래로는 이것으로 사시四時의 상象이 되고, 삼재三才의 상으로 되게 하였으니 그 상의 뜻은 모두 동일한 것이었다. 하도의 숫자에서 어찌 서로 벗어남이 있겠는가! 하물며 천은 一이요, 지는 二라는 말은 역易을 만든 뒤에 배열된 것으로 역을 처음 만들 때가 아님을 말한 것이다. 일상의 사건에서 어찌 그림을 취하였겠는가. 아마도 성인은 도서圖書는 모두 괘를 그린 것을 말한 것이므로 우禹가 이를 본받아 범주를 밝힌 것은 아니리라. 홍범구주洪範九州[9]를 보면, 천하를 다스린 대경대법大經大法은 주周나라 관직이 구식九式과 구양九兩의 뜻을 따랐는데 이것은 숫자가 아니다. 기자箕子는 하늘이 준 것은 水土에 불과하지만 이를 고르게 하여 오행의 정치를 닦을 수 있고, 오행의 정치를 닦아 천하의 모든 정치를 다스릴 수 있다고 처음으로 말하였다. 그래서 땅이 평평하고 하늘이 이루어졌을 때, 하늘은 우禹에게 대법大法을 주면서 말하길, 하늘은 이 하늘이므로 나는 천하를 다스리고 윤리를 밝히니 이것이 구자九者로 하나라고 빠져서는 안 되는 것일 뿐이라 한다. 홍범의 순서를 보고, 오행을 머리에 두고, 다음으로 오사五事를, 다음으로 팔정八政으로 하늘에 근본을 두고 사람에게 미루어서 오사五事의 차례 팔정八政의 차례 하늘을 가지고 사람에 미루어 본 것이다. 다음으로 오기五紀를, 삼덕三德을, 계의稽疑를 차례대로 여덟으로서 하늘과 부합된다. 그 다음으로 서징, 오복, 육극으로 이어지니 사람이 느끼고 하늘이 감응하여 황극이 그 주인이 되는 것이다. 그래서 중에 거처하게 된다. 그 선후와 차례에서 경중과 완급을 마땅히 이와 같이 한 것이다. 생각건대, 대우大禹가 이를 글

---

9) '洪範九疇'는 하夏나라 禹王이 남겼다는 정치 이념으로 『書經』, 周書, 洪範篇에 실려 있다. 홍범은 대법을 날하고, 구주는 9개의 조목이다. 그 9조목은 '五行', '五事', '八政', '五紀', '皇極', '三德', '稽疑', '庶徵', '五福과 六極'을 말한다.

로 써서 오로지 후세에 전하고, 기자箕子가 홀로 이를 전한 것이다. 괘를 그리고, 계의稽疑한 것은 범주 중의 하나의 일이 되었으니, 어찌 낙서의 숫자로써 당연하지 않겠는가! 해기자海沂子가 말하길, "성인은 하도를 보고 건곤乾坤의 상을 깨달아 괘를 생하였고 낙서를 보고 천지의 수를 깨달아 이를 펼쳐 세상에 드러내셨다."고 하니 어찌 말을 아는 것이 아니겠는가! (余按易言河出圖洛出書聖人則之未嘗明言圖書之數如漢儒所指觀伏羲定方劃卦大禹第疇首五行則述家之說是也.況洛書之數術家以爲大撓定之與吾儒之說逈別 宋程朱以一六居北爲河圖戴九履一爲洛書亦因漢儒之舊云爾.浚川王子以伏羲作易造端於陰陽二劃而故曰易有太極是生太儀兩儀生四象四象生八卦先後自然之序有非人力强爲排比今曰因河圖之數以作易是不從太極以爲易豈不於仲尼易有太極之論戾乎.易繫河出圖洛出書聖人則之意以八卦之八卦之書出於天地所示自然之文其實聖人神道設敎之意也.漢儒不違乎此乃以伏羲劃卦爲本於河圖之文大禹衍疇爲則於洛書之文則誣矣.易曰天一地二天三地四天五地六天七地八天九地十是以天陽也.故數一三五七九地陰也.故數二四六八十此專論揲著之義故先言天地奇耦之數五十有五聖人立揲用太衍之五十以見法象于天地奇耦之數與下象四時象三才等象同一義也.於河圖之數何相涉乎.況天一地二之辭爲作易後立揲而言非作易之始事而何以取圖爲哉又疑聖人則圖書皆言劃卦非禹則之明疇也.觀洪範九疇乃治天下之大經大法如周官九式九兩之義非數也.箕子首言天錫不過水土平而五行之政可修五行之政修而治天下之庶政可舉故於地平天成之時天乃錫禹大法曰天者是天予以治天下敍彝倫此九者不可缺一云爾觀疇次第首五行次五事次八政本天而推之於人次五紀次三德次稽疑以八而合乎天次庶徵次五福六極則人感天應而皇極乃其主也.故居中焉其先後次第輕重緩急自當如此想大禹筆之書以專後世而箕子獨傳之也.劃卦稽疑乃疇中之一事惡可以洛書之數當哉海沂子曰聖人觀河圖悟乾坤之象而生卦觀洛書悟天地之數而衍著豈知言哉.)

1. 원조화지시原造化之始

노자가 말하였다.

"무無는 천지天地의 시작을 말하고, 유有는 만물의 어머니를 말한다. 혼돈 상태에서 생긴 것이 있어 하늘과 땅보다 먼저 생겨났다."(老子曰,無名天地之始,有名萬物之母,有物混成,先天地生.)

열어구列禦寇[10]가 말하였다.

"유형有形은 무형無形으로부터 생겨났다. 천지의 처음은 태역太易이 있고, 태초太初, 태시太始, 태소太素가 있다. 태역太易은 아직 기氣가 드러나기 전의 상태이고, 태초太初는 기가 생기기 시작한 상태이고, 태시太始는 형形의 처음이요, 태소太素는 질質의 처음이요, 기氣와 형질形質이 합하여 분리되지 않은 것을 혼륜渾淪이라고 말한다."(列禦寇曰,有形生於無形,天地之初,有太易,有太初,有太始,有太素,太易者,未見氣,太初者,氣之始,太始者,形之始,太素者,質之始,氣與形質合而未離.曰渾淪.)

『역기曆紀』에서 말하였다.

"천지天地가 형성되기 전에는 혼돈混沌의 상태가 마치 달걀과 같았다. 원기元氣가 아직 나뉘지 않은 명행溟涬이 처음으로 싹을 틔우고, 형체와 기氣가 다 갖추어지지 않은 홍몽鴻濛이 싹을 기른다."(歷紀云,未有天地之時,混沌如鷄子,溟涬始芽,鴻濛滋萌.)

『율력지律歷志』에서 말하였다.

"태극太極의 원기는 3가지가 하나의 역易이 된 것이다."(律歷志云,太極元氣,函三爲一.)

역易에서 말하였다.

"역易에는 태극太極이 있어 태극이 양의兩儀를 낳고 양의는 사상四象을 낳고 사상은 팔괘八卦를 낳으니 팔괘로서 길흉을 정하는 것이다."(易曰,易有太極,是生兩儀,兩儀生四象,四象生八卦,八卦定吉凶.)

『역소易疏』에서 말하였다.

"태극은 천지가 나누어지기 전이다. 원기元氣가 섞여서 하나가 된 상태이다."(易疏云,太極謂天地未分之前,元氣混而爲一.)

몽천자蒙泉子가 말하였다.

"태초太初는 이理의 시작이고, 태허太虛는 기氣의 시작이고, 태소太素는 상象의 시작이고, 태을太乙은 수數의 시작이다. 그래서 태극太極에서 이기理氣와 상수象數가 함께 시작하는 것이다.

---

10) BC 400년경에 만들어진 책으로, 『노자』, 『장자』와 함께 도가道家에 속하며, 고대 우화의 보고寶庫이다. 저자는 고대 도가의 한 사람인 열자(이름은 어구禦寇)라고도 하지만, 후세 사람이 열자의 이름으로 저술했다는 설이 유력하다.

수를 가지고 이를 논한다면 가히 혼륜渾淪이 나누어지기 전, 단지 하나의 기氣가 혼합混合하여 묘명혼미杳冥昏迷한 것이다. 이理가 그 가운데 있지 않은 적이 없고 도道와 하나가 되니, 이를 일러 태극太極이라 한다.”(蒙泉子曰, 太初者, 理之始也, 太虛者, 氣之始也, 太素者, 象之始也, 太乙者, 數之始也, 太極者, 兼理氣象數之始也. 由數論言之, 可見渾淪未判之先, 只一氣混合, 杳冥昏昧, 而理未嘗不在其中, 與道爲一, 是謂太極.)

　　장자는 도道가 태극太極보다 먼저 존재한다고 하였다. 소위 태극이란 천지인天地人의 삼자三者를 말하는데 기氣와 형形이 이미 갖추어졌으나 아직 나누어지지 않은 것을 말하고, 도道는 만물이 텅빈 공간에서 작용하고 태극太極보다 먼저 존재했다고 하였다. 그러나 장자는 도가 곧 태극이고 태극이 곧 도란 것을 알지 못한 것이다. 이理가 통通하고 행行하는 것이 즉 도道이고, 그 이理의 지극함을 태극이라 한다. 어찌 둘이 다르다고 하겠는가? 주자周子가 그 비밀을 풀고 주자朱子가 자세하게 그것을 밝히지 않았다면 누가 태극太極의 이理와 기氣가 서로 분리할 수 없음을 알았겠는가? (莊子以道在太極之先, 所謂太極, 乃是指天地人三者, 氣形已具而未判者之名. 而道又別是一懸空底物, 在太極之先, 不知道即太極, 太極即道, 以其理之通行者言, 則曰道, 以其理之極至者言, 則曰太極, 又何嘗有二邪. 向非周子啓其祕, 朱子闡而明之, 孰知太極之爲理, 而與氣自不相離也哉.)

　　이른바 태극은 음양과 동정動靜의 본체이다. 형기形氣에서 분리할 수 없고 소리와 냄새도 없는 것이다. 변화가 끝이 없지만 실제로는 규칙이 있다. 한번 동動하면 한번 정靜하고, 서로가 그 뿌리가 되어 음양으로 나누어지니 양의兩儀가 성립된다. (所謂太極者, 乃陰陽動靜之本體, 不離於形氣, 而實無聲臭, 不窮於變化, 而實有準則, 故一動一靜, 互爲其根, 分陰分陽, 兩儀立焉.)

　　양의兩儀는 물物이다. 대개 물物이라는 것은 상대가 없으면 시작할 수 없으며 독립적일 수 없다. 하늘의 기氣가 덮음으로 땅은 의지하게 되고, 땅이 형形을 실으므로 하늘이 있는 것이고 이理와 그 기氣가 있으니 음양이라 일컫는 것이다. (儀者物也, 凡物未始無對, 而亦未嘗獨立, 天以氣覆而依乎地, 地以形載而附乎天, 有理斯有氣, 陰陽之謂也.)

　　기가 있고 형이 있으니 천지라 말하는 것이다. 천지는 천지로부터 생겨날 수 없으며 음양에서 생겨나는 것이다. 음양은 음양으로 생겨날 수 없으며 동정으로 생겨나는 것이다. 동정動靜은 동정으로 생겨날 수 없고 태극으로부터 생겨나는 것이다. (有氣斯有形, 天地之謂也, 天地不生於天地, 而生於陰陽, 陰陽不生於陰陽, 而生於動靜, 動靜不生於動靜, 而生於太極.)

　　대개 태극太極이라는 것은 본연本然의 묘妙이다. 동정이란 것은 일어나는 것의 기틀이 되는 것이고 음양이란 것은 소생所生하는 근본이 되는 것이다. (蓋太極者, 本然之妙也, 動靜者, 所乘之機也. 陰陽者, 所生之本也.)

　　태극은 형이상形而上으로서 도이고, 음양은 형이하形而下로서 그릇인 것이다. 동정은 끝이 없고 음양은 처음이 없으니 조화造化는 이것으로 말미암아 세워진 것이다. (太極形而上,道也,陰陽形而下,器也,動靜無端,陰陽無始,此造化所由立焉.)

백재하자栢齋何子가 말하였다.

"천天은 양陽이고 동動하는 것인데, 과연 언제 동動이 극에 이르러 정靜할 것인가? 지地는 음陰이고 정하는 것인데, 과연 언제 정靜이 극에 이르러 동動할 것인가? 하늘은 땅을 생겨나게 할 수 없고, 수水는 화火를 생할 수 없다. 지혜로운 자 어리석은 자 막론하고 이를 모두 알고 있으니, 음양상생相生이라는 말 또한 그릇된 것이 아니겠는가! 천지天地의 수화水火가 비록 혼연渾然하여 분리될 수 없을지라도 실제는 확연하고 어지럽지 않은 것이다. 따라서 음과 양은 서로 의지한다는 말은 옳고, 상생相生한다는 말은 옳지 않다. 서로를 그 자신의 집에 지니고 있다는 호장기택互藏其宅이라는 말은 옳고, 서로 상생相生을 감추고 있다는 말은 옳지 않다." (栢齋何子曰,天陽之動者也,果何時動極而靜乎? 地陰之靜者也,果何時靜極而動乎? 天不能生地,水不能生火,無智愚皆知之.乃謂陰陽相生,不亦誤乎! 蓋天地水火,雖渾然不可離,實燦然不可亂,故陰之與陽,謂之相依則可,謂之相生則不可.謂之互藏其宅則可,謂之互藏相生則不可.此言的有見也.)

대저 천지가 세워지기 전에는 도道가 천지의 근본이고, 천지가 성립되면 태극의 이치가 세상에 산재散在하게 되고 오행이 나타난다. 오행은 과 하나이다. 다섯 가지로 다르지만 음양 두 가지의 결과이다. 더도 아니고 덜도 아니다. (夫天地未立,道本天地,天地既立,則太極之理散在萬事.由是而五行生焉,五行一陰陽,五殊二實,無餘欠也.)

음양은 태극과 하나로서 정조精粗와 본말本末에서 피차간의 구별이 없다. 오행은 땅에서는 질質로 구현이 되고, 하늘에서는 기氣로 형성이 된다. 질質로서 말하면 로 생겨나는 순서가 水 火 木 金 土인데, 水木은 양陽이고 火金은 음陰이다. (陰陽一太極,精粗本末,無彼此也,五行質具於地,而氣形於天,以質而語,其生之序,則水火木金土,而水木陽也,火金陰也.)

기氣로서 말하면 그 운행하는 차례가 木 火 土 金 水이다. 火木은 양이고 水金은 음이다. 그리고 총괄해서 말하면, 기는 양이고 질은 음이다. 또 어긋나게 그것을 말하면, 양은 동이고 음은 정이다. (以氣而語,其行之序,則曰木火土金水,而火木陽也,水金陰也,又統而言之,則氣陽而質陰也,又錯而言之,則動陽而靜陰也.)

대개 오행의 변화는 지극하여 끝이 없다. 만물에 고루 작용하지 않으면 음양의 도가 아니다. 그리고 그것이 음양이 되는 까닭은 만물에 고루 작용하지 않으면 태극의 본연이 아니다. (蓋五行之變,至不可窮,然無適而非陰陽之道,其所以爲陰陽者,則又無適而非太極之本然也.)

백재하자栢齋何子가 말하였다.

"오행과 음양은 하나이고 음양과 태극은 하나이다. 주자周子는 태극은 음양 이외에 있을 수 없고 음양은 오행 이외에 있지 않다고 단언하였다. 요즘 사람들은 水는 물이고, 火는 불이고, 金木水火土가 교차하여 변화하고, 土는 땅이라고 한다. 그러면 하늘은 어디에 존재하는가? 땅이 있는데 하늘이 없다면 조화가 온전하겠는가? 만약에 하늘이 곧 태극이라면 어떠한가? 그러므로 주자朱子는 하늘 위에 작용하는 것을 태극이라 해석하였고, 하늘의 도가 유행流行하는 것을 음양이라 해석했다. 역易에서 말한 바를 살펴보면 역易은 태극이 있어 양의兩儀를 생하고, 양의는 사상四象을 생하고, 사상은 팔괘八卦를 생하고, 팔괘 가운데 건곤乾坤이 있는 것이니, 천지의 모두가 태극의 분체分體임이 분명하다. 그러면 하늘이 태극의 전체이고 땅이 하늘의 분체分體이니 어찌 오류誤謬가 심하지 않겠는가?"(栢齊何了曰,五行一陰陽,陰陽一太極.周子固謂太極不外乎陰陽,陰陽不外乎五行矣.自今論之,水水也,火火也,金木水火土之交變也.土地也,天安在乎.有地而無天,謂造化全可乎.若以謂天卽太極,故朱子以上天之載釋太極,天道流行釋陰陽,觀易曰,易有太極,是生兩儀,兩儀生四象,四象生八卦,八卦之中有乾有坤,則天地皆太極之分體明矣.以天爲太極之全體,而地爲天之分體,豈不誤甚也哉.)

이 설명은 이치가 있는 듯하다. (其說似有理也.)

무릇 오행은 생겨나면서 각각 하나의 특성을 지닌다. 사시四時를 유행流行하는데 역시 순서가 있다. 봄은 생겨나고 여름은 자라나고 가을은 시들고 겨울은 저장하는 것이다. 봄에서 여름으로 여름에서 가을로 가을에서 겨울로 겨울은 다시 봄으로 순환 상생하며 무궁한 것이다. 대개 오행은 질質이 다르고 사시四時는 기기氣가 다르고 모든 것이 음양을 벗어날 수 없고 음양은 자리가 다르고 동정의 때가 다른 것으로서 모든 것이 태극을 떠날 수 없는 것이다. 태극은 소리와 냄새가 없는 것으로서 성性의 본체인 것이다. (夫五行之生,各一其性,四時之行,亦有其序.春以生之,夏以長之,秋以肅之,冬以藏之,春而夏,夏而秋,秋而冬,冬而復春,而相循無窮.蓋五行異質,四時異氣,而皆不外乎陰陽,陰陽異位,動靜異時,而皆不離乎太極.至於所以爲太極者,又無聲臭之可言,是性之本體然也.)

오행은 각각 하나의 특성이 있으므로 소위 각각 하나의 태극을 갖추고 있는 것이다. 사시는 저절로 그 순서가 있는 것으로 하나의 태극으로 운용되는 것이다. 오행은 사시를 순환하고 다시 시작하는 것이니 총체적으로 하나의 태극이 되는 것이다. 그 특성은 존재하지 않는 곳이 없는 것을 알 수 있다. 무릇 천하에 오행의 특성이 없는 만물은 없고 오행의 특성이 존재하지 않는 곳이 없다. 이것은 무극無極과 二五(음양오행)이 혼융되어 간극이 없게 되므로 묘합妙合이라 한다. 무극無極은 이리이고 二五(음양오행)은 기기氣이다. 진眞은 이리를 의미하며, 태극은 망령됨이 없다는 말이다. 정精은 기기氣를 의미하며 음양과 오행은 둘이 아니라는 말이다. 응凝은 기가 모이는 것이다. 기가 모이면 형을 이룬다. (故五行各一其性,所謂各具一太極也,四時自有其序,所謂運用一太極也,五行四時,週而復始,所謂統體一太極也.而性之無所不在,又可見矣,夫天下無性外之物,而性無不在,此無極二五,所以混融而無間,所謂妙合者也.無極是理,二五是氣,眞以理言,太極無妄之謂也.精以氣言,陰陽五行不二之謂也,凝者聚也,氣聚而成形也.)

성性을 위주로 살펴보면 음양오행은 경위經緯가 착종錯綜하여 각각 유사한 것들이 엉기고 모여서 형形을 이룬다. 양은 강건하여 남자가 되니 곧 부父의 도道가 된다. 음은 온순하여 여자가 되니 곧 모母의 도가 된다. 그러므로 사람과 만물은 처음에 기가 화化하여 생겨나는 것이다. 기가 모이면 형을 이루고, 형이 기와 교감하면 형이 변화를 이루게 된다. 그래서 만물은 생을 이어가니 변화가 무궁한 것이다. (蓋性爲之主,而陰陽五行爲之經緯錯綜,又各以類凝聚而成形焉.陽而健者成男,則父之道也.陰而順者成女,則母之道也.是人物之始,以氣化而生者也,氣聚成形,則形交氣感,遂以形化,而萬物生生,變化無窮矣.)

포노재鮑魯齋[11]가 말하였다.

"천지의 기가 교감하여 사람과 만물이 생겨나는 것이다. 그 교감하는 바를 살펴보면 기가 이르는 곳에는 그 유사한 것들이 따라 나오는 것을 알 수 있다. 하늘의 기가 땅에 교감하게 되면 사람으로는 남자가 되고 만물로는 수컷이 된다. 땅의 기가 하늘에 교감하게 되면 사람으로는 여자가 되고 만물로는 암컷이 된다. 남녀와 암수는 각각 스스로 교합하여 끊임없이 화化하며 무궁한 것이다. 사람과 만물이 생겨나면 기가 천지를 따라 승강昇降하여 교감하게 된다. 사람은 천지의 중화된 기를 얻어 사방의 기운에 감응하지 않음이 없는 것이다. 물物은 천지의 편향된 기를 얻으므로 각기 감정感情에 따르게 된다. 그러므로 천지의 기가 교류하는 것을 살펴보면 사람과 사물이 처음 생겨난 것을 알 수 있는 것이다. 천지의 기가 감응하는 것을 살펴보면 사람과 사물이 서로 상생함을 알 수 있다."(鮑魯齋曰,天地以氣交而生人物,觀其所交,則氣之所至可以知其類之所從出矣.天氣交乎地,於人爲男,於物爲牡,地氣交乎天,於人爲女,於物爲牝,男女牝牡,又自交而生生化化不窮,人物旣生,氣隨天地之氣升降交感,人得天地之中氣,四方之氣無不感,物得天地之偏氣,而亦各隨所感,故觀天地之氣交,可以知人物之初生矣.觀天地之氣感,可以知人物之相生矣.)

주자朱子가 말하였다.

"건乾의 도는 남자가 되고 곤坤의 도는 여자가 된다. 조화의 처음에 응결된 체體로서 음양의 두 기가 교감하여 만물을 화생化生하고, 조화造化가 이루어진 후에도 유행한다. 이 이치는 언제나 존재하는 것이다. 만약 강원姜嫄과 간적簡狄이 직稷과 설契을 낳은 것[12]은 앞뒤의 설명이 미흡하다. 이것은 리理의 변형이다." (朱子曰,乾道成男,坤道成女,凝體於造化之初,二氣交感,化生萬物,流行於造化之後,此理之常也.若姜嫄簡狄之生稷契,則又不可以先後言矣,此理之變也.)

장구소張九韶가 말하였다.

"사람과 만물은 천지가 창조되어 개판肇判되는 초기에 생겨났다. 기가 화해서 형이 된 것이다. 장자張子가 말한 바 천지가 기로 인하여 생겨났다고 함이 이것이다. 사람과 만물은 수태하여 형

---

11) 포노재. 본명은 포운룡鮑雲龍(1226-1296). 南宋의 학자로 字는 景翔, 호는 魯齋. 安徽省 사람으로 易學에 종통했다. 남송 宝佑6年(1258)에 擧人이 되고, 景定(1260-1264)에 進士가 되었다. 저서로는 『天原發微』, 『大月令』 등이 있고, 『천원발미』는 사고전서에 수록되었다.(百度 해설)
12) 강원은 들판에 나갔다가 거인의 발자국을 밟아 임신하여 직을 낳았으며, 간적은 제비 알을 먹고 설을 낳았다고 한다.(두산백과) 『書經』, 舜典篇 : 직稷과 설契은 순임금의 신하인데, 강원姜嫄은 거인의 발자국을 밟고 직稷을 낳고, 간적簡狄은 제비의 알을 삼켜서 설契을 낳았다고 함.

을 처음으로 받을 때 정기精氣가 모인 후에 만물이 있게 되는 것으로 논하였다. 주자朱子가 말한 바 음의 정精과 양의 기氣가 모여서 물物을 이룬다고 함이 이것이다. 사람이든 물질이든 기氣든 형형形形이든, 무엇이든지 음양을 벗어나서 생겨날 수 있겠는가?"(張九韶曰,論人物始生於天地肇判之初,則由氣化而後有形化,張子所謂天地之氣生之是也,論人物始生於結胎受形之初,則由精氣之聚,而後有是物.朱子所謂陰精陽氣聚而成物是也.由是言之,則人也物也,氣也形也,孰有出於陰陽之外哉.)

대저 명命은 음양을 받고 태어났다. 사람이 바꿀 수 없으며, 하고싶은대로 할 수 없고, 내가 반드시 할 수 있는 것도 아니다. 태어니면서 부자로 태어나거나, 귀한 사람으로 태어나고, 장수하는 사람과 요절하는 사람이 있다. 그리고 태어나면서 빈천한 사람이 있다. 부귀 쌍전하여 온전히 우뚝 솟아서 사람 위에 있는 사람도 있다. 빈천하게 태어나서 아울러 사람 아래로 떨어지는 자도 있고, 태어날 때는 마땅히 장수할 것이나 도리어 요절하는 사람도 있고, 태어날 때는 요절할 것이나 도리어 장년의 수數를 다하는 사람도 있는데 선악善惡을 쌓아서 그러한 것인가? 본성이 그러한 것인가? 적선積善으로 말미암아 그렇다고 말하기도 하고, 또 성품으로 말미암아 그렇다고 말하기도 한다. 적선으로 말미암은 것이라고 말한다면, 빈貧이 부富에 도달할 수 있고 천賤이 귀貴에 도달할 수 있고, 요절함이 장수할 수 있다는 것이니, 예로부터 말하길 사람이 하늘이 정해준 운명을 이길 수 있다는 것이다. 타고난 본성으로 말미암아 그렇다고 말한다면, 부귀한 사람은 결국 부귀하며, 빈천한 사람은 결국 빈천하고, 요절할 자는 종래 요절할 것이니, 예로부터 이르기를 명은 바꿀 수 없는 것이다. 대저 노력을 쌓는 것이 명을 다스린다고 할 수가 없으며, 본성만으로 사람을 이룬다고 할 수도 없다. 만약 노력에 의해 정해지는 것이라면 명命이 품수받은 부귀 수요 빈천이 어떠한지 알 수 없을 것이다. 만약 본성이 부여받은 것이라면, 부귀 수요 빈천을 앉아서 기다리는 것만이 사람에게 불가결한 것이 되지 않겠는가? (夫命禀於陰陽有生之初,非人所能移,莫之爲而爲,非我所能必,於是有生而富生而貴者,有生而壽生而夭者而生而貧生而賤者.有生而富貴雙,全巍巍人上者.有生而貧賤,兼有落落人下者.有生而宜壽而反夭闕,有生而宜夭而反長年之數者.謂由於所積而然與,亦由於所性而然與,謂由於所積,則貧可以致富,賤可以致貴,夭可以致壽.古所謂人能勝天者也,謂由於所性得乎,富貴者終於富貴,貧賤者終於貧賤,壽夭者終於壽夭,古所謂命不可移也.夫謂之積,則不可專以爲命,夫謂之性,則不可專以爲人,將以付之於所積,與未知命之所禀,富貴壽夭貧賤何如也,將以付之於所性,與未有富貴壽夭貧賤可坐待者,而人爲似不可缺也.)

혹자는 이렇게 묻기도 한다.
"명은 태어날 때 처음에 부여받았다고 하는데, 과연 옳은 말이다! 그런데 사람이 천지 중에 태어나서 오행과 팔자가 서로 같은데도 부귀, 빈천, 수요가 같지 않은 연유는 무엇인가?"(或曰,命禀有生之初,誠哉是言也.何人生天地之中,有五行八字相同,而富貴貧賤壽夭之不一,其故何也?)

대답하여 말한다.
"음양의 두 기가 교감할 때 아주 정묘한 기운을 받아 그것이 응결凝結되어 태胎가 되어 남자 여자가 되고 천지와 부모와 한순간의 기를 얻게 되는데, 청淸한 것을 받으면 지혜智慧와 현명함이 되고, 탁濁한 것을 받으면 아둔하며 불초한 것이다. 지혜로운 사람과 현명한 사람은 이것 때문에 혹 부하거나 혹 귀하거나 혹 장수하는 바를 필히 얻게 된다. 이른바 덕이 충분하여 복을 얻는 것이다. 우둔한 사람과 불초한 사람은 스스로 분발할 수 없으니 날이 갈수록 어두움에 가려서 빈천과 요절함을 면할 수 없다. 이른바 어리석고 못난 사람은 그 습관을 바꿀 수가 없는 것이다. 부귀를 겸전하는 사람은 원래 맑고 가벼운 기운을 받으며 득령得令한 때에 태어나고, 겸하여 재관財官이 형통하며 녹마祿馬가 왕상旺相하고 운運의 흐름도 길상吉祥하다. 비록 약간의 막힘이 있을지라도 박잡하게 매이지 않는다. 빈천을 겸한 자는 원래 중탁重濁한 기운을 받으며 실령失令한 때에 태어나고 형충刑衝하고 박잡駁雜하여 조금도 온순함과 아름다움이 없다. 비록 화환禍患이 침범하지 않을지라도 막혀서 앞으로 나아갈 수가 없다."(答曰,陰陽二氣交感之時,受真精妙合之氣,凝結爲胎,成男成女,得天地父母一時氣候,是以禀其清者爲智爲賢,禀其濁者爲愚爲不肖.智者賢者,由是或富或貴或壽,必有所得,所謂德足以獲福也.愚者不肖者,不能自奮,日益昏蔽,則貧賤與夭有不能免,所謂下愚不移是也.其富貴兩全者,原禀清輕之氣,生逢得令之時,兼以財官亨通,祿馬旺相,其運與限,甚吉甚祥,縱有少晦,不係駁雜.其貧賤兼有者,原禀重濁之氣,生逢失令之時,刑衝駁雜,無些順美,雖無禍患侵擾,未免蹇滯不前.)

　또 부유하다가 가난하고, 가난하다가 부유하고, 귀하다가 천하고, 장수할 것같은 사람이 요절하고, 요절할 것같은 사람이 장수하고, 현명하고 지혜로운 사람이 오히려 빈천한 경우가 있고, 어리석고 불초한 사람이 반대로 부귀하는 경우가 있는 것이다. 천지간에 수많은 사람이 같지 않은 것은, 역시 사시四時와 오행이 편정偏正, 득실得失, 향배向背, 심천深淺의 기운 때문이다. 그러므로 당초의 원기元氣가 비록 가볍고 청한 것을 받을지라도 그러나 쇠패衰敗한 때에 태어나고 휴수休囚의 운으로 행한다면 부자도 재물을 손실하게 되고 귀한 자도 삭탈관직削奪官職되어 퇴위하고, 장수할 사람이 요절하게 된다. 원기元氣가 비록 중탁重濁할지라도 그 사람이 중화中和의 영令을 얻어 왕상旺相한 운으로 행한다면 가난한 자가 끝내 가난하지 않아 부자가 되고, 천한 사람이 마침내 천하지 않아 귀하게 되고, 요절할 사람이 마침내 요절하지 않고 장수하게 되는 것이다. 수양하는 것이 비록 사람에게 달려 있지만 사람이 하늘의 정해진 바를 이겨낼 수 있다. 명命이 중화를 얻고 본성에 적선積善을 쌓는다면 어찌 일신의 복을 누리기만 할 뿐이겠는가! 자자손손 영리榮利가 창달할 것은 당연한 이치이다. 명이 편고하고 본성에 악을 쌓으면 오직 자신에게 화가 미칠 뿐만 아니라 자자손손이 아랫사람으로 추락할 것이니 인과응보가 아니겠는가! 앞에서 말했듯이 비록 명에 달려 있지만 사람의 적선積善하거나 적선하지 않음에도 달려있는 것이다. (又有富而貧,貧而富,貴而賤,賤而貴,壽而夭,夭而壽者,又有爲賢爲智而反貧賤,爲愚不肖而反富貴者.天地間之人萬有不齊,此亦四時五行偏正得失向背淺深之氣之所致也.故當時元氣雖禀輕清,然而生於衰敗之時,行休囚之運,富者損失財源,貴者剝官退位,壽者夭閼不祿.其元氣雖禀重濁,其人生中和之令,行旺相之運,貧不終貧而爲富,賤不終賤而爲貴,夭不終夭而爲壽.雖然修爲在人,人定勝天,命禀中和,性加積善,豈但一身享福已哉.而子子孫孫,榮昌利達,理宜然也.命值偏枯,性加積惡,非惟自身值禍已也,而子子孫孫落落人下,得非報.與由前言之,雖係於命,亦在於人之積與不積耳.)

그러므로 역경에서 말하였다.

"적선하는 가정은 반드시 경사가 있고 적선하지 않는 가정은 반드시 재앙이 있게 되는 것이다."(易曰,積善之家,必有餘慶,積不善之家,必有餘殃.殆此之謂歟.)

경야자耕野子가 말하였다.

"하늘에 하나의 기가 있을 뿐인데, 기가 화하여 水를 생하고, 물속의 탁한 찌꺼기들이 쌓여서 흙을 이루고, 水가 흘러나가고 土가 드러나고 마침내 산천을 이룬다. 土 가운데 단단한 것이 돌이 되어 金을 만들고, 土의 부드러운 것이 木을 생겨나게 하고, 火가 생겨나니, 오행이 구비되어 만물이 생겨나고 변화가 무궁한 것이다."(耕野子曰,天一氣爾,氣化生水,水中滓濁積而成土,水落土出,遂成山川.土之剛者成石而金生焉,土之柔者生木而火生焉,五行具萬物生而變化無窮矣.)

준천자浚川子[13)가 말하였다.

"천지의 시초는 오직 음양의 두 기운만 있을 뿐이다. 양이 화해서 火가 되고, 음이 화해서 水가 되었다. 水의 찌꺼기가 다시 엉기어 땅이 되었다. 가라앉은 찌꺼기가 땅을 이룬 것이 土가 된다. 어떻게 하늘이 다섯 번째에 이르러 土를 생했다고 말하는가? 水火土는 천지의 큰 화화이며 金木은 水火土 삼물三物에서 저절로 나온 것이다. 금석金石의 질質은 반드시 오랫동안 쌓인 후에 엉기어 생겨난 것이고, 반드시 사람과 만물은 동일하게 태어난다. 金의 기가 생하여 사람이 얻게 되었다고 말한다. 또 천지간에 원기元氣로 말미암지 않은 것이 없고, 그 성질이나 그 종류는 각각 태시太始보다 먼저 갖추고 있었다. 金은 金의 종자가 있고, 木은 木의 종자가 있고, 사람은 사람의 종자가 있으며, 물物은 물의 종자를 각각 완전하게 구비하고 있다. 서로 빌릴 수도 없고, 서로를 능멸하거나 침범할 수도 없으니, 오행이 번갈아 서로 생한다고 하겠는가?오늘날 오행가五行家들은 金이 水를 생한다고 하는데 그런 종류의 학설은 오류가 심하여 이치에 맞지 같지 않고 전도轉倒되어 궤도를 벗어난 것이다. 木은 火로 氣를 삼고 水로 자양滋養을 삼고 土로 택택宅을 삼음을 모르고 하는 말이다. 이것은 천지자연의 도道이다. 또 오행가는 말하기를, 水가 木을 생한다고 하는데, 土가 없다면 장차 木이 어디에 뿌리내리고, 水가 많으면 火는 꺼지고, 土가 절絶하면 木은 또 사死하는 것인데 어찌 능히 살 수 있겠는가?주자周子는 오행가五行家들의 설에 미혹되어 오기五氣가 순서대로 분포되어 사시四時에 유행流行한다고 하였다. 그러나 이는 태양의 진퇴가 있어 이에 추위와 더위가 생겨서 한서寒暑가 고르게 나누어져서 이에 사시四時가 이루어지는 것을 알지 못하고 하는 말이다. 오기五氣의 분포와 사계절이 무슨 관련이 있겠는가? 그들이 말하는 봄의 木, 여름의 火, 가을의 金, 겨울의 水는 모두 거짓으로 맞춘 논리이다. 土는 돌아갈 곳이 없어 사계절의 끝에 배속시켰는데, 이는 土의 기운이 천지 안에 있는 것을 모르고 하는 말이다. 어느 날에도 없고 어느 곳에도 있지 않다가 사계절의 끝에만 조금 유행하다 그친단 말인가? 사계절의 끝에 있다가 사계절의 시작이 되면 멸滅한다고 주장하는데, 그것이 멸하면 어느 곳으로 돌아가며 누가 그것을 돌아오라고 명령했다는 것인가? 하늘이 맨처음에 水를 생했다

---

13) 준천자. 본명은 王廷相(1474-1544). 字는 子衡, 號는 浚川. 그 당시 사람들이 王浚川, 浚川先生, 浚川公으로 불렀다. 明代 中期의 관리, 시인, 사상가, 철학가. 관직은 都察院 左都御史. 청렴하고 해박한 그는 氣學에 조예가 깊었다.

는 천일생수天一生水의 주장은 위서緯書[14]의 말인데 유학자들이 가져다가 경經에 넣은 것이다. 水火라는 것은 음양이 맨처음 만들어낸 묘한 물物인 것이다. 그러므로 처음으로 화화한 것이 火가 되어 태양이 되고, 그 다음에 화한 것이 水가 되고 우로가 되는 것이다. 요즘 사람들은 하늘이 처음으로 水를 생하고, 땅이 그 다음으로 火를 생한다고 말하는데, 그것은 천지조화의 본연의 묘妙에 어긋나는 주장이다. 그것은 주자朱子의 이론을 따른 것이다. 주자朱子는 사계절에 작용하는 기를 오행으로 논하고, 천지의 기우奇耦[15]의 수數로 오행을 논하고, 태극도太極圖에서 양이 변하면 음이 이에 부합해서 水火木金土가 생겨난 것으로 오행을 논하고, 오행을 사시四時에 배합하려 한 것이다. 오행가五行家는 사계절의 사시四時를 각각 그 하나의 오행이 주재하는 것으로 보는데, 봄이 다만 木에 그치는 것이라면 水火土金의 기운은 누가 멸절한 것인가? 가을이 다만 金에 그친다면 水火土木의 기운은 누가 정지시킨 것인가? 土는 다만 사계절의 끝에 왕성하다면 나머지 월月의 기운은 누가 붙잡아 움직이지 못하게 한다는 것인가? 또 어찌하여 오늘은 木이 되고 내일은 火가 되고 그 다음 날은 土가 되고, 金이 되고, 水가 되는 것인가?"(浚川子曰,天地之初惟有陰陽二氣而已,陽則化火,陰則化水,水之渣滓,便結成地,渣滓成地即土也.何至天五方言生土,水火土天地之大化,金木者,三物之所自出.金石之質,必積久而後結,生之必同於人物,謂金之氣生,人得乎哉,且天地之間,無非元氣之所為,其性其種,已各具太始之先,金有金之種,木有木之種,人有人之種,物有物之種,各各完具,不相假借,不相凌犯,而謂五行遞互相生可乎.今五行家以金生水,厥類懸絶,不侔厥理,顚倒失次,不知木以火為氣,以水為滋,以土為宅,此天然至道.而曰水生木,無土將附木於何所,水多火滅土絶,木且死矣,夫安能生.周子惑於五行家之説,而謂五氣順布,四時行焉,不知日有進退,乃成寒暑,寒暑分平,乃成四時,於五氣之布何與焉.其曰春木,夏火,秋金,冬水,皆假合之論,土無所歸,配於四季,不知土之氣在天地内,何日不然,何處不有,何止流行於季月之晦尚有,而孟月之朔即滅,其滅也歸於何所,其來也孰為命之,天一生水,乃緯書之辭,而儒者援以入經,水火者,陰陽始生之妙物也,故一化而為火,日是也,再化而為水,雨露是也.今曰天一生水,地二生火,戻於造化本然之妙,可乎.其折朱子以四時流行之氣論五行,天地奇耦之數論五行,太極圖陽變陰合而生水火木金土論五行,其折五行配四時,如五行家四時各主其一,春止為木,則水火土金之氣,孰絶滅之,秋止為金,則水火土木之氣,孰留停之,土惟旺於四季,則餘月之氣,孰把持而不使之運,又安有今日為木,明日為火,又明日為土,為金,為水乎.)

나 만민영이 보기에, 왕씨王氏의 학설에 일리는 있지만 달관한 견해는 아니다. (按王氏之説有理,而非達觀之見.)

낙록자珞琭子가 말하였다.

"유有라고 하는 것은 무無에서 생겨나는 것이다. 무無는 하늘에 상象을 드리워서 모습文으로 나타나는 것이다."(珞琭子曰.以為有也,是從無而立有,以為無也,天垂象以示文.)

---

14) 중국에서 경전 해석에 가탁해서 신비적인 예언을 한 책. 위위라는 것은 횡사橫絲로, 종사縱絲를 의미하는 경經에 대해서『경의 지류支流에 대해서 방의傍義에 부연한다』, 즉 경서를 해설 부연한 것이다. 그러나 위서는 거의 모두 참讖, 즉 예점적인 요소를 포함하고 있으므로, 참위서讖緯書라고도 한다.(네이버 지식백과) 위서(緯書) 종교학대사전, 1998. 8. 20.
15) 기수(홀수)와 우수(짝수)로 천지의 근원이 되는 음양을 뜻한다.

대저 하늘은 일월오성日月五星과 삼원三垣 이십팔수二十八宿의 상象을 드리게 되므로, 천문을 관찰하여 그 분야分野의 이름을 정할 수 있다. 이 역시 사람이 인위적으로 정한 것이지만 올바른 뜻義과 상象에 부합符合한다. 그러므로 재앙과 상서로운 일을 점치거나 혹 어떤 일에 속하는지, 혹 가리키는 방향이 어딘지, 어떤 년월일年月日에 응할 것인지에 대해서 좌계左契를 찾음과 같다. 비록 천도天道가 아득히 멀지라도 인사人事와 오행을 벗어날 수 없는 것이다. 음양가들이 십간십이지를 나누어 오행으로 삼고, 태양과 하늘이 만나는 것을 세歲로 삼고, 달과 태양이 만나는 것을 월月을 삼아, 30일로 정하고, 12 시진辰時으로 하여 사람이 태어난 연월일시의 간지干支로, 사주四柱를 세워서 일생의 길흉을 추산하는 것 또한 자연이 이치인 것이다. 왕씨는 봄이 木에 속하면 土는 어디에 있느냐고 하였는데, 오행 旺相休囚死의 법을 알지 못하고 하는 말이다. 각각의 오행의 주체는 마땅한 때와 마땅하지 못한 때가 있으며, 용용과 불용不用이 있다는 말이지, 봄에 木이 왕성하고 土가 없다는 뜻은 아니다. 십간 십이지가 착종錯綜하여 60 갑자甲子가 되고, 순환하여 다시 시작하도록 안배된 것은 거짓이 아니며, 여기에 조화造化가 있는 것이다. (夫天垂日月五星三垣二十八宿之象,觀天文會通,其立名分野,是亦人爲之耳,而義象符合.至災祥占卜,或屬類某事,或指見某方,應於某年月日,如探左契,雖天道玄遠,亦不外人事與五行.陰陽家以十干十二支分爲五行,因日與天會而爲歲,月與日會而爲月,日有三十,時有十二,以人生年月日時所得干支,立爲四柱,以推一生吉凶,亦理之自然者也.王氏以春屬木而土何在,不知五行旺相死休囚,各主其當時不當時,用事不用事而言,非爲春木旺而土則無.十干十二支,錯綜爲六十甲子,週而復始,不假安排,即造化之所在也.)

오늘은 木에 속했다가 내일은 火에 속하게 되는 것은 아니다. 천도天道의 자연은 그렇지 않다. 사람이 세운 것을 하늘이 따른다고 생각하거나 사람이 느끼면 하늘이 그것에 감응하는 것으로 생각하면 안된다. 하늘의 상象을 보고 분야에 알맞은 이름을 붙인 것이다. 이것이 천인합일天人合一의 도道이다. 하루를 보면 오전과 오후가 있으며, 따뜻함, 서늘함, 추움, 더움의 기후가 있어서 金, 木, 水, 火, 土가 하루에 갖추어져 있으니 오행은 이처럼 서로 떨어질 수 없는 것이다. 오늘을 木이라고 하고 내일을 火라고 하면 그 어찌 천도의 자연이라 하겠는가? 또 조정에서 역법曆法을 만들어 천하에 반포하는데, 달력에 일 년 365일을 기재하고, 중간에 일 년의 신살방위神煞方位를 기재하고, 매달 덕德이 왕旺한 곳으로 하늘의 유행流行하는 것을 기재한다. 그리고 하루 중에도 또 흑도黑道와 황도黃道의 길흉이 있고 마땅함과 마땅하지 않음이 있으니 사람이 따르면 복이 되고 어기면 화가 된다. 이것이 만약 이치가 없이 억지로 만든 것이라면 천하 사람들이 반드시 따르겠는가? (非爲今日屬木,明日屬火,便非天道之自然.不思人立而天從之,人感而天應之,即天象立名分野之義,天人合一之道也.觀一日有早午晏晚,自有溫凉寒熱氣候,是金木水火土備於一日,五行之不相離如此,謂今日木,明日火,又何莫而非天道之自然也耶.且朝廷造曆,頒之天下,其載一年三百六十五日,中間一年之神煞方位,每月之天行德旺.而一日之中,又有黑黃吉凶,事之宜與不宜,人遵之則福,違之則禍,是果無理强造,而率天下以必從哉.)

또 사람들의 관상을 보는 것도 청靑, 황黃, 적赤, 백白, 흑黑으로 기색氣色을 관찰하여 화복이 어느 년월일시에 응할 것인지 결정한다. 청색은 甲乙, 황색은 戊己, 적색은 丙丁, 백색은 庚辛,

흑색은 壬癸가 되니 터럭만큼도 착오가 없다. 질병을 살피는 것도 역시 그러한데 소문素門을 관찰하면 가히 알게 된다. 간지干支는 비록 날을 기록하는 것이지만 조화를 벗어날 수 없는 것이다. 하물며 사람의 정신이 몽매하지만 길흉의 조짐이 미리 보이는 것이다. 혹 의단意斷으로, 혹은 물상物象으로, 혹은 해자解字로, 음률音律이 화합함으로, 길흉의 조짐이 미리 나타나는 것이다. 이 모두가 사람이 행하는 것으로 길흉은 그 범위를 벗어날 수 없다. 사람으로 태어나 살면서 꿈을 꾼 후에는, 이 꿈으로 인해서 사람을 구하게 되니, 조화에서 또 벗어날 수 없는 것이다. 하물며 간지 오행에 저절로 천지의 이치가 깃들어 있고 이러한 이치 때문에 사람이 살아가게 되니 사람과 하늘이 하나이다. 사람을 벗어나 하늘을 말하고 하늘을 벗어나 사람을 말하는 것은 모두 속이는 것이다. 복희씨가 괘卦를 그릴 때 우러러 하늘을 쳐다보고 천문을 관찰하고, 고개 숙여 땅을 보아 지리를 살폈다. 멀리 있는 것을 헤아리고 가까운 것을 취하여 천지와 사람과 만물의 이치를 얻어 팔괘를 만들게 되었다. 지금 음양을 말하는 사람들은 천지의 변화를 깊이 궁구하고 지난 일을 밝히고 앞일을 살펴서 드러난 것으로부터 징조를 안다. 천지가 그 덕에 부합하고, 일월이 그 밝음에 부합하고, 사시가 그 차례에 부합하고, 귀신이 그 길흉에 부합하는 것인데, 어찌 간지 오행을 벗어날 수 있겠으며, 간지오행 외에 천지에 사람과 만물의 위대함을 이루는 다른 조화가 있을 수 있겠는가? 지금 왕씨가 역易을 존중하면서도 음양가의 학설을 믿지 않고 있다. 그의 주장에는 이치가 있지만 수數에 대해서는 알지 못하는 것이다. 이理와 수數는 하나로 합하고, 하늘과 사람이 하나의 이치에 통하고, 신비를 밝혀내는 것은 사람에게 달려있을 뿐이다. (又相人術,觀氣色之靑黃赤白黑而決禍福,應於某年月日時,靑則甲乙,黃則戊己,赤則丙丁,白則庚辛,黑則壬癸, 一毫不爽,察病亦然,觀素問可見.是干支雖所以紀日,而造化不外是也,又人之精神夢寐,預兆吉凶,占之 者或以意斷,或以物象,或以字解,或以音協,皆人爲之也,而吉凶不能外焉.是有是人而後有是夢,因是夢 而求是人,造化且不外,而況干支五行,自有天地,便有此理,因有此理,便生是人,人與天一也.外人以言天, 外天以言人,皆誣矣,若伏羲畫卦,仰觀俯察,遠稽近取,是得天地人物之理,而八卦所由作也.今之談陰陽 者,雖窮極天地之變,探索人物之微,彰往察來,因著知微,與天地合其德,與日月合其明,與四時合其序,與 鬼神合其吉凶,亦豈能外干支五行,而別有造化,以盡天地人物之大哉.今王氏知尊易而不信陰陽家說,是 知有理而不知有數也,理數合一,天人一理,神而明之,存乎其人焉耳.)

2. 논오행생성論五行生成

하늘은 높고 광활하여 끝없이 넓은데 육기六氣가 선회旋回하여 사시四時를 이루고, 땅은 두터워 한없이 깊고, 오행이 화생化生하여 만물을 이루니, 끝이 없고 측량할 수가 없다. 성인은 천체의 운행을 관측하여 규칙을 찾았다. 천지의 변화는 수數에서 벗어날 수 없다. 수가 세워진 원인을 살펴보면 이 역시 모두 자연에서 나온 것이다. 경전에 실린 것과 다르지 않고 같았다. 그 천기에 통달하여 추리하고 변화를 통하여 궁리해보니 모두가 수에서 벗어날 수 없었다. 첫째는 水, 둘째는 火, 셋째는 木, 넷째는 金, 다섯째는 土인 것은, 모두 자연스러운 것이다. 水는 북방 子에 자리하고, 子는 양의 처음이고 첫 번째 양수陽數이므로 水는 1이 되고, 火는 남방 午에 자리하고, 午는 음의 처음이고 두 번째 음수陰數이므로 火는 2가 되고, 木은 동방에 거하고 동東은 양이고 세 번째 기수奇數이고 역시 양이니 木은 3이 되고, 金은 서방에 거하고 서西는 음이고 4는 우수偶數이고 역시 음이므로 金은 4이고, 土는 서남의 장하長夏에 감응하니, 5는 기수奇數이며 역시 양이므로 土는 5가 된다. (天高寥廓,六氣迴旋,以成四時,地厚幽深,五行化生,以成萬物.可謂無窮而莫測者也.聖人立法以推步者,蓋不能逃其數.觀其立數之因,亦皆出乎自然.故載於經典,同而不異,推以達其機,窮以通其變,皆不離於數內.一曰水,二曰火,三曰木,四曰金,五曰土者,咸有所自也.水,北方子之位也,子者陽之初,一,陽數也,故水曰一,火南方午之位也,午者陰之初,二陰數也,故火曰二,木居東方,東陽也,三者,奇之數,亦陽也.故木曰三,金居西方,西陰也.四者偶之數,亦陰也,故金口四,土應西南長夏,五者奇之數,亦陽也,故土曰五.)

이와 같이 논한 것은 수를 음양에 배합한 것이다. 만약 그 깊은 뜻을 생각해보면 水는 처음 생겼고, 천지가 나누어지지 않고 만물이 이루어지지 않은 처음에는 水가 먼저 보이지 않을 수 없었다. (由是論之,則數以陰陽而配者也.若考其深義,則水生於一.天地未分,萬物未成之初,莫不先見於水.)

그러므로 영추경靈樞經에서 말하였다.
"태을太乙은 水의 존호尊號이다. 먼저는 천지의 모태가 되고 뒤에는 만물의 근원이 된다."(故,靈樞經曰,太乙者,水之尊號.先天地之母,後萬物之源.)

이제까지 경험한 바로는 초목의 열매가 익지 않은 것과, 사람과 동물이 태나 알로 배태胚胎한 것이 모두 水이니 어찌 처음이 되지 않겠는가? 결국 水가 모여서 형질로 화하기 위해서는 음양의 기를 갖추지 않을 수 없고 그런 후에 이루어진다. 물질 가운데 작고 맛이 쓴 것은 火의 조짐이다. 만물이 숙성하면 단맛이 나는데 土의 맛이다. 단맛이 극에 이르면 오히려 담백하게 된다. 담백함은 근본이다. (以今驗之,草木子實未就,人蟲胎卵胎胚,皆水也,豈不以爲一？及其水之聚而形質化,莫不備陰陽之氣,在中而後成.故物之小而味苦者,火之兆也,物熟則甘,土之味也.甘極而後淡,淡,本也.)

사람은 부모에게서 음양의 기운을 받아 생겨난다. 첫번째로 두 개의 신장腎臟이 생기는데, 왼쪽 신장은 水에 속하고 오른쪽 신장은 火에 속한다. 火는 명문命門이라 말하고 火는 水보다 나중에 보이므로 火를 두번째라고 한다. 대개 초목의 열매는 크기가 비록 다르더라도 모두가 두 개가 짝이 맞는 것이 있다. 사람의 신장도 그러하다. 이 역시 음양의 조화인 것이다. 그래서 만물은 음양이 합체合體하지 않으면 화생化生하는 것이 불가능하다. 음양이 합체한 연후에 봄에 소생所生하여 가을에 숙성하는 것이다. 따라서 세 번째로 木이 있게 되고, 네 번째로 金이 있게 된다. (然人稟父母陰陽生成之化,故先生二腎,左腎屬水,右腎屬火.火曰命門,則火之因水而後見.故火曰次二.蓋草木子實,大小雖異,其中皆有兩以相合者,與人腎同,亦陰陽之兆.是以萬物非陰陽合體,則不能化生也.既陰陽合體,然後而春生而秋成,故次三曰木,次四曰金.)

대개 水는 귀속하는 작용을 하고 火는 저장하는 작용을 하고, 木은 발발發發하게 하고, 金은 분리하는 작용을 한다. 모두가 土로 말미암지 않고는 완성되지 못한다. 그러므로 다섯번째로 土를 말하는 것이다. 木은 동에 거하고 金은 서에 거하고 火는 남에 거하고 水는 북에 거하고, 土는 중앙에 거하며 또 네 귀퉁이 사유四維[16]의 위치에 얹혀서 존재하며,. 사계四季의 월령에 감응하는 것인데, 사람에게 사지四支가 있는 것과 같다. 그러므로 金, 木, 水, 火는 모두 土를 기다린 후에 이루는 것이다. 따라서 土는 5의 수로서 이루게 한다. 그런즉 水는 6이고, 火는 7, 木은 8, 金은 9가 된다. 土는 항상 5이고 생수生數이다. 10에 이르는 것은 불가하고 土는 10을 기다리지 않고 완성된다. 생성지수生成之數는 모두 5와 합하는 것이고 분명히 대연수大衍數는 이로 말미암아 성립하는데 만물이 어찌 그 수에서 벗어날 수 있겠는가? (蓋水有所屬,火有所藏,木有所發,金有所別,莫不皆因土而後成也.故次五曰土,木居於東,金居於西,火居於南,水居於北,土居於中央,而寄位四維,應令四季,在人四支,故金木水火,皆待土而後成,兼其土數五以成之,則水六,火七,木八,金九,土常以五之生數,不可至十者,土不待十以成,是生成之數,皆五以合之,明大衍之數,由是以立,則萬物豈能逃其數哉?)

삼음삼양三陰三陽에서 정화正化하게 되면 본本에 따라 생수生數가 되고, 대화對化하게 되면 표標를 따라 성수成數가 된다. 오운五運의 규칙은 태과한 것은 그 성수成數를 취하고 불급한 것은 그 생수生數를 취한다. 각각 그 수의 생성生成됨이 많고 적음을 취하여 정령政令[17]을 정하다. 육기六氣의 기화氣化[18]는 다른 저술에도 설명이 있고 모든 작용을 명확히 하고 있다. (三陰三陽,正化者從本,生數,對化者從標,成數,五運之紀,則太過者其數成,不及者其數生,各取其數之生成多少,以占政令.氣化者,復著之述作,蓋明諸用也.)

주자가 말하였다.

"오행의 순서는 질質이 생겨난 순서를 말한다. 水는 본래 양의 습기이며 처음 동하려 해도 음에 빠져 할 수가 없으므로 水는 음이 이긴다. 火는 본래 음의 조열한 기이며 처음 동하려 해도 양에 규제되어 뜻을 이루지 못하므로 火는 양이 이긴다. 대개 생겨나는 것은 미약하며 완성된 것은 왕성하다. 생겨나는 것은 형形의 시작이며 완성된 것은 형을 마무리하는 것이다. 그래서 각각 한쪽이 편승偏勝한다고 말한다. 그런데 비록 형은 있을지라도 아직 질이 이루어진 것은 아닌 상태가 있다. 기가 오르내리는 것을 土가 제어할 수 없는 것이다. 木은 양의 습기이며 음에 많이 침범되어 음에 교감하여 펼쳐지므로 발하여 木이 되니, 그 질은 부드럽고 성질은 따뜻하다. 金은 음의 조기이며 양에 많이 침범되어 양에 교감하여 수축되어 엉기어 金이 되니, 그 질은 강하고 성질은 차갑다. 土는 음양의 기가 각각 왕성하여 서로 부딪히고 엉기어서 질을 이루게 된다. 기의 운행을 말하면, 일음일양一陰一陽이 서로 왕래하여 木火金水土는 각각 그 가운데에서 노소老少로 나뉠 뿐이다. 그러므로 순서는 각각 소소로부터 노老가 된다. 土는 분산된 사계절의 끝에 왕성하고 중앙에 거한다. 이 다섯 가지 오행은 특성이 서로 다르다. 조화로서 발육하게 되니 실

---

16) 동남 · 동북 · 서남 · 서북 등 4개 방위를 말한다.
17) 政令은 보통 단체의 정령으로 가르침과 명령을 말하지만, 여기서는 순수한 陽기운陽律을 말함.
18) '氣化'란 陰의 기운으로 음양이 배합되어 물物로 화化하는 현상을 말한다.

로 병행竝行하여 서로 거스르지 않는다. 질은 음양이 교착交錯하여 엉기고 합하여 이루어진다. 기는 음양이 나누어져 순환循環하는 것에 지나지 않는다. 질은 水, 火, 木, 金으로 음양 상호간을 말하는데 오히려 동서남북으로 소위 서로 대응하여 기다리는 것이다. 기는 木 火 金 水가 음양으로 인하여 동서남북으로 유행하는 것이다. 질은 비록 일정하더라도 바뀌지 않으며 기는 곧 변화가 무궁하므로 소위 역易이라 이른다."(周子曰,五行之序,以質之所生而言,則水本是陽之濕氣,以其初動,爲陰所陷,而不得遂,故水陰勝,火本是陰之燥氣,以其初動,爲陽所檢,而不得達,故火陽勝,蓋生之者微,成之者盛,生之者形之始,成之者形之終也.然各以偏勝言也,故雖有形,而未成質,以氣升降,土不得而制焉.木則陽之濕氣侵多,以感於陰而舒,故發而爲木,其質柔,其性暖,金則陰之燥氣侵多,以感於陽而縮,故結而爲金,其質剛,其性寒.土則陰陽之氣各盛,相交相搏,凝而成質,以氣之行而言,則一陰一陽,往來相代,木火金水土者,各就其中而分老少耳,故其序各由小而老,土則分旺四季,而位居中者也,此五者若參差,而造化所以爲發育之具,實竝行而不相悖,蓋質則陰陽交錯,凝合而成,氣則陰陽兩端,循環不已,質曰水火木金,蓋以陰陽相間言,猶曰東西南北,所謂對待者也.氣曰木火金水,蓋以陰陽相因言.猶曰東南서북,所謂流行者也,質雖一定而不易,氣則變化而無窮,所謂易也.)

정자程子가 말하였다.
"동정은 음양의 근본이다. 오행의 운행은 들쭉날쭉하여 가지런하지 않은 것이다."(程子曰,動靜,陰陽之本也.五行之運,則參差不齊矣.)

장자張子가 말하였다.
"木은 곡직曲直이라 하여 구부려졌다가 다시 펴지고, 金은 종혁從革이라 하여 한번 고쳐지면 스스로 되돌릴 수 없다. 水火는 기氣이다. 고로 염상炎上 윤하潤下는 음양이 오르내리니 土가 제어할 수 없는 것이다. 木金은 土의 꽃과 열매이고, 성질은 水火가 섞여 있다. 따라서 木이라는 것은 水가 스며들고 火를 생하지만 그러나 섞이는 것은 아니며, 土의 부화浮華를 얻고 水火의 교류에 의존하는 것이다. 金이라는 것은 火의 조열함에서 火의 정精을 얻고, 水의 젖음에서 水의 정精을 얻는 것이므로 水火가 대립하여도 서로 해치지 않으면 녹아 흘러도 소모됨이 없으며, 土의 정실精實을 얻고 水火의 교류에 의존하는 것이다. 土라는 것은 물物의 시작이며 끝이 되고, 땅의 질質이 되어 변화를 마무리한다. 水火가 오르내리면 만물이 체體를 갖추게 되어 남기는 것이 없다."(張子曰,木曰曲直,能旣曲耳反伸也,金曰從革,一從革而不能自反也,水火,氣也,故炎上潤下,與陰陽升降,土不得而制焉.木金者,土之華實也,其性有水火之雜,故木之爲物,水漬則生火,然而不雜也,蓋得土之浮華,於水火之交也,金之爲物,得火之精於火之燥,得水之精於水之濡,故水火相待而不相害,鑠之反流而不耗,蓋得土之精實於水火之際也,土者,物之所以成始而成終也,地之質也,化之終也,水火之所以升降,物兼體而不遺者也.)

또 말하였다.
"양은 음에 빠지면 水가 되고, 음은 양에 붙으면 火가 된다."(又曰,陽陷於陰爲水,陰附於陽爲火.)

주자朱子가 말하였다.

"오행의 순서는 木이 시작이고 水가 끝이 된다. 그리고 土는 중앙에 있다. 하도河圖 낙서洛書의 수로서 말하면, 水는 1, 木은 3, 그리고 土는 5가 된다. 모두 양의 생수生數이며 바뀌지 않는다. 번갈아 주체가 되면 오행의 기강紀綱이 된다. 덕으로 말하면 木은 발생發生하는 특성이 있고, 水는 곧고 고요한 체가 되고, 土는 감싸 기르는 모태가 된다. 따라서 水는 오행을 품고 흐르고 관철하여 없는 곳이 없고, 木은 오행을 품고 그 뿌리로 돌아가 저장하는 것이다. 대개 土는 水火가 의지하는 곳이고, 金木이 자라나는 곳이다. 土는 중앙에 거하고 사방에 머무르며 일체의 만물을 싣는 것이다." (朱子曰,五行之序木爲之始,水爲之終,而土爲之中,而河圖洛書之數言之,則水一木三而土五,皆陽之生數而不可易者也.故得以更迭爲主,而爲五行之綱,以德言之,則木爲發生之性,水爲貞靜之體,而土又包育之母,故水之包五行也.以其流通貫徹而不在也,木之包五行,以其歸根反本而藏於此也.若夫土,則水火之所寄,金木之所資,居中而奠四方,一體而載萬類者也.)

또 말하였다.

"水火는 청하고, 金木은 탁하며 土 역시 탁하다."(又曰水火淸,金木濁,土又濁.)

소자邵子가 말하였다.

"金과 火는 서로 지켜주면 흐르게 되고, 木火는 서로 얻으면 불타게 되니, 같은 종류를 따르는 것이다. 水는 차가움을 만나면 얼고, 火를 만나면 물이 마른다. 그 이기는 것을 따르는 것이다."(邵子曰,金火相守則流,木火相得則然從其類也,水遇寒則結,遇火則渴,從其所勝也.)

3. 논오행생극論五行生剋

오행의 상생相生과 상극相剋은 그 이치가 분명하다. 10간 12지, 5운 6기, 年, 月, 日, 時는 모두 이 상생상극에 기반해서 세워지고 서로에게 작용한다. 하늘에서는 한서조습풍寒暑燥濕風의 기氣가 되며, 땅에서는 금목수화토金木水火土의 형형形을 이루어, 형과 기가 서로 감응하여 만물이 변화하여 생겨나고, 조화가 생성되는 큰 줄기가 되므로, 원래 그 오묘한 작용은 끝이 없다고 하는 것이다. (五行相生相剋,其理昭然.十干十二支,五運六氣,歲月日時,皆自此立,更相爲用.在天則爲氣,寒暑燥濕風,在地則成形,金木水火土,形氣相感,而化生萬物,此造化生成之大紀也,原其妙用,可謂無窮矣.)

木은 동방에서 왕성하고 봄에 응한다. 木은 촉觸이라 하는 것이고, 양기陽氣가 꿈틀거리고 움직여 땅을 뚫고 나온다. 水는 동방으로 흘러 木을 생하고, 木은 위로 자라나 아래를 덮는 것이 자연스러운 성질이다. 火는 남방을 주관하고 여름에 응한다. 火는 변화하는 것이고, 불타는 것이다. 양은 위에 있고 음은 아래에 있어서 불꽃이 왕성하여 만물이 변화하는 것이다. 나무를 비비면 불을 얻는 것이니 木의 소생이다. 그러나 火는 정체正體가 없으며 체體는 木에 근본을 두는 것이다. 사물에 응해서 나타나고 기운이 사라지면 다시 돌아가는 것이 자연의 기이다. (木王主於東,應春,木之爲言觸也.陽氣觸動,冒地而生也.水流趨東,以生木也,木上發而覆下,乃自然之質也.火主於南,應夏,火之爲言化也,燬也,陽在上,陰在下,燬然盛而變化萬物也.鑽木取火,木所生也.然火無正體,體本於木.出以應物,盡而復入,乃自然之氣也.)

金은 서방을 주관하고 가을에 응한다. 金을 금禁이라 말하는 것이다. 음기가 만물을 금지禁止시키고 수렴收斂한다. 모래에서 金을 얻으니 土의 소생이다. 土에서 생겨나고 土에서 분리되는 것으로 자연의 형형이다. 水는 북방을 주관하고 겨울에 응하며, 水는 윤潤이라 말한다. 음기가 유윤濡潤하여 만물을 기르는 것이며, 水는 서에서 동으로 흐르니 金의 소생이다. 물은 굽고 꺾이어 흘러 아래로 순하게 도달하는 것이 자연의 본성이다. 土는 중앙을 주관하며 더불어 서남쪽에 자리하고, 긴 여름을 지나 늦여름에 응한다. 土는 토吐하는 것이라 말하는데, 만물을 품었다가 토해낸다. 태어날 때는 토에서 나오고, 죽을 때는 토로 돌아가니 만물의 집이 되는 것이다. 그러므로 늦여름에 자라나고 火의 소생이다. 土는 水를 이기기도 하고 水가 土를 거스르기도 한다. 토는 자연의 의義인 것이다. (金主於西,應秋.金之爲言禁也,陰氣始禁止萬物而楸斂,披沙揀金,土所生也.生於土而別於土,乃自然之形也.水主於北,應冬.水之爲言潤也.陰氣濡潤,任養萬物也.水西而東,金所生也.水流曲折,順下而達,乃自然之性也.土主於中央,兼位西南,應於長夏.土之爲言吐也,含吐萬物,將生者出,將死者歸,爲萬物家.故長於夏末,火所生也.土或勝水,水乃反土,自然之義也.)

오행의 상극相剋은 모두 자식이 모母를 위해 복수하는 것이다. 木이 土를 극하면 土의 자식인 金은 오히려 木을 극한다. 火가 金을 극하면 金의 자식인 水가 오히려 火를 극한다. 水가 火를 극하면 火의 자식인 土가 오히려 水를 극한다. 土가 水를 극하면 水의 자식인 木이 오히려 土를 극하는 것이다. 상호간에 상생하는 것으로 시작해서 서로 상극하는 것으로 마치는 것이다. 모든 것이 하늘의 본성에서 나온 것이다. (五行相剋,子皆能爲母復讎者也.木剋土,土之子金反剋木,木之子火反剋金,火剋金,金之子水反剋火,水剋火,火之子土反剋水,土剋水,水之子木反剋土.互能相生,乃其始也,互能相剋,乃其終也,皆出乎天之性也.)

『소문素問』에서 말하였다.
"水가 木을 생하면, 木은 다시 火를 생하여, 木이 기를 빼앗기므로 水가 노하여 火를 극하는 것이다. 즉 자식이 기를 빼앗기면 모친이 힘을 다해 싸우는 것이다. 모친이 귀鬼에게 상해를 입으면, 자식이 와서 힘을 다해 구해준다. 그 뜻이 같은 것이다." (素問所謂水生木,木復生火,是木受竊氣,故水怒而剋火,卽子達竊氣,母乃力爭,與母被鬼傷,子來力救,其義一也.)

"강한 것은 약한 것을 공격할 수 있으니, 土는 木을 얻어야 발달이 된다. 실實한 것은 허虛한 것을 이길 수 있으니, 水는 土를 얻으면 끊어진다. 음은 양을 소멸할 수 있으니, 火는 水를 얻으면 소멸하게 된다. 열烈이 강강剛을 대적할 수 있으니, 金은 火를 얻으면 이지러질 것이다. 견고한 것은 유약한 것을 제어할 수 있으니, 木은 金을 얻으면 벌목伐木 당하는 것이다. 따라서 오행은 유행하며 다시 굴러서 순순順順하면 상생하고, 역역逆逆하면 상극하는 것이다. 이와 같이 각각 쓰임이 있어서 그 도를 이루게 되는 것이다. (强可攻弱,土得水而達,實可勝虛,水得土而絶,陰可消陽,火得水而滅,烈可敵剛,金得火而缺,堅可制柔,木得金而伐,故五者流行而更轉,順則相生,逆則相剋,如是則各各爲用,以成其道而已.)

4. 논간지원류論干支源流

　무릇 천간天干은 나무의 줄기와 같아서 강하며 양이 된다. 지지地支는 나무의 가지에와 같아서 약하며 음이 된다. 옛날에 반고씨盤古氏가 천지의 도를 밝히고 음양의 변화에 통달하여 삼재三才의 개념을 만들고첫번째 임금이 되었다. 천지가 이미 나누어진 후에, 먼저 하늘이 있고 뒤에 땅이 있으며 기의 변화로 인해 사람이 생겼다. 천황씨의 같은 성姓 13인이 반고씨를 계승하여 다스렸다. 이것을 천령天靈이 담백하고 무위하여 풍속이 저절로 변화되었다고 하며, 세歲의 소재所在를 정하고 비로소 간지干支의 이름을 제정하였다. 그 십간十干은 알봉閼逢, 전몽旃蒙, 유조柔兆, 강어彊圉, 저옹著雍, 도유屠維, 상장上章, 중광重光, 현묵玄黓, 소양昭陽이라 하였고, 十二支는 곤돈困敦, 적분약赤奮若, 섭제격攝提格, 단알單閼, 집서執徐, 대황락大荒落, 돈장敦牂, 협흡協洽, 군탄涒灘, 작약作噩, 엄무閹茂, 대연헌大淵獻이라고 하였다.”(夫干猶木之幹,強而爲陽,支,猶木之枝,弱而爲陰.昔盤古氏明天地之道,達陰陽之變,爲三才首君,以天地既分之後,先有天而後有地,由是氣化而人生焉,故天皇氏一姓十三人,繼盤古氏以治,是曰天靈,淡泊無爲,而俗自化,始制干支之名,以定歲之所在.其十干,曰閼逢,旃蒙,柔兆,彊圉,著雍,屠維,上章,重光,玄黓,昭陽,十二支,曰困敦,赤奮若,攝提格,單閼,執徐,大荒落,敦牂,協洽,涒灘,作噩,閹茂,大淵獻.)

　채옹蔡邕[19]이 독단獨斷에서 말하였다.
　“간干은 줄기이다. 그 이름이 10가지가 있다. 열 명의 모친이라고 한다. 바로 오늘날의 甲乙丙丁戊己庚辛壬癸이다. 지支는 가지이다. 그 이름이 12가지가 있다. 열 두 명의 자식이라고 한다. 오늘날의 子丑寅卯辰巳午未申酉戌亥이다. 천황씨天皇氏라고 일컫는 것은 하늘이 子에서 개벽하는 뜻을 취하고, 지황씨地皇氏라고 일컫는 것은 땅이 丑에서 열리는 뜻을 취하고, 인황씨人皇氏라고 일컫는 것은 사람이 寅에서 태어나는 뜻을 취하였다.”(蔡邕獨斷曰,干,幹也.其名有十,亦曰十母,即今甲乙丙丁戊己庚辛壬癸是也.支,枝也.其名十有二,亦曰十二子,即今子丑寅卯辰巳午未申酉戌亥是也.　謂之天皇氏者,取其天開於子之義也.謂之地皇氏者,取其地闢於丑之義也.謂之人皇氏者,取其人生於寅之義也.)

　그러므로 간지干支의 이름은 천황씨 때에 처음으로 제정하였고, 지황씨가 三辰(日月年)을 정하여 30일로 1개월을 삼고 주야를 나누었다. 간지가 비로소 각각 배정되었다. 인황씨는 임금 노릇을 함부로 하지 않고 신하는 귀를 함부로 누리지 않고 임금과 신하가 저절로 정치와 교화에 힘쓰

---

19) 중국, 後漢말의 학자로 자는 백개, 하남 사람으로 저서에 『獨斷』이 있다.

고 음식과 남녀에 관한 제도가 시작되고, 처음으로 천지의 기를 얻어 모자의 분별이 있게 되었다. 이로서 간지가 비로소 각각 소속이 있게 된 것이다. 복희씨伏羲氏에 이르러 우러러 하늘의 상象을 살피고 아래로 땅의 법법法을 살피고 만물과 사람을 살피는 가운데 신명의 덕德에 통하여 만물의 뜻을 분류하고 갑력甲歷을 만들어 비로소 팔괘八卦를 그리고 문자가 생겨났다. 황제는 하도河圖를 물려받아 일월성신日月星辰의 상상象을 살피니 이로부터 비로소 성관星官의 기록이 있게 되었다. 대요大堯에게 오행의 뜻을 탐구하라고 명하여 두강斗綱이 세워지는 곳을 추산하게 하니, 비로소 갑자甲子가 만들어지고 납음오행에 배속配屬되었다. (故干支之名,在天皇時始制.而地皇氏則爰定三辰,道分晝夜,以三十日爲一月,而干支始各有所配.人皇氏者,土不虛王,臣不虛貴,政教君臣所自起,飮食男女所自始,始得天地之氣,而有子母之分,於是干支始各有所屬焉.至於伏羲,仰觀象於天,俯觀法於地,中觀萬物與人,始畫八卦,以通神明之德,以類萬物之情,以作甲歷,而文字生焉.逮及黃帝,授河圖,見日月星辰之象,於是始有星官之書.命大堯探五行之情,占斗綱所建,於是始作甲子,配五行納音之屬.)

『노사路史』에서 말하였다.
"복희가 잠룡씨潛龍氏에게 명하여 이를 나뭇가지를 사용해서 태양을 받아들여 추책推策[20]하여 절기節氣를 구분하고, 갑자甲子를 만들어 세시歲時를 측정하고, 하늘을 간간에 배속하고 땅을 지지枝에 배속하고 간지幹枝를 사상四象의 기준으로 배합하였다. 감정과 행위가 서로 교감하고 성신星辰의 규칙을 알게 되었다. 황제의 명으로 대요大堯가 오행의 뜻을 탐구하기에 이르니, 천서天書의 삼식三式을 헤아리고 십간 십이지를 확장하여 60갑자를 만들었다. 납음納音은 소리를 취하여 정한 것인데 甲子, 乙丑, 해중금海中金 등이다. 풍후風后가 이를 해석하고 사용하여 삼명三命이 행해지게 되었다. (路史云,伏羲命潛龍氏筮之,乃迎日,推策相剛,造甲子,以命歲時,配天爲幹,配地爲枝,枝幹配類,以綱維乎四象,故情僞相感,而星辰以順則,至黃帝命大撓探五行之情,考天書三式,以十干十二支,衍而成六十,取納音聲,而定之爲納音,卽甲子乙丑海中金之類是也.風后釋之而致其用,而三命行矣.)

술가術家에서는 황제가 천간의 10자를 정하여 하도에 배속하고, 지지의 12자를 낙서에 배속하였고, 귀곡자鬼谷子가 납음을 산정算定하여 만들고, 동방삭東方朔이 납음의 상을 해석하였다고 말하는데, 모두가 그 근원을 알지 못하고 함부로 말하는 것이다. (彼術家以皇帝定天干十字,屬河之圖,地支十二,屬洛之書,以鬼谷子算成納音,東方朔解納音象,皆不得其源而妄云也.)

준천자浚川子 왕씨王氏가 말하였다.
"옛적에 대요가 甲子를 만들었다. 많은 세월이 흘러 기원紀元하기에 편하도록 임의로 년을 정하였다. 만약 그 근원을 추측하여 보면 반드시 일월이 처음으로 운행하는 날이 있은 연후에 甲子로 하는 것이 가능한 것이다. 그러나 하늘이 열릴 때는 아직 땅이 있지 않았으니 어찌 사람이 있을 수 있겠으며, 사람이 없었다면 누가 전수하여 기록할 것이며, 누가 十二辰의 규칙에 근본을

---

20) 수를 헤아려 정하는 것

두고 그것을 알겠는가? 천지의 운행은 끝없는 고리와 같다. 운운이 일원一元을 주유하는데 맷돌을 갈듯 구르니 오로지 다시 시작하지 않겠는가! 날은 12시를 주기週期로 하고, 하늘의 운은 오로지 子를 거듭하지 않는가? 일원一元 위에 어찌 일원이 있지 않음을 알 수 있겠는가! 하물며 역원의 도수는 두우斗牛의 위치가 변하고 세차歲差가 커지는 것이다. 후세의 역법歷法은 각자에 근거하여 시간을 맞추고 옛날의 역법은 시대를 따라 없어진 것인데, 어떻게 계산하여 맞추겠는가? 오늘날 甲乙을 말하는 사람들은 실제로 목기木氣가 그것을 주관하는 것으로 여기고 있다. 오늘은 木, 내일은 火, 그 다음날은 土라고 하니 역시 허황된 것이 아니겠는가? 혹자는 말하기를, '대요가 두병斗柄[21]을 계산해서 甲子를 만들었으니 필시 오래된 천지의 시원을 소급한 것이다. 그러므로 甲子年, 甲子月, 甲子日, 甲子時로 연원歷元을 삼은 것이고, 두병斗柄을 계산할 생각을 하지 않았다면 12월을 정하지 못했을 것이다.' 천지가 처음 열릴 때 일월日月이 잘 어울리고, 오성五星이 구슬을 꿰듯 한 줄로 늘어서서 견우牽牛의 처음에 함께 모인 후에 야반夜半의 동지冬至가 정해진 것이라고 하는데, 이것은 사법死法이다. 그러므로 맹자는 천세千歲의 역歷을 앉아서 계산할 수 있었고, 지금의 역歷을 상고하여 보아도 그러하다. 그러므로 천지가 개벽하는 것 역시 수數인 것이다. 그러나 과연 천지의 시작이 있었을까, 해와 달이 처음 회전을 시작한 적이 있었을까, 문자가 아직 생겨나지 않았고, 하늘의 운행을 계산할 수 없었는데, 어찌 능히 그것을 온전히 추측할 수 있었겠는가? (浚川王氏曰, 昔大撓作甲子, 名數無有窮已, 便於紀時, 偶爾定之, 若推考其源, 必日月初轉之日, 而後爲甲子可也. 天之開尙未有地, 安能有人, 尙未有人, 孰從而傳以記之, 以爲本於十二辰之常而知之耶. 天地之運, 如環無端, 運周一元, 磨礑之轉, 獨不再始乎, 日周十二時, 天之運獨不再子乎, 一元之上, 安知其不有一元耶. 況歷元之度, 牛斗之變, 歲差遠矣, 後世之歷, 各自爲據, 以求合時爾, 古歷之法, 隨世亡矣. 安能算而合之, 今之言甲乙者, 必曰實有木氣主之, 而今日木明日火, 後日土, 不亦誣乎, 或曰大撓占斗柄而造甲子, 必能遠溯天地之始, 故以年甲子, 月甲子, 日甲子, 時甲子爲歷元, 不思占斗柄, 止可定十二月, 天地初開闢, 日月如合璧, 五星如連珠, 俱起於牽牛之初, 而後可以定夜半之冬至, 此乃死法, 故孟子以爲千歲之歷, 可坐而致, 以今之歷考之, 如所云云, 則天地之開闢者亦數矣. 是豈天地之始耶, 日月初轉之始耶, 文字未興, 天運無稽, 又安能盡推之也耶?)

만민영 의견(按) : 왕씨의 설은 과연 일리가 있다. 그러나 고금古今의 고인 달사들은 천수天數를 계산하고 음양을 미루어 살펴보고, 태을수太乙數로서 천운天運의 길흉을 추산하고, 육임六壬으로 인사人事의 길흉을 산정算定하고, 기문奇門으로 지방地方의 길흉을 추산하고, 년월일시로 일생의 길흉을 추산하였다. 예를 들면 원천강, 이순풍, 일행선사, 이허중 같은 사람들이 신기하게 적중하지 않음이 없었던 것은 또 어째서인가? 만약 왕씨가 말한 바와 같이 이전의 것이 모두 믿기에 부족하다면 어찌 적중할 수 있었겠는가? (按王說果爲有見, 然古今高人達士, 稽考天數, 推察陰陽, 以太乙數而推天運吉凶, 以六壬而推人事吉凶, 以奇門而推地方吉凶, 以年月日時而推人一生吉凶, 如天罡, 淳風, 一行, 虛中輩, 無不奇中, 抑又何耶. 若如王氏所說, 前皆不足信矣, 其然, 豈其然乎.)

---

21) 두병은 북두칠성의 손잡이처럼 생긴 것을 말한다.

5. 논십간명자지의論十干名字之義

천기天氣는 甲의 간干에서 시작하고, 지기地氣는 子의 지支에서 시작한다. 성인이 음양 경중輕重의 쓰임에 대해 연구하였고, 이름을 지어 그 덕德을 드러내고 별명을 붙여서 그 작용을 표현했다. 子와 甲이 서로 합하는 것에서 시작해서 규칙을 만들어 멀게는 년을 계산하여 60년을 기록하고 가까이는 일日을 추산하고 12時를 밝혔다. 세운歲運의 영허盈虛와 기의 작용이 빠르고 늦음과 만물의 생사와 현재를 미루어 옛것을 알아내는 것이 가능한데, 그것을 아는 것이 특별한 것이 아니다. 그 미세한 것을 고찰하여 아직 싹트지 않은 화복을 알 수 있고, 그 작용을 밝히면 생사의 향방을 알 수 있고, 그런즉 정미精微한 뜻이 크다고 말할 수 있다. 동방은 甲乙, 남방은 丙丁, 서방은 庚辛, 북방은 壬癸, 중앙은 戊己가 오행의 위치이다. (天氣始於甲干,地氣始於子支者,乃聖人究乎陰陽重輕之用也,著明以彰其德,立號以表其事,由是子甲相合,然後成紀,遠可步於歲,而統六十年,近可推於日,而明十二時,歲運之盈虛,氣令之早晏,萬物生死,將今驗古,或得而知之,非特是也.將考其細而知未萌之禍福,明其用而察向往之死生,則精微之義可謂大矣.是以東方甲乙,南方丙丁,西方庚辛,北方壬癸,中央戊己,五行之位也.)

甲乙은 木의 자리이고 봄에 사령司令한다. 甲은 안에 양기가 있지만 음이 아직 양기를 감싸고 있으니 초목은 처음 甲에서 나온 것이다. 乙은 양이 과한 가운데 아직은 정방正方을 얻지 못하여 오히려 굴절屈折된 것이다. 또 이르기를 乙은 꾸불꾸불한 것이라고 하는데, 만물은 모두 甲의 껍질을 벗고 스스로 비집고 나오는 것이다. (蓋甲乙其位木,得春之令,甲乃陽內而陰尚包之,草木始甲而出也.乙者陽過中,然未得正方,尚乙屈也.又云,乙軋也.萬物皆解孚甲,自抽軋而出之.)

丙丁은 火의 자리이고 여름에 사령司令한다. 丙은 양이 위로 올라가고 음이 아래로 내려가는 것이고 음은 안에 양은 밖에 있다. 丁은 양의 기운이 강하여 음기陰氣로서 조절한 것이다. 또 이르기를 丙은 밝은 것이고, 만물이 모두 밝고 뚜렷이 보이고 강대해진 것이다. (丙丁其位火,行夏之令,丙乃陽上而陰下,陰內而陽外,丁陽其强,適能與陰氣相丁.又云,丙炳也,萬物皆炳然著見而强大.)

戊己는 土의 자리이고 사계四季에 두루 운행한다. 戊는 양토陽土인데, 만물이 생겨서 나오는 곳이고 만물이 작벌되어 들어가는 곳이다. 己는 음토陰土인데 하는 것이 없어도 이미 얻은 것이다. 또 말하기를, 戊는 무성한 것이며 己는 일어나는 것이다. 土는 사계의 끝에 운행하니 만물의 빼어난 것이 억눌려 굽혀졌다가 일어나는 것이다. (戊己其位土,行周四季,戊陽土也,萬物生而出之,萬物伐而入之,己陰土也,無所爲而得已者也,又云,戊茂也,己起也,土行四季之末,萬物含秀者,抑屈而起也.)

庚辛은 金의 자리이고 가을에 사령司令한다. 庚은 음간이 양으로 바뀌어 이어지는 것이다. 辛은 양이 아래에 있고 음은 위에 있는 것이다. 음간陰干은 여기서 양이 극에 이르게 되고, 庚은 바뀌게 된다. 그러므로 辛은 새로워지는 것이다. 庚辛은 모두 金으로서, 金의 맛은 맵고 만물은 숙성된 후에 맛이 생긴다. 또 이르기를, 만물이 숙살肅殺되면 변경되어 이삭이 패고 열매가 새로이 생기는 것이다. (庚辛其位金,行秋之令,庚乃陰干,陽更而續者也,辛乃陽在下,陰在上,陰干陽極於此,庚,更故也,而辛,新也,庚辛皆金,金味辛,物成而後有味,又云萬物肅然更改,秀實新成.)

壬癸는 水의 자리이고 겨울에 사령司令한다. 壬이란 말은 맡김인 것이다. 壬은 양이 생겨나는 자리이고, 태胎가 된다. 만물은 壬에서 회임懷妊하는 것이니, 子와 뜻이 같다. 癸는 고르게 하는 것으로, 천령天令이 여기에 이르면 만물이 닫혀지고 저장되며 그 아래에서 회임이 된다. 고르게 하여 싹을 틔우니 이것이 하늘의 도道이고, 태양의 이름이 되기도 한다. 경經에서 이르기를, 하늘에 열 개의 태양이 있고 태양이 여섯 번 돌아서 마치게 되니, 이것이 60갑자의 주갑周甲이다. 천지의 수는 甲 丙 戊 庚 壬이 양이 되고 乙 丁 己 辛 癸는 음이 되어 오행 각각은 일음일양一陰一陽으로 10일이 있게 되는 것이다. (壬癸其位水,行冬之令,壬之言任也,壬乃陽生之位,壬而爲胎,萬物懷妊於壬,與子同意,癸者揆也,天令至此,萬物閉藏,懷妊於其下,揆然萌芽,此天之道也,以爲日名焉,故經曰天有十日,日六竟而周甲者此也.蓋天地之數甲丙戊庚壬爲陽.乙丁己辛癸爲陰,五行各一陰一陽,故有十日也.)

6. 논십이지명자지의論十二支名字之義

대저 청양清陽한 것은 하늘이 되고, 오행이 드러나 십간十干이 세워진다. 탁음濁陰한 것은 땅이 되고, 팔방八方이 정해지고 십이지十二支가 나뉘어진다. 운運은 바뀌고 기氣가 변하여 해마다 차고 기우는 것이 규칙적이니, 상승하고 하강하여 만물이 변화를 기약할 수 있으므로 간지의 배합으로 묘용妙用이 생긴다. 子는 북방의 음이 지극하여 한수寒水에 자리하고 일양一陽이 처음으로 생겨난 것이다. 따라서 음이 극에 달하면 양이 시생始生한다. 壬은 잉태한 자식으로 子가 되니 11월의 지지인 것이다. 丑에 이르면 음이 여전히 세력을 잡아서 만물을 얽어맨다. 또 丑은 음으로 만물을 돕는 것이다. 12월은 한 해를 마감하고 새로 시작하는 때이다. 그래서 매듭을 짓는다는 이름을 붙였다. 寅은 정월이다. 양은 이미 위에 있고 음은 이미 아래에 있고, 사람이 처음 보이는 때이다. 따라서 율관律管에서 재灰가 날리는 때에 맞추어 일을 시작하는 것이다. 또 寅은 펼쳐지는 것이고, 나루터의 뜻이 있다. 만물의 나아가는 길 진도津塗라고 한다. 卯는 태양이 떠오르는 때이며 또 卯는 무성한 것이니, 2월은 양기가 왕성하고 번성한 것이다. (夫清陽爲天,五行彰而十干立,濁陰爲地,八方定而十二支分,運移氣遷,歲歲而盈虛應紀,上升下降,物物而變化可期,所以支干配合,共臻妙用矣.子者,北方至陰,寒水之位,而一陽肇生之始,故陰極則陽生,壬而爲胎,子之爲子,此十一月之辰也.至丑陰尚執而紐之,又丑陰也,助也,謂十二月終始之際,以結紐爲名焉.寅,正月也,陽已在上,陰已在下,人始見之時,故律管飛灰以候之,可以述事之始也,又寅,演也,津也,謂物之津塗,卯,日升之時也,又卯,茂也,言二月陽氣盛而孳茂.)

辰은 양이 과반을 지나 3월의 시기이다. 만물이 우레에 진동하여 자라는 것이다. 그래서 辰을 우레라고 한다. 巳는 4월이다. 정양正陽으로 음이 없는 것이다. 子로부터 巳까지가 양의 자리이니 양은 여기서 다하게 되는 것이고, 또 巳는 일어나는 것이다. 만물이 완성하여 일어나는 것이다. 午는 양이 아직 굴복하지 않았으나 음이 처음으로 생겨나 주관하게 된다. 또 이르기를 午는 자라나는 것이고 큰 것이다. 만물이 5월에 이르면 모두 풍만하고 장대하게 되는 것이다. 未는 6월이고 나무의 파종이 끝난 것이다. 또 이르기를 未는 맛이니 만물은 완성되면 맛이 든다. 辛과 같은 뜻이다. (辰者,陽已過半,三月之時,物盡震而長,又謂辰言震也,巳者,四月,正陽而無陰也,自子至巳陽之位,陽於是盡,又巳,起也,物畢盡而起,午者,陽尚未屈,陰始生而爲主,又云,午,長也,大也,物至五月,皆豊滿長大也,未六月,木已種而成矣.又云,未味也,物成而有味,與辛同意.)

申은 7월의 지지이다. 申에서 양이 이미 지나고 음이 오는 것이다. 申에 이르면 상하가 통한다. 사람이 보이기 시작하며, 백로白露는 낙엽이 떨어지는 계절이다. 그래서 음적인 일을 이루게 된다. 또 말하기를 申은 신身이 되니 만물이 모습을 완성하게 된다. 酉는 태양이 지는 시기이고 양이 정중正中이 된다. 8월이 된다. 또 이르기를 酉는 움츠리는 것이니 만물이 모두 움츠리고 수렴하는 것이다. 戌은 9월이고 양이 아직은 끝나지 않았지만 작용할 수가 없다. 戌에서 감추고 저장하고 戌 가운데 건乾이 위치하니 戌은 천문天門이 되기 때문이다. 또 말하기를 戌은 멸하는 것이고 만물이 모두 쇠멸하는 것이다. 亥는 10월로 순음純陰이고 또 亥는 핵劾이니 음기陰氣가 만물을 핵살劾煞함을 말한다. 이것이 땅의 도이다. 그러므로 이것이 月의 이름이 되는 것이다. (申者,七月之辰,申陽所爲而已,陰至於申,則上下通而人始見,白露葉落,乃其候也.可以述陰事以成之,又云,申身也,言物體皆成,酉者,日入之時,乃陽正中,八月也,又云,酉,縮也,萬物皆縮縮收斂,九月戌,陽未旣也,然不能事,潛藏於戌,戌中乃乾位,戌爲天門故也,又云,戌,滅也,萬物皆衰滅矣,十月亥,純陰也,又亥,劾也,言陰氣劾殺萬物,此地之道也,故以此名月焉.)

甲을 비롯한 천간은 하늘의 오행으로 일음일양一陰一陽이라고 말할 수 있다. 子를 비롯한 지지는 땅의 오행으로 땅의 방우方隅가 된다고 말할 수 있다. 그러므로 子寅午申은 양이 되고, 卯巳酉亥는 음이 된다. 土는 사유四維에 거하며, 사계의 말미에서 사령하고 土는 넷이 있으니, 辰戌은 양이고 丑未는 음이 되므로 그 수가 다른 오행과 다르다. 합하여 말하면 천간 10을 지지 12에 배합하여 모두 60日을 이룬다. 다시 6을 곱하면 한 해를 이룬다. 경經에서 이르기를, 하늘은 6에 6을 곱하는 절節로 일세一歲를 이룬다고 하였다. 이것을 말한 것이다. (甲之干,乃天之五行,以一陰一陽言之,子之支,乃地之五行,以地之方隅言之.故子寅午申爲陽,卯巳酉,亥爲陰,土居四維,王在四季之末,土有四,辰戌爲陽,丑未爲陰,故其數不同也.合而言之,十配十二,共成六十日,復六六而成歲,故經曰,天以六六之節,以成一歲,此之謂也.)

진단이 말하였다.

"천간은 甲에서 시작하여 癸에서 마치니, 하도의 생성生成하는 수이다. 지지는 子에서 일어나서 亥에서 마치니, 낙서의 기수奇數와 우수偶數인 것이다. 양은 복復에서 시작하여 여섯 번 변하면 건乾의 양을 갖추게 되고, 음은 구姤에서 시작하여 여섯 번 변하면 곤坤의 음을 완성하게 된다. 여섯인 둘을 합한 수는 12지지가 된다. 무릇 甲丙戊庚壬은 양간陽干이고, 子寅辰午申戌은 양지陽支이다. 乙丁己辛癸는 음간陰干이고, 丑卯巳未酉亥는 음지陰支이다. 규칙에 의해 양간은 양지와 배합하고, 음간은 음지와 배합하니, 나무에 줄기가 있고 가지가 있는 것과 같다. 甲子로 시작해서 천간에서 6번의 갑과 지지에서 5번의 子를 차례로 배열하면 癸亥에서 끝나게 된다. 이것이 간지의 본수本數이니 이로써 성수成數를 계산한다. 그 성수의 간지수를 총합한 후에 5로 나누어 남는 수를 얻는다. 이 남는 오행의 음音이 육갑六甲의 납음納音인 것이다. 성인聖人이 이것을 추산하여 사용하였고, 60 위位를 분금分金하여 24위에 배치했다. 정오행正五行을 각궁各宮의 경經으로 하고 육갑의 대오행大五行을 위緯로 하여 그 분금分金과 태양쇠사胎養衰死의 기를 관찰하여 고허왕상孤虛旺相의 괘卦를 정했다. 안에는 戊己가 있어 귀갑龜甲 공망이 되면 甲乙로 공망을 보완했다. 이렇게 음양이 차오르고 사그라짐을 파악했다. 대저 장례를 지낼 때는 기를 타야 하고 명을 정함에는 납음이 필요하니 모두가 이것을 근본으로 삼았다."(陳搏曰,天干始於甲而終於癸,河圖生成之數也.地支起於子而終於亥,洛書奇偶之數也.陽自復始,六變而乾陽備,陰自姤始,六變而坤陰成,合二六之數而爲十二辰也.夫甲丙戊庚壬,陽幹也.子寅辰午申戌,陽枝也.乙丁己辛癸,陰幹也.丑卯巳未酉亥,陰枝也.法以陽幹配陽枝,陰幹配陰枝,猶木之有幹而有枝,自甲子爲首,以六甲五子,次第推排,而盡於癸亥,仍以幹枝本數,而計其成數,總其成數幹枝若干,然後以五數除之,遇其有剩者約之,以生五行之音,是爲六甲納音,聖人推之以入用,以分金六十位,正布於二十四位,以正五行爲各宮之主,以六甲大五行爲緯,察其分金胎養衰死之氣,定其孤虛旺相之卦,內有戊己爲龜甲空亡,甲乙爲補接之空,以是消息陰陽,凡立葬乘氣,定命納音,皆宗乎此.)

7. 총론납음總論納音

일찍이 『몽계필담夢溪筆談』[22]에서 60갑자 납음을 논한 것을 살펴본다.

"본래 60율六十律은 선상위궁旋相爲宮[23]의 법이다. 일율一律은 오음五音을 포함한다. 기氣는 동방에서 시작하여 우측으로 운행하고, 음音은 서방에서 일어나서 좌측으로 돈다. 음양이 서로 섞이므로 변화가 생긴다. 기는 동방에서 시작하고, 사시四時는 木에서 시작해서 우측으로 운행하여 火에게 전하고, 火는 土에게 전하고, 土는 金에게 전하고, 金은 水에게 전한다. 그러나 음은 서방에서 시작하니, 오음五音은 金에서 시작하여 좌측으로 돌아서 火에 전하고, 火는 木에게 전하고, 木은 水에게 전하고, 水는 土에게 전한다. 납음과 역易의 납갑納甲은 법이 같은데, 건乾은 납갑納甲하고 곤坤은 납계納癸하니 건에서 시작하여 곤에서 끝난다. 납음도 金에서 시작하니 金은 건이 되고, 土에서 끝나니 土는 곤인 것이다. 오행 중에서 오직 金만이 주조鑄造하여 그릇이 되어 음향을 내니 납음으로는 金이 먼저이다. 『백호통白虎通』[24]에서는 종鐘을 태분太兌의 음이라고 하였다." (嘗觀筆談,論六十甲子納音,本六十律旋相爲宮法也.一律含五音,凡氣,始於東方而右行,音起

---

22) 沈括(1031 - 1095)의 저서.
23) 중국의 음악이론에서, 육십 조가 이루어지는 원리.
24) 후한 장제 때 직명에 의해 백호관에서 백관들을 모아 개최한 유가 경전에 대한 회의록이다. 반고가 편찬했으며 총 4권으로, 『백호통의白虎通義』, 『백호통덕론白虎通德論』이라고도 한다. 『여씨춘추』, 『회남자』, 『춘추번로』, 『논형』 등과 함께 진한시대 사상사, 정치사를 살피는데 중요한 자료이다.

於西方而左行,陰陽相錯而生變化.所謂氣始於東方者,四時始於木,右行傳於火,火傳於土,土傳於金,金傳於水,所謂音始於西方者,五音始於金,左旋傳於火,火傳於木,木傳於水,水傳於土.納音與易納甲同法,乾納甲,坤納癸,始於乾而終於坤.納音始於金,金,乾也,終於土,土,坤也.五行之中,惟有金鑄而爲器,則音響彰,納音所以先金.白虎通曰,鍾,兌音也.)

납음納音의 법은 같은 납음오행 종류를 처妻로 삼고 여덟 번을 격隔하여 자식을 삼으니, 이것은 『한지漢志』의 말이다. (納音之法,同類娶妻,隔八生子.此漢志語也.) (原註: 납음과 역易의 납갑納甲은 그 법이 같다. 건乾은 甲을 받아들이고 곤坤은 癸를 받아들인다. 건에서 시작하고 곤에서 마친다. 납음은 金에서 시작하니 金은 건이다. 土에서 마치니 土는 곤이다. 오행 가운데 오직 金만 제련을 통해 그릇이 되고 소리를 낸다. 그래서 납음에서는 금이 가장 앞에 있다.『백호통白虎通』에서는 '종鍾은 태兌의 음이다'라고 하였다.)

율려律呂는 상생의 법이다. 甲子 金의 중仲(황종黃鍾의 상商)은 동위同位인 乙丑(대려大呂의 상商)과 결혼해서 그 아래로 여덟 번 격隔한 곳에 있는 壬申 金의 맹孟(이칙夷則의 상商)을 낳는다. (原註: 대려가 아래의 이칙을 생하는 것이다.이하 모두 이것을 모방한다. 동위同位란 甲과 乙, 丙과 丁과 같은 것인데 나머지도 모두 이와 같다.)

壬申은 동위인 癸酉(남궁南呂의 상商)에게 장가들어 위로 여덟 번을 격한 곳에 있는 庚辰 金의 계季(고세姑洗의 상商)를 낳는다. (原註: 여기에서 金의 삼원三元이 끝난다. 단지 양陽의 자리만 말하면 둔갑遁甲의 역전逆轉에 의해 중맹계仲孟季가 되고, 만약 처를 얻는 것을 말하면, 순전順轉하여 맹중계孟仲季가 된다.)

庚辰은 동위同位인 辛巳(중려仲呂의 상商)에게 장가들어 여덟 번을 격하여 아래의 戊子 火의 중仲(황종의 치徵)를 낳는다. (원주: 여기서 金의 삼원三元이 끝나고, 우측으로 행하여 남방의 火에게 전한다.)

戊子는 己丑(대려의 치徵)에게 장가들어 丙申 火의 맹孟(이칙夷則의 치徵)을 생한다. 丙申은 丁酉에게 장가들어 甲辰 火의 계季(고선의 치)를 생한다. 甲辰은 乙巳(중려仲呂의 치)에게 장가들어 壬子 木의 중仲(황종의 각角)을 생한다. (원주: 여기서 火의 삼원三元이 끝나면 좌선하여 동방木에게 전하는 것이다.)

이와 같이 좌선左旋하여 丁巳인 중려仲呂의 궁宮에 이르면 오음五音이 한번 끝나고, 다시 甲午 金의 중仲은 乙未에게 장가들어 여덟 번을 격한 곳의 壬寅을 생하고, 甲子의 법과 똑같이 癸亥에서 마친다. (원주: 유빈蕤賓이 임종林鍾에게 장가들어 위로 태족太簇의 치徵를 생하는 것이다.) (律呂相生之法也.甲子金之仲黃鍾之商,同位娶乙丑大呂之商.同位謂甲與乙,丙與丁之類,下皆倣此,隔八,下生壬申金之孟,夷則之商,隔八,謂大呂下生夷則,下皆倣此壬申同位娶癸酉,南呂之商隔八,上生庚辰金之季,姑洗之商,此金三元終,若只以陽辰言之,則依遁甲逆轉仲孟季,若娶妻言,則順轉孟仲季

也,庚辰同位娶辛巳,伸『仲』呂之商隔八,下生戊子火之仲,黃鍾之徵,金三元終,則左行傳南方火也戊子娶己丑,大呂之徵生丙申火之孟,夷則之徵丙申娶丁酉,生甲辰火之季,姑洗之徵甲辰娶乙巳,仲呂之徵生壬子木之仲,黃鍾之角,火三元終,則左行傳於東方木如是左行,至於丁巳,中呂之宮.五音一終,復自甲午金之仲,娶乙未,隔八,生壬寅,一如甲子之法,終於癸亥.謂蕤賓娶林鍾上太蔟之徵.)

子에서 巳에 이르는 것은 양이므로 황종黃鍾에서 중려仲呂에 이르는 것은 모두 아래를 생하고, 午에서부터 亥에 이르는 것은 음이므로 임종林鍾에서 응종應鍾에 이르는 것은 모두 위를 생한다. (원주: 甲子, 乙丑 金과 甲午 乙未 金은 비록 같을지라도, 甲子 乙丑은 양율陽律이므로 양율은 아래를 생한다. 甲午 乙未는 음려陰呂인데 음려는 모두 위를 생한다. 여섯가지의 율은 서로 상반되므로 나누어져 일기一紀가 된다. 오음五陰이 변하고 순환하여 12자리를 돌데 된다. 각각 오음五音을 포함하므로 30 자리가 되고 또 변하여 60甲子가 된다.) 무릇 상하를 생하는 것은 천기는 하강하고 지기는 상승하는 것이다. 역에서 말하는 천지교태天地交泰의 뜻이 여기에서 드러난다. 그러나 소생所生하는 것은 3에서 그치니 역시 삼원三元의 뜻이다. 따라서 경에서 '3은 하늘을 이루고, 3은 땅을 이루고, 3은 사람은 이룬다'고 하였다. 역효易爻의 상象은 3을 취한다. 노자가 말하기를, '1은 2를 생하고, 2는 3을 생하고, 3은 만물을 생한다'라고 하였다. 대개 시작이 있고 중간이 있고 끝이 있어 마치는 것이다. 『노사路史』[25]에서 말하기를, '甲乙 木, 丑未 土, 子水, 午火, 이 여섯에는 金이 전혀 없다. 풍후風后가 배합하여 甲子, 乙丑, 甲午, 乙未를 金이라 하였다.' (自子至於巳爲陽,故自黃鍾至於仲呂,皆下生,自午至於亥爲陰,故自林鍾至於應鍾,皆上生.甲子乙丑金,與甲午乙未金雖同,然甲子乙丑爲陽律,陽律皆下生,甲子午乙未爲陰呂,陰呂皆上生,六律呂相反,所以分爲一紀,五音變而周,乃十二辰各含五音,則成三十位,而變六十甲子夫上下生者,正謂天氣下降,地氣上升.易曰,天地交泰,義見於此,然所生止三者,亦三元之義.故經曰,三而成天,三而成地,三而成人,易爻之象取三.老子曰,一生二,二生三,三生萬物,蓋有始,有中,有終,畢矣.)

납음은 수數에서 나온 것이다. 수가 합하고 변화해서 나온 것이다. 건乾은 하늘이요, 곤坤은 땅이다. 건곤이 합하여 태泰가 된다. 덕德을 부父로 삼고 홍紅은 모母로 삼으니 덕홍德紅이 합하여 東이라는 소리가 나게 된다. 간干은 군君이 되고 지支는 신臣이 되며, 간지干支가 합하므로 납음이 생겨났다. 甲乙은 군이 되고 子丑은 신이 된다. 子丑甲乙은 합하면 金이 된다. 오행은 세상에 있으면서 각기 기의 성질이 있고 쓰이는 위치가 있다. 혹 상제相濟하거나 혹 상극하고, 그릇을 이루기도 하고 이루지 못하기도 하며, 왕성하다가 끊어지고 절絶한 가운데 기를 받기도 하는 것이니, 오직 서로 배합하고 취함이 따를 뿐이다. 金의 수數가 같기 어려운 것 역시 해중海中과 사중沙中의 다름이 있는 것이다. (又觀路史云,甲乙木,丑未土,子水而午火,六者無一金,而風后配合,乃以甲子乙丑,甲午乙未,謂之金,此出乎數者然也,數之所合,變之所由出也.乾爲天,坤爲地,乾坤合而爲泰,德爲父,紅爲母,德紅合而爲東干爲君,支爲臣,干支合而納音生,是故甲乙爲君,子丑爲臣,子丑甲乙合而爲金,蓋五行之在天下,各有氣性,有材位,或相濟,或相剋,若成器,未成器,旺中受絶,絶中受氣,惟相配而取之,爲不同耳.此金數之所以難同,而又有海中沙中之異.)

---

25) 宋나라 나필羅泌의 저술.

혹 말하기를, 甲乙은 상극을 취하여 甲은 庚에게 시집가고 乙은 辛에게 시집가니 甲乙은 금기
金氣를 지니게 된다. 따라서 木은 반드시 金을 받아 잉태한다. 양은 子에서 생겨나고 水의 왕지
旺地이다. 그래서 甲子 乙丑은 해중海中의 양금陽金이 되고, 음은 火의 왕지 午에서 태어난다.
따라서 甲午 乙未는 사중沙中의 음금陰金이 된다. 子는 양의 시작이며, 午는 음의 시작이다. 甲
은 子에 붙이고, 乙은 丑에 붙이면서 진행하여 그 수가 午에 이르면 庚을 얻고 未에 이르면 辛
을 얻는다. 양이 陰을 찾은 것이다. 甲을 午에 붙이고 乙을 未에 붙여 그 수가 子丑에 이르면 역
시 庚辛을 얻게 된다. 陰이 양陽의 짝이 된 것이다. 이 또한 선궁旋宮의 법이다. 남편과 아내 부
모와 자식이 서로 상제相濟하거나 상극相剋하고, 서로 위가 되거나 아래가 되어, 길흉의 조짐을
드러내는 것이다. 풀 가운데 신菫과 루虆[26]가 있는데, 따로 먹으면 사람이 죽고 합쳐 먹으면 장
수한다. 금金과 석錫도 둘의 유약함을 합하여 제련하면 강한 것이니 이치가 진실로 이와 같은 것
이다. (或曰,甲乙以相剋取,甲嫁庚,乙嫁辛,甲乙遂有金氣.故凡木必受金胎,陽生於子,水旺之地.故甲子
乙丑,爲海中之陽金,陰生於午,火旺之地.故甲午乙未爲沙中之陰金,子,陽之始,午,陰之始,以甲加子,乙
加丑,數之至午得庚,至未得辛,爲陽索陰,以甲加午,乙加未,數至子丑,亦得庚辛,爲陰匹陽,蓋亦旋宮之
法,夫妻子母,相濟相剋,相上相下,而吉凶之兆著矣.草有菫與虆,獨食之殺人,合而食之有壽,金錫兩柔,合
而煉之則剛,理固如是.)

또 『육미지론六微旨論』에서 말한 것을 살펴본다. 납음에 대하여 설명하기를, 천간은 子午에 있
으면 庚에 이르도록 세어가고, 丑未에 있으면 辛에 이르도록 세어가고, 寅申에 있으면 戊에 이르
도록 세어가고, 卯酉에 있으면 己에 이르도록 세어가고, 辰戌에 있으면 丙에 이르도록 세어가고,
巳亥에 있으면 丁에 이르도록 세어간다. 그 세어나간 수가 7을 얻으면 서방의 소황지기素皇之氣
로서 납음은 金에 속한다. 3을 얻으면 남방의 단천지기丹天之氣로서 납음은 火에 속한다. 9를 얻
으면 동방의 陽九之氣로서 납음은 木에 속한다. 1을 얻으면 중앙의 총통總統之氣로서 납음은 土
에 속한다. 5를 얻으면 북방의 현극玄極之氣로서 납음은 水에 속한다. 가령 甲子 甲午는 甲에서
庚에 이르고, 乙丑 乙未는 乙에서 辛에 이르는 그 수가 모두 7이므로 납음으로 金에 속한다. 丙
寅 丙申은 丙에서 戊에 이르고, 丁卯 丁酉는 丁에서 己에 이르는 그 수가 모두 3이므로 납음으
로 火에 속한다. 戊辰 戊戌은 戊에서 丙에 이르고 己巳 己亥는 己에서 丁에 이르는 그 수가 모
두 9이므로 납음으로 木에 속한다. 庚子 庚午, 辛未 辛丑은 그 수가 모두 1이므로 납음으로 土
에 속한다. 丙子 丙午는 丙에서 庚에 이르고, 丁未 丁丑은 丁에서 辛에 이르는 그 수가 모두 5
이므로 납음으로 水에 속한다. 납納은 간干의 수數인 것이므로 단지 그 간干만 계산하고 그 지支
는 계산하지 않는다. 가령 丙에서 庚에 이르면 곧 丙丁戊己庚으로 그 수가 5이다. 또 예를 들면,
甲에서 庚에 이르면 곧 甲乙丙丁戊己庚이니 그 수가 7이 된다. 『육미지론』의 내용은 『노사路史』
에서 설명한 뜻과 같다. (又觀六微旨論云,納音者,謂子午數至庚,丑未數至辛,寅申數至戊,卯酉數至
己,辰戌數至丙,巳亥數至丁,得七者,西方素皇之氣,納音屬金也.得三者,南方丹天之氣,納音屬火也,得九
者,東方陽九之氣,納音屬木也.得一者,中央總統之氣,納音屬土也,得五者,北方玄極氣,納音屬水也.假如
甲子甲午,從甲至庚,乙丑乙未,從乙至辛,其數皆七,所以納音屬金,丙寅丙申,從丙至戊,丁卯丁酉,從丁至

---

26) 신菫은 뿌리와 줄기는 마디가 많고 육질이며 뿌리에 매운맛이 있기 때문에 '세신'이라 하고, 유독성 식
    물이다. 루虆는 넝쿨류를 총칭하는 것으로 담쟁이 넝쿨은 독성이 있다.

己,其數皆三,所以納音屬火,戊辰戊戌,從戊至丙,己巳己亥,從己至丁,其數皆九,所以納音屬木,庚子庚午,辛未辛丑,其數皆一,所以納音屬土,丙子丙午,從丙至庚,丁未丁丑,從丁至辛,其數皆五,所以納音屬水,納,干數也.所以只數其干,不數其支.如從丙至庚,卽丙丁戊己庚,是其數五也.又如從甲至庚,卽甲乙丙丁戊己庚,其數七,卽路史之義.)

또 『서계당가록瑞桂堂暇錄』에서 말한 바를 살펴본다. 60갑자의 납음은 金木水火土의 음을 밝힌 것이다. 1,6은 水이고, 2,7은 火이며, 3,8은 木이고, 4,9는 金이며, 5.10은 土가 된다. 그러나 오행 중에서 오직 金木만이 스스로의 음이 있다. 水, 火, 土는 반드시 서로 빌린 후에 음을 만든다. 대개 水는 土에게 빌리고, 火는 水에게 빌리고, 土는 火에게 빌린다. 金의 음은 4,9이고, 木의 음은 3,8이고, 水의 음은 5,10이고, 火의 음은 1,6이고, 土의 음은 2,7이 된다. 가령 甲子, 乙丑이라면 그 수는 34인데 4는 金의 음이므로 납음 金이 된다. 戊辰 己巳는 그 수가 28인데 8은 木의 음이므로 납음 木이 된다. 庚午 辛未는 그 수가 32이고 2는 火인데, 土는 火의 음을 빌려 음을 내는 것이므로 납음 土가 된다. 甲申 乙酉는 그 수가 30이고 10은 土인데, 水는 土의 음을 빌려 음을 내는 것이므로 납음 水가 된다. 戊子 己丑은 그 수가 31이고 1은 水인데, 火는 水의 음을 빌려 음을 내는 것이므로 납음 火가 된다. 무릇 60甲子는 모두 그렇게 납음을 구한다. 두 金과 두 木이 서로 부딪히면 자연적인 소리를 낸다. 水는 반드시 土에게 부딪히고, 火는 필히 水에게 부딪혀서 상호작용으로 소리를 낸다. 土는 반드시 火로서 그릇을 만든 이후에 소리를 낼 수 있다. 이 또한 자연의 이치이다. (又瑞桂堂暇錄則云,六十甲子之納音,此以金木水火土之音而明之也.一六爲水,二七爲火,三八爲木,四九爲金,五十爲土,然五行之中,惟金木有自然之音,水火土必相假而後成音.蓋水假土,火假水,土假火,故金音四九,木音三八,水音五十,火音一六,土音二七,如甲子乙丑,其數三十有四,四者金之音,故曰金,戊辰己巳,其數二十有八,八者木之音,故曰木,庚午辛未,其數三十有二,二者火也.土以火爲音,故曰土,甲申乙酉,其數三十,十者土也.水以土爲音,故曰水,戊子己丑其數三十有一,一者水也.火以水爲音,故曰火.凡六十甲子皆然,蓋兩金兩木相擊,自然成音,而水必以土擊,火必以水激,相勝而成音.土必以火陶成器而後有音,亦自然之理也.)

또 일설一說이 있는데, 60甲子의 납음은 모두 오음이 소생所生하는 바를 따른다는 설이다. 조리가 있어 어지럽지 않고 마치 구슬을 꿴 듯이 정연하다. 甲子를 머리로 하여 오음은 궁宮에서 시작한다. 궁토宮土는 金을 생하므로 甲子는 납음 金이 된다. 乙丑은 陰으로서 양을 따른다. 상금商金은 水를 생하므로 丙子는 水가 되며, 丁丑은 丙子를 따른다. 각목角木은 火를 생하므로 戊子는 火가 된다. 치화徵火는 土를 생하므로 庚子는 土가 된다. 우수羽水는 木을 생하므로 壬子는 木이 된다. 여기서 己丑, 辛丑, 癸丑은 각각 양을 따른다. 甲寅에 이르면 납음은 상商에서 시작한다. 상금商金은 水를 생하므로 甲寅은 水가 된다. 각목角木은 火를 생하므로 丙寅은 火가 된다. 치화徵火는 土를 생하므로 戊寅은 土가 된다. 우수羽水는 土를 생하므로 庚寅은 木이 된다. 궁宮의 土는 金을 생하므로 壬寅은 金이 된다. 여기서 다섯 卯는 각각 양을 따른다. 甲辰에 이르면 납음은 각角에서 시작한다. 각목角木은 火를 생하므로 甲辰은 火가 된다. 치화徵火는 土를 생하므로 丙辰은 土가 된다. 우수羽水는 木을 생하므로 戊辰은 木이 된다. 궁토宮土는 金을 생하므로 庚辰은 金이 된다. 상금商金은 水를 생하므로 壬辰은 水가 된다. 여기서 다섯 巳는 각각 양을 따르게 된다. 이 법은 궁상각宮商角에 모두 적용된다. 그러나 오직 치우徵羽는 앞자리에 거할 수 없다. 그러므로 甲午는 甲子와 같고, 甲申은 甲寅과 같고, 甲戌은 甲辰과 같다. 그리고 다섯 未, 다섯 酉, 다섯 亥 역시 각각 그 종류를 따른다. (又一說,六十甲子納音,皆從五音所生,有條不紊,端如貫珠,蓋甲子爲首,而五音始於宮,宮土生金,故甲子爲金,而乙丑以陰從陽,商金生水,故丙子爲水,而丁丑從之,角木生火,故戊子爲火,徵火生土,故庚子爲土,羽水生木,故壬子爲木,而己丑,辛丑,癸丑各從之,至於甲寅,則納音起於商,商金生水,故甲寅爲水,角木生火,故丙寅爲火,徵火生土,故戊寅爲土,羽水生土,故庚寅爲木,宮土生金,故壬寅爲金,而五卯各從之,至甲辰,則納音起於角,角木生火,故甲辰爲火,徵火生土,故丙辰爲土,羽水生木,故戊辰爲木,宮土生金,故庚辰爲金,商金生水,故壬辰爲水,而五巳各從之.宮商角皆然,惟徵羽不得居首,於是甲午復如甲子,甲申如甲寅,甲戌如甲辰,而五未五酉,五亥亦各從其類.)

또 하나의 설이 있다. 대연수大衍數는 50인데 그 쓰임은 49수이다. 먼저 49수를 펼쳐 놓고 태현수太玄數를 사용한다. 甲, 己, 子, 午는 9이며, 乙, 庚, 丑, 未는 8이고, 丙, 申, 寅, 辛은 7이며, 丁, 壬, 卯, 酉는 6이고, 戊, 癸, 辰, 戌은 5이며, 巳, 亥는 단독으로 4이다. 5수로 나누어서 5가 되지 않는 것이 납음이 된다. 水1, 火2, 木3, 金4, 土5가 상생하는 것을 취하여 사용한다. 예를 들어 나머지가 1水이면 水生木, 나머지가 2火이면 火生土, 나머지가 3木이면 木生火, 나머지가 4金이면 金生水, 나머지가 5土이면 土生金이 된다. 가령 甲子 乙丑 사위四位 간지干支의 34수를 (대연수 49에서) 공제控除하여 15수가 남는 것에서 2 곱하기 5인 10을 공제하면 나머지 5수를 얻는 것이고 土에 속하는데, 土는 능히 金을 생하니, 이 甲子 乙丑은 金인 것이다. 丙寅 丁卯 4간지를 더한 수 26수를 (대연수 49에서) 제하면 23수가 되는데 4 곱하기 5인 20을 공제하면 나머지는 3이고 木에 속하는데 木은 능히 火를 생하니 丙寅 丁卯는 火가 되는 것이다. 나머지는 모두 이를 모방하라. 대저 60甲子는 역력曆이고, 납음은 율律이다. 천간 지지의 원래 오행과 납음은 별개이다. 이는 천지자연의 수인 것이다. (又一說,大衍之數五十,其用四十九,先布四十九數,卻用太玄數.甲己子午九,乙庚丑未八,丙申寅辛七,丁壬卯酉六,戊癸辰戌五,巳亥單名四,以五數除,不滿五者,作納音屬,水一,火二,木三,金四,土五,相生取用便是.如餘一水,水生木,餘二火,火生土,餘三木,木生火,餘四金,金生水,餘五土,土生金,假令甲子乙丑,四位干支,共除三十四數,外有十五數,以二五除一十,餘剩得五數屬土,土能生金,是甲子乙丑金也.丙寅丁卯四位干支,除二十六數外,有二十三數,以四五除二十,餘剩三數屬木,木能生火,是丙寅丁卯火也.餘皆倣此.大抵六十甲子,歷也,納音,律也.干支納音之別也.此天地自然之數.)

하도는 상생하는 생수生數인데, 생하는 것은 왼쪽으로 돈다. 따라서 중앙의 土는 서방의 金을 생하고, 서방의 金은 북방의 水를 생하고, 북방의 水는 동방의 木을 생하고, 동방의 木은 남방의 火를 생하고, 남방의 火는 다시 중앙의 土를 생하는 것이다. 낙서는 상극하는 극수剋數인데, 극하는 것은 오른쪽으로 돈다. 따라서 중앙의 土는 북방과 서북의 水를 극하고, 북방과 서북의 水는 서방과 서남의 火를 극하고, 서방과 서남의 火는 남방과 동남의 金을 극하고, 남방과 동남의

金은 동방과 동북의 木을 극하고, 동방과 동북의 木은 또 중앙의 土를 극하는 것이다. 이 하도河
圖와 낙서洛書는 생하고 극하는 자연의 수인 것이다. 무릇 술수의 뿌리는 이수理數에 있는 것이
니 정미精微해서 통하지 않는 것이 없다. 이는 납음의 묘함인데 황제로부터 나온 것을 의심할 수
없는 것이다. (河圖生數也,生者左旋,故以中央之土,而生西方之金,西方之金,而生北方之水,北方之水,
而生東方之木,東方之木,而生南方之火,南方之火而復生中央之土.洛書,剋數也.剋者右轉,故以中央之
土,而剋北與서북之水,北與서북之水,而剋西與西南之火,西與西南之火,而剋南與東南之金,南與東南之
金,而剋東與東北之木,東與東北之木,而又剋中央之土.此圖書生剋自然之數也.蓋術根理數,無微不通,
此納音之所爲妙也.斷斷乎出自黃帝無疑矣.)

　　다시 태현수太玄數를 고찰해보면, 어찌해서 甲 己 子 午는 9수가 되는 것인가? 대저 만물은
천지에 근본을 두고 사계절로 운행한다. 봄에는 만물이 간艮에서 자라나고, 가을에는 만물이 곤
坤에서 시들어 떨어지는데, 발생하고 돌아가서 감추는 것은 土를 벗어날 수 없으니 土는 간곤艮
坤인 것이다. 역에서 이르기를, '간艮에서 만물은 생겨나기 시작하고, 곤坤에서 만물은 완성하고
마무리한다'라고 하였다. 甲은 천간의 으뜸이며 子는 지지의 으뜸이다. 음양이 순환하여 일양一
陽으로 다시 돌아온다. 甲子에서 천지의 수가 일어나는 것이다. 子는 일양一陽으로 건乾에 속하
며 부父의 도道이다. 甲壬을 여기에 배정하여 子의 수數를 따른다. 甲이 申에 이르면 壬을 보게
되고 9수를 얻으니 건乾은 원래 9를 사용하는 것이다. 부부가 배합하므로 甲己의 두 천간은 모
두 9를 얻는다. 丑 위에 乙을 더하고 申에 이르면 8을 얻으므로 乙庚의 두 천간은 모두 8을 얻
는 것이다. 寅 위에 丙을 더하고 申에 이르면 7을 얻으므로 丙辛의 두 천간은 모두 7을 얻는 것
이다. 卯 위에 丁을 더하여 申에 이르면 6을 얻으므로 丁壬의 두 천간은 모두 6을 얻는 것이다.
辰 위에 戊를 더하여 申에 이르면 5를 얻으므로 戊癸의 두 천간은 모두 5를 얻는 것이다. 이렇
게 천간은 건乾에서 일어난다. 午는 일음一陰으로 곤坤에 속하고 신신臣의 도道이다. 乙癸를 여기
에 배합하여 午를 따른다. 乙을 더하여 寅에 이르러 癸를 만나면 9를 얻는다. 子는 일양一陽이고
午는 일음一陰으로 부부의 도이므로 子 午 두 지지는 모두 9를 얻는다. 丑에 寅을 더해 未에 이
르면 8을 얻으므로 丑 未의 두 지지는 모두 8을 얻는다. 寅에 申을 더하여 寅에 이르면 7을 얻
으므로 寅申의 두 지지는 모두 7을 얻는다. 卯에 酉를 더하여 寅에 이르면 6을 얻으므로 卯酉의
두 지지는 모두 6을 얻는다. 辰에 戌을 더하여 寅에 이르면 5를 얻으므로 辰戌의 두 지지는 모
두 5를 얻는 것이다. 巳에 亥를 더하여 寅에 이르면 4를 얻으므로 巳亥 두 지지는 모두 4를 얻
는다. (再考太玄數如何以甲己子午爲九數?蓋萬物者,本乎天地,運乎四時,春以萬物滋長於艮,秋以萬物
凋零於坤,生發歸藏,莫離於土,土者,坤艮也.易曰,艮乃生物之始,坤乃成物之終.甲天干之首,子地支之
首,二義之循環,一陽之來復,故甲子起於天地之數是也.子一陽屬乾,父道也.甲壬配之,從子數甲,至申見
壬,得九數,乾元用九也.夫婦配合,故甲己二干皆得九也.丑上加乙,至申得八,故乙庚二干皆得八也.寅上
加丙,至申得七,故丙辛二干皆得七也.卯上加丁,至申得六,故丁壬二干皆得六也.辰上加戊,至申得五,故
戊癸二干皆得五也.此天干起於乾也.午爲一陰,屬坤,臣道也.乙癸配之,從午加乙,至寅見癸,得九也.子爲
一陽,午爲一陰,夫婦之道,故子午二支皆得九也.丑加寅,至未得八,故丑未二支皆得八也.以寅加申,至寅
得七,故寅申二支皆得七也.以卯加酉,至寅得六,故卯酉二支皆得六也.以辰加戌,至寅得五,故辰戌二支

皆得五也.以巳加亥,至寅得四,故巳亥二支皆得四也.)

수는 9에서 멈추니 10을 말하지 않고, 10에서 다시 1이 시작하는 것이다. 따라서 10수는 곧一十이라 말한다. 낙서의 수는 1에서 시작하여 9에서 끝난다. 태현수는 4에서 수가 일어나니 1,2,3을 말하지 않는 것은, 1은 2를 생하고 2는 3을 생하고 3은 만물을 생하기 때문이다. 1은 천天이 되고 2는 지地가 되고 3은 인人이 되는데, 천지가 있는 후에 만물이 있는 것이다. 따라서 삼원三元이라 말한다. 또 천간은 10이며, 지지는 12이다. 9에서 시작해서 4에서 마치면, 천간 지지는 이미 다하게 된다. 그러므로 1,2,3이 없게 된다. 태현太玄에서 일으키는 수는 모든 이치가 자연과 같으니 모르면 안 된다.(數止於九,不言十者,十則又起一矣.故凡十數,則曰一十,洛書數始於一,終於九.太玄獨從四起數,不言一二三者,蓋一生二,二生三,三生萬物,一爲天,二爲地,三爲人,有天地而後有萬物,故曰三元,且天干十,地支十二,起於九,終於四,天干地支已盡,自無一二三,太玄起數,皆理之自然如此,不可不知.)

8. 논납음취상論納音取象

옛적에 황제가 간지 甲子의 경중輕重을 나누고 그것을 배합하여 60갑자를 만들어 화갑자花甲子라 이름하였는데, 그 화花라는 글자가 진실로 오묘하여 성인聖人이 뜻을 빌려 꽃에 비유한 것인데, 그 뜻에 너무 집착해서는 안 된다. 무릇 子로부터 亥까지가 12궁宮인데 각각 金, 木, 水, 火, 土의 소속이 있고, 子에서 일양一陽이 일어나기 시작하여 亥에서 육음六陰이 되어 마친다. 그 오행의 소속은 金木水火土인데, 하늘에서는 오성五星[27]이 되고 땅에서는 오악五岳[28]이 되며 덕德에서는 오상五常[29]이 되고 사람에게는 오장五臟[30]이 되고 명命에서는 오행이 된다. 그러므로 甲子에 소속되어 명命에서 감응하니, 명은 일생의 일이 된다. 따라서 甲子 납음의 상象으로 성인께서 비유한 것이니 이 또한 사람의 일생의 일과 같다. 어떻게 말할 수 있는가? (昔者,黃帝將甲子分輕重而配成六十,號曰花甲子,其花字誠爲奧妙,聖人借意而喩之,不可著意執泥.夫自子至亥十二宮,各有金木水火土之屬,始起於子爲一陽,終於亥爲六陰,其五行所屬金木水火土,在天爲五星,於地爲五岳,於德爲五常,於人爲五臟,其於命也爲五行.是故甲子之屬,乃應之於命,命則一世之事.故甲子納音象,聖人喩之,亦如人一世之事也.何言乎.)

子丑의 두 자리에서 음양이 처음으로 잉태한다. 사람에 있어서는 포태胞胎의 상태이고, 식물에서는 뿌리荄根에 감추어져서 아직 밖으로 드러나지 않은 상태이다. 寅卯 두 자리는 음양이 점점 열리며, 사람이 태어나 자라나는 것이고, 만물은 甲 껍질을 터뜨려서 모든 꽃봉오리가 점점 벌어지는 것이고, 사람이 장차 입신立身하려 하는 것과 같다. 辰巳의 두 자리는 음양의 기가 왕성하

---

27) 고대 중국에서부터 알려져 있던 세성歲星 목성, 형혹熒惑 화성, 태백太白 금성, 진성辰星 수성, 진성鎭星 토성의 5개 행성을 말한다.
28) 오악은 동쪽의 태산泰山, 서쪽의 화산華山, 남쪽의 형산衡山, 북쪽의 항산恒山, 중부의 숭산嵩山이다.
29) 오장은 간장·심장·비장·폐장·신장을 말한다.
30) 오상은 仁義禮智 사단四端에 信을 더하여 일컫는 말이다.

여 식물이 화려하고 수려하니, 사람으로는 30~40이 되어 입신立身한 것과 같은 것이니, 비로소 진취적인 상象이 있는 것이다. 午未의 두 자리는 음양이 드러나고 만물은 이미 완성되고 정연함을 이룬 것이다. 사람은 50~60에 이르면 부귀빈천을 알 수 있으니, 모든 흥망성쇠가 드러남을 알 수 있다. 申酉의 두 자리는 음양이 숙살肅殺하여 만물을 거두어들이는 것이고, 사람은 위축되고 움직임이 적은 것이다. 戌亥 두 자리는 음양이 폐색閉塞하여 식물의 기가 뿌리로 돌아가고 사람은 휴식休息하고 각각의 자리로 돌아가 쉬는 것이다. 이처럼 12가지 자리를 설명하면 60甲子를 선후의 순서를 따라 차례대로 알 수가 있다. (子丑二位,陰陽始孕,人在胞胎,物藏荄根,未有涯際,寅卯二位,陰陽漸開,人漸生長,物以拆甲,群萌漸剖,如人將有立身也.辰巳二位,陰陽氣盛,物當華秀,如人三十四十,而有立身之地,始有進取之象,午未二位,陰陽彰露,物已成齊,人至五十六十,富貴貧賤可知,凡百興衰可見,申酉二位,陰陽肅殺,物已收成.人已龜縮,各得其靜矣.戌亥二位,陰陽閉塞,物氣歸根,人當休息,各有歸著.詳此十有二位,先後六十甲子,可以次第而曉.)

甲子 乙丑은 어찌 해중금海中金으로 상象을 취하였는가? 기는 포장包裝되어 있어 이름만 있고 형태가 없으니 마치 사람이 어머니의 뱃속에 있는 것과 같다.

壬寅 癸卯는 절지絶地에 존재하는 金이라 기가 아직은 유약하여 명주비단과 같이 얇으므로 금박금金箔金이라 말하는 것이다. 庚辰 辛巳는 金으로 火土의 지지에 있고, 기가 이미 발생하였으나 金이 아직 광석鑛石에 존재하고 있으니 형태가 장생巳, 양辰에 의지하고 있고 서방의 정색正色 백색을 받으니 백납금白鑞金이라 말하는 것이다.

甲午 乙未는 기는 이미 물형을 이루고 질질質이 저절로 견실하게 되어 모래에 섞였으나 모래와는 다르고, 火에 거하면서 火로부터 단련되므로 사중금沙中金이라 말하는 것이다.

壬申 癸酉는 기가 성盛하여 물物이 극極에 이른 것이다. 수렴收斂하는 공功에 이르러 매우 날카롭고 예리한 칼날과 같고, 申酉金의 정위正位로서 천간은 壬癸이니 金水가 단금질로 쉬려淬礪하므로 검봉劍鋒의 상象을 취하고 金의 공功은 쓰임이 다한 것이다.

庚戌 辛亥는 戌亥에 이르면 금기金氣는 복장伏藏하며 형체는 이미 쇠잔衰殘한 상태이다. 단련鍛鍊하여 머리장식품이 되어 그 형상을 만들면 규각閨閣의 방에 감추어진 것이 되어 다른 쓰임이 없으니, 金의 공功은 용도가 끝나므로 庚戌 辛亥를 차천금釵釧金이라 말하는 것이다. (甲子乙丑,何以取象爲海中之金? 蓋氣在包藏,有名無形,猶人之在母腹也.壬寅癸卯,絶地存金,氣尚柔弱,薄若繒縞,故曰金泊金,庚辰辛巳,以金居火土之地,氣已發生,金尚在鑛,寄形生養之鄉,受西方之正色,乃曰白鑞金.甲午乙未,則氣已成物,質自堅實,混於沙而別于沙,居於火而煉於火,乃曰沙中金也.壬申癸酉,氣盛物極,當施收斂之功,穎脫鋒銳之刃.蓋申酉金之正位,干值壬癸,金水淬礪,故取象劍鋒,而金之功用極矣.至戌亥則金氣藏伏,形體已殘,鍛煉首飾,已成其狀,藏之閨閣,無所施爲,而金之功用畢,故曰庚戌辛亥釵釧金.)

壬子 癸丑은 어찌하여 상자목桑柘木에서 상象을 취하였는가? 기가 억눌려 반굴盤屈하여 아직 모양을 펼치지 못하고 물속에 있다. 누에가 쇠약한 달에 뽕나무가 그 계절의 기를 받아 소생하는 상象을 취한 것이다.

庚寅 辛卯는 기가 이미 양陽을 타고 재배할 수 있는 세력을 얻은 형상이 되는데, 그러나 金의 아래에 놓여 있다. 金과 서리는 성질이 굳건하지만 木이 아래에 거하여 왕하다. 모진 추위에 시들어도 나무의 특성이 굳건한 것을 취하여 송백목松柏木이라 말한 것이다.

戊辰 己巳는 기가 양적으로 충분하지 않으나 식물은 이미 제철을 만나 지엽枝葉이 무성하여 울창한 숲을 이루고 있다. 그 木의 왕성함을 취하므로 대림목大林木이라 말하는 것이다.

壬午 癸未는 木이 午에 이르면 사死하고, 未에 이르면 묘墓가 된다. 따라서 버드나무는 여름에 잎이 시들고 가지와 줄기는 미약해진다. 그 성질이 부드러운 것을 취하여 양류목楊柳木이라 말한 것이다.

庚申 辛酉는 오행은 金에 속하지만 납음은 木에 속하니 상극을 취한 것이다. 나무 가운데 성질이 매운 것은 오직 석류石榴뿐이다. 申酉에서 기는 정숙靜肅함으로 돌아가고, 만물物은 점점 결실을 맺는다. 木이 金의 자리에 있어서 그 맛이 매운 것이므로 석류목石榴木이라고 말하는 것이다. 대체로 木은 午에 이르면 사死하는데, 오직 석류나무는 午에 이르면 왕성해지니 그 편향적인 특성을 취한 것이다.

戊戌 己亥는 기가 복장伏藏하니 음양은 폐색閉塞하고, 목기木氣는 뿌리로 돌아가서 땅에 엎드린 것과 같아서 평지목平地木이라 말한 것이다. (壬子癸丑何以取象桑柘木？蓋氣居盤屈,形狀未伸.居於水地.蠶衰之月,桑柘受氣,取其時之生也,庚寅辛卯,則氣已乘陽,得栽培之勢力,其爲狀也,奈居金下,凡金與霜素堅,木居下得其旺,歲寒後凋,取其性之堅也,故曰松柏木,戊辰己巳,則氣不成量,物已及時,枝葉茂盛,鬱然成林,取其木之盛也,故曰大林木,壬午癸未,木至午而死,至未而墓,故楊柳盛夏葉凋,枝幹微弱,取其性之柔也,故曰楊柳木.庚申辛酉,五行屬金,而納音屬木,以相剋取之.蓋木性辛者,唯石榴木,申酉氣歸靜肅,物漸成實,木居金地,其味成辛,故曰石榴木,觀他木至午而死,惟此木至午而旺,取其性之偏也.戊戌己亥,氣歸藏伏,陰陽閉塞,木氣歸根,伏乎土中,故曰平地木也.)

丙子 丁丑은 어찌하여 간하수澗下水로 상象을 취하였는가? 무릇 기가 아직은 유통하지 않으니, 높은 곳은 물이 흐르지 않고 물은 낮고 습한 곳에 있고 땅속에서만 흐르기 때문에 간하수澗下水라 한다.

甲寅 乙卯는 기가 나와서 양명陽明하니 수세水勢가 근원에 의지하여 동쪽으로 도도히 흘러서 땅을 크게 적신다. 그래서 큰 계곡물 대계수大溪水라 한다.

壬辰 癸巳는 세력이 동남에서 지극하고 기는 이궁二宮離宮 가까이 있으니 화火는 밝고 세력이 성盛하고 水는 고庫로 돌아가 웅덩이를 채우고 넘치므로 장류수長流水라 한다.

丙午 丁未는 기는 승강昇降한다. 높고 밝은 곳에 火는 위치하고, 비가 쏟아지면 장마가 된다. 火 중의 水가 조화를 이루는 곳은 오로지 천상天上에만 있으므로 천하수天河水라고 한다.

甲申 乙酉는 기의 흐름이 안정되고 金水의 모자母子가 동위同位가 된다. 퍼내어도 궁핍하지 않고 물을 길어내어도 없어지지 않으니 정천수井泉水라 한다.

壬戌 癸亥는 천문天門의 지지이다. 기운이 폐색한 곳으로 돌아가고, 水가 여러 곳을 거쳐 흘러와서 더 이상 서두르지 세력이 편안하고 고요한 자리로 돌아가고, 계속 들어옴이 끝이 없고 아무리 받아들여도 물이 넘치지 않으니 대해수大海水라 말하는 것이다. (丙子丁丑,何以取象澗下水？

蓋氣未通濟,高段非水流之所,卑濕乃水就之鄉,由地中行,故曰澗下水.甲寅乙卯,氣出陽明,水勢恃源,東
流滔注,其勢浸大,故曰大溪水.壬辰癸巳,勢極東南,氣傍離宮,火明勢盛,水得歸庫,盈科後進,乃曰長流水
也.丙午丁未,氣當升降,在高明火位,有水沛然作霖,以濟火中之水,惟天上乃有,故曰天河水.甲申乙酉,氣
息安靜,子母同位,出而不窮,汲而不竭,乃曰井泉水.壬戌癸亥,天門之地,氣歸閉塞,水曆遍而不趨,勢歸乎
寧謐之位,來之不窮,納之不溢,乃曰大海水也.)

戊子 己丑은 어찌하여 벽력화霹靂火에서 상象을 취하였는가? 기가 일양一陽에 있고 형체는 水
의 자리에 있으니 물속의 불이다. 신룡神龍의 작용이 아니고는 있을 수 없으므로 벽력화霹靂火라
하는 것이다. (戊子己丑,何以取象霹靂火?蓋氣在一陽,形居水位,水中之火,非神龍則無,故曰霹靂火.)

丙寅 丁卯는 기가 점차 빛을 발하고 나무의 섶으로 인해 드러나는 것인데 음양은 풀무가 되고
천지는 화로火爐가 되는 것이니 노중화爐中火라 말하는 것이다. (丙寅丁卯,氣漸發輝,因薪而顯,陰
陽爲治,天地爲爐,乃曰爐中火也.)

甲辰 乙巳는 기와 형체形體가 왕성한 지지이고 기세가 높은 산등성이에 정해지고 어둠을 이어
받아 밝음을 전하니 木火의 모자母子가 서로 계승함과 같다. 그래서 복등화覆燈火라 한다.(甲辰
乙巳,氣形盛地,勢定高岡,傳明繼晦,子母相承,乃曰覆燈火也.)

戊午 己未는 기가 양궁陽宮을 지나서 이離가 거듭 모여 밝고 신령스러운 빛을 발하여 위로 타
오르므로 천상화天上火라 하는 것이다. (戊午己未,氣過陽宮,重離相會,炳靈交光,發輝炎上,乃曰天上
火也.)

丙申 丁酉는 기운이 다하고 형체를 숨긴다. 세력은 빛을 감추고 귀축龜縮하여 태궁兌宮에 위
치하고, 체력이 미약해지니 밝음은 멀리까지 미치지 못하므로 산하화山下火라 하는 것이다. (丙
申丁酉,氣息形藏,勢力韜光,龜縮兌位,力微體弱,明不及遠,乃曰山下火也.)

甲戌 乙亥를 산두화라 말하는 것은, 산의 모습이 감추어지고 산의 정상만 빛이 비치는 모습으
로 안은 밝고 바깥은 어둡다. 불은 숨어서 모습을 드러내지 않고 빛은 날아서 하늘을 비추고 휴
식休息하는 곳으로 돌아가므로 산두화山頭火라 하는 것이다. (甲戌乙亥,謂之山頭火者,山乃藏形,
頭乃投光,內明外暗,隱而不顯,飛光投乾,歸於休息之中,故曰山頭火也.)

庚子 辛丑은 어찌하여 벽상토壁上土에서 상象을 취하였는가? 기는 폐색閉塞한데 거하고 만물
이 감추어져 형체를 가리고 안과 밖이 교감하지 못하므로 벽상토壁上土라 하는 것이다. (庚子辛
丑,何以取象壁上土.氣居閉塞,物尚包藏,掩形遮體,內外不交,故曰壁上土.)

戊寅 己卯는 土의 기운이 사물이 되고 공공으로 만물物을 기른다. 뿌리에서 발달하여 꽃받침

과 꽃술이 건장하게 되는 것과 같다. 그래서 성벽처럼 쌓아올린 흙 성두토城頭土라 하는 것이다. (戊寅己卯,氣能成物,功以育物,發乎根荄,壯乎蕚蕊,乃曰城頭土也.)

丙辰 丁巳는 土의 기가 양陽을 이어받아 발생하였지만 아직 정제함을 이루지 못한 상태이다. 그래서 이에 사중토沙中土라 하는 것이다. (丙辰丁巳,氣以承陽,發生己過,成齊未來,乃曰沙中土也.)

庚午 辛未는 土의 기가 왕성하여 형형形을 이어받아 도로의 모습으로 나타난다. 형태를 실질적으로 갖추고 사물로서 모습을 드러낸 것이다. 그러므로 길가의 흙 노방토路傍土라 하는 것이다. (庚午辛未,氣當承形,物以路彰,有形可質,有物可彰,乃曰路傍土也.)

戊申 己酉는 기가 돌아가 휴식하고 만물은 마땅히 거두어지고 축소하여 줄어드니 한가로운 자리로 물러난다. 아름답지만 할 일이 없다. 그러므로 대역토大驛土라 하는 것이다. (戊申己酉,氣以歸息,物當收斂,龜縮退閑,美而無事,乃曰大驛土也.)

丙戌 丁亥는 土의 기가 만물을 이루고, 모든 일은 아름답고 원만하다. 음양이 두루 편하게 지내는 그 사이에서 세력을 얻으므로 옥상토屋上土라고 하는 것이다. (丙戌丁亥,氣成物府,事以美圓,陰陽歷遍,勢得其間,乃曰屋上土也.)

내가 보건대, 노방토路傍土는 백곡百穀을 파종하여 번식하는 午未의 지지이고 늦여름에 양육되는 시기이다. 대역토는 사방으로 통달하는 申酉의 지지로 친구를 얻어 이롭고 형통하는 이치이다. 성두토城頭土는 제방堤防의 공功을 취함이니 왕공王公이 이를 믿고 나라를 세워 백성을 보호하는 것이다. 벽상토는 장식용이니 신민臣民들이 이것을 바탕으로 여기저기 옮겨가며 사는 것이다. 사중토는 흙 가운데 가장 윤택한 것인데, 土가 윤택하면 식물이 발생하므로 장래에 쓸모가 있다. 옥상토는 土가 공功을 이루는 것인데, 공功을 이룬 것은 정靜하므로 일정하게 머물러 옮기지 않는 것이다. 대개 오행 중에 土는 부여받은 영令을 행하고 양육養育하는 권한을 갖는다. 삼재三才와 오행은 모두 토를 잃어서는 안 되며, 고하高下의 모든 위치에 있고 사계절에 작용하는 공功이 있다. 金이 토를 얻으면 칼날이 예리하고 웅장하며 강강剛하다. 火가 토를 얻으면 광명한 빛을 비춘다. 木이 토를 얻으면 영화롭고 수려함이 월등하다. 水가 토를 얻으면 물결이 넘실대도 범람하지 않는다. 土가 이를 얻으면 심고 거두는 가색稼穡이 더욱 풍요롭게 된다. 토가 모여서 흩어지지 않으면 반드시 산이 되는데, 산이라는 것은 토가 높은 것이다. 토가 흩어져 모이지 않으면 필시 땅이 되니, 땅이란 평원이다. 토는 쓰임이 무궁하고 만물을 소생所生함이 끝이 없다. 土의 공용功用은 위대하다! (余見路旁之土,播殖百穀,午未之地,其盛夏長養之時乎.大驛之土,通達四方,申酉之地,其得朋利亨之理乎.城頭之土,取堤防之功,王公恃之,立國而衛民也.壁上之土,明粉飾之用,臣庶資之,爰居而爰處也.沙中之土,土之最潤者也,土潤則生,故成齊未來而有用.屋上之土,土之成功者也,成功者靜,故止於一定而不遷.蓋居五行之中,行負載之令,主養育之權,三才五行,皆不可失,處高下而得位,居四季而有功.金得之鋒銳雄剛,火得之光明照耀,木得之英華越秀,水得之濫波不泛,土得之稼穡愈

- 54 -

豐.聚之不散,必能爲山,山者高也.散之不聚,必能爲地,地者原也.用之無窮,生之罔極,土之功用大矣哉.)

또 일가日家에서는 다음과 같이 말하였다.

甲子 乙丑은, 子는 水에 속하고 또 호수가 된다. 수水가 왕旺한 지지이고, 아울러 金은 子에서 사死하고 丑은 묘墓가 된다. 수水는 왕旺하고 金은 사死하고 묘墓가 되니 해중금海中金이라 말한다.

壬申 癸酉는 申酉는 金의 정위正位이며 아울러 申은 임관建祿이 되고 酉는 제왕帝旺이 되어 金은 이미 생왕生旺하니 확실히 강하다. 강강剛에서는 금봉金鋒을 뛰어넘을 것이 없으므로 검봉금劍鋒金이라 말한다.

庚辰 辛巳는 金은 辰에서 양養이며, 巳에서는 장생長生이 되어 형질形質을 처음 이룬다. 아직은 강하지도 날카롭지도 못하므로 백납금白鑞金이라 말한다.

甲午 乙未는 午는 화왕火旺한 지지이다. 화왕火旺하면 金은 패敗하게 된다. 未는 火가 쇠衰하는 지지이고 火가 쇠衰하면 金은 관대冠帶가 된다. 패敗에서 바야흐로 관대가 된다. 금은 쉽게 작벌斫伐할 수 없으므로 사중금沙中金이라 말한다.

壬寅 癸卯는 寅卯는 목왕木旺한 지지이다. 木이 왕성하면 金은 쇠약해지고, 또 金은 寅에서 절絶이 되며 卯에서 태胎가 되니 金이 이미 무력無力하므로 금박금金箔金이라 말한다.

庚戌 辛亥는 金은 戌에 이르면 쇠衰가 되며, 亥에 이르면 병病이 되니, 金은 이미 쇠衰하고 병들어 참으로 유약하므로 차천금釵釧金이라 말한다. (又聞曰一家云,甲子乙丑,子屬水,又爲湖,又爲水旺之地,兼金死於子,墓於丑,水旺而金死墓,故曰海中金,壬申癸酉,申酉金之正位,兼臨官申,帝旺酉,金旣生旺,則誠剛矣.剛則無踰於金鋒,故曰劍鋒金.庚辰辛巳,金養於辰,生於巳,形質初成,未能堅利,故曰白鑞金.甲午乙未,午爲火旺之地,火旺則金敗,未爲火衰之地,火衰則金冠帶,敗而方冠帶,未能斫伐,故曰沙中金,壬寅癸卯,寅卯爲木旺之地,木旺則金贏,又金絶於寅,胎於卯,金旣無力,故曰金箔金,庚戌辛亥,金至戌而衰,至亥而病,金旣衰病,則誠柔矣.故曰釵釧金.)

丙寅 丁卯는 寅은 삼양三陽이 되고 卯는 사양四陽이 되니 火가 이미 득지得地하고 또 寅卯의 木이 화를 생한다. 이때에 천지의 화로가 열리고, 만물이 처음 자라나므로 노중화爐中火라 말한다.

甲戌 乙亥는 戌亥가 천문天門으로 火는 천문을 비춘다. 그 빛이 지극히 높은 곳에 도달한다. 그러므로 산두화山頭火라 말한다.

戊子 己丑은 丑이 土에 속하고 子는 水에 속한다. 水가 정위正位에 거하고 납음으로는 火가 된다. 신룡神龍이 아니면 할 수 없는 일이므로 벽력화霹靂火라 말한다.

丙申 丁酉는 申은 지호地戶이고 酉는 태양이 저무는 문호門戶가 된다. 태양은 酉에 이르면 빛을 감추므로 산하화山下火라 말한다.

甲辰 乙巳는 辰은 아침을 먹을 때이고, 巳는 오전에 태양이 곧 중천으로 향할 시각이니 밝은 기세로 천하를 비추므로 복등화覆燈火라 말한다.

戊午 己未는 午는 왕성한 火의 지지이다. 未 중에는 木이 있어 또 다시 火를 생한다. 火는 위로 타오르는 염상炎上의 특성이 있다. 아울러 생지生地를 만나므로 천상화天上火라 말한다. (丙

寅丁卯,寅爲三陽,卯爲四陽,火旣得地,又得寅卯之木以生,此時天地開爐,萬物始生,故曰爐中火,甲戌乙亥,戌亥爲天門,火照天門,其光至高,故曰山頭火.戊子己丑,丑屬土,子屬水,水居正位,而納音乃火,非神龍則無,故曰霹靂火.丙申丁酉,申爲地戶,酉爲日入之門,日至此而藏光,故曰山下火.甲辰乙巳,辰爲食時,巳爲禺中,日之將中,艶陽之勢,光於天下,故曰覆燈火,戊午己未,午爲旺火之地,未中之木,又復生之,火性炎上,及逢生地,故曰天上火.)

戊辰 己巳는 辰이 들판이 되고, 巳가 육양六陽이 된다. 木이 육양에 이르면 가지는 영화롭고 잎은 무성하게 된다. 무성한 木이 들판에 있는 것이므로 대림목大林木이라 말한다.

壬午 癸未는 木이 午에서 사死하고 未에서 묘墓가 된다. 木은 이미 사死, 묘墓의 상태이니 비록 천간에서 壬癸水의 생함을 얻을지라도 결국은 유약하게 되므로 양류목楊柳木이라 말한다.

庚寅 辛卯는 木이 寅에서 임관이고 卯에서 제왕이 된다. 木은 이미 생왕生旺하여 유약함과는 비교할 수 없는 것이므로 송백목松柏木이라 말한다.

戊戌 己亥는 戌은 들판이 되고, 亥는 木을 생하는 지지이다. 木이 들판에서 자라나면 한 뿌리 한 그루와는 비교가 안 되므로 평지목平地木이라 말한다.

壬子 癸丑은 子는 水에 속하고 丑은 金에 속한다. 水는 木을 생하지만 金은 木을 자른다. 마치 뽕나무가 막 자라나면 곧바로 사람이 누에에게 먹이는 것과 같으므로 상자목桑柘木이라 말한다.

庚申 辛酉는 申은 7월이 되고 酉는 8월이 된다. 이때에 木은 절絶하지만 오직 석류石榴 나무는 도리어 결실을 맺으므로 석류목石榴木이라 말한다. (戊辰己巳,辰爲原野,巳爲六陽,木至此則枝榮葉茂,以茂盛之木而居原野之間,故曰大林木.壬午癸未木死於午,墓於未,木旣死墓,雖得天干壬癸水生,終是柔弱,故曰楊柳木,庚寅辛卯,木臨官寅,帝旺卯,木旣生旺,則非柔弱之比,故曰松柏木,戊戌己亥,戌爲原野,亥爲木生之地,木生原野,則非一根一株之比,故曰平地木,壬子癸丑,子屬水,丑屬金,水方生木,金則伐之,猶桑柘方生,人便以餧蠶,故曰桑柘木,庚申辛酉,申爲七月,酉爲八月,此時木絶,惟石榴之木反結實,故曰石榴木.)

庚午 辛未는 未 중의 木이 午의 자리에 있는 旺火를 생한다. 화왕火旺하면 土는 火에게 형형을 받아 土가 생겨나기 시작하지만 아직 만물을 기를 수 없으니 길가 노방路傍의 흙과 같다.

戊寅 己卯는 천간의 戊己는 土에 속하고 寅은 간궁艮宮의 산山으로 흙을 쌓아서 산이 된 모양이니 성두토城頭土라 말한다.

丙戌 丁亥는 丙丁은 火에 속하고 戌亥는 천문天門이다. 火가 위로 타오르면 土는 아래에서 생겨나지 않으므로 옥상토屋上土라 말한다.

庚子 辛丑은 丑土는 비록 土의 정위正位이지만 子는 수왕水旺한 지지이다. 土가 水를 보면 진흙이 되므로 벽에 바르는 벽상토壁上土라 한다.

戊申 己酉는 申은 곤궁坤宮에 속하여 땅이 되고(坤爲地) 酉는 태궁兌宮에 속하여 못이 되어(兌爲澤), 戊己의 土가 곤택坤澤 위에 더해지면 다른 부박浮薄한 土에 비교할 바가 아니므로 대역토大驛土라 말한다.

丙辰 丁巳는 土는 辰이 고庫이고 巳에서 절絕이 된다. 천간 丙丁의 火는 辰에 이르면 관대이고 巳에서는 임관이 된다. 土는 이미 고庫, 절絕이 된 상태인데 왕성한 火가 다시 土를 생하므로 사중토沙中土라고 말한다. (庚午辛未,未中之木,而生午位之旺火,火旺則土於斯而受形,土之始生,未能育物,猶路傍若也.戊寅己卯,天干戊己屬土,寅爲艮山,土積而爲山,曰城頭土.丙戌丁亥,丙丁屬火,戊亥爲天門,火旣炎上,則土非在下而生,故曰屋上土.庚子辛丑,丑雖土家正位,而子則水旺之地,土見水則爲泥,故曰壁上土.戊申己酉,申屬坤爲地,酉屬兌爲澤,戊己之土,加於坤澤之上,非它浮薄之土比,故曰大驛土.丙辰丁巳,土庫辰絕巳,而天干丙丁之火,至辰冠帶,巳臨官,土旣庫絕,旺火復與生之,故曰沙中土.)

丙子 丁丑은 水는 子에서 왕旺이 되고 丑에서 쇠衰가 된다. 왕성하다가 도리어 쇠약해지면 강하江河가 되지 못하므로 간하수澗下水라 말한다.

甲申 乙酉는 金은 申에서 임관이 되고 酉에서 제왕이 된다. 金은 이미 생왕生旺한 것이므로 水는 이 金으로 인해 생겨나지만(金生水), 역량이 아직 큰물이 아니므로 정천수井泉水라고 말한다.

壬辰 癸巳는 辰은 수고水庫이며 巳는 金이 장생長生하는 지지가 된다. 金이 생하는 水가 왕旺하게 된다. 巳가 존재함으로 말미암아 고庫에 있는 水가 金의 생을 만난다. 샘의 근원이 마르지 않음과 같으므로 장류수長流水라고 한다.

丙午 丁未는 丙丁은 火에 속하며 午는 화왕火旺한 지지이다. 납음으로는 水이니 이 水는 火로부터 나온 것이다. 은한銀漢이 아니면 있을 수 없으므로 천하수天河水라 한다.

甲寅 乙卯는 寅은 동북방에 놓여 있고 卯는 정동쪽이 되는데, 水는 정동으로 흐르면 그 성질에 순응하게 된다. 하천과 계곡물과 연못이 모두 합쳐 흘러들므로 대계수大溪水라 한다.

壬戌 癸亥는 水는 戌에서 관대冠帶이고 亥에서는 임관臨官이 되므로 역량이 두터우며 아울러 亥는 강이 되니 다른 水와는 비교가 되지 않으므로 대해수大海水라고 말한다. (丙子丁丑,水旺於子,衰於丑,旺而反衰,則不能爲江河,故曰澗下水.甲申乙酉,金臨官申,帝旺酉,金旣生旺,則水由是以生,力量未洪,故曰井泉水.壬辰癸巳,辰爲水庫,巳爲金長生之地,金生之水旺巳,存以庫水而逢生金,則泉源不竭,故曰長流水.丙午丁未,丙丁屬火,午爲火旺之地,而納音乃水,水自火出,非銀漢不能有,故曰天河水.甲寅乙卯,寅爲東北維,卯爲正東,水流正東,則其性順,而川澗池沼俱合而歸,故曰大溪水.壬戌癸亥,水冠帶戌,臨官亥,則力厚,兼亥爲江,非他水比,故曰大海水.)

이런 일가의 설명이 비록 연구의 결과이지만 앞의 여러 설명들과 서로 의미를 분명하게 밝혀주는 점이 있으므로 옛사람들이 상象을 취한 뜻을 엿볼 수 있다. 지금까지 논한 것을 정리하면 보면, 납음 오행에서 상象을 취한 것은 모두 대대待對로서 음양을 나누고 처음부터 끝까지의 변화를 밝혀주고 있다. (其說雖鑿,與前互相發明,可以見古人取象之義也,嘗試論之.五行取象,皆以對待而分陰陽,即始終而明變化.)

예를 들면, 甲子 乙丑과 甲午 乙未를 대비하면 해중海中 금과 사중沙中 금은 水와 土로 분별한 것이고 음양으로 나눈 것이다. 壬寅 癸卯와 壬申 癸酉를 대비하면 금박金泊 금과 검봉劍鋒

금은 金과 木으로 분별한 것이고 강유剛柔로 나눈 것이다. 庚辰 辛巳와 庚戌 辛亥를 대비하면 백납白鑞 금과 차천釵釧 금은 건방乾方과 손방巽方으로 위치가 다르고 형색形色이 각각 다른 것이다. 壬子 癸丑과 壬午 癸未를 대비하면 상자桑柘 목과 양류楊柳 목으로 하나는 굽고 하나는 부드러워 형질形質이 각각 다른 것이다. 庚寅 辛卯와 庚申 辛酉를 대조하면, 송백松柏 목과 석류石榴 목인데, 하나는 견고하고 하나는 매운 맛이 나는 것이고 성질과 맛이 크게 다른 것이다. 戊辰 己巳와 戊戌 己亥를 대조하면 대림大林 목과 평지平地 목인데 하나는 성성하고 하나는 쇠衰하는 것으로 건방乾方과 손방巽方으로 위치가 다른 것이다. (如甲子乙丑對甲午乙未,海中沙中,水土之辨,陰陽之分也.壬寅癸卯對壬申癸酉,金泊劍鋒,金木之辨,剛柔之別也.庚辰辛巳對庚戌辛亥,白鑞釵釧,乾巽異方,形色各盡也.壬子癸丑對壬午癸未,桑柘楊柳,一曲一柔,形質各別也.庚寅辛卯對庚申辛酉,松柏石榴,一堅一辛,性味迴異也.戊辰己巳對戊戌己亥,大林平地,一盛一衰,巽乾殊方也.)

戊子 己丑과 戊午 己未를 대비對比하면 벽력霹靂 화와 천상天上 화로서 천둥번개가 같이 휘몰아치고 일월日月이 함께 비춘다. 丙寅 丁卯와 丙申 丁酉를 대비하면 노중爐中 화와 산하山下 화인데, 火가 왕성하면 木을 불사르고, 金이 왕성하면 火가 꺼진다. 甲辰 乙巳와 甲戌 乙亥를 대비하면 복등覆燈 화와 산두山頭 화인데 하나는 빛을 품고 바람을 두려워하고 하나는 빛을 투사하고 간방艮方에서 그친다. 庚子 辛丑과 庚午 辛未를 대비하면 벽상壁上 토와 노방路傍 토인데 형체가 모이고 흩어짐에서 구별되고 생사生死로 종류를 나눈 것이다. 戊寅 己卯와 戊申 己酉를 대비하면 성두城頭 토와 대역大驛 토인데 동남과 서북으로 곤방坤方 간방艮方의 정위正位이다. 丙辰 丁巳와 丙戌 丁亥를 대비하면 사중沙中 토와 옥상屋上 토인데 건조함과 습함이 상호 작용해서 변화가 시작되고 변화가 끝난다. (戊子己丑,對戊午己未,霹靂天上,雷霆揮鞭,日月同照也.丙寅丁卯對丙申丁酉,爐中山下,火盛木焚,金旺火滅也.甲辰乙巳對甲戌乙亥,覆燈山頭,含光畏風,投光止艮也.庚子辛丑對庚午辛未,壁上路傍,形分聚散,類別死生也.戊寅己卯對戊申己酉,城頭大驛,東南西北,坤艮正位也.丙辰丁巳對丙戌丁亥,沙中屋上,乾濕互用,變化始終也.)

원만한 것과 모난 것을 보아도 왕상사휴수旺相死休囚를 벗어나지 못하고, 가깝고 먼 것을 취하는 것도 金木水火土를 벗어나지 못한다. 간지에 오행을 배정하고 음양을 논하면 처음부터 끝까지 크게 밝힐 수 있다. 하늘이 이룬 것에 사람의 노력이 서로 겸해지고 생왕사절生旺死絶을 병행하여야 하는 것이다. 오호라! 60갑자는 성인이 그 상상을 빌려서 그 이치를 밝힌 것에 지나지 않는다. 오행의 성정性情, 재질材質과 형색形色과 작용에 정성을 다하게 되면 조화의 진리가 꽉 차서 남음이 없을 것이다. (圓看方看,不外旺相死休囚,近取遠取,莫逃金木水火土,以干支而分配五行,論陰陽而大明終始,天成人力相兼,生旺死絶並類.嗚呼！六十甲子聖人不過借其象以明其理,而五行性情材質,形色功用,無不曲盡,而造化無餘蘊矣.)

주역에서는 '하늘의 도道는 음과 양이다'라고 하였다. 日은 하늘의 도이다. 십일十日 동안 번갈아 운행하고 음양의 의미가 분명하다. 그리고 '땅의 도를 세우는 것은 강유剛柔이다'라고 하였다. 지지辰는 땅의 도이다. 子로부터 亥에 이르기까지 12辰이 차례를 바꿔가며 강유의 뜻을 나타낸다. 하나만 나오면 성성일 뿐이고 지지가 섞인 후에 음음이 된다. 간지인 일진日辰이 착종錯綜하여 납갑納甲으로 오음五音을 이루어 육상六象을 취하게 되니 삼재가 구비되고 오행은 부족함이 없게 되는 것이다. 천간은 녹록이 되어 귀천을 결정하고, 지지는 명命이 되어 수명의 장단을 결정하고, 납음은 신身이 되니 성쇠盛衰를 알 수 있다. 사람이 녹명신祿命身 모두 왕상旺相하고 삼재三才가 유기有氣함을 얻으면 쾌락快樂하며 장수한다. 만약 사절휴수死絶休囚에 놓이고 삼재가 무기無氣하면 세상살이가 곤궁할 것은 틀림없다. (易曰,立天之道陰與陽,日,天道也.十日迭運,而陰陽之義明.立地之道,柔與剛,辰,地道也.自子至亥,十二辰更次,而剛柔之義顯.單出,爲聲而已,雜比,然爲音,故以日辰錯綜,納甲以成五音,以取六象,於是三才備而五行無餘蘊矣.以干爲祿,定貴賤,以支爲命,定修短,以納音爲身,察盛衰,人得祿,命,身俱旺相,三才有氣,主快樂長壽,若値死絶休囚,三才無氣,必爲塵埃困窘之命無疑.)

9. 석육십갑자성질길흉釋六十甲子性質吉凶

甲子 해중금. 보물로 金木의 왕지旺地를 기뻐한다. 진신進神, 희복성喜福星, 평두平頭, 현침懸針, 파자破字이다. (甲子金,爲寶物,喜金木旺地.進神喜福星,平頭,懸針,破字.)

乙丑 해중금. 무딘 광석이고 火 및 남방의 日時를 기뻐한다. 복성福星, 화개華蓋, 정인正印이다. (乙丑金,爲頑礦,喜火及南方日時.福星,華蓋,正印.)

丙寅 노중화. 화로의 숯불이고 동冬 및 木을 기뻐한다. 복성, 녹형祿刑, 평두平頭, 농아聾啞이다. (丙寅火,爲爐炭,喜冬及木.福星,祿刑,平頭,聾啞.)

丁卯 노중화. 화로의 연기이고, 손지巽地 및 추동秋冬을 기뻐한다. 평두, 절로截路, 현침이다. (丁卯火,爲爐煙,喜巽地及秋冬.平頭,截路,懸針.)

戊辰 대림목. 山林 山野의 재목材木이 아닌 나무. 水를 기뻐한다. 녹고祿庫, 화개, 수록마고水祿馬庫, 봉장棒杖, 복신伏神, 평두이다. (戊辰木,山林山野處不材之木,喜水.祿庫,華蓋,水祿馬庫,棒杖,伏神,平頭.)

己巳 대림목. 산꼭대기의 화초花草이며, 봄가을을 기뻐한다. 녹고, 팔전八專, 궐자闕字, 곡각曲脚이다. (己巳木,山頭花草,喜春及秋.祿庫,八專,闕字,曲脚.)

庚午 노중토. 노변의 건조한 土이며, 水 및 봄을 기뻐하고, 복성福星, 관귀官貴, 절로截路, 봉장棒杖, 현침懸針이다. (庚午土,路旁乾土,喜水及春.福星,官貴,截路,棒杖,懸針.)

辛未 노중토. 많은 보물을 품고 있다. 가을을 기다려 완성한다. 가을 및 火를 기뻐한다. 화개, 현침 파자이다. (辛未土,含萬寶,待秋成,喜秋及火.華蓋,懸針,破字.)

壬申 검봉금. 과극戈戟이며, 子, 午, 卯, 酉를 크게 기뻐한다. 평두, 대패大敗, 방해妨害, 농아, 파자, 현침이다. (壬申金,戈戟,大喜子午卯酉.平頭,大敗,妨害,聾啞,破字,懸針.)

癸酉 검봉금. 金의 쇠몽치로서 뚫는 것, 木 및 寅卯를 기뻐한다. 파자, 농아가 된다. (癸酉金,金之椎鑿,喜木及寅卯.伏神,破字,聾啞.)

甲戌 산두화. 火의 숙소이며, 춘하春夏를 기뻐한다. 정인正印, 화개, 평두, 현침, 파자, 봉장棒杖이 된다. (甲戌火,火所宿處,喜春及夏.正印,華蓋,平頭,懸針,破字,棒杖.)

乙亥 산두화. 火의 열기이며, 土 및 여름을 좋아한다. 천덕天德, 곡각曲脚이 된다. (乙亥火,火之熱氣,喜土及夏.天德,曲脚.)

丙子 간하수. 강호江湖이며, 木 및 土를 기뻐한다. 복성, 관귀官貴, 평두, 농아, 교신交神, 비인飛刃이다. (丙子水,江湖,喜木及土.福星,官貴,平頭,聾啞,交神,飛刃.)

丁丑 간하수. 물이 흐르지는 않으나 맑고 깨끗한 곳의 물이며, 金 및 여름을 좋아하고, 화개, 진신, 평두, 비인飛刃, 궐자關字가 된다. (丁丑水,水之不流清澈處,喜金及夏.華蓋,進神,平頭,飛刃,關字.)

戊寅 성두토. 제방, 언덕 성곽이며, 木 및 火를 좋아한다. 복신, 봉장, 농아이다. (戊寅土,堤阜城郭,喜木及火.伏神,俸杖,聾啞.)

己卯 성두토. 무너진 제방이며 성城은 허물어지고, 申酉 및 火를 기뻐한다. 진신, 단요短夭, 구추九醜, 궐자關字, 곡각曲脚, 현침이 된다. (己卯土,破堤敗城,喜申酉及火.進神,短夭,九醜,關字,曲脚,懸針.).

庚辰 백랍금. 석랍錫鑞이며 가을 및 미약한 木을 좋아한다. 화개, 대패大敗, 봉장棒杖, 평두가 된다. (庚辰金,錫鑞,喜秋及微木.華蓋,大敗,棒杖,平頭.)

辛巳 백랍금. 金이 생겨나는 곳이며 돌과 모래가 섞인 것이다. 火 및 가을을 좋아한다. 천덕, 복성 관귀, 절로, 대패, 현침, 곡각이 된다. (辛巳金,金之生者,雜沙石,喜火及秋.天德,福星,官貴,截路,大敗,懸針,曲脚.)

壬午 양류목. 버드나무 가지이며, 춘하를 좋아한다. 관귀官貴, 구추九醜, 비인, 평두, 농아, 현침이다. (壬午木,楊柳幹節,喜春夏.官貴,九醜,飛刃,平頭,聾啞,懸針.)

癸未 양류목. 버드나무의 뿌리이고, 겨울과 水를 좋아하며 또한 봄도 좋아한다. 정인正印, 화개, 단요短夭, 복신, 비인, 파자가 된다. (癸未木,楊柳根,喜冬及水,亦宜春.正印,華蓋,短夭,伏神,飛刃,破字.)

甲申 천중수. 좋은 물이 나오는 우물이며, 춘하를 기뻐한다. 파록마破祿馬, 절로, 평두, 파자, 현침이다. (甲申水,甘井,喜春及夏.破祿馬,截路,平頭,破字,懸針.)

乙酉 천중수. 골짜기의 작고 음습한 물이며, 동방 및 남방을 좋아한다. 파록, 단요, 구추, 곡각, 파자, 농아가 된다. (乙酉水,陰壑水,喜東方及南.破祿,短夭,九醜,曲脚,破字,聾啞.)

丙戌 옥상토. 흙이 쌓여진 언덕이며, 춘하 및 水를 좋아한다. 천덕, 화개, 평두, 농아이다. (丙戌土,堆阜,喜春夏及水.天德,華蓋,平頭,聾啞.)

丁亥 옥상토. 평원이며, 火 및 木을 좋아한다. 천을天乙, 복성福星, 관귀官貴, 덕합德合, 평두平頭이다. (丁亥土,平原,喜火及木.天乙,福星,官貴,德合,平頭.)

戊子 벽력화. 우뢰이다. 水 및 춘하를 기뻐한다. 土를 얻으면 天神이다. 복신, 단요, 구추, 장형, 비인이 된다. (戊子火,雷也.喜水及春夏.得土而神天.伏神,短夭,九醜,杖刑,飛刃.)

己丑 벽력화. 번개가 되며, 水 및 춘하를 기뻐하고, 땅에 도달하면 빛이 흐려진다. 화개, 대패, 비인, 곡각, 궐자關字가 된다. (己丑火,電也.喜水及春夏,得地而晦.華蓋,大敗,飛刃,曲脚,關字.)

庚寅 송백목. 송백의 줄기이며, 추동을 기뻐한다. 파록마破祿馬, 상형相刑, 장형杖刑, 농아聾啞이다. (庚寅木,松柏幹節,喜秋冬.破祿馬,相刑,杖刑,聾啞.)

辛卯 송백목. 소나무의 뿌리이며, 水土 및 봄도 마땅히 좋아한다, 파록, 교신交神, 구추九醜, 현침懸針이다. (辛卯木,松柏之根,喜水土及宜春.破祿,交神,九醜,懸針.)

壬辰 장류수. 용수龍水이며, 천둥 번개 및 춘하를 좋아한다. 정인, 천덕天德, 수녹마고水祿馬庫, 퇴신退神, 평두, 농아가 된다. (壬辰水,龍水,喜雷電及春夏.正印,天德,水祿馬庫,退神,平頭,聾啞.)

癸巳 장류수. 水가 쉬지 않고 바다로 유입되는 것이다. 亥, 子를 기뻐하고, 변화를 좋아한다. 천을天乙, 관귀官貴, 덕합德合, 복마伏馬, 파자破字, 곡각曲脚이 된다. (癸巳水,水之不息流入海,

喜亥子,乃變化.天乙,官貴,德合,伏馬,破字,曲脚.)

甲午 사중金. 수 없이 단련한 정성스러운 金이며, 水, 木, 土를 기뻐한다. 진신, 덕합, 평두, 파자, 현침이 된다. (甲午金,百煉精金,喜水木土.進神,德合,平頭,破字,懸針.)

乙未 사중금. 화로의 타다 남은 숯인 金이고, 큰불 및 土를 좋아한다. 화개, 절로, 곡각, 파자가 된다. (乙未金,爐炭餘金,喜大火及土.華蓋,截路,曲脚,破字.)

丙申 산하회. 띠풀의 평야를 태우는 불길. 추동 및 木을 좋아한다. 평두, 농아, 대패, 파자, 현침이다. (丙申火,白茅野燒,喜秋冬及木.平頭,聾啞,大敗,破字,懸針.)

丁酉 산하화. 귀신의 신령스런 소리, 형체가 없는 불이다. 辰, 戌, 丑, 未를 좋아하고, 천을, 희신, 평두, 파자, 농아, 대패가 된다. (丁西火,鬼神之靈響火之無形者,喜辰戌丑未.天乙,喜神,平頭,破字,聾啞,大敗.)

戊戌 평지목. 쑥이 마른 것이며, 火 및 춘하를 좋아한다. 화개, 대패大敗, 팔전八專, 장형杖刑, 절로截路이다. (戊戌木,蒿艾之枯者,喜火及春夏.華蓋,大敗,八專,杖刑,截路.)

己亥 평지목. 쑥과 띠풀이다. 水 및 춘하를 좋아한다. 궐자, 곡각이다. (己亥木,蒿艾之茅,喜水及春夏.闕字,曲脚.)

庚子 벽상토. 土의 가운데가 비어있는 것이며 지붕이다. 木 및 金을 좋아한다. 목덕합木德合, 장형杖刑이다. (庚子土,土中空者,屋宇也,喜木及金.木德合,杖刑.)

辛丑 벽상토. 분묘墳墓이며, 木 및 火와 봄을 기뻐한다. 화개, 현침, 궐자이다. (辛丑土,墳墓,喜木及火與春.華蓋,懸針,闕字.)

壬寅 금박금. 화려하게 꾸민 金이며, 木 및 미약한 火를 좋아한다. 절로, 평두, 농아이다. (壬寅金,金之華飾者,喜木及微火.截路,平頭,聾啞.)

癸卯 금박금. 둥근 고리와 금방울. 왕성한 火 및 가을을 기뻐한다. 귀인, 파자, 현침이 된다. (癸卯金,環鈕鈐鐸,喜盛火及秋.貴人,破字,懸針.)

甲辰 복등화. 등불이며, 밤과 水를 좋아하고 낮을 싫어한다. 화개, 대패, 평두, 파자, 현침이 된다. (甲辰火,燈也.喜夜及水,惡晝.華蓋,大敗,平頭,破字,懸針.)

乙巳 복등화. 등잔의 불빛이며, 위 甲辰와 같고, 申, 酉 및 가을을 더욱 좋아한다. 정록마正祿馬, 대패, 곡각, 궐자가 된다. (乙巳火,燈光也,同上,尤喜申酉及秋.正祿馬,大敗,曲脚,闕字.)

丙午 천하수. 둥근달이며, 밤 및 가을의 水가 왕성한 것을 좋아한다. 양인羊刃, 교신交神, 평두, 농아, 현침이 된다. (丙午水,月輪,喜夜及秋水旺也.喜神,羊刃,交神,平頭,聾啞,懸針.)

丁未 천하수. 水의 불빛이며 위 丙午와 같다. 화개, 양인, 퇴신退神, 팔전八專, 평두, 파자이다. (丁未水,水光也,同上.華蓋,羊刃,退神,八專,平頭,破字.)

戊申 대역토. 가을의 밭이며, 申酉 및 火를 좋아한다. 복성, 복마, 장형杖刑, 파자破字, 현침이 된다. (戊申土,秋間田地,喜申酉及火.福星,伏馬,杖刑,破字,懸針.)

己酉 대역토. 가을에 추수한 농작물, 申酉 및 겨울을 좋아한다. 퇴신, 절로截路, 구추九醜, 걸자關字, 곡각曲腳, 파자, 농아가 된다. (己酉土,秋間禾稼,喜申酉及冬.退神,截路,九醜,關字,曲腳,破字,聾啞.)

庚戌 차천금. 도검 외의 금속물. 미약한 火 및 木을 기뻐한다. 화개, 장형杖刑이 된다. (庚戌金,刃劍之餘,喜微火及木.華蓋,杖刑.)

辛亥 차천금. 종鐘과 정鼎 따위의 보물寶物이며, 木火와 土를 기뻐한다. 정록마正祿馬, 현침이다. (辛亥金,鍾鼎寶物,喜木火及土.正祿馬,懸針.)

壬子 상자목. 물이 많아서 손상된 나무이고, 火土와 여름을 좋아한다. 양인, 구추, 평두, 농아이다. (壬子木,傷水多之木,喜火土及夏.羊刃,九醜,平頭,聾啞.)

癸丑 상자목. 水가 적어 손상된 나무이고, 金水 및 가을을 좋아한다. 화개, 복성福星, 팔전八專, 파자破字, 걸자關字, 양인羊刃이 된다. (癸丑木,傷水少之木,喜金水及秋.華蓋,福星,八專,破字,關字,羊刃.)

甲寅 대계수. 비雨이며, 여름 및 火를 좋아한다. 정록마正祿馬, 복신, 팔전, 평두, 파자, 농아이다. (甲寅水,雨也,喜夏及火.正祿馬,福神,八專,平頭,破字,懸針,聾啞.)

乙卯 대계수. 이슬이며, 水 및 火를 기뻐한다. 건록, 희신, 팔전, 구추, 곡각, 현침이다. (乙卯水,露也,喜水及火.建祿,喜神,八專,九醜,曲腳,懸針.)

丙辰 사중토. 제방이며, 金과 木을 좋아한다. 녹고祿庫, 정인, 화개, 절로, 평두, 농아이다. (丙辰土,堤岸,喜金及木.祿庫,正印,華蓋,截路,平頭,聾啞.)

丁巳 사중토. 土의 젖은 흙이며, 火 및 서북을 기뻐하고, 녹고, 평두, 걸자, 곡각이 된다. (丁巳土,土之沮洳,喜火及서북.祿庫,平頭,關字,曲腳.)

戊午 천상화. 태양이며, 여름에는 사람들이 싫어하고, 겨울엔 사람들이 좋아한다. 꺼리는 것은 戊子, 己丑, 甲寅, 乙卯이다. 복신伏神, 양인陽刃, 구추九醜, 봉장棒杖, 현침懸針이 된다. (戊午火,日輪,夏則人畏,冬則人愛,忌戊子,己丑,甲寅,乙卯.伏神,陽刃,九醜,棒杖,懸針.)

己未 천상화. 햇빛이며, 밤을 꺼린다. 또한 4가지 戊子, 己丑, 甲寅, 乙卯를 꺼린다. 복성, 화개 양인, 궐자闕字, 곡각曲腳, 파자破字이다. (己未火,日光,忌夜,亦畏四者.福星,華蓋,羊刃,闕字,曲腳,破字.)

庚申 석류木. 석류나무의 꽃이며, 여름은 기뻐하나 추동은 마땅하지 않다. 건록마建祿馬, 팔전八專, 장형杖刑, 파자破字, 현침懸針이 된다. (庚申木,榴花,喜夏,不宜秋冬.建祿馬,八專,杖刑,破字,懸針.)

辛酉 석류목. 석류의 열매이며, 가을 및 여름은 좋아한다. 건록建祿, 교신交神, 구추九醜, 팔전八專, 현침懸針, 농아聾啞이다. (辛酉木,榴子,喜秋及夏.建祿,交神,九醜,八專,懸針,聾啞.)

壬戌 대해수. 바다이고, 춘하 및 木을 좋아한다. 화개, 퇴신退神, 평두平頭, 농아聾啞, 장형杖刑이 된다. (壬戌水,海也,喜春夏及木.華蓋,退神,平頭,聾啞,杖刑.)

癸亥 대해수. 모든 강과 하천이고, 金, 土, 火를 좋아한다. 복마伏馬, 대패大敗, 파자破字, 절로截路가 된다. (癸亥水,百川,喜金土火.伏馬,大敗,破字,截路.)

이상의 60갑자는 성대한 것이 변하여 소약小弱해지는 것을 꺼리고, 소약小弱한 것은 성대하게 변하길 원한다. 비유하자면, 먼저는 빈천하나 나중에 부귀하면 영화로운 것이고, 먼저는 부귀하나 나중에 빈천하면 비천하고 욕된 것이고, 먼저 빈천하다고 부귀를 논하지 않는 것은 불가하고, 또한 먼저 부귀하다고 해서 나중에 빈천하다고 논하지 않는 것은 불가한 것이다. (右件六十甲子,盛大者忌變爲小弱,小弱者欲變爲盛大.譬如先貧賤而後富貴則榮華,先富貴而後貧賤則卑辱,不可以其先貧賤而不論其富貴,亦不可以其先富貴而不論其貧賤也.)

또, 생년生年이 木이라면, 가령 庚寅, 辛卯는 木이 성대함을 알 수 있다. 만약 월일시태月日時胎에서 다른 木을 보지 않으면 송백목으로 논할 수 있고, 만일 양류목이나 석류목을 보게 된다면 큰 것은 버리고 작은 것을 취하여 송백목으로 논하지 않는다. 가령 壬午 癸未 출생인이라면 木이 소약小弱함을 알 수 있다. 만약 월일시태月日時胎에서 다른 木을 보지 않는다면 양류목으로 논한다. 만일 송백목이나 대림목을 보게 된다면, 작은 것을 버리고 큰 것으로 논하고, 양류목으로 논하는 것은 불가한 것이다. (且生年屬木,假令是庚寅,辛卯則木之盛大可知.若月日時胎不見他木,則以松柏論.萬一上見楊柳木或柘榴木,則舍大就小,不以松柏論也.假令是壬午癸未生人,則木之小弱可知.若

月日時胎不見他木,則以楊柳論.萬一見松柏木或大林木,則棄小論大,不可以楊柳論也.)

년이 천상화, 검봉금, 대해수, 대역토가 되는 사람은 월일시태月日時胎의 다른 자리에서 동일한 납음이지만 소약小弱한 것을 볼 때가 있다. 또 복등화, 금박금, 정천수, 사중토 출생인이 월일시태月日時胎의 다른 자리에서 동일한 납음이 성대한 것을 볼 때가 있다. 혹 평범하다가 성인聖人이 되고, 혹 먼저는 중重하다가 나중에는 가벼운 것이 있다. 모두 마땅히 그 변하는 것에 따라서 논해야 하고, 한 가지만 고집하는 것은 옳지 않은 것이다. (以至天上火,劍鋒金,大海水,大驛土生人,月日時胎別見他位納音同而小弱者.又如覆燈火,金泊金,井泉水,沙中土生人,月日時胎別見他位納音同而盛大者.或引凡而入聖,或先重而後輕,皆當從其變者而論之,不可拘於一端.)

甲子. 종혁從革의 金으로 그 기가 흩어져 있어 戊申 土와 癸巳 水와 서로 도우면 길하다. 戊申은 金의 임관 지지이고, 戊申 대역토는 子에서 왕하니 반드시 금을 생할 수 있고, 癸巳는 金이 巳에서 장생하고, 水가 子에서 왕旺이 되니 납음이 각각 돌아갈 곳이 있으며, 또 조원록朝元祿이 된다. 丁卯 노중화, 丁酉산하화, 戊午 천상화의 火를 꺼린다. 염동수闆東叟가 말하기를, '甲子는 진신進神으로 타고난 성품이 침착하고 겸허한 덕이 있어 사시四時에서 모두 길하고 귀격貴格에 든다. 왕기旺氣를 이어받으면 술업術業에 정미精微하여 으뜸가는 영예가 있다. (甲子,從革之金.其氣散,得戊申土,癸巳水相之,則吉.戊申乃金臨官之地,土者更旺於子,必能生成,癸巳係金生於巳,水旺於子,納音各有所歸,又爲朝元祿,忌丁卯,丁酉,戊午之火.闆東叟云,甲子金爲進神,稟沉潛虛中之德,四時皆吉,入貴格,承旺氣,則術業精微,主奪魁之榮.)

乙丑은 고庫에 있는 金이라 火가 극할 수 없다. 대개 물러나 갈무리된 金은 만약 형해충파刑害衝破가 없다면 영화를 드러내지 않는 경우가 있지 않다. 오로지 己丑 벽력火, 己未 천상火의 火만 꺼린다. 염동수가 말하기를, '乙丑은 정인正印으로 덕과 복이 모두 크고, 추동에는 부귀하며 수명이 길고, 춘하에는 길한 중에 흉이 있는데, 입격入格하면 공功을 세워 형통한 복을 누릴 것이나, 살을 지니면 흉이 찾아온다'라고 하였고, 『옥소보감玉霄寶鑑』에 이르기를, '甲子 乙丑은 아직 그릇을 이루지 못한 것이므로 火를 보아야 이루는데 많이 볼수록 길하다. (乙丑,自庫之金.火不能剋.蓋退藏之金,苟無刑害衝破,未有不顯榮者,獨忌己丑,己未之火.闆東叟云.乙丑爲正印,具大福德,秋冬富貴壽考,春夏吉中有凶,入格則建功享福,帶煞,類爲凶會.『玉霄寶鑒』云,甲子乙丑,未成器金,見火則成,多見則吉.)

丙寅 노중화는 밝게 빛나는 火로서 水가 노중화를 제함이 없으면 뜨거운 불에 탈 우환이 있다. 단지 甲寅의 대계水만 좋아하니 甲寅이 있으면 수화기제를 이루고, 일명 조원록朝元祿이 된다. 『오행요론五行要論』에서 이르기를, '丙寅火는 영명靈明하고 순수하여 부드러운 기로서 사시四時에 거듭 생하는 덕이 있고, 귀격貴格에 들면 문예 방면의 재능이 나타나 과갑科甲에 합격하여 귀하게 된다'라고 하였다. (丙寅,赫曦之火.無水制之則有燔灼炎熱之患,水不可過,獨愛甲寅之水,就位濟之.又名朝元祿.『五行要論』云,丙寅火含靈明沖粹之氣,四時生生之德,入貴格則文采發應,主魁甲

之貴.)

丁卯 노중화는 복명지화伏明之火火[31]로 火가 약하므로 마땅히 木으로 생해야 한다. 水를 보면 흉하고, 乙卯, 乙酉 水가 가장 해로운 것이다. 『오행요론』에서 말하기를, '丁卯는 목욕지의 火로서 우레와 바람을 일으키는 기이다. 水와 잘 조화를 이루면 현달하고, 土가 丁卯 火에 오른다면 토대가 두터운 것이다. 木으로 丁卯를 도우면 문장이 뛰어나고, 金이 있어서 풀무질이 되고 다시 하절夏節을 만난다면 흉포할 것이다'라고 하였다. 『귀곡자유문鬼谷子遺文』에서 말하기를, '丙寅 丁卯 노중화는 추동에는 마땅히 도와서 보존시켜야 한다'라고 하였고, 그에 대한 주석에서는 '火가 서방에서는 왕하지 않다. 추동에 이르면 세력이 오래 가지 못할까 두렵다'라고 하였다. (丁卯, 伏明之火.氣弱宜木生之,遇水則凶,乙卯,乙酉水最毒.<五行要論>云,丁卯沐浴之火,含雷動風作之氣,水濟則達,土載之則基厚,以木資之爲文彩,以金橐之,更逢夏令,則凶暴,<鬼谷遺文>云,丙寅丁卯,秋冬宜以保持,註云,火無西旺,火至秋冬,勢恐不久.)

戊辰은 양토兩土의 아래에 木이 있어 많은 金이라도 극할 수 없다. 대체로 土는 金을 생하므로 모자母子의 도가 있는 것이고, 水를 얻어 생하게 되면 아름다운 것이다. 『오행요론五行要論』에서 말하기를, '戊辰,庚寅,癸丑의 삼진三辰은 빼어난 木의 덕으로 맑고 건장하여, 춘하절에 생하면 홀로 서서 분발하며 변화에 적응하여 공을 이룬다. 다시 왕기를 탄다면 골짜기에서 하늘을 찌를 듯하게 된다. 오직 가을에 생하는 것을 꺼리는데 비록 뜻을 품더라도 좌절되어 펼치기 어렵다'라고 하였다. (戊辰,兩土下木.衆金不能剋.蓋土生金,有子母之道.得水生之爲佳.『五行要論』云,戊辰,庚寅,癸丑三辰,挺木德淸健之數,生於春夏,能特立獨奮,隨變成功,更乘旺氣,則有淩霄聳壑之志.惟忌秋生,雖懷志節,屈而不伸.)

己巳는 火에 가까운 木이고, 金은 이곳으로부터 장생하지만 나를 손상하지는 못한다. 생왕生旺한 火를 보는 것을 꺼린다. 염동수가 말하기를, '己巳는 손방巽方에 있으므로 바람에 흔들리는 나무가 되어 뿌리가 위태하여 뽑힐 수 있다. 土金이 조화되어야 한다. 운이 동남으로 돌아가면 비로소 재목으로 쓰임이 완성된다. 비록 밖은 양이지만 안은 음이므로 달리 보조함이 없으면 기가 허하여 흩어진다. 더욱이 금귀金鬼가 극하게 되면 재목이 되지 못한다'라고 하였다. 낙록자에서는, '己巳 戊辰 木들은 건궁乾宮에 들면 액을 벗어난다'라고 하였고, 그 주석에서는 '己巳 戊辰의 커가는 木들은 서방에서 금귀金鬼가 왕하게 되면 납음의 木은 여기서 절絶이 된다. 이것을 가리켜 액厄이 모인다고 말한다. 만약 건乾인 亥의 궁宮을 지나게 되면 木은 水를 얻어 장생長生이 되므로 액을 면한다'라고 하였다. (己巳,爲近火之木.金自此生,於我無傷.忌見生旺之火.閻東叟云,己巳在巽,爲風動之木,根危橐拔,和之以金土,運歸東南,方成材用,雖外陽內陰,別無輔助,則其氣虛散,更爲金鬼所剋,乃不材之木也.珞珠子云,己巳戊辰,度乾宮而脫厄,註云,己巳戊辰,擧木之類,西方金鬼旺鄕,納音之木,至此絶矣,斯謂厄會,若度乾亥之宮,木得水以長生,故脫厄.)

---

31) 休明之氣는 不及之氣를 말함.

庚午 辛未는 처음 생겨난 土인데, 木이 극할 수 없고 오직 水가 많음을 꺼리는데 水가 많으면 오히려 기가 손상된다. 木이 많으면 돌아가려 하는데, 대개 木은 未로 돌아간다. 염동수가 말하기를, '庚午 辛未, 戊申 己酉는 모두 후덕한 土로서 참된 모습으로 화기和氣가 융합하고 복록이 넘친다. 입격入格하면 방악지임方岳之任[32]을 여러 번 맡고, 널리 은혜와 사랑을 베푸는 공이 있다'라고 하였다. (庚午,辛未,始生之土.木不能剋,惟忌水多,反傷其氣.木多卻有歸,蓋木歸未也.閭東叟云,庚午辛未,戊申己巳酉,皆厚德之土,含容鎭靜,和氣融洽,福祿優裕,入格則多歷方岳之任,有普惠博愛之功.)

壬申은 임관의 金으로 水土를 보면 이롭다. 만약 丙申, 丙寅, 戊午의 火를 보면 재해가 생긴다. 염동수가 말하기를, '壬申 金은 천장天將의 위엄을 지닌다. 임관의 기운이 있고 추동 태생이면 생살지권生殺之權을 장악하고, 춘하 태생이면 길은 적고 흉이 많고, 격에 들면 스스로 분발하여 공명을 얻고, 살을 지니고 있으면 가혹하고 혹독하게 착취하는데 능하다'라고 하였다. (壬申,臨官之金,利見水土,若丙申,丙寅,戊午之火,則爲災害.閭東叟云,壬申金,持天將之威,資臨官之氣,秋冬掌生殺之權,春夏吉少凶多,入格,以功名自奮,帶煞,以刻剝爲能.)

癸酉는 견고하게 완성된 金이다. 火가 酉에서 사사死가 되니 火를 본다고 어찌 금이 손상되겠는가? 오직 丁酉 火는 지지의 위치가 같으면서 극하는 것이므로 꺼린다. 염동수가 말하기를, '癸酉는 자왕自旺한 金으로 순수한 기운을 타고났으며, 춘하에는 성품이 영명英明하고, 추동에는 더욱 귀하고, 격에 들면 공을 세우고 업적을 이루는데 절개가 있으며, 특출하게 뛰어나다. 살煞을 대동한다면 소년기에는 성품이 강경하지만 사십 이후에는 점차 덕을 갖추게 된다'라고 하였고, 『옥소보감玉霄寶鑑』에서는, '壬申 癸酉 검봉금은 금이 왕성한 자리에 있으므로 다시 왕성한 것은 불가한데, 왕성하면 다른것을 손상하고, 火를 보는 것은 불가한데, 火를 보면 스스로를 손상한다'고 하였다. (癸酉,堅成之金,火死於酉,見火何傷,惟忌丁酉火就位剋之.閭東叟云,癸酉自旺之金,稟純粹之氣,春夏爲性英明,秋冬尤貴,入格,則功業節槩,挺特出倫,帶煞,則少年剛勁,四十之後,漸成純德,『玉霄寶鑑』云,壬申癸酉,金旺之位,不可復旺,旺則傷物,不可見火,見火則自傷.)

甲戌은 자고自庫의 火로서, 많은 水를 혐오하지 않으나, 단지 壬戌을 꺼린다. 소위 묘중墓中에서 극을 받으면 우환을 피하기 어렵다. 『오행요론』에서 말하길, '甲戌火는 인印이 되며 고庫가 되고 양기가 저장되어 있어, 귀격이 이를 만나면 부귀가 광대하다. 오직 여름생을 꺼리니 길한 가운데 흉이 있음을 방비해야 한다'라고 하였다. (甲戌,自庫之火.不嫌衆水,只忌壬戌.所謂墓中受剋,其患難逃.『五行要論』云,甲戌火爲印爲庫,含至陽藏密之氣,貴格逢之,富貴光大.惟忌夏生,防吉中有凶.)

乙亥는 쇠약한 복명지화伏明之火火인데, 그 기가 막히고 암울하여 피어나기 어렵다. 己亥, 辛卯, 己巳, 壬午, 癸未의 木으로 이를 생하면 정신이 왕성해지고, 癸亥, 丙午의 水가 있으면 불길

---

32) 한 지역의 중신重臣

하다. 염동수가 말하기를, '乙亥 火는 자체로 절絶이 된 자절自絶의 火로서 명민하고 고요한 기를 품고 있으나 빛을 감추어 자취가 어두워지니 고요하고 형체가 없다. 수의 이치를 얻으면 득도한 도인이나 덕망 있는 군자가 된다'라고 하였다. (乙亥,伏明之火.其氣湮鬱而不發藉,己亥,辛卯,己巳,壬午,癸未木生之,則精神旺相,癸亥,丙午水,有之則不吉.閭東叟云,乙亥火自絶,含明敏自靜之氣,葆光晦跡,寂然無形,稟之得數者,爲妙道高人,吉德君子.)

丙子는 넘쳐흐르는 水[33]로서 중토衆土가 많음를 꺼리지 않으나, 단지 庚子를 혐오하는데 왕한 중에 귀鬼를 민나면 크게 불길하다. 『오행요론』에서 말하기를, '丙子는 왕성한 水로서 양은 위에 있고 음은 아래에 있으니, 정精과 신神이 온전하고, 사주에 있으면 통달하고 식견과 궁량이 넓고 깊다. 춘하절에 태어나면 만물을 조화롭게 하는 기운으로 이익과 은택을 주는 공을 이룬다'라고 하였다. (丙子,流衍之水.不忌衆土,惟嫌庚子,乃旺中逢鬼,不祥莫大焉.『五行要論』云,丙子自旺之水,陽上陰下,精神俱全,稟之者天資曠達,識量淵深,春夏爲濟物之氣,多建利澤之功.)

丁丑은 복이 모인 水이고, 金의 생함을 가장 기뻐하며, 辛未, 丙辰, 丙戌의 상형相刑과 파破를 꺼리는 것이다. 『오행요론』에서 말하기를, '丁丑, 乙酉는 수數에 있어서 흩어지고 약한 水가 된다. 음은 왕성하고 양은 약하니, 이것을 기량과 식견이 맑고 밝다. 지혜는 많으나 복은 적고, 水木의 왕기旺氣로 도우면 음양이 고르게 협조하므로 귀하고 발달하여 존경받는 선비가 되는 것이다'라고 하였다. (丁丑,福聚之水.最愛金生,忌辛未,丙辰,丙戌相刑破也.『五行要論』云,丁丑,乙酉,在數爲渙弱之水,陰盛陽弱,稟之者器識淸明,多慧少福,稟以水木旺氣,則陰陽均協,爲貴達崇顯之士.)

戊寅은 木에게 손상을 받는 土가 되어 가장 무력하니 생왕生旺한 火로 그 기를 북돋아 주는 것이 필요하다. 己亥, 庚寅, 辛卯 등의 木이 극하는 것을 꺼리니 단명하는 흉함이 있다. 『오행요론』에서 말하기를, '戊寅, 丙戌은 土의 후덕한 기를 타고, 한편으로 火를 생하고 한편으로는 火의 고庫를 함축하므로 양의 신령한 기운을 받으니 복록과 경사스런 지지가 되고, 귀격이 이 戊寅, 丙戌을 얻으면 도와 덕이 세상을 덮고 지극히 귀한 신하가 되고, 왕의 친족과 귀공자들은 戊寅, 丙戌日에 태어난 사람이 많다. 평범한 중격中格이 이것을 얻어도 역시 복수福壽를 오래 누리며 처음부터 끝까지 안일한 사람이다'라고 하였다. (戊寅,受傷之土.最爲無力,要生旺火以資其氣.忌己亥,庚寅,辛卯諸色木剋,主短折之凶.『五行要論』云,戊寅,丙戌,此二位乘土德厚氣,一含生火,一含宿火,是謂陽靈襲中,福慶之辰,貴格得之,道德蓋世,貴極人臣,惟親王貴公子,多於此日生,常格得之,亦主福壽遐遠,始終安逸.)

己卯는 사지死地에 있는 土로서 억눌림이 더욱 심한 것이다. 丁卯, 甲戌, 乙亥, 己未의 火를 얻으면 귀한 것은 합해서 복이 되는 까닭이다. 『오행요론』에서 말하기를, '己卯는 자체로 사死가 되는 土로서 진방震方에 위치해 있고, 바람이 불고 천둥이 진동하면 기가 흩어져 부드러워진다. 스스로 담백하고 겸손한 충허沖虛의 덕이 있고, 이것이 있는 사람은 도를 행하여 변화에 잘 적응

---

33) 流衍之水는 水의 太過之氣를 말함.

하고 스스로 양생養生하여 자유자재하고 복수福壽를 누린다. 오직 사절死絶되면 불리하고 그러면 오래도록 떠나서 돌아오지 못하는 무리가 된다'라고 하였다. 『삼명찬국三命纂局』에 이르기를, '戊寅, 己卯는 손상당한 土이므로 木으로 손상하는 것은 불가한데 그 土가 무력해지기 때문이다'라고 하였다. 『옥소보감玉霄寶鑑』에서 이르기를, '戊寅, 己卯 土는 水를 보면 마땅하지 않은데, 水를 만나도 재財로 삼을 수 없다. 木을 두려워하지 않고 木을 만나면 점점 더 견실하게 된다. 戊寅은 토덕土德을 계승하여 왕기旺氣를 띠고 장생하는 火를 포함하고 있어서 복수福壽를 끊이지 않고 오래오래 누리게 된다. 己卯는 사절死絶을 다시 보는 것은 마땅하지 못하니 그리 되면 흉한 꼴을 볼 것이다'라고 하였다. (己卯,自死之土.抑又甚焉.貴得丁卯,甲戌,乙亥,己未之火,由合而來,以致其福.『五行要論』云,己卯自死土,建於震位,風行雷動,散爲和氣,德自沖虛.稟之者類有道行,隨變而適,有養生自在之福壽,惟不利死絶,則爲久假不歸之徒.『三命纂局』云,戊寅,己卯,受傷之土,不可爲木所損,其土無力.『玉霄寶鑑』云,戊寅己卯土,不宜見水,見水不爲財,不畏木,見木愈堅,戊寅承土德旺氣而含生火,得之主福壽綿遠,己卯不宜再見死絶,見則凶.)

庚辰은 기가 모인 金으로 火의 제制를 쓰지 않아도 스스로 그릇을 이루고, 火가 성盛하면 도리어 그 그릇이 손상되고, 병病, 절絶인 火는 해가 없다. 만약 甲辰, 乙巳의 火라면 해악은 말로 표현할 수 없다. 하지만 그것 역시 중목衆木을 극할 수 없는 것이다. 그것은 나의 기운 또한 모이고 있어서 그러할 뿐이다. 염동수가 말하기를, '庚辰의 金은 강건하고 후덕한 덕이 있어 총명하고 소통이 잘 된다. 춘하에는 화와 복이 서로 인연이 되어 생기고 사라진다. 추동에는 빼어나고 충실하며, 격격에 들면 문무를 겸비하며, 살을 대동하면 쉽게 병권을 잡는다'라고 하였다. (庚辰,氣聚之金.不用火制,其器自成,火盛反傷其器,病絶火無害.若甲辰,乙巳火,惡不可言,亦不能剋衆木,蓋我氣亦聚耳.閻東叟云,庚辰之金,具剛健沉厚之德,稟聰明疏通之性.春夏福禍倚伏,秋冬秀穎宏實,入格則兼資文武,帶煞則好弄兵權.)

辛巳는 스스로 장생하는 金이 되어 정신이 온전하고 체體와 기가 완비되니 불꽃이 치열하여 변화해도 망하는 법이 없다. 丙寅, 乙巳, 戊午의 火를 꺼린다. 대개 金은 巳에서 장생하지만 생할 수 없고, 午에서 패패가 되고, 寅에서는 절絶이 되어 기가 흩어지는데 다시 생왕한 火를 본다면 어찌 가당한 일이겠는가? 『오행요론』에서 이르기를, '辛巳金은 스스로 장생하고 학당學堂이 되니 영명하고 기특한 덕을 갖추게 된다. 추동에는 십분 역량을 얻고, 춘하에는 칠은 흉하고 나머지는 길한데, 귀격貴格에 들면 학업이 영준하고 뛰어나 몸이 청하고 귀하게 되어 항상 만물을 구제하는 마음을 품게 된다'라고 하였다. 『옥소보감玉霄寶鑑』에서는, '庚辰 辛巳는 아직 미완성한 金이니 마땅히 火를 보아야 한다. 아울러 辛巳金은 자생自生하는 것인데 巳는 火이고 이것을 얻게 되면 나날이 새롭게 빛날 것이다'라고 하였다. (辛巳,自生之金.精神具足,體氣完備,炎烈熾化而不亡.忌丙寅辰,乙巳,戊午之火.蓋金生於巳,而不能生,敗於午,絶於寅,而氣散,復見生旺之火,烏可當之.『五行要論』云,辛巳金爲自生學堂,具英明瑰奇之德,秋冬得力十全,春夏七凶三吉,入貴格,則主學行英偉,致身淸貴,常懷濟物之心.『玉霄寶鑑』云,庚辰,辛巳,未成器金,宜見火,兼辛巳是自生,巳爲火,得之者,光輝日新.)

壬午는 부드럽고 화합하는 유화지목柔和之木[34]으로 간지가 미약하지만 木은 능히 火를 생할 수 있다. 그러나 火를 많이 보는 것을 꺼리며, 火가 많으면 불에 탈 것이다. 비록 생왕한 金이라도 역시 손상할 수 없다. 대개 金이 나아가면 나(木)는 패배하지만 金을 얻으면 도리어 귀하게 되고, 水土가 성해도 또한 귀한 것이다. 오직 甲午 金만 그것을 손상하니 꺼린다. 『오행요론』에서 이르기를, '壬午는 스스로 사死하는 木인데 木이 사절死絶되면 혼이 떠돌고 신기神氣가 영민하게 된다. 壬午가 있으면 고요하고 밝은 덕을 가지고 어질고 용맹하여 공훈을 세우게 되고, 인자하면서 용맹하니 나이가 많도록 오래 장수한다'라고 하였다. (壬午,柔和之木.枝幹微弱,木能生火,卻忌見火多,多則燼矣.雖生旺之金,亦不能傷.蓋金就我敗,得金反貴.水土盛者亦貴.惟忌甲午金傷之.『五行要論』云,壬午自死之木.木死絶則魂遊,而神氣靈秀,稟之者挺靜明之德,抱仁者之勇,建立功行,可謂靜而有勇,延年益壽.)

癸未는 자고自庫인 木으로 未는 木의 고庫가 된다. 생왕生旺하면 아름다운 것인데 乙丑이 비록 金이지만 충파할 수 없는 것은 각각 그 뿌리로 돌아가서 서로를 범하지 않기 때문이다. 庚戌, 乙未의 金을 꺼린다. 『오행요론』에서는, '癸未 木은 정인正印으로 문명의 길함이 모인 덕으로, 이것이 있으면 여러 세대에 드물게 나오는 인재가 되고 청화淸華한 복을 누린다'라고 하였다. 『옥소보감玉霄寶鑑』에서는, '壬午, 癸未는 양류목이라 일컫는데 대개 木은 午에 이르면 사死하고 未에 이르면 묘墓가 된다. 그러므로 한여름에는 잎이 무성하므로 여름에 생하면 부유하고 장수하며, 그 시기가 아니면 가난하고 요절한다'라고 하였다. (癸未,自庫之木.生旺則佳,雖乙丑金不能衝破,各歸其根而不相犯.忌庚戌,乙未金.『五行要論』云,癸未木爲正印,挺文明吉會之德,稟之者,類抱間世之才,亨淸華之福.『至玉霄寶鑑』云,壬午癸未,謂之楊柳木者,蓋木至午而死,至未而墓,故盛夏葉稠,得其時則富壽,非其時則貧夭.)

甲申은 자생自生하는 水로서 기가 도도히 흐르니 마땅히 돌아갈 곳이 있는 것이다. 또한 金의 생을 받아야 한다. 중토衆土를 꺼리지 않지만 戊申, 庚子의 土는 특히 싫어한다. 『오행요론』에서는, '甲申의 水는 자생自生하며 천진학당天眞學堂으로서 이를 얻어 입국入局하면 지식이 풍부하고 총명하며 지혜로우며 그 쓰임이 무궁한 것이다'라고 하였다. (甲申,自生之水.其氣流衍,宜有所歸.亦藉金生,不忌衆土,特嫌戊申,庚子之土.『五行要論』云,甲申水自生,含天眞學堂,得之入局,主智識聰慧,妙用無窮.)

乙酉는 자패自敗의 水가 되어 金으로서 서로 도와야 하니, 대개 나의 기가 약하면 모母의 양육에 의지하는 것이다. 己酉, 己卯, 戊申, 庚子, 辛丑의 土는 꺼리는데 이를 만나게 되면 요절하거나 빈천하게 되는 것이다. (乙酉,自敗之水.假衆金以相之,蓋我氣既弱,藉母以育.忌己酉,己卯,戊申,庚子,辛丑之土,則夭折窮賤.)

---

34) 柔和之木은 木의 不及之氣를 말함.

丙戌은 복록이 크고 두터운 土로서 木이 극할 수 없다. 생왕生旺한 金을 만나는 것을 꺼린다. 만약 火의 왕성함을 만나게 되면 귀는 말로 형용할 수가 없다. (丙戌,福壯祿厚之土.木不能尅.忌見生旺之金.若遇火盛,則貴不可言.)

丁亥는 임관臨官의 土로서 木이 극할 수 없다. 金이 많음을 혐오한다. 모름지기 火의 생해줌을 얻어 구해 주면 길하다. 己亥, 辛卯의 木은 꺼린다. 『오행요론』에서 이르기를, '丁亥, 庚子의 이 토二土는 金의 수數를 포함하고 있어 안으로는 강하고 밖으로는 화순하다. 이 같은 기운을 받으면 안정된 힘이 있다. 위아래의 간지에서 水火의 왕기旺氣가 조화를 이루면 공을 세우고 큰일을 수립할 수 있고 용감하게 과업을 수행하는 것이다'라고 하였다. (丁亥,臨官之土.木不能尅.嫌金多,須得火生,救之乃吉.忌己亥,辛卯之木.『五行要論』云,丁亥庚子,二土中含金數,內剛外和.禀之者得有定力,上下濟之以水火旺氣,能建功立事,敢爲威果之行.)

戊子, 己丑은 수중水中에 있는 火인데, 일명 신룡지화神龍之火라 하여 水를 만나야 비로소 귀하게 되니 육기六氣 중에 군화群火인 것이다. 『오행요론』에서 이르길, '戊子 火는 정신이 밝게 빛나며 견실한 기로서 사계절에 생명을 양육하여 복을 만든다. 귀격에 들면 대인군자가 되며, 그릇이 크고 넓으며 죽을 때까지 부귀하게 된다'라고 하였다. (戊子,己丑水中之火.又曰神龍之火.遇水方貴,爲六氣之君火也.『五行要論』云,戊子含精神輝光全實之氣,作四時保生之福,入貴格則爲大人君子,器宇含弘,富貴終吉.)

己丑은 천장天將의 火인데, 또한 천을귀인의 본가本家이며 위엄과 복이 빛나고 두터운 기운으로 용맹이 태산을 넘을 정도로 뛰어나다. 귀국貴局이 이를 탄다면 장수의 덕으로 이름을 날리고 으뜸 공훈을 세운다. 『촉신경』에서는, '丑은 태胎, 양양養의 火로서 기가 점차 융성해지는데, 만약 丙寅, 戊午의 火가 도우면 만물을 제도하는 공을 이루게 된다'라고 하였다. (己丑,爲天將之火,又爲天乙本家.含威福光厚之氣,發越峻猛,貴局乘之,爲將德,爲魁名而建功.『燭神經』云,丑,胎養之火,其氣漸隆.若遇丙寅戊午之火助之,可成濟物之功.)

庚寅, 辛卯는 추운 계절의 나무로 눈과 서리로 그 지조를 바꿀 수 없다. 하물며 金이 이것을 극할 수 있겠는가? 천간에 있는 庚辛金으로 제하고 다스리지 않아도 자연적으로 재목을 이룬다. 염동수가 말하기를, '辛卯木은 저절로 왕성한데 춘하 태생이면 기개와 절개가 뛰어나 공을 세우고 과업을 수립한다. 가을 태생이면 사납고 성급하여 좌절하게 되므로 강건한 기를 펼칠 수 없다'라고 하였다. (庚寅辛卯,歲寒之木.雪霜無以改其操,況金能尅之乎? 上有庚辛,不假制治,自然成材.閻東叟云,辛卯木自旺春夏,則氣節挺拔,建功立事,生於秋,則狂狷折剉,勁氣不伸.)

壬辰은 자고自庫의 水이다. 연못의 고여 있는 물과 같으니 金이 와서 제방을 파하는 것을 꺼린다. 만일 재차 壬辰을 보게 된다면 자형自刑이 되지만, 다른 辰은 있더라도 허물이 없다. 水土를 많이 만나는 것을 좋아한다. 오직 두려운 것은 壬戌, 癸亥, 丙子의 水가 생왕하고 태과하여질

편하게 흘러 돌아올 수 없는 것이다. 『오행요론』에서 이르기를, '壬辰水는 정인正印으로 청명하며 윤택하고 비옥한 덕이 있으므로 이것을 받은 사람은 포용력이 있어 마음이 거울과 같고, 춘하태생이면 크게 복을 받고, 추동 태생이면 간사하여 덕이 별로 없다'라고 하였다. (壬辰,自庫之水. 若池沼水積之地,忌金來決破.若再見壬辰,是謂自刑,別辰無咎,遇多水土皆喜.惟畏壬戌,癸亥,丙子之水, 生旺太過,汗漫無歸.『五行要論』云,壬辰水爲正印,含淸明潤沃之德.稟之者含容弘大,心識如鏡,春夏得 之,作大福慧,秋冬得之,類姦詐薄德.)

癸巳는 자절自絶이 되는 水[35]로서, 이름을 메마른 학류涸流라고 말하는데, 丙戌, 丁亥, 庚子의 후중한 土는 물을 마르게 된다. 만약 삼합하여 생왕한 금으로 이를 생한다면 샘의 근원이 가득하여 웅덩이를 채우고 앞으로 흘러간다. 『오행요론』에서 이르기를, '癸巳 乙卯는 절絶이 되고 사死가 되는 水로서 음이 지극하여 물러나 숨은 것이다. 참된 정精을 아끼고 배양하면 응결되어 귀기貴氣를 이루게 된다. 귀국貴局이 이것을 타면 오묘한 도를 터득한 군자이고 일찍이 체體와 덕德을 갖추어 공功이 만물에 미치게 된다'라고 하였다. (癸巳,爲自絶之水,名曰涸流.若丙戌,丁亥,庚子 壯厚之土,其涸可待,若得三合生旺之金生之,則源泉混混,盈科而進也.五行要論云,癸巳乙卯,自絶自死 之水,乃至陰退藏,眞精嗇養,凝成貴氣.貴局乘之,類是妙道君子,夙體常德,有功及物.).

甲午는 스스로 패지敗地에 있는 金으로 또한 강하고 사나운 金이라 한다. 火의 생왕함을 보면 그릇을 이루게 된다. 꺼리는 것은 丁卯, 丁酉, 戊子의 火인데 흉한 것이다. 『오행요론』에서 이르기를, 甲午金은 진신進神이라 으뜸 된 기가 되어 강하고 밝은 덕을 갖추고 있는 것이다. 추동절은 곧 길하고 춘하절은 혹 흉하기도 하는데, 귀격에 들면 과장科場에서 중인들을 거느리는 공이 있고, 時에 살을 대동하지 않으면 난폭하여 인내심이 없으며, 인정이 적고 의리도 없는 편이다. 『촉신경』에서는 甲午金은 손상되어 강하고 사나운데 혹 억제하게 되면 침잠沈潛한다고 말하였다. 『이허중』에서는 말하기를, 사중금沙石金은 강한 광석인지라 살을 기뻐하는데, 억제하여 火가 그것을 변혁을 시키는 것이다. 『귀곡자유문』에서는, 甲午金은 관귀官鬼를 좋아한다고 말했고, 이허중은 말하기를, 甲午金은 손상되어 강하고 사나운데, 壬子木은 부드러움을 잃는데 혹 壬子木이 甲午金을 얻거나 혹 甲午金이 壬子木을 얻는다면, 음양이 제자리를 찾아 밝은 정기가 있는 것이다. (甲午,自敗之金.亦曰強悍之金.遇火生旺,其器乃成.忌丁卯,丁酉,戊子之火,凶.『五行要論』云,甲午 金爲進神魁氣,具剛明之德.秋冬則吉,春夏或凶,入貴格,主科場建統衆之功,非時帶煞,則暴戾剋忍,寡恩 少義.『燭神經』云,甲午金傷強悍,或抑之乃潛沉.註云,沙石金,剛鑛喜殺,抑之者,火革之也.鬼谷遺文云, 甲午愛官鬼,李虛中云,甲午金傷強悍,壬子木失之柔,或壬子得甲午,或甲午得壬子,陰陽專位,卻有炳靈.)

---

35) 自絶之水는 不及之氣를 말함.
　平氣　不及之氣　太過之氣
　木　부화敷和　위화委和　발생發生
　火　승명升明　복명伏明　혁희赫曦
　土　비화備化　비감卑監　돈부敦阜
　金　심평審平　종혁從革　견성堅成
　水　정순靜順　학류涸流　유연流衍

乙未는 고고庫에 있는 金으로, 또한 火로서 제하고 土가 그 乙未金을 생하면 복은 크고 기는 모이게 된다. 己未, 丙申, 丁酉의 火를 꺼린다. 『오행요론』에서 이르기를, 乙未金은 수에 있어서는 목고木庫에 있고, 또 천장이고, 순수하고 인후仁厚하여 의리 있는 덕으로서, 나아가지 않으면 길하지 못한 것이다. 귀격이 이 乙未金를 얻으면 세상에 없는 영웅호걸이나 불세출의 영웅, 선비들을 눌러서 장원하게 되고, 보통의 격격이 이를 얻으면 살살을 대동하고 충衝이 되더라도 역시 소인小人 가운데서는 군자가 되고 장수하는 사람이다. (乙未,偏庫之金.亦火制而土生之,則福壯氣聚.忌己未,丙申,丁酉之火.『五行要論』云,乙未金,在數爲木庫,又爲天將.具純仁厚義之德,無往不吉.貴格得之,是不世之英傑,魁鎭士倫,常格得之,帶煞衝犯,亦作小人中之君子,眉壽人也.)

丙申은 스스로 병지病地에 있는 火이고, 丁酉는 스스로 사지死地에 있는 火로서 기가 극히 미약하여 木을 빌려서 서로 도와야 그 기가 비로소 소생所生되는 것이다. 甲申, 乙酉, 甲寅, 乙卯의 水를 꺼린다. 염동수가 말하기를, 丙申은 병지病地에 있는 火인데 木으로 생함으로 문명의 덕 혜택을 받고 水로서 활달한 성질이 되고, 土로는 복과 지혜의 터전이 되는데, 오직 金만은 포학하여 비록 길성吉星일지라도 혁금革金과는 화목한 기가 되지 못하는 것이다. 『오행요론』에서는, 丁酉는 火가 스스로 사死하여 숨기고 감추어서 적막하여 고요한 기로서 외유내강하고 귀격貴格이 이 丁酉火를 얻으면 도덕군자가 되어 자연히 덕을 펼친다고 말하였다. (丙申,自病之火,丁酉,自死之火.其氣極微,假木相助,其氣方生.忌甲申,乙酉,甲寅,乙卯之水.閻東叟云,丙申病火.以木爲文明之德,以水爲曠達之性,以土爲福慧之基,惟金爲暴虐,縱有吉辰,革爲不和之氣.오행요론云,丁酉火自死,含韜晦寂靜之氣,外和內剛,貴格乘之,類爲有道君子,自然之德行.)

戊戌은 土 중에 있는 木으로서 土의 두터움을 꺼린다. 만약 납음의 土가 많으면 일생 막힘이 많다. 金이 극할 수 없는 것은, 대개 금기金氣는 戌에 이르면 흩어지기 때문이며, 金을 만나는 것은 복이 되고, 水가 많고 木이 성성盛하면 귀격이 된다. 염동수가 말하기를, 戊戌 平地木의 木은 뿌리가 외롭고 독립적이어서 水火의 왕성한 기로서 화합하면 영명하여 수려한 덕이 있고, 입격하면 문장으로 나아가 현달하고, 복록은 처음과 끝이 같으며, 그러나 천장의 기를 타게 되면 험난한 고생을 하지만 지조를 굽히지 않아야 비로소 만년에 복을 누리게 된다. (戊戌,土中之木.忌重見土,若納音土多,一生屯蹇.金不能剋,蓋金氣至戌而散,遇金乃能致福,利見多水木盛,而爲貴格.閻東叟云,戊戌之木,孤根獨立,和之以水火旺氣,則有英明秀實之德,入格則文章進達,福祿始終,然乘天將之氣,主備歷艱險,節操不移,方見晚福.)

己亥는 자생自生하는 木으로 근본이 번성하여 중금衆金을 꺼리지 않고, 단지 꺼리는 것은 辛亥, 辛巳, 癸酉의 金인데, 만약 乙卯 대계수, 丁未 천하수, 癸未 양류목을 본다면 대귀하지 않을 수 없다. 『오행요론』에서 말하기를, 己亥木은 자생自生하므로 뛰어난 재능으로 특출하게 발군되는 덕은 있으나 대체적으로 청하고 귀하지만 발달하기는 어려운 것이다. 염동수는 己亥 平地木은 때를 얻으면 청귀淸貴하지만, 때를 얻지 못하면 고생이 많다고 말하였다. (己亥,自生之木.根本繁盛,不忌衆金,惟嫌辛亥,辛巳,癸酉之金,若見乙卯,丁未水,癸未木,未有不大貴.『五行要論』云,己亥木自

生,挺英才秀拔之德,得之於特達處,類皆清貴少達.闇東叟云,己亥之木,得時則清貴,非時則辛苦.)

庚子는 후덕한 土로서, 중수衆水를 극할 수 있고 木을 꺼리지는 않으나, 대개 木은 자위子位에 이르면 무기無氣한데, 만약 壬申의 金을 만나면 명위록明位祿이라 하여 반드시 귀하게 된다. (庚子,厚德之土.能剋衆水,不忌他木,蓋木至子無氣,若遇壬申之金,謂之明位祿,其貴必矣.)

辛丑은 복이 모이는 土로서 중목衆木이라도 극할 수 없고, 대개 丑은 금고金庫가 되며, 丑에는 金이 있는데 木을 본다고 어찌 싱하겠는가?『옥소보김玉霄寶鑑』에서 이르기를, 庚子, 辛丑, 土는 木을 좋아하나 水를 싫어하니, 木을 보면 관官이 되나, 水를 보는 것은 서로가 마땅하지 않은 것이다. 염동수는, 辛丑, 己酉는 土 중에 金의 수를 포함하고 있어 후덕하긴 하나 성질은 강하고 조화로우나 같지는 않고, 水火의 왕기旺氣로서 상하를 제도하면 위엄과 공명이 대단하고 과감하다고 말하였다. (辛丑,福聚之土,衆木不能剋,蓋丑爲金庫,丑中有金,見木何傷?『玉霄寶鑒』云,庚子辛丑土,愛木而惡水,見木爲官,見水不相宜.闇東叟云,辛丑,己酉之土,中含金數,厚德性剛,和而不同,上下濟以水火旺氣,則威名功烈,見爲果敢.)

壬寅은 스스로 절絶이 되는 金이고, 癸卯는 기가 흩어지는 金인데, 만약 무리 지은 火를 보게 되면 기를 손상하게 되니 오직 水土를 만나야만 길한 것이다.『오행요론』에서 이르기를, 壬寅 癸卯는 허약한 金이 되나 어질고 부드럽고 의가 강한 덕으로, 추동에는 강건하여 흉이 없어 흉은 길조가 되고, 춘하절은 속은 흉하나 겉은 길한데, 그러나 길하지만 먼저는 흉하다. 귀격에 들면 지조가 있고 영명하나, 그러나 살살殺을 대동하면 흉포하여 마칠 수 없다.36)『삼명찬국三命纂局』에서는, 癸卯는 태지胎地의 金인데, 만약 丙寅 丁卯 노중화爐中火를 보더라도 태금胎金이라 귀鬼가 되지 않는 것은 화롯불이 그릇을 만들 수 있기 때문이라고 말하였다. (壬寅,自絶之金,癸卯,氣散之金.若見衆火則喪氣,惟水土朝之則吉.『五行要論』云,壬寅癸卯,爲虛薄之金,具仁柔義剛之德.秋冬剛健無凶,凶爲吉兆,春夏則內凶外吉,吉乃先凶.入貴格則志節英明,帶煞則凶暴不能終也.三命纂局云,癸卯自胎之金,若達丙寅丁卯爐中之火,不爲鬼以胎金,爐中成器故也.)

甲辰은 편고偏庫의 火로서 많은 火의 도움이 길한데, 소위 같은 기가 구원해줌으로서 그 부족한 근원根源을 도우는 것이다.37) 만약 戊辰 대림목, 戊戌 평지목의 木으로 생함을 보면 귀격이 되고, 꺼리는 것은 壬辰 장류수, 壬戌 대해수, 丙午 천하수, 丁未 천하수의 水는 가장 해악한 것이 된다.『오행요론』에서는, 甲辰은 천장天將의 火가 되어 민첩하고 대단한 기를 포함하고 있어, 귀격에 들면 특별히 현달하여 문장을 하면 으뜸이 되고, 추동절은 유리하나 춘하절은 불리하다고 말하였다. (甲辰,偏庫之火,多火助之吉,所謂同氣之求,以資其不足.若見戊辰,戊戌木生之,爲貴格,忌壬辰,壬戌,丙午,丁未水最毒.『五行要論』云,甲辰爲天將之火,含敏速峻烈之氣,入貴格則爲特達,爲文魁,利秋冬,不利春夏.)

---

36) 命대로 못산다는 말.
37) 甲辰火는 수고水庫에 火가 있어 同氣救應이 필요한 것이다.

乙巳는 임관이 되는 火로서 水가 극할 수 없는데, 대개 水는 巳에서 절절이 되기 때문이며, 水가 다스리면 순수해진다. 만약 두서너 개의 火가 도운다면 또한 아름다운 것이다. 『오행요론』에서는, 乙巳火는 순양純陽인 손방巽方에서 발현하는 기로서 그 빛이 충만하게 빛나는데, 춘동절로 향하면 길하고 하추절로 향하면 흉하다고 말하였다. (乙巳,臨官之火.水不能剋,蓋水絶於巳巳,得水濟之,則爲純粹.若得二三火助之,亦佳.『五行要論』云,乙巳火含純陽巽發之氣,光輝充實,春冬向吉,夏秋向凶.)

丙午 丁未는 은한銀漢의 水로서 土가 극할 수 없는 천상天上의 水인데 땅의 金이 생할 수 없는 것이다. 생왕生旺됨이 태과하면 오히려 만물을 손상하고, 사절死絶됨이 매우 심하여도 역시 만물을 생할 수 없다. 『오행요론』에서 이르기를, 丙午는 지극히 숭고한 水인데 체體는 남방의 온후溫厚한 기이니. 이 같은 기를 받은 사람은 도를 아는 기운이 있어 변화를 깨우치는 특별함이 있어 출중하고 으뜸 된 사람이다. 丁未는 삼재三才의 온전한 수를 갖추었으며 충정沖正의 기를 얻고, 이 같은 것을 받은 사람은 정신기精神氣가 온전하여 성품이 근본 높고 묘하여 변화의 도를 궁극하게 되는 것이다. (丙午,丁未,銀漢之水,土不能剋,天上之水,地金不能生也.生旺太過,反傷於萬物,死絶太多,又不能生萬物.『五行要論』云,丙午至崇之水,體南方溫厚之氣.稟之者,類有道氣虛變,穎異有爲,魁衆出倫,丁未具足三才全數,得沖正之氣.稟之者,主精神氣全,性根高妙,盡變之道.)

戊申은 큰 언덕이 되는 土로서 木은 申에서 절절이 되어 극할 수 없는데, 만약 金水가 도와줌이 많으면 부귀가 높은 영화로운 격이 되는 것이다. (戊申,重阜之土.木絶於申,不能剋.若見金水多助,則富貴尊榮之格也.)

己酉는 스스로 패지敗地에 있는 土로서 기가 부족하니 火로서 생조하여야 한다. 丁卯, 丁酉 火를 보면 길하고, 사절됨을 가장 꺼리고, 두려운 것은 辛卯 송백목, 辛酉 석류목의 木인데 재앙이나 건체함과 요절함이 있다. (己酉,自敗之土.其氣不足.藉火以相助之.見丁卯,丁酉火則吉,切忌死絶.畏辛卯,辛酉木,災蹇夭折.)

庚戌 辛亥는 견고한 金을 이루어 火를 보는 것은 불가한데 손상당할까 두려운 것이다. 만약 水土를 얻는다면 귀하게 되는 것이다. 염동수가 말하기를, 庚戌은 火의 묘묘인 金으로서 강렬함을 믿고 난폭함이 있고, 추동절은 침착하여 후덕함을 바라고, 춘하절은 활동하면 후회할 일이 생기고, 군자는 병, 형권을 쥐게 되고, 소인은 방자하고 사나운 성질을 가진다. 辛亥金은 건방乾方의 강건함과 순명한 중정中正의 기를 받고, 춘추동절의 계절은 길한데 여름은 7은 길하고 3은 흉하다. 귀격이 이 辛亥金을 갖추면 체體는 어질고 의리를 지키는데, 만약 형살을 대동하면 방자하고 포악하여 공功만 탐내는 사람이 된다. (庚戌,辛亥,堅成之金.不可見火,恐有所傷.若得水土相之爲貴.閻東叟云,庚戌火墓之金,有剛烈自恃之暴.秋冬庶幾沉厚,春夏動生悔吝,君子執兵刑之權,小人恣獷悍之性.辛亥金,稟乾健純明中正之氣.春秋冬三時吉,夏七吉三凶.貴格乘之,體仁守義,若帶刑煞,肆暴貪功.)

壬子는 전위의 木이고, 癸丑은 편고의 木으로 사절을 만나면 부귀하고, 생왕하면 빈천하고, 木이 많으면 요절하고, 金이 많고 土가 성하여야 아름다운 것이다. 『오행요론』에서 이르기를, 지극히 음유한 木으로 양은 약하고 음은 왕성하니, 유柔하여 입지立志가 없고 水의 덕을 사용하여 오직 丙午 水를 대對한다면 水木이 충沖하여 순수한 덕으로 신선이나 기인이사가 되어 비상한 격이다. 『촉신경』에 이르기를, 壬子의 木은 유순함을 잃었지만 혹 그것을 얻는다면 어질고 식견이 높아지는 것이다. 주註에서는 壬子木은 水의 왕성한 자리에 있는데, 子中의 미약한 양기陽氣로서 생하므로 연약하여 부리지기 쉬우니 곧 자패自敗의 木이라는 것이다. 이같이 드높이면 火土의 기를 얻을 뿐만 아니라 번영할 수 있으니 어질고 과감하여 식견이 높아지는 것이다. (壬子,專位之木,癸丑,偏庫之木.遇死絶則富貴,生旺則貧賤,木多則夭折,金多土盛爲佳.『五行要論』云,壬子幽陰之木,陽弱陰盛,柔而無立,類仁,水德用事,惟對以丙午水,則爲水木沖粹之德,類入神仙異土,標格非常流也.燭神經云,壬子之木,失於優柔,其或揚之,仁而高明.註云,壬子木在水旺之鄕,假子中得微陽之氣而生,柔脆易折,則自敗木也.揚之者,欲得火土之氣,益之使敷榮,則仁勇而高明.)

甲寅은 병지病地에 있는 水이고, 乙卯는 사지死地에 있는 水인데, 비록 병病, 사지死地에 있을지라도 土가 극할 수 없는 것은 간지가 모두 木으로서 土를 제制하는 까닭인 것이다. 만약 壬寅, 癸卯 金을 보면 여유가 있고 순하게 되는 것이다. 『오행요론』에서는, 甲寅대계수, 壬戌대해수 二水는 伏逆암장하여 거역함하니, 음이 양陽을 능가하므로 간사하고 사물을 해치므로, 오직 火土의 損益덜고 더함으로 제도적절하게 다스려줌해야만 비로소 큰 그릇을 이루는 것이라 말하였다. (甲寅,自病之水,乙卯,自死之水.雖然死病,土不能剋,蓋支干二木,可以制土.若見壬寅,癸卯之金,則爲優裕.『五行要論』云,甲寅,壬戌二水,爲伏逆,陰勝於陽,主姦邪害物,惟濟之以火土損益,方成大器.)

丙辰은 자고自庫에 있는 土로서 두텁고 건장하며 甲辰 복등화覆燈火를 좋아하고 戊辰 대림목大林木을 싫어하는데, 土는 대체로 木을 손상할 수 없으며, 무릇 丙은 火이고, 辰은 火의 편고偏庫가 되어 土가 이미 그릇을 이룬 것이다. 오직 戊戌, 己亥, 辛卯, 戊辰 木을 혐오한다. 『오행요론』에서 이르기를, 丙辰土는 정인으로 오복五福의 길함을 모으는 덕이 있는 것이다. 이 같은 것을 받은 사람은 만사형통하여 귀하지 않으면 부한 것이다. 단지 충을 범하면 승도僧道가 되는 경우가 많다. (丙辰,自庫之土.厚且壯,喜甲辰火,惡戊辰木.此土凡木不能傷,蓋丙火也,辰爲火偏庫,土已成器.惟嫌戊戌,己亥,辛卯,戊辰之木.『五行要論』云,丙辰土爲正印,建五福吉會之德.稟之者,類皆亨大有爲,不貴即富,惟犯衝者,多爲僧道.)

丁巳는 자절自絶하는 土이나 그런데 절絶이 되지 않는다. 무릇 土는 이화二火의 아래에 있으며 부모의 향鄕에 있는 것으로 천은을 입은 것이 되어 절絶이 되지 않은 것이고, 木이 극할 수 없으며 火가 많으면 더욱 아름다운 것이다. 『옥소보감玉霄寶鑑』에서는, 丁巳는 동남 火의 덕으로 왕수旺數가 있는데, 이같은 것을 얻은 사람은 복수福壽를 받는다고 말하였다. (丁巳,自絶之土.又不爲絶,蓋一土居二火之下,在父母之鄕,乘天屬之恩,故不爲絶.木不能剋,火多益佳.『玉霄寶鑑』云,丁巳

合東南火德旺數,得之者,含容福壽.)

戊午는 왕성한 火이고, 己未는 편고偏庫한 火로서 이궁二宮離宮의 밝은 곳에 거하여 왕상旺相한 지지라서 기가 극성極盛하니, 다른 水들은 손상할 수 없는데 丙午, 丁未의 천상天上의 水는 꺼리는 것이다. 『염동수』가 말하기를, 戊午는 왕성한 火인데 이궁二宮의 밝은 염상炎上의 기운으로 사물을 다스림이 무정하여 무리들에게 위배되므로 추동절에 이것을 얻으면 水土의 왕기로서 제도하면, 활달하여 식견이 높아 복력이 굳건한 것이다. 춘하절에는 金木은 戊午를 타면, 비록 등광騰光하여 신속하더라도 명은 길지 못할 것이다. 『오행요론』에서 이르기를, 己未는 쇠약한 火이지만, 남아있어 감추어진 귀기貴氣로서 춘하절에는 운이 침잠하는 향鄕으로 행하면, 명민하여 현달하고 복된 경사가 오랠 것이고, 하절에 이를 얻으면 조화롭지 못하며, 가을에 이를 얻으면 먼저는 길하나 나중에는 흉한 것이다. (戊午,自旺之火,己未,偏庫之火.居離明之方,旺相之地,其氣極盛,他水無傷.忌丙午,丁未天上之水.閻東叟云,戊午自旺火,含離明炎上之氣,無情治物,動違於衆,秋冬得之,濟以水土旺氣,則豁達高明,福力堅壯.春夏乘之以金木,雖騰光迅速,命非久常.『五行要論』云,己未衰火,含餘藏寶之氣,春夏之月,運入沉潛之鄕,則明達峻敏,福慶深遠,夏得之非和氣也,秋得之則先吉後凶.)

庚申 辛酉 석류목은 金이 木 위에 거하여, 金으로 인해 그릇을 이루지만, 꺼리는 것은 재차 金을 보는 것인데, 그릇이 훼손되는 것이다. 만약 甲申, 乙酉 천중수 水를 보면 입격入格하게 되는 것이다. 『옥소보감玉霄寶鑑』에서 이르기를, 庚申은 절지絕地에 있는 木으로 혼魂은 유랑하고 신神은 변하며, 이 庚申에 생한 사람은 평범한 그릇과 보통 격격이 아니라서 성품이 남달리 뛰어나서 가족에 얽매이지 않으며, 귀격에 들면 영웅호걸의 재목으로 불세출의 공功을 세운다. 辛酉는 자리를 잃은 木으로, 木이 금향金鄕에 있어 이를 가진 사람은 세상살이에 어려움이 많아서 오직 癸卯金을 보아야 강유를 배합하여 적절히 다스려주면 출중한 인물이 되니 장원 급제는 틀림없는 것이다. 『촉신경』에서는, 혼은 귀貴하여 하늘을 유랑하므로, 庚申의 木은 사절死絕됨을 꺼리지 않으며, 독자적으로 庚申은 지킬 수 있는 것이라 말하였다. 주註에서 이르길, 庚申은 자절自絕된 木으로, 木은 오장五臟으로는 간肝에 속하는데, 간에는 혼魂이 숨어있고 木이 절절되어 휴수하면 혼이 하늘을 유랑하게 되므로 경신의 木은 사절死絕을 꺼리지 않는데, 따라서 귀하여 하늘에서 유랑하는 것이다. 『귀곡자유문』에서는 辛酉는 생왕함을 바란다고 말하였고, 주석에서는 辛酉는 절기된 木이니 생왕해야 영화로운 것이라고 이허중은 말하였다. (庚申辛酉二木,金居木上,因金以成器,忌再見金,致毀其器.若見甲申,乙酉水,則入格.『玉霄寶鑑』云,庚申自絕木,爲魂游神變,遇此日生者,類非凡器常格,主賦性穎異,家族不羈,入貴格則是英傑之才,立不世之功.辛酉失位之木,木困金鄕,乘之者涉世多艱,惟對癸卯金,則剛柔相濟,挺拔出群,決取巍科.燭神經云,魂貴天遊,故庚申之木,不嫌於死絕,獨坐而守庚申是也.註云,庚申自絕木,木於五臟屬肝,肝藏魂,木休絕則魂遊於天,故庚申之木,不嫌死絕,所以貴於天遊.鬼谷遺文云,辛酉期生旺.註云,辛酉氣絕之木,欲生旺以爲榮.)

壬戌은 편고偏庫한 水이고, 癸亥는 임관한 水로서 일명 대해수大海水라 말한다. 대체로 간지의 납음이 모두 水로서 무리를 이룬 水는 꺼리는데, 壬辰은 水의 고고庫이기는 하나 역시 감당할 수 없는 것이다. 다른 土는 꺼리지 않으며 사절되면 길하고, 생왕하면 범람하여 돌아갈 곳이 없는 것이다. 『옥소보감玉霄寶鑑』에서 말하기를, 亥子의 水는 정방위이고, 壬戌의 기는 잠복하여 순조롭지 못하니 오직 火土로서 덜고 더해야만 큰 그릇을 이루는 것이다. 癸亥는 순양純陽을 갖춘 수로서 내적인 체體는 어진데, 이같은 것을 받은 사람은 천부적으로 너그럽고 호연지기浩然之氣를 갖추어 공공을 세워 나타내고, 일시日時에서 살살을 대동하면 흉악하고 교활한 부류이다. (壬戌, 偏庫之水, 癸亥, 臨官之水, 名曰大海水. 蓋支干納音皆水, 忌見衆水, 雖壬辰水庫, 亦不能當. 不忌他土, 死絕則吉, 生旺則汎濫無所歸也. 『玉宵寶鑒』云, 亥子水之正位, 壬戌氣伏而不順, 唯以火土損益之, 乃成大器. 癸亥具純陽之數, 內體至仁, 稟之者, 天資夷曠, 志氣浩然, 發爲功業利澤, 日時帶煞, 則凶狡之流.)

또 말하기를, 丙戌의 土는 복이 크고 두터운 것은 火의 종류이기 때문인 것인데, 己未, 庚辰, 戊辰, 丁丑과 이 丙戌은 같은 뜻이다. 己未火는 未에 木의 묘묘가 있고, 庚辰金은 辰에 土의 묘묘가 있고, 戊辰 木은 水의 묘묘가 있고, 丁丑 水는 丑에 金의 묘묘가 있는데, 모두 부모의 기로서 각각 양육하는 곳이다. 이 5개는 복이 크고 두터운 것인데, 이상은 귀鬼의 손상함이 있어도 해가 되지 않는데 기를 이루었기 때문인 것이다. 『이허중李虛中』은 丙戌은 더욱 특이한데 戊은 土의 본래의 자리가 되어 더욱 왕성한 것이라고 하였다. (又曰, 丙戌之土, 爲福隆厚, 火鍾於此故也. 己未, 庚辰, 戊辰, 丁丑與此同義. 己未火也, 未中有墓木, 庚辰金也, 辰中有墓土, 戊辰木也, 辰中有墓水, 丁丑水也, 丑中有墓金, 皆父母之氣, 各有所養. 此五者福壯厚, 以上有鬼所傷不爲害, 氣成故也. 李虛中云, 丙戌尤異, 以戊又爲土之本位, 而尤旺盛.)

乙巳 戊午는 치열함이 극성한 火로서, 추동에는 덕이 있어 길하지만, 춘하는 형형이 되어 흉한 것이다. 만약 중하中夏라면 폭염이 한번 선회하여 오면 조열해지므로 필경 분화焚和하여 허물이 된다. 乙巳는 임관지의 火로서 천간의 木이 火를 생하므로 그 기가 왕성한 것이다. 戊午는 자왕自旺한 火인데, 만약 추동절에 생하면 온화한 기가 되어 물을 제도하여 덕이 되고, 만일 춘하에 생하면 왕성한 화가 다시 양의 위치를 얻어 흉하게 되고, 중하에 생하면 사납고 잔인하여 요절할 수가 있다. (乙巳, 戊午乃盛炎之火. 秋冬作德吉, 春夏作刑凶. 若仲夏暴炎, 一發旋即歸燥, 竟焚和而爲咎. 乙巳臨官之火, 上有一木生之, 其氣盛矣. 戊午自旺之火, 若生秋冬, 爲溫燠之氣, 爲濟物之德. 若生春夏, 旺火復得陽位, 則作凶, 生仲夏, 爲暴戾刻忍凶夭之流也.)

乙卯, 癸巳, 丁酉, 乙亥는 水火가 비록 사절死絕되어 있지만 그러나 청하고 밝아서 묘한 아름다움이 있다. 火는 사절死絕되면 안은 밝지만 바깥은 어두워 반조하여 회광하는 것이고, 水는 사절되면 침잠되어 맑고 깨끗하여 수염이 비칠 정도로 청명하므로 묘한 아름다움이 있는 것이다. 이허중은 사위四位의 水火는 비록 사절되어 있더라도 그러나 청명하여 묘한 아름다움이 있어 천을귀인天乙貴人을 본다면 올바르게 저절로 보일 것이라고 말하였다. (乙卯, 癸巳, 丁酉, 乙亥, 水火雖死絕, 卻清明而妙佳. 火死絕而內明外晦, 返照回光, 水死絕而湛然清澈, 可燭鬚眉, 故卻清明而妙佳. 李虛中云, 四位水火雖死絕, 卻清明而妙佳, 觀天乙貴人, 自可見矣.)

壬寅의 金은 군군을 섬김에 있어 거역하지 않고, 庚申의 木은 신하가 강하지 못하고, 오행은 오음이 되어, 궁음宮音의 土는 군군이고, 상음商音의 金은 신하이고, 각음角音의 木은 백성이다. 상商이 태과하면 신하는 강한 것이고, 각角이 태과하면 군君은 약한 것이므로 오음에서는 사청궁四淸宮을 사용하여 상각商角을 덜어내는 것이다. 庚申은 각음角音의 木은 자절自絶되고, 壬寅은 상음商音의 金이 자절自絶되니 모두 충성하고 순종하는 도를 얻은 것이므로 군君을 섬김에 있어 거역하지 않는 것이며 신하는 강하지 않은 것이다. 따라서 자미紫微, 난대鸞臺, 봉각鳳閣은 상궁上宮이 되면 金木이 생왕生旺한 명命을 절대 꺼리는데, 가령 생왕하게 된다면 절대로 안 되며, 생왕하다 해도 역시 오래가지 못할 것이며 독대하여 아뢰는 것은 가능하다. 만약 金木이 생왕生旺하더라도 극파剋破가 되면 그렇지 않다. (壬寅之金,事君不逆,庚申之木,爲臣不強.五行屬五音,宮土者君也,商金者臣也,角木者民也.商太過則臣強,角太過則君弱.故五音之中常用四淸宮以殺商角. 庚申者,角木自絶也,壬寅者,商金自絶也,皆使得忠順之道,故事君不逆,爲臣不強.所以自紫微鸞臺鳳閣以上官宮,切忌金木生旺之命,如是必不爲之,爲之亦不能久,獨臺諫則可.若金木生旺而逢剋破則不然.)

庚申木, 乙巳火는 土金이 생하여도 다시 생이 되지 않고, 丙午水, 癸卯金은 水木이 사死하지만 또 사死하지 않는 것이다. 土는 申에서 생하지만 庚申에서는 생하지 않고, 水는 申에서 생하지만 戊申에서는 생하지 않고, 火는 寅에서 생하지만 甲寅에서는 생하지 않고, 金은 巳에서 생하지만 乙巳에서는 생하지 않고, 木은 亥에서 생하지만 辛亥에서는 생하지 않는다. 대개 생하는 곳에서 도리어 제극制剋을 받기 때문이다. 이와 같은 것을 얻은 사람은 수명이 짧다. 水는 卯에서 사死하지만 癸卯에서는 사하지 않고, 土는 卯에서 사하지만 丁卯에서는 사하지 않고, 木은 午에서 사하지만 丙午에서는 사하지 않고, 金은 子에서 사하지만 庚子에서는 사하지 않고, 火는 酉에서 사하지만 辛酉에서는 사하지 않는다. 대개 사死하는 곳에서 생함을 얻기 때문인 것이다. 만일 이와 같은 것을 얻은 사람은 장수하게 되는 것이다. (庚申木,乙巳火,土金生而還不生,丙午水,癸卯金,木水死而還不死.土生申而不生於庚申,水生申而不生於戊申,火生寅而不生於甲寅,金生巳而不生於乙巳,木生亥而不生於辛亥.蓋生處而反受制故也.得之者夭壽.木水死卯而不死於癸卯,土死卯而不死於丁卯,木死午而不死於丙午,金死子而不死於庚子,火死酉而不死於辛酉,蓋死處得生也,若得之者長壽.)

戊子의 간지干支는 북방에서 왕성하며 水에 자리하고 납음으로는 火가 되며 수중水中에 있는 火라서 신룡神龍이 아니면 수중水中에 있을 수 없다. 丙午의 간지는 남방에서 왕성하며 火에 자리하고 납음으로는 水가 되며 천하天河가 아니면 화중火中에 있을 수 없다. 戊子人이 丙午를 얻거나 혹 丙午人이 戊子를 얻는다면 귀하지 않을 수 없다. 대개 화중火中에서 水가 나오고, 수중水中에는 火가 암장되어 있어 수화기제가 되어 정精과 신神이 활발하게 운동하여 정신세계가 범인들과는 다른 것이다. 이허중이 말하기를, 丙午는 천상天上의 水로서 은한銀漢이 여기에 있으니, 즉 십이지의 천후天后[38]인데, 이를 얻은 사람은 식견이 높고 활달하여 보통사람보다 뛰어나 평범하지 않고, 戊子는 수중水中에 있는 火로서 신룡神龍이 여기에 있으므로 육기六氣 중에서 군화君火인 것이다. 이 戊子 얻은 사람은 저절로 신神이 밝아지고, 얼마간 침잠하나 만물보다 앞서 이기二氣 丙午, 戊子를 겸하면 더욱 절묘하게 된다. 나머지 모든 기는 이에 준하면 자세히 알

---

38) 天后는 壬學에서 나오는 용어인데, 12천장에서 마지막에 해당되는 길신이다.

것이다. (戊子支干,旺於北方,乃水之位,納音屬火,乃水中之火,非神龍不能有之.丙午支干,旺於南方,乃火之位,納音屬水,乃火中之水,非天河不能有之.戊子人得丙午,或丙午人得戊子,無不貴.蓋火中出水,水中藏火,水火既濟,精神運動,必靈異於人矣.李虛中云,丙午天上之水,銀漢有之,卽十二辰之天后也,得之者,高明豁達,穎異不凡,戊子水中之火,神龍有之,卽六氣之君火也.得之者自神而明,沉幾先物,二氣兼得尤妙絶.其餘諸氣,準此詳之.)

辛丑의 土는 木을 혐오하지 않고, 戊戌의 木은 金을 두려워하지 않는데, 어떻게 그것을 분별하는가? 丑은 金의 고고이니 木은 귀귀가 될 수 없고, 戌에는 火가 있으니 金이 오히려 재앙을 받게 되는 것이다. 만일 戊戌木이 두 개의 土는 위에 있고 하나의 木은 아래에 있으면 두 개의 土 안에 묻혀 있으니 오히려 싹을 피울 수 없고, 그 형체를 볼 수가 없으니 土는 왕성하고 木은 약한 것이다. 나머지는 모두 이것을 따르라. (辛丑之土,不嫌於木,戊戌之木,不怕於金.何以辯之.丑中金庫,水木不能鬼,戊戌中有火,金反受其殃.若戊戌之木,二土在上,一木在下,埋在二土之內,尚未萌芽,不見其形,是土盛木弱.餘皆倣此.)

庚寅木, 丁巳土는 金木의 귀귀를 혐오하지 않고, 金은 寅에 이르면 비록 귀귀가 되나, 金은 寅에서 절절이 되므로 귀귀가 되지 못하고, 木이 巳宮에 이르면, 巳는 金을 생하고 木을 극하므로 귀귀가 될 수 없는 것이다. 만약 庚寅木이 壬申金을 만난다면 상충하고 상극이 된다. 나머지는 모두 이것을 따르라. (庚寅木,丁巳土,不嫌金木之鬼,金至寅宮雖爲鬼,而金絶在寅,故不爲鬼,木至巳宮,而巳有生金剋木,故不爲鬼.若庚寅木逢壬申金,相衝相剋.餘皆倣此.)

庚午의 土는 남방의 왕성한 火로서 그 형형을 기른 것이고, 戊申의 土는 자생自生하고, 庚子의 土는 가득한 것이니 목귀木鬼를 꺼리지 않는다. 대개 木은 午에서 사死하고, 申에서는 절절하고, 子에서는 패패가 된다. 자강自強한 土가 어찌 손상하겠는가? 나머지는 이와 같이 따르라. (庚午之土,乘南方旺火以養其形,戊申之土自生,庚子之土自盈,不忌木鬼.蓋木至午死,申絶子敗,又自強之土何傷.餘皆仿此.)

壬申, 癸酉, 庚戌, 辛亥의 4金은 기가 장성하여 귀귀를 혐오하지 않는데, 戊子의 火가 귀귀를 두려워하지 않는 것은 수중水中의 벽력화로서 신룡神龍이 있으며 대개 水가 있으면 뇌성이 울리기 때문인데, 만약 丙午, 丁未의 천하수를 보면 꺼리는 바는 있으나 상전相戰하여 공은 있는 것이다. 대체적으로 본명의 간지가 손상되면 육근六根이 부족하므로 시작은 있으나 끝이 없는 것이다. 예를 들면 丁巳가 癸亥를 보고, 壬子가 戊午를 보는 것이다. 나머지는 이와 같이 따르라. (壬申,癸酉,庚戌,辛亥,四金氣壯,不嫌於鬼.戊子之火,不畏其鬼,水中霹靂之火,神龍有之,蓋有水則雷方鳴,若逢丙午,丁未天河水,則有所忌,有相戰之功.大凡本命支干受傷,則主六根不足,有始無終,如丁巳見癸亥,壬子見戊午.餘皆倣此.)

戊午 庚申은 서로에게 얻으나 특히 다른 것은, 庚申의 석류木은 하절에 왕성하므로 戊午를 기

뻐하는 것이다. 대개 화궁火宮에서 왕성하니 석류木의 성질이 때를 만난 것이고, 戊午는 지극히 왕성한 火로서 申의 천마天馬를 만나 서로 돕는 것을 기뻐하는 것이다.39) 신두록神頭祿은 십간 전위專位의 녹祿인데 음양의 전위專位하여 천지의 신기한 기운이 모인 것이다. 팔괘의 참된 근원을 나열하면 오행의 성패가 연역演繹되고 강유와 음양이 서로 변화하는 유무로서 합화合化된다. 그러므로 壬子의 水는 북방의 감坎에 응하고, 丙午의 火는 남방 이궁二宮離宮에서 실實하게 되므로, 丙午가 壬子를 얻으면 파破가 되지 않고, 丁巳가 癸亥를 얻으면 충衝이 되지 않으니 이것이 수화상제하는 근원인 것으로, 부부가 배합하는 이치가 있고, 감리坎離는 남녀의 정精과 신神이 되는 것이다. 壬子가 丙午를 얻고 癸亥가 丁巳를 얻으면 선후先後로서 화수미제의 상象이 있는 것이고, 丁巳가 壬子를 보고 丙午가 癸亥를 얻는 것이 같지 않은 것이다. (戊午,庚申,彼我得之超異.庚申石榴木,夏旺,故喜戊午.蓋火官宮旺,而石榴木性得時,戊午乃旺極之火,喜於申見天馬相資也.其神頭祿者,即十干專位祿,乃陰陽專位,天地神會也.列八卦之眞源,演五行之成敗,剛柔相推,有無合化.故壬子之水,應北方之坎,丙午之火,實南宮之離,所以丙午得壬子不爲破,丁巳得癸亥不爲衝,是水火相濟之源,有夫婦配合之理,坎離爲男女精神之用也.壬子得丙午,癸亥得丁巳,則先後火水有未濟之象,不如丁巳見壬子,丙午得癸亥也.)

庚申 辛酉의 金은 서방 兌에 응하고, 甲寅 乙卯의 木은 동방의 진방震方의 상象인데, 따라서 甲寅이 庚申을 얻어도 형刑이 되지 않고, 乙卯가 辛酉를 얻어도 귀鬼가 되지 않고, 木은 여자이고 金은 남자가 되는 것이 바른 체體이니, 좌우의 신묘함을 밝힌 것이다. 木은 혼魂이 되고 金은 백魄이 되어 이자二者는 좌우에서 서로 간에 합하지 않아도 합할 수 있고, 정신이 화생化生하여 간격이 없어지는 것이다. 만약 庚申이 乙卯를 얻거나 辛酉가 甲寅을 얻으면 원진으로 통변하지 않는 것이다. (庚申辛酉之金,應西方之兌,甲寅乙卯之木,象東方之震,所以甲寅得庚申不爲刑,乙卯得辛酉不爲鬼,是木女金夫之正體,明左右之神化也.木主魂,金主魄,二者左右相間,不合者能全合,則神之化生以無間也.若庚申得乙卯,辛酉得甲寅,不爲元辰變通之用也.)

戊辰 戊戌의 土는 괴강魁罡이 서로 모여 하늘과 땅이 후덕하게 덮어주고 생하니 반음反吟이 되지 않는다. 戊辰 戊戌은 충이 되지 않고, 土가 정위正位를 얻고 천간이 원회元會를 지키는 것이다. 己丑 己未는 귀신貴神으로 충정을 지키고, 네 진토眞土는 만물의 시작과 끝을 맺는 도가 있는 것이다. 대인군자가 아니면 누가 이러한 덕을 갖출 수 있겠는가? 하물며 신두록神頭祿은 각각 정신이 있어 좌우로 운동하여 육합六合40) 안에서 차고 모자람으로 길흉이 변화하는 것이다. (戊辰戊戌之土,爲魁罡相會,乾坤厚得,覆載含生,不得以爲反吟.戊辰戊戌不爲衝,土得正位,干守元會也.己丑己未,是貴神守忠貞,此四眞土,有萬物始終之道.非대인大人君子,孰能備此德.況神頭祿,各有神以主之,左右運動於六合之中,盈縮於吉凶之變也.)

己丑 土는 천을귀인天乙貴人이 되고, 己未土는 태상太常의 복신福神이 되어, 많은 살殺의 흉

---

39) 天馬란 지지에서는 驛이라 하고 驛馬라 하는데, 천간에서는 馬라 하는데 보통 古書에서는 天馬라고 많이 표현하니, 驛馬를 말하는 것임.
40) 전후좌우상하를 말한다.

을 풀어주고, 만약 이 귀인과 태상을 얻으면 횡재하는 기쁨도 있는 것이다. 戊辰은 구진勾陳이고, 戊戌은 천공天空으로 토신土神은 이동함이 많아 장수가 외곽에 머무르다 바뀌어 출진하고 변방을 지키고 하여 일정하지 않은 것이다. 丁巳는 등사螣蛇인데 흉으로서 흉을 쓰고 길로서 길을 이으며, 형혹熒惑으로 근심이 많고 골계滑稽의 성질이 있다. 丙午는 주작朱雀으로 양명陽明의 체體에 응하고 문사文詞가 수려하다. 甲寅은 청룡靑龍으로 사랑을 널리 베풀고 사람들을 구제하여 사방에서 이익을 얻는다. 乙卯는 육합六合으로 영화로움이 발생하며 약하고 순한 무리들과 화합하고, 壬子는 천후天后로 하늘이 드러나지 않게 도와주며 천덕이 되어 용모는 아름답고 권세가 많고, 癸亥는 현무玄武로 음양이 지극하여 끝이며 잠복하는 기가 있어 아래를 따라 흘러 비록 큰 지혜가 있을지라도 헌앙軒昂하여 뛰어난 선비는 아니고 순하면 평안하고 거역하면 간사한 도둑이 된다. 庚申은 백호의 신으로 무에 이로우나 문에 불리하고 도를 품으나 의지가 약한 성품이고 선한 가운데 외형은 엄격하니 겉으로는 엄격하나 내심으로 부드럽고 인의도 있으며 한적하고 그늘진 곳을 좋아한다. 辛酉는 태음太陰으로 숙살지기肅殺之氣를 품고 있으며 청백한 기풍이 있어 문장과 구변에는 불세출의 재능이 있지만 그러나 친구와 소통함에도 분명하게 만나는 것을 정하니 화복은 성품으로 작용한다. (己丑土爲天乙貴人,己未土爲太常福神,解百煞之凶,若得之,當用爲橫財之喜.戊辰爲勾陳,戊戌爲天空,土之神多遷,改居帥外藩,出鎭邊防,有不常矣.丁巳爲螣蛇之神,凶以凶用,吉以吉承,多熒惑之憂,有滑稽之性.丙午爲朱雀之神,應陽明之體,文詞藻麗.甲寅爲靑龍之神,博施濟衆,得四方之利,乙卯爲六合之神,主發生榮華,和弱順黨,壬子爲天後之神,主陰騭天德,容美多權,癸亥爲玄武之神,乃陰陽終極,有潛伏之氣,從下如流,雖有大智,非軒昂超達之士,順則安平,逆則姦宄.庚申爲白虎之神,利於武而不利於文,有抱道孤騫之性,善中嚴外,色屬內荏,有仁義,好幽僻.辛酉爲太陰之神,懷肅殺之氣,有淸白之風,爲文章利口不世之才,然更各以親疏休旺,定遇者之情性禍福.)

甲子 乙丑 해중금海中金

해중금海中金은 용궁에 감추어진 보물이고, 교룡의 집에서 품고 있는 구슬인데, 용은 상상의 동물로 여의주 같은 의미로 진귀한 보물이 감추어져 있다는 비유의 뜻으로서 출현하려면 비록 공충空衝으로 단단한 껍질을 벗겨내야 함을 빌리지만, 火力으로 돕지 않더라도 기물을 이룰 수 있으므로 '동방삭東方朔'[41]은 합방蛤蚌이라 명명하였는데 일리가 있는 것이다. (海中金者,寶藏龍宮,珠孕蛟室,出現雖假於空衝,成器無藉乎火力,故東方朔以蛤蚌名之,良有理也.)

『蘭臺妙選』의 주장연해격珠藏淵海格에 있어서는 甲子가 癸亥를 보는 것으로 火는 필요치 않으나 공망空亡을 만나야 하고, 방주조월격蚌珠照月格에는 甲子가 己未를 보는 것으로 합화合化하여 귀인을 호환하는 호귀互貴를 필요로 하는 것인데, 대개 해중금은 형형이 없으므로 공망空亡, 충衝이 아니면 출현할 수 없으나, 乙丑은 金의 고庫이니 왕성한 火가 아니면 그릇을 만들 수 없기 때문이다. (妙選有珠藏淵海格,以甲子見癸亥,是不用火,逢空,有蚌珠照月格,以甲子見己未,是欲合

---

41)

化互貴,蓋以海金無形,非空衝則不能出現,而乙丑金庫,非旺火則不能陶鑄故也.)

　　가령 甲子가 戊寅 庚午를 보면 土生金 하고, 乙丑이 丙寅, 丁卯를 보면 火克金인 것이다. 또 천간에서 삼기를 만나는 이와 같은 격국格局들은 귀하지 않을 수 없다. 구설에서는 甲子 乙丑은 모두 노중火를 보는 것을 기뻐하는데 丙寅은 왕성한 火로서 木의 도움이 마땅치 않고 丁卯는 패지의 火로서 木의 도움을 마땅히 원하고, 복등覆燈, 산하山下, 산두山頭의 火는 설질이 미약하여 金을 단련시킬 수 없으므로 木의 도움이 필요한 것이다. 천상火는 金은 극할 수 없으니 모름지기 火를 빌리고 다시 수제水劑를 얻고 충파함이 없어야 아름다운 것이다. (如甲子見戊寅,庚午,是土生金,乙丑見丙寅,丁卯,是火制金.又天干達三奇,此等格局,無有不貴. 舊說甲子乙丑,俱喜見爐中火,丙寅旺火,不宜木助,丁卯敗火,卻宜木助.覆燈,山下,山頭諸火,性微不能煉金,故宜木助.天上火不能剋金,須假凡火,再得水濟,無衝破爲佳.)

　　벽력火는 같은 자리에서 상극하기에 성품이 혼몽昏蒙한데 운에서 벽력火를 다시 보면하면 크게 흉한 것이다. 해중金은 木을 보면 조화로움이 없으니 이 金으로는 기물을 이룰 수 없으므로 제물制物할 수도 없는 것이다. 만약 월일에 火가 있고 시에서는 木을 본다면 재財로서 말할 수 있으니 길한 것이다. 정천井泉, 간하澗下, 대계大溪, 천하天河 등의 水는 火가 없으니 보는 것도 마땅치 않고, 대해水 역시 마땅하지 않은데, 그러나 『묘선』에서는 귀격으로 논하였는데, 근거는 甲子가 癸亥를 보면 추건趨乾이 되는 것인데, 어찌 그것이 불가하겠는가? (壁火就位相剋,性主昏蒙,運如再犯,大凶.見木則無造化,以此金未能成器,不能制物故也.若月日有火,而時遇木,卻以財論,則吉.井泉,澗下,大溪,天河等水,無火,俱不宜見,海水亦不宜,然以妙選論之,則爲貴格,據理,甲子見癸亥,逢生趨乾,何不可之有.)

　　노방, 옥상, 성두, 대역의 土들은 일시日時에 있을 때에 천원, 지지, 납음에서 제화制火가 없으면 빈천하고 중년에 요절한다는데, 내가 보건데 그러하지 않은 것은 庚午, 辛未, 戊寅, 己卯의 노중土와 성두土는 조화로운 정이 있기 때문인 것이다. 가령 甲子가 庚午를 보면 감리坎離가 상제相濟하고, 甲子가 辛未를 보면 관성官星이 귀인을 대동하고, 乙丑이 庚午를 보면 관성官星과 귀인이 호환하고, 甲子가 戊寅을 보면 절처봉생絶處逢生이 되고, 甲子가 己卯를 보면 천간이 합화하고, 乙丑이 戊寅을 보면 역시 절처봉생이 되고, 乙丑이 己卯를 보면 귀록歸祿이 재성을 대동하는데, 나머지 土들도 또한 마땅히 년으로 나누고 년상年上의 녹마귀인을 준해서 봐야 한다. (路傍,屋壁,城頭,大驛諸土,在日時柱中,天元,支辰,納音,俱無火制,主賤,中年夭,余見亦未然,以庚午,辛未,戊寅,己卯二土,造化有情故也.如甲子見庚午,坎離相濟,見辛未,官星帶貴,乙丑見庚午,官貴互換,甲子見戊寅,絶地逢生,見己卯,天干合化,乙丑見戊寅,亦絶地逢生,見己卯,則歸祿帶財,餘土又當仍分年,年上祿馬貴人方准.)

　　사중土는 매금埋金이 되어 진실로 보는 것은 마땅하지 않고, 火가 있어도 또한 불길하고, 사주에서 金을 만나는 것인데, 사중金이나 백납金은 원래 그릇을 이루지 않았고 해중金 역시 이루지 못했으니 피차간에 이익이 없는 것이므로 火가 없으면 마땅하지 않은 것이다. 검봉이나 차천의 金은 이미 그릇을 이루었으니 서로 도움이 있다. 『묘선』에서는 탈체화신脫體化神이라 하여 귀하다고 하였고, 금박金 또한 좋다고 하였다. 가령 甲子가 甲子를 보고, 乙丑이 乙丑을 보면 동류상자同類相資라 하고, 사주에서 하나의 寅을 보는 것을 기뻐하는데 戊寅을 보는 것을 곤산편옥崑山片玉이라 하였다. 가령 甲子가 乙丑을 보면, 간지연주干支連珠라 하여 火를 얻지 못하면 단련할 수 없는데, 곧 자평子平에서의 금신격金神格을 뜻하는 것이다. (沙土埋金,誠不宜見,有火亦不吉,柱中逢金,砂鑛原未成器,海中又未成器,彼此無益,故無火不宜.劍釵已成器金,相見有助.妙選謂之脫體化神,主貴,箔金亦好,如甲了見甲了,乙丑見乙丑,同類相資,柱中喜見一寅,見戊寅謂之崑山片玉如甲子見乙丑,謂之干支連珠,非得火煉不可,卽子平金神格之義也.)

壬寅 癸卯 금박금金泊金

금박금金箔金은 소반이나 술잔의 색채를 빛나게 해줌으로서 궁전을 더욱 빛나게 하고, 엷게 하기 위해서는 다른 金으로 모름지기 바탕이 되어야 하며, 빛나게 하려면 반드시 水의 힘을 빌려야 한다. 이 金은 심히 미약하므로 木이 아니면 의지할 수 없으니 평지木의 위에 있어야 하고 火를 보는 것은 마땅하지 않은데, 火가 있으면 요절한다. 태양을 만나는 하루 동안은 드러내는데 두 개의 火가 상반되니 동시에 보는 것은 마땅치 않은 것이다. (金泊金者,潤色杯盤,增光宮室,打薄須藉乎別金,描彩必假乎水力.此金甚微,非木則無所依.木以平地爲上,有此不宜見火,有火主夭.遇太陽爲日間之顯,二火相反,不宜同見.)

산하와 산두의 火는 맑은 물로 도우면 역시 길하다. 오직 노중火를 꺼리는데, 서로 상극이 되어 金의 체가 엷어져서 원래대로 돌아갈 수 없으니 요절하는 것인데, 운에서도 같이 논하는 것이다. 정천井泉, 윤하潤下, 천하天河의 水는 맑으므로 일시日時에서 보면 기쁜 것이니, 모름지기 월령은 목방木方에 있어야 길하며, 대계 장류와 대해의 水는 탁한데, 대계 장류수를 보면 부평초 같은 인생으로 방탕하고, 대해수를 보게 되면 木의 토대가 없으니 흉악하게 된다. (山下山頭,有清水助之亦吉.惟忌爐火,就位相剋.此金體薄,不能反源,定夭,限運同論.井泉,潤下,天河水清,日時喜見,須月令有木方吉,溪流,大海水濁,見溪流主漂蕩,見大海無木爲基,主凶殘.)

검봉, 차천 金을 만나면 장식하여 돕게 되니 조화로움을 이룸으로서 보는 것을 기뻐하고, 사중金 해중金과 백납금은 무익한데, 火로 제도함이 있다면 역시 길하나 없으면 결국 흉하다. 성두, 벽상의 두 土는 의지가 되어 몸이 편안한데, 성두土가 많게 되면 기인奇人이고, 벽상土에 木을 더하면 귀하고, 재차 복등火를 만나면 휘황찬란하므로 권력을 가진 귀한 사람이 된다. (金遇劍鋒釵釧,可以裝飾,有輔成造化之理,故喜見,砂海,白蠟無益,有火濟之亦吉,無則終凶.城頭,壁上二土,有靠安身,城頭多主寄人,壁上加木則貴,再遇燈火,輝光照耀,主權貴.)

丙戌은 土 중에 火를 암장하고 있어, 간지가 오히려 크게 치열하지 않아야 또한 귀격이 되고, 『난대묘선』을 상고해보면 金命이 戊寅을 만나면 곤산편옥격昆山片玉格이라 하였고, 癸卯가 己卯를 만나는 것은 옥토동승격玉兔東升格이라 하였는데 앞에서 말한 해중金과 같은 것이다. (丙戌土中藏火,干支卻不宜太炎,亦爲貴格,考妙選.金命而遇戊寅,昆山片玉格也,癸卯而遇己卯,玉兔東升格也,與前海中金同.)

庚辰 辛巳 백랍금白蠟金

백랍금白蠟金은 곤륜산 水의 발원지의 한 조각 옥玉이며, 낙포洛浦에 남겨진 보물이고, 日月의 빛이 머물러 교감하여, 음양의 기가 응결되어 모이니 형형은 밝고 체體는 정결하니 金의 정색正色이다. 백랍金은 오직 火의 단련함을 기뻐하는데 노중火의 불꽃이 필요하다. 그러나 庚辰 金이 노중 火를 보고 만약 水로서 구제함이 없으면 빈천하고 요절한다. (白蠟金者,崑山片玉,洛浦遺珍,交棲日月之光,凝聚陰陽之氣,形明體潔,乃金之正色也,此金惟喜火煉,須爐中炎火.然庚辰見之,若無水濟,主貧夭.)

신사金은 귀한 것으로 논하는데, 巳는 金의 장생지이며 丙寅을 보면 화수化水하여 귀하게 되는 까닭이다. 산하화山下火의 태생은 어려서부터 영화롭고 귀하게 되는데 반드시 水의 도움을 받아야 된다. 정천수와 대계수는 귀격貴格이 된다. 庚金의 관官인 丁火가 있고, 辛金의 관官인 丙火가 있으므로 庚金이 丁丑을 보면 관官과 귀인貴人을 온전히 갖춘 것이고, 辛金이 丙子를 보는 것은 癸巳의 청한 것보다는 못한 것이나 귀하지는 않으나 부유하게 되는 것이다. (辛巳卻以貴論,緣巳是金生之地,見丙寅,化水逢貴故也.山下火生,早主榮貴,亦須水助方得.井泉,大溪,俱爲貴格.庚官在丁,辛官在丙,故庚見丁丑,官貴俱全,辛見丙子,不如癸巳更清,不貴即富論.)

그런 가운데 木을 많이 만나게 되면 무익하므로 백랍金은 木을 극할 수 없다. 만약 사주에서 무기無氣한 火를 만나면 오히려 木의 생함을 필요하게 되니 녹마귀인祿馬貴人이 있어야 비로소 길하다. 土를 만나면 다만 연마할 뿐이니 기물을 이루면 길하고, 별로 土는 소용이 없다. 해중금과 사중금은 물에 잠기는 것을 꺼리는데 日時에서 火를 만나면 영화롭다. 만약 청한 金을 보면 水를 더하여 서로 돕는 것이니 화는 역시 좋아하지 않으며 다만 형충을 두려워하는 것이다. 『묘선』에는 소풍맹호격嘯風猛虎格이 있으니, 백랍금이 日時에서 辛巳 혹은 乙巳를 만나는 것이다. (中見木,逢多無益,以此金不能相剋.若柱遇無氣之火,卻要木生,有祿馬貴人方吉.見土只宜磨砌,方成器物則吉,別土無用. 金忌海砂爲汨沒,日時逢火則榮.若見清金,加水相助,火亦不愛,只怕衝刑.妙選有嘯風猛虎格,以此金日時,遇辛巳或乙巳是也.)

甲午 乙未 사중금砂中金

사중金은 형형이 단단하고 땅에 널려있어 보배로운 것들이 모래에 감추어져 있으니 물로 씻음으로서 귀중한 보물이 되는 것인데, 반드시 사람이 귀해지는 것이다. 사중金은 노중火가 아니면 제할 수 없으나 단지 甲午가 丙寅을 보면 寅에서 火가 생하여 寅午가 합국合局하고, 사주에서 장생長生하는 土가 없다면 조열해지므로 다시 노중火가 있는데 木이 돕는다면 질환이 있거나 요절하게 된다. (砂中金者,剛形布地,寶質藏砂,眞敎淘洗爲珍,必須因人始貴.此金非爐火則不能制,但甲午見丙寅,寅中火生,寅午合局,柱無長生之土則燥,更値木助,主疾夭.)

丙午는 납음으로는 비록 水일지라도 간지는 순수한 火이니 만나게 되면 더욱 흉한 것이다. 산두 산하 복등 三火는 이미 木이 생하고 있으니, 사중金을 극제制剋하고 또 청淸한 水가 火를 조절하면, 소년 시절부터 영화롭고 귀한 사람이 된다. 戊子 己丑의 벽력火와 甲午 乙未의 사중金이 서로 만나면 子午는 서로 교감하는 묘함이 있고, 甲己는 합화하는 이치가 있으므로 귀한 것이고, 대개 火가 잡스러우면 기특하지 못한 것이다. (丙午納音雖水,而支干純火,如逢尤凶.山頭,山下,覆燈三火,旣有木生,剋制此金,又須淸水濟之,決主少年榮貴.戊子,己丑,龍火相逢,子午有交媾之妙,甲己有合化之理,主貴,雜以凡火,則不爲奇.)

오직 정천 간하 천하 水는 청정한 水를 볼 때는 길한 것이고, 장류, 대해 水는 동하고 정하지 않으니 아울러 장류, 대해의 水를 보게 되면 金은 범람하니 불안한 것이니 대해水는 더욱 꺼리는데, 木을 보는 것은 무슨 관계가 있는 것인가? 火가 쇠하면 생부 됨을 기뻐하는데 더하여 녹마귀인이 있고 호환조공互換朝拱하면 금상첨화이다. 가령 사주에서 火는 없고 한두 개의 木을 본다면 위태로운 것이다. 만약 甲午가 己巳를 본다면 사막에서 金을 채집하는 형상인 것이니 이는 귀격이다. (見水惟宜井泉,澗下,天河,淸淨則吉,長流,大海,動而不靜,並見則金泛不安,海水尤忌,見木有何關係.火衰卻喜生扶,更有祿馬貴人,互換朝拱爲上.如柱無火,逢一二木則危.若甲午見己巳,是謂採精金於黃磧,乃貴格也.)

金은 모래에서 소생하는데 조화로워야 길하고, 만약 다시 사중土 丙辰 丁巳를 만나게 되면 도리어 매몰되는 우환이 있고, 노방 대역 土도 역시 꺼리는 바이나, 火가 있는 것을 바라는 것이다. 성두土 戊寅은 乙未 사중金 보는 것을 기뻐하는데 이를테면 깨끗한 모래에서 金을 채집하는 것으로 귀격이 되는 것이다. 오직 丙戌 옥상土의 土는 화고火庫에 암장되어 있으니 이를 보면 기쁜 것이고 金의 동류가 되는 청기淸氣를 가장 기뻐하니 금상첨화인 것이다. 해중 백납의 金은 火의 제함이 있어야 얻을 수 있는 것이다. (金生於砂,得造化則吉,若更逢砂土,反有埋沒之憂,路旁,大驛,亦在所忌,有火庶幾.城頭戊寅,乙未喜見,謂之採精金於靑沙,乃貴格也.惟丙戌之土,中藏火庫,乃喜見之,金爲同類,最喜淸氣爲上.海中,白鑞,有火制亦得.)

壬申 癸酉 검봉금劍鋒金

검봉금은 백제白帝가 권세를 행사하는데, 수없이 단련되어 강하여 홍광紅光은 이십팔수 가운데의 두성斗星, 우성牛星, 북두성北斗星과 견우성牽牛星에까지 비추고 서슬이 번쩍이는 칼날은 서리와 눈을 얼어붙게 하니, 검봉금의 조화는 水가 아니면 생겨날 수 없는 것이다. 대계 대해의 水를 日時에서 만나면 상격上格이 되고, 정천水 천중水 간하水는 벽력火의 도움이 있고 혹은 乙卯의 뇌雷를 얻어야만 비로소 좋은 것이다. 만약 뇌벽雷霹이 없더라도 역시 금백수청격金白水淸格이 되며, 가을 태생이면 더욱 길하고, 日時에서 장류水인 壬辰을 보면 보검이 청룡으로 화하나, 癸巳 장류水 또한 얻는다면 검봉金은 변화할 수 없는데, 그러나 癸丑 상자木은 검기劍氣가 두斗를 충衝하므로 가장 길한 것이다. (劍鋒金者,白帝司權,剛由百鍊,紅光射於斗牛,白刃凝於霜雪,此金造化,非水不能生.大溪,海水,日時相逢爲上格,井泉,澗下,有霹靂助,或得乙卯之雷方好.若無雷霹,亦金白水淸格也,秋生更吉,日時遇長流,在壬辰,爲寶劍化爲靑龍,癸巳亦得,此劍不能通變,然癸丑爲劍氣衝斗,最吉.)

　　송백 양류의 木은 역시 길하나 다만 모였다가 흩어짐이 많고, 대림 평지 목은 土를 제하는 것을 혐오하니 노고가 많은 것이다. 화가 신룡神龍을 보면 음양이 교감하여 만나는 것인데, 가령 壬申이 己丑을 만나고, 癸酉가 戊子를 만나게 되면 상격上格이 된다. 천상 노중 二火는 水로서 구해줌이 없으면 요절하고, 제반 土를 보는 것은 모두 길하지 못한 것은 매몰될 염려가 있고, 단지 벽상 성두 土는 칼날을 연마하는 숫돌로서 쓰임이 있는 것이니 가능한 것이다. (松柏楊柳亦吉,但多聚散,大林,平地,嫌有土制,主勞苦.火見神龍,陰陽交遇,如壬申逢己丑,癸酉逢戊子,方爲上格.遇天上,爐中二火,無水救則夭,諸土見皆不吉,以其埋沒,只壁上,城頭,有磨鋒淬礪之用,此二土則可.)

　　金은 동류를 좋아하는데, 가령 壬申이 壬申을 보거나 癸酉가 癸酉를 보면 水가 그것을 제하는 것이니 이른바 반근착절盤根錯節이 되는 것인데 그릇의 이로움을 나누는 것으로서 水가 없으면 질병을 안고 있는 것이다. 해중금 사중금 백랍금 중에서 乙丑만 길하고, 차천금은 그릇을 이루니 서로 보는 것 또한 마땅한 것이다. 만약 사주에서 아직 이루지 못한 금이라면 검봉금을 더해선 안 되는 것이므로 가장 꺼리는 것인데, 검봉금을 보게 된다면 성질이 아둔하고 창광하며, 戌에는 金이 혼잡한데 時에서는 오히려 火가 이기는 것이다. 대저 검봉금은 金 중에서 가장 이로운 것이며 水로서 윤택하게 해야 하며 火로서 형刑하는 것은 마땅하지 못하다. 만일 寅巳 삼형三刑을 전부 본다면 크게 흉한 것이다. (金喜同類,如壬申見壬申,癸酉見癸酉,有水制之,是謂盤根錯節,所以別利器也,無水主帶疾.海,砂,白鑞,此三金內乙丑獨吉,釵釧成器,相見亦宜.若柱有未成之金,無加於劍,故最忌之,見則性蒙猖狂,成則金混雜,時中卻宜火勝,大抵劍鋒乃金之最利者,只宜水潤,不宜火刑.如見寅巳三刑全者,大凶.)

庚戌 辛亥 차천금釵釧金

차천금은 용모를 아름답게 하기 위해 머리를 꾸미며, 피부를 부드럽게 하여 윤기를 더하여 화려하고 소중하게 하는 잠자리의 향기로운 보물로서, 차천金은 규방에 감추어져 있는 것이다. 오직 정靜한 水가 마땅한 것인데, 정천 간하 대계 장류 水를 보는 것은 모두 길한 것인데, 그러나 많이 보게 된다면 물이 범람하게 되니 대해수는 빈천하거나 요절한다. 천하는 辛亥를 보는 것은 무방한데, 丙午는 진화眞火로서 庚戌이 꺼리는 바이고 午戌로 화국火局을 이루어 金을 손상하기 때문인 것이다. (釵釧金者,美容首飾,增光膩肌,偎紅倚翠之珍,枕玉眠香之寶,此金藏之閨閣.唯宜靜水,井澗,溪流,見之皆吉,多見則泛,海水貧夭,天河辛亥見之無妨,丙午眞火,庚戌所忌,以午戌湊成火局,有傷此金故也.)

태양 火日 태생은 휘광을 드러내고, 복등火는 야간 태생이면 휘황함을 드러내므로 모두 보는 것이 마땅하고, 단지 甲辰 乙巳와 庚戌 辛亥는 상충하지만 음양이 마주보아 묘하게 되는 것이다. 戊子 己丑 벽력火와 丙午 丁未 천하水가 서로가 버티고 있으면 二火(벽력火 천하水)는 중첩되게 보는 것이니 빈천하지 않으면 요절하게 된다. 노중火 丙寅 丁卯는 庚戌을 가장 꺼리며, 辛亥가 노중火 丙寅를 보면 丙辛이 水로 합화合化하여 조금 길해진다. (太陽火日生顯耀,覆燈火夜間顯耀,故皆宜見,但甲辰,乙巳與庚戌,辛亥相衝,陰陽交見爲妙.戊子,己丑與丙午,丁未相持,二火忌疊見之,非貧即夭.爐中火,庚戌最忌,辛亥見之,丙辛化水稍吉.)

산하 산두의 火를 보는 것은 마땅하지 않으나 만일 水가 구제하면 가능한 것이다. 사주에 木이 있으면 차천金은 상자 속에 들어있는 것이 되어 복과 귀가 있게 되니 비로소 길한 것이다. 사중 土를 보게 되면 상생으로 양육되고 다시 간하水가 도우면 부귀영화가 있는 것이다. 검봉金이 기쁜 것은 조화를 이룬 것이고, 금박金은 차천金을 더욱 빛나게 하니 마땅히 미약한 火를 빌려서라도 구제해야 하고, 검봉 금박 金을 제외한 다른 金은 쓰지 않는데, 만약 사주에서 단지 金水만 있고 협잡되지 않는다면 금백수청이 된다고 활법活法으로 추리할 수 있다. (山下,山頭俱不宜見,若有水濟亦可.柱中有木,此金入於匣中,有福貴方吉.土見砂中,相生相養,更有澗下水助,榮華富貴.金喜劍鋒,則成造化,箔金增光釵釧,須假微火濟之,除此二金,別金無用,若命中只有金水,更無夾雜,爲金白水清在活法推之.)

戊子 己丑 벽력화霹靂火

벽력火는 한줄기 엷은 빛으로서 구천九天을 호령하며 번개치는 세력으로 구름을 몰고 달리는 철마鐵馬인 것이다. 벽력火는 바람, 비, 천둥이 있어야 비로소 변화를 일으키는 것이다. 만약 오행에서 하나라도 얻으면 형통하게 되는 것이다. 가령 日時에서 대해水인 癸亥를 보면 보통사람을 걸출한 인물로 만들게 하는데, 己丑은 위이고 戊子는 己丑 다음이 되고, 대계水인 乙卯를 만나면 雷를 가진 벽력火가 변화하는 것으로서 己丑은 길함이 되나 戊子는 乙卯 대계 水를 꺼리는데, 辰巳는 바람이 되어 운에서 만나면 금상첨화가 되고, 천상水는 이름하여 수화기제水火旣濟가 되니 길한 것이고, 천상水를 가진 사람은 품성이 영기가 있으니 총명함이 특출하고, 장류水는 쓸모가 없고, 간하水는 비록 상극하더라도 벽력火이니 꺼리지 않고 風(辰巳)이 있으면 역시 현달하는 것이다. (霹靂火者, 一數毫光, 九天號令, 電掣金蛇之勢, 雲驅鐵馬之奔. 此火須資風水雷, 方爲變化, 若五行得値一件, 皆主亨通. 如日時見大海, 癸亥爲引凡入聖, 己丑爲上, 戊子次之, 見大溪乙卯, 爲雷火變化, 己丑爲吉, 戊子忌之, 辰巳爲風, 運中遇之尤佳, 天上水名爲旣濟, 主吉, 遇之者稟性含靈, 聰明特異, 長流無用, 澗下雖就位相剋, 此神火也, 不忌, 有風亦顯.)

오행에 있어 木을 볼 때, 辛卯는 우레가 있고, 대림木은 바람이 있고, 평지木은 천문天門에 있는데 이 木들과 벽력 火는 서로 상생이 되며 나머지 木들은 쓸모가 없는 것이다. 노방土를 볼 때는 손손異(辰巳)을 더하면 길하고, 沙中土의 丁巳는 바람이 있고 己卯는 우레가 있는데 천중水를 얻어 노방土를 돕는다면 역시 귀함을 나타낼 수 있다. 검봉金에 水를 더하고 해중金이 風을 만나며 백납 金이 간하水를 만나는 것은 모두 길한데 나머지 金은 쓸모가 없는 것이다. 노중火를 볼 때는 丁卯는 길이 되고, 戊子가 丙寅을 만나면 크게 조열하여 성질이 흉포하고 요절한다. (五行見木, 辛卯有雷, 大林有風, 平地有天門, 與此火相資, 餘木無用. 土見路傍, 加巽則吉, 砂中丁巳有風, 己卯有雷, 得泉助之, 亦主貴顯. 劍金加水, 海金遇風, 鑞金達澗, 皆吉, 餘金無用. 見爐中, 丁卯爲吉, 戊子達丙寅太燥, 性凶, 主夭.)

己丑이 丙申을 보면 얻는 바가 있으나 戊子는 丙申을 꺼리고 복등火는 동남의 손지巽地에 풍風이 있어 가장 좋고, 戊午 己未 천상火는 日時에서 벽력火를 만나면 형극刑剋을 방비하라. 거듭 『난대묘선』을 상고해보면, 열풍뇌우격烈風雷雨格은 벽력火가 천하水를 보는 것이고, 천지중분격天地中分格은 戊子가 戊午를 보는 것이며, 뇌정득문격雷霆得門格은 戊子 己丑이 日時에서 卯를 만나는 것이다. 『난대묘선』에서 부연한 위의 삼격三格은 순수한 戊午이고 앞에서 설명한 것과 같지 않은 것이다. (己丑見丙申卻得, 戊子忌之, 燈火, 東南巽地, 有風最宜, 戊午己未天上火, 日時遇之防刑剋. 再考妙選, 有烈風雷雨格, 即霹靂見天河是也, 有天地中分格, 即戊子見戊午是也, 有雷霆得門格, 即戊子, 己丑, 日時遇卯是也. 三格純戊午, 與前說不同.)

丙寅 丁卯 노중화爐中火

노중 火는 천지의 화로가 되며 음양은 숯이 그 빛은 우주까지 비추고 건곤乾坤으로 인해 도야陶冶하여 만물을 이루는 것이다. 노중 火는 염상炎上으로서 木의 생함을 기뻐하는데 오직 평지木만이 上이 되며, 丙寅이 己亥를 보면 천을귀인이라 말하며 丙寅이 戊戌을 보면 고庫로 돌아가므로 길한 것인데 丁卯는 丙寅 다음인 것이다. (爐中火者, 天地爲爐, 陰陽爲炭, 騰光輝於宇宙, 成陶冶於乾坤. 此火炎上, 喜得木生, 惟平地之木爲上, 以丙寅見己亥, 謂之天乙貴, 見戊戌謂之歸庫, 故吉, 丁卯次之.)

그런데 丙寅火는 스스로 장생하므로 木을 별로 원하지는 않으나 丁卯火는 자패지自敗地가 되므로 만약 木이 없으면 흉하고 또 노중火는 金을 쓰는 것인데 다시 金을 얻게 된다면 비로소 변화의 조짐에 응하나, 단지 丁卯火는 木이 없는데 金을 다시 만나게 되면 고생하는 명命이 되는 것이다. 대개 寅이 木을 많이 보면 火가 치열하니 水의 제함이 없으면 요절하게 되고 卯는 서너개의 木을 보아도 무방하며 庚寅 辛卯는 위치가 상생을 취하고, 壬午 癸未는 화化하여 진화眞火가 되어 寅이 이를 본다면 흉포함이 많은데 혹 질병으로 요절할 수 있다. 만약 천지에 원래 水의 제함이 있으면 역시 보통의 수壽는 누리나 丁卯는 무방한 것이다. (然丙寅火自生,無木庶幾,丁卯火自敗,若無木則凶,且此火以金爲用,更得金來,方應化機,但丁卯無木而更遇金,主勞苦之命.夫寅見木多,火炎而無水制,主夭,卯見三四木不妨,如庚寅辛卯,就位相生,壬午癸未,化爲眞火,寅見之,多主兇暴,或疾夭.若天地元有水制,亦主中壽,丁卯無妨.)

노중火는 비록 金의 재財를 얻으면 기쁘지만, 검봉金에서는 丙寅을 보면 약간은 가능하지만 丁卯火는 이미 자패지自敗地이며 또 申酉에 이르면 사절지死絶地가 되는데 어찌 金을 극할 수 있겠는가! 그러니 빈천하지 않으면 곧 요절하게 되는 것이다. 해중, 사중 백랍의 모든 金은 모름지기 木의 생함을 볼 때에 비로소 기쁜 것이고, 차천金과 금박金은 소용이 없다. 土를 볼 때에는 먼저 金과 木이 있고 土는 귀숙歸宿할 곳이 있어야 기쁜 것인데 지나치게 조열해서는 안 된다. 가령 성두, 옥상, 벽상 土는 모두 기물을 이룬 土라야 비로소 좋은 것이고, 水를 볼 때엔 사주에서 먼저 木을 좋아하나 그렇지 않고 火가 많으면 水를 만나야 기쁜 것이다. (此火雖喜得金爲財,內劍金,寅見之稍可,丁卯火旣自敗,又到申酉而死絶,如何能剋.非貧即夭.海中,砂鑞諸金,須資木生,方喜見之,釵箔無用.見土,須先有金與木,卻喜土以宿之,不至太燥.如城頭,屋,壁,皆成器之土方好,見水,命中先愛木,不然,火多喜逢之.)

천상의 청한 水는 인명寅命의 사주에서 이를 만나면 길하고, 卯는 木이 없는 것을 혐오하고, 대해水에서는 丙寅이 壬戌을 보면 복福의 고庫가 되며, 癸亥를 보면 관성官星과 합을 대동하니 반은 흉하며 반은 길하고, 정천 간하 대계 장류의 水는 모두 흉하고 木이 있으면 이와 같이 논하지 않는다. 火가 같은 火를 보는데 만약 日月에서 쇠패衰敗하면 길하고, 벽력火는 본래부터 무익한데 만일 木의 생함을 얻고 더하여 日時에 대해水가 있으면 좋다. 그런데 木이 없는데 水를 만나면 흉하고, 천상火는 옥상土가 있으면 火를 가로막고, 복등火는 손풍巽風이며 또 망신亡神을 고무시키니 결국에는 조화가 단절된다. 예를 들면 丙寅 丁酉 己酉 丙寅은 火가 무기無氣하지만 대귀하였다. 丙寅 甲午 己巳 丙寅은 표류하고 안정이 없는 사주이다. (天上淸水,寅命遇之爲吉,卯中無木則嫌,大海,丙寅見壬戌爲福庫,見癸亥爲官星帶合,半凶半吉,井澗溪流皆凶,有木不在此論.火見同類,若日月上衰敗則吉,霹靂火本自無益,若得木生,更日時有海水則宜,無木遇水,凶,天上火,須有屋土遮之,燈火巽風,又爲鼓舞亡神,須兼造化斷,如丙寅,丁酉,己酉,丙寅,火爲無氣,不失大貴,如丙寅,甲午,己巳,丙寅,則漂泛不安.)

甲辰 乙巳 복등화覆燈火

복등火는 금잔의 은은한 빛을 띠며 옥대는 고운 빛을 내뿜으니 日月이 비추지 않는 곳을 비추어 천지의 어두움을 밝히는 것이다. 복등火는 인간세상에서 밤을 밝히는 火燈火로서 木은 심지가 되고 水는 기름이 되어 음을 만나면 길하고 양을 만나면 불리한 것이다. 대개 日時에서 辰巳를 재차 보는 것을 가장 꺼리며, 지지에 충이 있으면 바람이 불어 등촉이 꺼지는 것이 두려운 것으로서, 요절할 수 있는 것이다. 혹 戌, 亥, 子, 丑을 음이라 하고, 혹은 未에서부터 亥까지를 음이라고 한다. 오행에서 木을 보는 것은 근본 뿌리가 되어 대체적으로 모든 木을 좋아하고 다시 관성록귀官星祿貴를 얻어 서로 도우며 간두干頭에서 水로 화化하면 더욱 길하고 운에서 상조相助를 만나면 대귀한 것이다. (覆燈火者,金盞啣光,玉台吐艶,照日月不照之處,明天地未明之時.此火乃人間夜明之火,以木爲心,以水爲油,遇陰則吉,遇陽則不利.凡日時最忌再見辰巳,地支有衝,恐風吹燈滅,主夭.或以戌亥子丑爲陰,或以自未至亥爲陰.五行見木爲根本,凡木皆好,更得官星祿貴相扶,干頭化水,尤吉,限運遇相助,主大貴.)

정천水와 간하水는 참된 기름이고 장류水는 거짓된 등유인데,『난대묘선』에서는 암등첨유격暗燈添油格이 있는데 이 이치인 것이다. 대해 천하 水는 등유가 되지 못하니 이를 만나면 보통사람이 된다. 대체로 복등火는 水를 보면 모름지기 木으로 바탕을 도와야 하는데 水의 생왕함을 좋아하지 않으니, 水가 범람하면 도리어 흉한 것이다. 명命에 금박金이 있으면 밝은 빛을 비추어 가장 청귀淸貴하고 그리고 또 水木이 상자相資하여야만 비로소 현달하고, 사중 차천 두 金은 모두 길하며 검봉의 金은 이를테면 등화불검燈花拂劍이라 하여 더욱 길하며 백랍金은 마땅하지 않다. (水以井泉澗下爲眞油,長流假油,妙選有暗燈添油格,即此理也,大海河水,則不可以爲油,遇者主尋常.大凡此火見水,須資木,不喜長生旺氣,水太泛反凶.命值箔金照耀,最爲淸貴,亦須水木相資,方能顯達,砂中,釵釧二金,皆吉,劍鋒一金,謂之燈花拂劍,尤吉,鑞金不宜.)

(복등火는) 오행에서 土를 보면 극파剋破 당하는 것을 방비해야 하고, 만약 벽상土를 보면 신신身身이 편안하고, 옥상土를 보면 허물이 덮어지며 일시에서 나란히 보면 복귀福貴가 있고, 사중土는 木이 있으면 역시 의식衣食이 있는데 나머지 土는 소용이 없다. 복등火는 동류를 좋아하고 바람이 부는 것을 두려워하는 것이다. 벽력火는 신룡神龍이 조화를 부리는 火로서 반드시 바람을 몰고 오니 복등火는 존립 자체가 어렵고, 천상 노중의 두 火가 서로 보면 가장 흉한 것이다.『난대묘선』을 다시 상고해보면, 괴성격魁星格과 지남격指南格은 甲辰 출생인이 日時에서 午未를 만나는 것이다. 화토입당격火土入堂格은 복등火가 바람을 두려워하므로 日時에서 丙戌 丁亥 옥상土를 만나면 등촉이 옥내에 있어 다시 기름을 더 얻으므로 더욱 귀한 것이다. (五行見土,須防剋破.若壁土可以安身,屋土可以覆庇,日時並見,主福貴,砂土有木,亦主衣食,餘土無用.火愛同類,卻怕風吹.霹靂爲龍神變化之火,必帶風來,此火難存,天上,爐中二火相見,最凶.再考妙選,有魁星格,指南格,以甲辰生人,日時遇午未爲是,有火土入堂格,以此火怕風,日時遇丙戌,丁亥屋上土,則燈在屋中,更得添油,尤貴.)

戊午 己未 천상화天上火

천상火는 산하山河를 온난하게 하고 우주에 빛을 비춘다. 양의 덕德은 수려한 하늘을 비추고 음의 정精은 물러나는 바다를 밝히며 戊午는 태양이 되어 강렬하며 己未는 태음이 되어 유연한데, 혹시 여름의 태양은 강렬하고 겨울의 태양은 온난하다는 것은 잘못된 말이다. (천상火는) 중요한 것이 戊, 亥는 천문天門이 되고 卯酉는 출입하는 문이 되어 동남의 육지로 행하면 길한 것이다. 천상火는 木을 보면 진절震折이라 말하는데, 日時에서 풍風과 수방水方을 얻는 것이 필요한 것이다. 대림木은 辰巳가 있고, 송백 석류木은 卯酉가 있는 것이므로 오직 이 삼목三木이 귀하다. (天上火者, 溫暖山河, 輝光宇宙, 陽德麗天之照, 陰精離海之明, 戊午爲太陽則剛, 己未爲太陰則柔, 或以爲夏日則剛, 冬日則溫, 誣也. 俱要戊亥爲天門, 卯酉爲出入之門, 東南爲行陸之地, 則吉. 此火見木, 謂之震折, 要日時有風與水方得. 大林木有辰巳, 松柏, 石榴有卯酉, 故惟此三木主貴.)

午는 木을 많이 보는 것이 오히려 나으나 그러나 未는 서너 개의 木을 보면 고생이 많은 명命이 되는 것이다. 金을 보면 또 밝게 비출 수는 있으나 극제制剋할 수는 없고, 차천金은 戊亥가 있고 금박金은 寅卯가 있어 길하고, 검봉金은 일월의 빛을 빛나게 하니 반드시 소년시절에 등과급제하나 나머지 金은 재앙이 된다. (천상火가) 水를 볼 때는 간하水가 마땅한데, 戊午가 丁丑을 보고 己未가 丙子를 보면 음양이 교환되어 비로소 길하게 된다. 사주에서 다시 水로서 木을 자생滋生하면 부귀를 겸전하게 되고, 대계水인 乙卯와 정천 水인 乙酉는 출입하는 문호가 되어 모두 길하며, 천하 水는 우로雨露로서 서로를 구제하므로 서로 상극하지 않는다고 논하고, 戊午가 丁未를 보면 역시 길한데 丙午를 보면 밝지 않은 것이다. (午見木多猶可, 未三四木, 勞苦之命也. 見金且能照耀, 不能剋濟. 釵金有戊亥, 箔金有寅卯, 主吉, 劍金爲耀日月之光, 必主少年登第, 餘金則殃. 水宜澗下, 須戊午見丁丑, 己未見丙子, 陰陽交互, 方爲福貴, 柱中更有木滋生, 富貴雙全, 大溪有乙卯, 井泉有己乙酉, 出入得門, 皆吉, 天河雨露相濟, 不以就位剋論, 戊午見丁未亦吉, 丙午則不明.)

천상火는 복등火와 산두火를 좋아하지만 재차 다른 화가 있으면 조열하게 되며, 벽력화는 구름과 비를 동반하여 일월이 빛이 없으므로 혼몽昏蒙하게 되고, 노중화의 午가 丙寅을 꺼리는 것은 午는 강렬한 火로서 丙寅을 보게 되면 반드시 火가 장생하게 되며, 만약 청수淸水로 구원하여줌이 없다면 죄를 지어 형벌을 받아 흉사하게 되는데 丁卯는 조금 나은 정도이고, 土가 사중토를 보고 손풍巽風이 있어 서로 가차假借되면, 노방 성두 옥상토는 모두 길하고, 사주에서 다시 금과 목이 도우면 더욱 길한 것이다. (火愛燈頭, 再有別火則燥, 霹靂帶雲雨, 則日月無光, 故主昏蒙, 爐中午忌丙寅, 以午爲剛火, 纔見丙寅, 便爲火生之地, 若無淸水解救, 主犯刑凶死, 丁卯稍可, 土見砂中, 有巽風相假, 路傍城屋皆吉, 柱中更有金木資助尤吉.)

『난대묘선』을 상고해보면 戊午가 卯를 보고 己未가 酉를 보는 것은 일월분수격日月分秀格이라 하고, 卯는 乙卯 辛卯가 올바른 것이고 己卯 丁卯는 그 다음이고, 酉는 乙酉 癸酉가 올바른 것이고 己酉 丁酉는 그 다음이 된다. 일출부상격日出扶桑格은 즉 일분수日分秀로서 재차 日時에서 巳午를 보는 것이고, 일륜당표격日輪當表格은 戊午생이 午月에 생하고 巳午日을 만나는 것이고, 또 戊午가 戊子를 보면 감리坎離의 정위正位인 것이다. 월생창해격月生滄海格은 월분수月分秀로서 酉가 乙癸를 얻는 것이다. (考妙選,戊午遇卯,己未遇酉,爲日月分秀格,而卯以乙卯,辛卯爲正,己卯,丁卯次之,酉以乙酉,癸酉爲正,己酉,丁酉次之,有日出扶桑格,即日分秀,再見巳午日時,有日輪當表格,以戊午生於午月,逢巳午日,又以戊午見戊子,爲坎離正位,有月生滄海格,即月分秀,而酉得乙癸是也.)

월조한담격月照寒潭格이 있는데, 壬癸亥子가 납음으로 水에 속하는 것을 취하면 담潭이 되는데 그러나 반드시 가을 태생이라야 귀한 것이다. 월계분방격月桂芬芳格은 己未생 사람이 사주에서 서너 개의 木이 모여 있는 것으로 계림일지격桂林一枝格과 같은 것인데, 계림일지격은 (木이) 적어야 귀하고, 월계분방격은 (木이) 많아야 귀한 것인데 각각의 뜻을 취한 것이다. 다시 고찰해 보면 흉격凶格 중에는 태양손명격太陽損明格이 있는데 戊午는 水가 범람하는 것을 막을 수 없으니 水의 왕성함을 혐오하는 것이고, 태음박식격太陰薄食格은 己未火가 어찌 土가 많은 것을 감당하겠는가! 이러하니 土가 중한 것을 혐오하는 것이다. 모름지기 이와 같은 것을 참작하면 그 이치에 통달할 것이다. (有月照寒潭格,是取壬癸亥子納音屬水爲潭,然必秋生爲貴.有月桂芬芳格,是己未生人,柱有三四木拱集,與桂林一枝同,桂林以少爲貴,芬芳以多爲貴,義各有所取也.再考凶格中,太陽損明,戊午不禁於水溢,是嫌水盛,太陰薄食,己未豈堪於土多.是嫌土重也.須如是並參,方盡其理.)

丙申 丁酉 산하화山下火

산하火는 초목 사이에서 반짝이는 불빛이며 꽃 속에서 빛을 반짝이고 차가운 수풀의 잎에 아롱지는 빛이며 얼룩진 옷의 고운 빛깔이 되니 동방삭은 형화螢火라고 이름하였다. 그런데 『난대묘선』에는 형화조수격螢火照水格이 있는데, 가을생이면 귀하여 경감卿監이 되므로, 이에 산하火는 水를 기뻐하는데 지지에서 亥子 혹은 납음 水를 보고 더하여 申酉月 태생이면 이 격이다. 혹 산하火는 木과 山을 가장 좋아하지만 다시 바람이 불고 광휘를 더하면 귀하게 되는데 그러나 다시 형화로써 논하는 것은 아니다. (山下火者,草間熠耀,花裏熒煌,寒林綴葉之光,隔幔點衣之彩,方朔以螢火名之,故妙選有螢火照水格,遇秋生則貴爲卿監,是以此火喜水,地支逢亥子,或納音水,更逢申酉月是也.或以山下之火,最喜木與山,更得風來增輝爲貴,又不以螢火論矣.)

대림木에는 辰巳의 풍風이 있고, 상자木의 癸丑은 산이 있으니, 송백 평지 木이 가장 길한데 다시 풍風이 돕는다면 귀한 것이다. 만약 바람이 많이 불면 흩어져서 요절하게 되는 것이다. (산하火는) 水로는 정천 간하 水를 좋아하며 木의 상부相扶함이 있으면 벼슬이 높아지고, 대해水는 마땅하지 못한데 그러나 산이 있으면 역시 귀격이 되는 것이다. 寅卯는 동방에서 木이 왕성하며 火의 장생이 되는데 단지 甲寅 대계水는 길하나, 乙卯는 진震이 되고 풍風이 있는데 같이 본다면 아름답지 못한 것인데, 만약 火도 없고 山도 없이 다시 벽력 火까지 더한다면 요절하게 된다. 천상水는 소낙비가 되어 산하火와 서로 만나는 것은 마땅하지 않은데 만일 먼저 山과 水가 돕는다면 큰 해는 없는 것이다. 명에서 金이 있으면 청수하여야 길한 것인데, 木은 없고 (金을) 많이 만나면 도기盜氣로 논하는 것이다. (大林木有辰巳爲風,桑柘木有癸丑爲山,松柏平地最吉,更得風助, 主貴,若風多吹散,主夭.水愛井泉澗下,有木相資,主爵位崇顯,大海水不宜,然有山亦應貴格.寅卯爲東方 木旺火生之地,只甲寅水吉,乙卯爲震,有風,見之不佳,若無火無山,更加霹火,主夭.天上水爲驟雨,此火不 宜相見,若先得山水滋助,亦無大害.命裏有金,以淸秀爲吉,無木多逢,以竊氣論之.)

乙丑은 산이 있으므로 귀하고 나머지 金은 만일 극파剋破가 없더라도 귀인貴人 녹마祿馬를 만날 때만 단지 재물이 있다. 사중土를 보게 되면 辰巳에는 풍風이 있는데, 만약 木이 있고 山도 있어 도움을 더한다면 대귀하고, 없으면 허명뿐이다. 火는 태양천상火와 벽력火를 꺼리고, 복등火는 으뜸인 손異이니 현달하고 대체로 오행에는 火가 있어서 반드시 木이 바탕이 되어 도와야 길한 것이므로 수의 희기喜忌는 모두 木에 의해 결정되는 것이다. (乙丑爲山,主貴,餘金若無剋破, 遇貴人祿馬,只以財論.土見砂中,辰巳有風,若有木有山加助,主大貴,無則虛名.火忌太陽霹靂,燈頭是異, 主光顯,大都五行有火,須資木則吉,限數喜忌,俱依此斷.)

甲戌 乙亥 산두화山頭火

산두火는 들판의 초목들이 불타오르며 불이 번져서 보이는 끝까지 드물게 하늘에 닿을 같은 빛을 보니 석양의 노을이 산머리에 떨어진 형상을 방불케 한다. 9월의 황량한 (들판을) 태우듯이 시든 초목들이 불에 타는 쇠잔한 火의 형상이다. 대체적으로 산목山木과 풍목風木은 마땅하니 대림 송백 木을 좋아하는데, 辰巳에는 풍風이 있고 寅卯는 귀록歸祿하며 더하여 癸丑을 얻는 것은 土와 木으로 귀한 것이다. 산이 없으면 木은 의지처가 없으며 火도 보지 못한다면 설사 풍風이 있더라도 현달하지 못하는데 나머지 木들은 소용이 없고 다만 녹마祿馬는 살펴야 하는 것이다. (山頭火者,野焚燎原,延燒極目,依稀天際斜暉,彷彿山頭落日,此乃九月燒荒,衰草盡蒸之火也.大槩宜山 木與風木,喜大林松柏,以辰巳有風,寅卯歸祿,更得癸丑爲上,土木主貴.無山則木無所依,火無所見,縱有 風亦不光顯,餘木無用,只以祿馬看.)

(산두火에게는) 水로는 간하水가 마땅하니 부르기를 교태交泰라 하여 길하다. 정천水는 청한 水로서 木으로 산두火를 도와야 역시 길하다. 대계水는 甲戌이 甲寅을 보고 乙亥가 乙卯를 보면 진록眞祿이라 하여 함께 길하다. 천상水는 모름지기 우로雨露가 있으니 火는 午未에 이르면 득지得地하니 재차 청한 水로서 火를 구제하면 조열하지 않게 되니 복이 되고 그렇지 않으면 요절한다. 대해水는 (산두火와) 상극이 되어 가장 흉한데 산이 있어 (산두火를) 본다면 약간은 득이 된다. (水宜澗下,名爲交泰,主吉,井泉淸水,有木助之亦吉,大溪,甲戌見甲寅, 乙亥見乙卯,卻眞祿,俱吉, 天上須有雨露,而火到午未得地,再得淸水濟之,不至於燥,主福,不然則夭,大海就位相剋,最凶,有山達之,

稍得.)

日時에서 金의 재財를 보면 모름지기 산목山木으로 (산두火를) 도와야 길한데 (山木이) 없으면 흉하게 된다. 土를 볼 때에 오직 사중土는 손방巽方에 있으니 산두火를 드날릴 수 있지만 다른 土는 득이 없다. 대체로 산두火는 木이 없이 土를 보게 되면 하천한 명命이 많다. 火를 볼 때에, 노중火는 지나치게 조열하고, 벽력火는 흉해凶害가 있고, 태양 천상火는 혼몽昏懞하고, 산하火는 형전刑戰하니 火는 모두가 마땅하지 않은데, 명命에서 두서넛의 火를 동반하고 운수運數에서 木을 만난다면 측량할 수 없는 흉화가 발생한다. 혹은 요절하며, 대체적으로 산두火는 형충刑衝을 크게 두려워한다. (日時見金爲財,須有山木助之則吉,無則凶.見土,惟砂中有異能揚此火,別土無益.大凡此火,無木見土,多是下賤之命.見火,爐中太炎,霹火凶害,太陽昏蒙,山下戰刑,皆所不宜,命帶二三火,如限數逢木,主禍生不測,或夭,大都此火,大怕刑衝.)

壬子 癸丑 상자목桑柘木

상자木은 비단과 농기구의 상으로 비단을 두른 양반과 평민의 옷자락은 나부끼고, 성현의 옷자락은 산뜻한데, 상자木은 누에에게 공을 베풀며 활이 되기도 하니 상자木은 쓰이는 용도가 대단히 많다. (상자木은) 사중土를 가장 좋아함으로써 토대와 뿌리가 되고, 또 사중土의 辰巳는 누에를 기르는 곳이며, 형충刑衝으로 서로 파하는 것은 마땅하지 않으니, 노방 대역土는 (사중土) 다음으로 길한데 나머지 土는 무익하다. (桑柘木者,繒綵鎡基,綺羅根本,士民飄飄之袂,聖賢楚楚之衣,此木供蠶爲弧,其用甚大.最愛砂土,以爲根基,又以辰巳爲蠶食之地,不宜刑衝互破,路傍大驛二土次吉,餘土無益.)

(상자木이) 천하水를 기뻐하는 것은 우로雨露로 자윤滋潤하고, 장류 대계 간하 정천의 모든 水는 의지가 된다. 그런데 반드시 먼저 土를 얻어 토대가 되어야 하며 다시 녹祿과 귀인을 더해야 묘하다. 창해 대해 水는 물이 범람하고 부평초같이 머무르지 못하니 土가 없으면 요절하게 된다. 火를 볼 때는 복등火가 가장 길한데 역시 辰巳가 (복등火 가운데) 있어 누에가 머무는 자리이기 때문이고, 노중火는 寅卯木의 왕지旺地에 거처하고, 천상 벽력 二火와 상자木은 간지가 합화合化하는 정이 있어서 감리坎離가 교구交媾하여 묘하니 모두 길한데, 단 모든 火를 중첩하여 보는 것은 좋지 않다. (水喜天河,爲雨露之滋,長流,溪澗,井泉諸水,皆可相依,亦須先得土爲基,更加祿貴爲妙,滄海水漂泛無定,無土主夭.見火,燈頭最吉,亦以辰巳之中爲蠶位故也,爐中位居寅卯木之旺地,天上,霹靂二火,與此木干支有合化之情,有坎離交媾之妙,俱吉,但諸火不宜疊見.)

상자木은 金으로 말하면 사중金이 제일이며 검봉金은 상자木을 수정修整할 수 있으므로 다음으로 치고, 차천 금박 二金은 반드시 土를 얻어 토대를 마련해야 한다. 만일 충파를 만나면 다시 흉하다. 木은 庚寅 辛卯 송백木을 좋아하는데 약함이 강함으로 나아가고 작은 것이 큰 것으로 변화되므로 귀격이라고 말하는데, 설사 사중土가 없더라도 역시 길하다. 평지, 석류木은 土가 없으면 흉하고, 대림木은 동남방의 누에를 기르는 자리로서 土가 있어 생부하면 대귀하다. 양류木을 만나게 되면 상류성림桑柳成林이라 하여 역시 귀격이고, 반드시 춘하절 태생이라야만 비로소 길한 것이다. (以金言之,砂中第一,劍鋒能修整此木,爲次,釵,箔二金,須得土爲基,如逢衝破又凶.木喜庚寅辛卯,爲以弱就強,以小變大,作貴格論,縱無砂土亦吉.平地,柏榴石榴,無土則凶,大材乃東南蠶食之位,有土資生,主大貴.遇楊柳爲桑柳成林,亦是貴格,須生春夏方吉.)

庚寅 辛卯 송백목松柏木

송백木은 눈이 흩날리고 서리가 내려도 미동도 없이 하늘을 찌를듯하며 땅을 뒤덮을 정도로 굳건하고 바람이 생황笙簧을 연주하는 소리에 요동치고 비가 깃발을 펄럭이는 상이다. 송백木은 金 아래에 감추어져 있으나 정동에 자리하고 있으므로 지극히 왕하여 산이 뿌리의 토대가 되니 水가 자윤滋潤하는 것을 가장 기뻐한다. 천하水는 우로雨露의 水로서 (송백木을) 자윤滋潤하고, 간하水인 丁丑은 산에 속하므로 뿌리의 토대가 되고, 丙子는 뿌리의 토대가 되지는 않고, 대계水의 乙卯는 우레가 되어 영화스러울 수 있으나, 풍風과 벽력霹靂은 혐오하니 손상하여 부러지는 흉이 있다. 대해수에서 壬戌은 산이 있으면 길하고, 癸亥는 맑고 깨끗한 水이니 산이 없으면 역시 길하다. (松柏木者,潑雪湊霜,參天覆地,風撼笙篁之奏,雨餘旌旆之張.此木藏居金下,位列正東,乃爲極旺,最喜山爲根基,水爲滋潤.天河,雨露之水,可以滋潤,澗下丁丑屬山,可爲根基,丙子不如,大溪水,有乙卯爲雷,可以發榮,卻嫌風霹,有損折之凶,大海水,有山則吉,癸亥,清靜無山,亦吉.)

만약 사주에 평지木이 있는데 옥상土를 얻으면 (송백木은) 이미 동량을 이루었으니 山과 水는 쓰임이 없다. (그런데) 평지木과 옥상土가 없으면 산간山間의 무성한 木[42]이 되어 반드시 山과 水가 필요한 것이다. 명命에 火가 있으면 노중火는 상생되는 자리가 되어 가장 꺼리는데 재차 풍목風木이 더해진다면 재가 날려 연기처럼 사라지니 오행에 水가 없으면 요절한다. 산두 산하 태양 복등 火는 모두 (노중火)를 침범해서는 안 되고, 寅人을 더욱 꺼리는 것은 戊午 丙寅은 木이 남방으로 달리지 않아도 寅午가 삼합으로 화국火局하기 때문이다. 辛卯는 해가 없고 벽력火는 비록 자생滋生하더라도 운에서 火를 가중한다면 대개 흉한 것이다. (若柱有平地,得屋土,則爲已成棟梁,無用山水.無此二件,乃山間之茂木也,須要山水.命中有火,最忌爐中就位相生,再加風木,灰飛煙滅,五行無水,主夭折.山頭,山下,太陽,覆燈,皆不可犯,寅人尤忌,戊午丙寅,以木不南奔,寅午三合火局故也.辛卯無害,霹火雖可滋生,運加凡火,主凶.)

노방土를 보면 귀貴가 충분치 못한 것 같지만. 만약 사목死木이 없다면 복이 돌아올 것이고 대역土는 산이 없으면 빈천하거나 요절하고 다시 해수海水를 더하면 더욱 흉하다. 金이 乙丑을 만나면 인印이 되며 산이 되고, 금박金은 자왕自旺自旺한 자리에 나아가므로 길하고, 검봉金은 (송

---

42) 木이 무성하면 뿌리를 내릴 土와 水가 필요한 것이다.

백木을) 다듬고 깎을 수 있고, 다시 벽상土를 얻으면 서로 이루니 송백木은 상자相資하여 귀하게 된다. 대림목은 풍風이 있고 양류목은 회화會火가 되니 二木을 가장 꺼리고, 상자木의 癸丑은 산이 되어 서로 도울 수 있으나 석류木은 (納音으로는 石榴木이 되더라도) 辛酉는 金이므로 도리어 사목死木으로 변화하고 조화가 있어 길하다. 『난대묘선』에 창송동수격蒼松冬水格이 있는데, 송백木 출생인으로서 月日時가 3冬(亥子丑)에 속하면 귀하게 된다. 일합신묘日合辛卯와 월치경인月值庚寅의 두 격에 있어서는 비록 戊午 己未를 취하더라도 하추夏秋에 태어나 있어야 한다. 그래서 오직 이 두 木만을 귀하다고 말한다. (土見路傍,似無足貴,若無死木,其福還眞,驛土無山,貧夭,更加海水尤凶.金逢乙丑,爲印爲山,箔金就位自旺,主吉.劍鋒能削能斲,更得壁土相成,松柏相資,主貴.大林有風,楊柳會火,二木最忌,桑柘,癸丑爲山,可以相助,石榴是辛酉金,反化死木,有造化卻吉.妙選有蒼松冬秀格,是以此木生人,月日時屬三冬爲貴.有日合辛卯,月值庚寅二格,雖取戊午己未,生居夏秋,然專論此二木爲貴.)

戊辰 己巳 대림목大林木

대림木은 나뭇가지와 줄기는 바람에 흔들리며 가지는 月에서 버팀목이 되어 골에서 우뚝하여 하늘 높이 솟아오르므로 구름 위에 올라 태양을 가리는 공이 있으니, 대림木은 동남에 생하여 춘하절의 교체기에 성장하여 숲을 이루며, 온전히 간토艮土로서 근원이 되는데 癸丑은 산이 되고 삼명三命이 파破하거나 함몰됨이 없다면 가장 복이 두텁고 권귀權貴를 가지는데, 戊辰은 上이 되고 己巳는 戊辰 다음이다. (大林木者,枝幹撼風,柯條撑月,聳壑昂霄之德,凌雲蔽日之功,此木生居東南春夏之交,長養成林,全假艮土爲源,癸丑爲山,三命無破陷,最爲福厚權貴,戊辰爲上,己巳次之.)

노방土는 (대림木을) 감당할 수 있고, 戊辰이 辛未를 보면 귀인이 되며, 己巳가 庚午를 보면 녹祿이 되어 복을 받고, 벽상 옥상의 두 土가 재차 검봉金을 얻으면 동량의 상을 취하므로 성격成格되면 가장 길하고, 이것이 없다면 산골짜기의 무성한 재목인 것이다. 대림木은 사목死木 활목活木을 구분하지 않으나 모두 土를 보기를 원하는데, 가령 己人이 甲을 보면 비록 화토化土라고 말할지라도 그래도 辰戌丑未보다는 못하고, 토국土局을 전부 갖추면 묘하게 된다. (土遇路傍爲負載,戊辰見辛未爲貴,己巳見庚午爲祿,主福,壁屋二土,再得劍金,則大林之木,取爲棟梁,成格最吉,無此,乃山間茂林之木也.此木無論死活,皆欲見土,如己人見甲,雖云化土,然不如辰戌丑未,土局純全爲妙.)

만약 대림木이 이미 사死하여 산 아래에 있는데 甲戌 乙亥 산두화를 보면 대림木을 불사르니 흉하고 요절한다. 복등火는 상생의 자리가 되며 乙巳는 甲辰보다는 못하지만 다시 길하고, 벽력 태양천상火의 두 火는 (대림木을) 기를 수 있으니 운에서 벽력 태양火[43]를 만나도 역시 길하지만, 그러나 二火를 같이 보는 것은 혐오하니 모름지기 土로서 뿌리의 토대가 되어야 비로소 가능한 것이다. 천하水를 볼 때는 戊辰 대림木이 丁未 천하水를 보면 귀인을 대동한 것이지만 비록

---

43) 삼명통회 납음오행의 설명에서 태양은 천중화를 말한다.

土와 산이 없더라도 역시 의식衣食은 있으니 곧 영차입천하격靈槎入天河格[44]격인데 추동의 사절死節에 생하여만 비로소 이 격이 되고, 대게 대해의 두 水를 같이 보면 가난하거나 요절하는데 산이 있으면 조금은 득이 된다. (若此木巳已死,在山之下,見甲戌乙亥燒之,主凶夭.燈火就位相生,乙巳不如甲辰更吉,霹靂太陽二火,皆能長育,運中遇之亦吉,然二火嫌並見持勝,須有土爲根基方可.水見天河,戊辰見丁未,爲帶貴,雖無土與山,亦主有衣食,即靈槎入天河格也,生秋冬死絕方是,溪海二水重見,主貧夭,有山稍得.)

『난대묘선』에는 창룡가해격蒼龍駕海格이 있는데, 戊辰이 癸亥를 보는 것인데 귀하게 되고, 간하水 丁丑이 가장 길하며 丙子와는 같지 않다. 모든 金을 전부 보는 것은 마땅하지 않고, 해중金의 乙丑은 산이 있고, 검봉金은 옥상土와 벽상土를 얻으면 근본이 되나 나머지 金은 소용이 없고 제반 金을 만나면 요절하거나 천하게 된다. 상자木을 기뻐하는데 오직 癸丑이 가장 묘하고, 평지木은 노방土를 얻어야 모름지기 돌아오니 평림재야平林在野라 말하고, 송백 木은 동방에서 생왕生旺한 지지이니 사주에서 癸丑이 있는데 송백木을 얻으면 조상의 음덕이 한량없으니 가장 아름다운 것이다. (妙選有蒼龍駕海格,是戊辰見癸亥爲貴,澗下丁丑最吉,丙子不如.諸金俱不宜見,海中有乙丑爲山,劍鋒得屋壁爲本,餘金無用,逢之主夭賤.木喜桑柘,惟癸丑最妙,平地還須得路傍土,謂之平林在野,松柏東方生旺之地,柱有癸丑,而得松柏爲密蔭,最佳.)

壬午 癸未 양류목楊柳木

양류木은 수나라 제방이 간드러지게 아름답고 한원漢苑에는 문채가 가득하고 수만 갈래의 실은 누에의 실이 아니고, 수천의 가지는 가시를 지니지 않는데, 午未는 木의 사묘死墓가 되어 壬癸는 木을 자윤滋潤한다. 양류木은 뿌리의 토대인 오직 사중土를 기뻐하고 (양류木은) 간艮山을 보면 의지하여 金에게 대항하며 寅卯를 만나면 동방으로 득지得地하고, 辛丑은 산이 있지만 庚子는 (辛丑과) 같지 않고 戊寅도 비록 길하지만 己卯는 더욱 뛰어나고, 丙辰 丁巳 사중土는 戊亥와 충하는 것을 혐오한다. 만약 대역土를 보게 되면 丑이 있어서 산의 변방에 역참이 되어 약간 괜찮으나 丑이 없이 홀로 대역土를 보면 요절하거나 빈천하게 된다. 노방土의 위치가 다시 사묘死墓에 놓이고 日時에서 만나면 사람은 천박하며 허약하다. 옥상土는 壬午가 丁亥를 보면 丁壬이 합화合化하여 길하지만 丙戌은 丁亥와 같지 않다. (楊柳木者,隋堤裊娜,漢苑輕盈,萬縷不蠶之絲,千條不針之帶,午未,木之死墓,壬癸,木之滋潤.此木根基,惟喜砂土,見艮山則依倚搖金,遇寅卯則東方得地,辛丑有山,庚子不如,戊寅雖吉,己卯尤勝,丙辰丁巳,卻嫌戊亥對衝,若見大驛,有丑爲山邊之驛,稍可,無丑獨見此土,主夭賤.路傍就位,復値死墓,日時遇之,主人卑弱,屋土,壬午見丁亥,丁壬合化,則吉,丙戌不如.)

水를 볼 때는 정천 장류 대게 간하水 모두가 길하고, 중간에 또 합화合化하여 왕한 자리이면

---

44) 靈槎入天河 ; 신령스런 노를 저어 하늘의 물가에 들어간다는 뜻.

더욱 길하다. 丙午 丁未 천하水의 丙丁은 진화眞火이며 午未 역시 火인데 양류木은 午未에 이르면 이미 사死한 것이므로 壬午는 천하水 丙午 丁未를 보면 크게 흉한데 癸水가 어느 정도 별도로 있으면 水가 구제하여 해가 없다. 양류木의 午未에는 이미 저절로 火가 있는데 다시 별도의 火를 보면 끌어당겨 목숨이 상할까 두렵고, 복등火에서 乙巳는 바람이 있으므로 木이 꺾어져 흉하며 노중火는 寅卯가 본래의 자리로서 木이 왕성하여 반대로 길하다. 벽력火에서는 가령 壬午가 己丑을 보고 癸未가 戊子를 보게 되면 음양이 만나서 교류하고 다시 사중土가 있으면 토대가 되어 귀한데, 만약 子午와 丑未가 충을 한다면 길하지 않다. (水見井泉, 長流, 大溪, 澗下皆吉, 中間又分合化旺位尤吉. 丙午丁未, 丙丁眞火, 午未亦火, 此木至午未已死, 壬午見之大凶, 癸庶幾有別, 水濟之無害. 此木午未已自有火, 更見別火, 恐引起傷壽, 燈頭, 乙巳有風, 木折主凶, 爐中寅卯本位, 木旺反吉, 霹火, 如壬午見己丑, 癸未見戊子, 陰陽交遇, 更有砂土爲基, 主貴, 若子午丑未對衝, 則不爲吉.)

(양류木은) 본래 金을 보면 조화로움은 없으나 그러나 차천 금박 金은 공을 이루어 기쁘고, 해중 백납 검봉 사중 金은 비록 양류木 만나는 것을 꺼리지만 경중을 봐야 하므로 마땅히 녹祿, 귀인, 덕德과 살殺의 조짐을 참작해야 하고, 송백木을 보면 탈체화신격脫體化神格이 되어 귀한 것이다. 상자木 癸丑에는 산이 있으므로 의지하여 성림成林을 지으니 길하다. 庚申 辛酉는 木이 이미 사절死絶 되었고 또 金의 극을 만나니 허약한 것으로써 작은 것을 만난 것이니 사람이 반드시 천하게 되는 것이다. 『난대묘선』에 화홍유록격花紅柳綠格은 양류木이 석류木을 보는 것으로 춘하절에 생하면 천하지 않다고 말하였다. 양류타금격楊柳拖金格은 양류木이 삼춘三春에 생하고 時에서 하나의 金을 얻는 것인데, 辛亥 차천금[45], 甲子 해중금, 癸卯 금박금, 辛巳 백납금 중에 하나를 얻으면 가장 묘한 것인데 壬癸가 녹과 귀인의 지지가 되기 때문인 것이다. (金見本無造化, 釵釧金箔, 卻喜成功, 海鑀劍砂, 雖忌見之, 其間輕重, 當以祿貴德煞參祥, 見松柏木, 爲脫體化神之格也, 主貴. 桑柘癸丑爲山, 作倚傍成林, 主吉. 庚申辛酉, 木旣死絶, 又逢金剋, 以弱遇小, 其人必賤. 妙選有花紅柳綠格, 是以此木遇石榴, 生於春夏, 不以賤論, 有楊柳拖金格, 是以此木生於三春, 而時得一金, 辛亥, 甲子, 癸卯, 辛巳最妙, 乃壬癸祿貴之地故也.)

庚申 辛酉 석류목石榴木

석류木은, 성질이 맵기가 생강과 같으며, 꽃은 붉기가 불꽃을 닮았고, (석류) 낱알은 가지 끝에 첩첩이 달려있는 많은 자식으로, 방 안에는 수정처럼 투명한 것이 있고, 간지는 순수한 金인데 납음으로는 木에 속하게 되니 이것은 木이 변화한 것이다. 소위 화분으로 옮겨 山처럼 꾸미고 단장하는 것이므로 기물을 이룬 土를 좋아하는 것이니 뿌리의 토대가 되어 성두土는 상上이 되며, 옥상土는 성두土 다음이 되는데 그러나 반드시 음양을 교환하여 보는데 곧 辛은 丙을 보고, 庚은 丁을 보면 정관正官이 되고, 辛은 戊를 보고 庚은 己를 보면 정인이 되어 길한 것이다. (石榴木者, 性辛如薑, 花紅似火, 數顆枝頭纍纍多子, 房內瑩瑩, 干支純金, 而納音屬木, 乃木之變者也. 可以移盆內

---

45) 亥는 壬의 祿, 子는 癸의 祿, 巳 卯는 壬癸의 귀인이 된다.

而粧妝做山,故喜成器之土,以爲根基,城頭爲上,屋上次之,然必陰陽交見,則丙辛丁庚互官,戊辛己寅庚互印,主吉.)

노방 벽상 대역 사중 土의 四土는 산이 있으므로 석류木을 도우면 역시 길한 것인데 만약 없다면 무엇을 쓸 것인가! 金을 볼 때는 사중金이 가장 길하고, 금박金은 간지가 水木이며 납음으론 金이며, 석류木은 간지가 金이며 납음으론 木인데 모두 본성에서 벗어나서 서로 바뀌어 왕한 곳으로 돌아가므로 이에 木은 왕성한 寅卯로 金은 왕성한 申酉로 각각 그 자리를 얻으니 공모조화격功侔造化格이라 하여 대귀한 것이다. 해중金의 乙丑은 산이 있는데 다시 水기 도우면 길하고, 혹 벽상 성두 土를 얻어도 역시 같고, 검봉금은 취위상극就位相剋하여 가장 흉하지만 만일 먼저 사중金이 있으면 능히 그 해악을 제할 수 있으니 역시 해가 되지 않는다. (路壁驛砂四土,有山助之亦吉,若無何用.見金砂中最吉,箔金,干支水木而納音金,榴木,干支金而納音木,皆脫去本性,而互換歸旺,以木旺寅卯,金旺申酉,各得其位,謂之功侔造化格,主大貴.海中乙丑爲山,更逢水助則吉,或壁上,城頭亦得,劍鋒就位相剋最凶,若先有砂金,能制其毒,亦不爲害.)

水가 천하水를 보면 우로雨露가 상자相滋하고, 정천 간하는 청수淸水로서 물이 흘러들고, 대해水는 크게 범람하니 가난하지 않으면 요절하는데 간토艮土가 있으면 약간 나은 것이다. 태양 벽력 두 火는 비록 기뻐할지라도 함께 보는 것은 마땅하지 않다. 노중火는 寅卯가 왕성한 자리라서 본래 길하나 재차 다른 火를 가중하면 흉한 것이다. 만약 석류木이 5월에 생하여 日時에서 하나의 火만 지닌다면 석류분화石榴噴火라고 말하여 귀하게 된다. 상자 壬子 癸丑 대림 戊辰 己巳 양류 壬午 癸未의 三木은 석류木 보는 것을 좋아하고, 상자木을 보게 되면 癸丑은 산이 있고, 대림木을 보게 되면 戊辰은 탈체화신脫體化神하고, 양류木을 보게 되면 화홍유록花紅柳綠이 되어 모두 공명이 있다. 송백木을 보게 되면 강해지고, 평지木을 보게 되면 커지는데 만약 다른 것들이 협잡하지 않으면 녹요홍위祿遶紅圍가 되어 또한 부귀하고, 가령 성두土를 얻어 토대가 되고 수운水運으로 도우면 형통한 복으로 편안하게 오랜 세월을 보낸다. (水見天河,雨露相滋,井泉,溪澗,淸水澆灌,大海太泛濫,非貧則夭,有艮火土稍得.太陽,霹靂二火雖喜,不宜並見.爐中寅卯旺位本吉,再加別火則凶.若此木生於五月,日時止帶一火,謂之石榴噴火,主貴.桑柘,大林,楊柳三木,皆喜見之,見桑柘,癸丑爲山,見大林,戊辰脫體,見楊柳,花紅柳綠,皆主功名,見松柏則強,見平地則大,若無別物夾雜,則祿遶紅圍,亦主富貴,如得城土爲基,水運爲助,享福優游,最爲長久.)

戊戌 己亥 평지목平地木

평지木은 처음에 싹이 움터서 생겨나고 비로소 가지가 피어오르는데, 오직 비와 이슬의 공으로서 눈과 서리가 쌓이는 것을 좋아하지 않으며, 평지木은 지상의 무성한 재목으로 사람들이 거주하며 사용하는 나무인 것이다. 戊戌은 주춧돌이 되며 己亥는 대들보가 되어 가장 알맞게 교환하여 보는 것이니 모름지기 土가 터전이 되어 노방土를 좋아하니 정격正格이며, 더하여 子午를 보면 더욱 귀한데, 子午로서 천지의 바른 기둥을 삼기 때문이다. (平地木者,初生萌葉,始發枝條,惟資雨露之功,不喜雪霜之積,此乃地上之茂材,人間之屋木.戊戌爲棟,己亥爲梁,最宜互換見之,須以土爲基,土愛路傍爲正格,更逢子午尤貴,以子午爲天地正柱故也.)

옥상 벽상 성두의 三土는 평지木으로 서로 도우며 중간에 승화하면 더욱 길하다. 사중 대역 土는 소용이 없는데 日時에서 평지木을 보면 재앙과 요절함이 있다. 火에서는 태양天上火 벽력 火가 가장 현달함이 빛나고, 노중火는 水를 보면 복이 되고, 복등火는 바람이 없으면 굳건한데 나머지 火는 水가 없으면 흉한 것이다. 평지木은 이미 이루어진 木이므로 검봉金은 마땅치 않으나 (다른) 木으로 서로 도움이 있으면 가능한 것이다. 금박金은 한층 더 빛을 빛나게 하고 또 천간은 합하며 지지는 왕성한데 더하여 노방土가 있어 토대가 되면 대귀하나 나머지 金은 소용이 없다. (屋,壁,城頭三土,以此木相資,中間有升化尤吉.砂,驛無用,日時見之,主災夭,火愛太陽,霹靂,最爲顯耀,爐中遇木水則福,燈頭無風則固,餘火無水則凶.此已成之木,不宜劍金,有木相資則可.箔金增飾光輝,又天干合地支旺,更有傍土爲基,主大貴,餘金無用.)

水에서는 천하水를 보게 되면 윤택하게 하여 길하고, 대계 대해 水는 산이 없으면 모두 흉하고, 정천 천중 간하 水는 비록 길하지만 그 중에도 甲申은 (평지木 己亥와) 합하고 간하水 丁丑은 산이 있어 만나면 더욱 길하게 된다. 木에서는 대림木을 보면 바람이 요동치니 수명을 재촉한다. 상자木의 癸丑은 가장 길하며, 壬子 상자木은 己亥人이 보면 귀한데 戊戌人은 (壬子를) 감당하기 어렵다. 송백木은 평지木이 도와주면 동량이 되고 더하여 土가 도운다면 귀하게 된다. 대체로 평지木은 金을 싫어하고 水와 土를 좋아하는데, 만약 동절 태생이 時에서 寅卯를 얻으면 한곡회춘寒谷回春이 되어 역시 귀하다고 말하는 것이다. (水見天河爲潤澤,主吉,溪,海無山,俱凶,井泉,澗下雖吉,內甲申合丁丑爲山,遇之尤吉.木見大林,有風搖動主壽促,桑柘癸丑最吉,壬子,己亥人見之爲貴,戊戌人不堪.松柏木倚輔平地爲棟梁,更有土助主貴.大抵此木惡金而喜水土,若生三冬,時得寅卯,爲寒谷回春,亦貴論也.)

庚子 辛丑 벽상토壁上土

벽상土는 동량棟梁을 믿고 의지하여 문호門戶를 일으켜 세우고 폭염과 한기를 막는 덕으로서 서리와 눈을 차단하여 보호하는 공이 있는 것이다. 벽상土란 사람이 흙으로 만든 담이나 벽인데 평지가 아니라면 무엇에 의지를 하겠는가! 子午는 천지의 정주正柱인데 子午를 보게 되면 더욱 길한 경사가 된다. (壁上土者,恃棟依梁,興門立戶,卻暴禦寒之德,遮霜護雪之功.此乃人間壁土,非平地何以爲靠.子午天地正柱,逢之尤爲吉慶.)

대개 (벽상土는) 木을 보면 모두가 주체가 된다. 송백木도 역시 동량인데 단지 申酉의 충파와 子卯가 상형相刑함이고, 대림木은 풍風이 있는데 만일 계승하여 실은 土가 없고 대개 火를 가중하면 일을 만들긴 하나 이루기는 어려울 뿐만 아니라 빈천하거나 요절하게 된다. 노방土를 좋아하는 것은 (벽상土에) 힘을 실어주는 것을 말한다. 옥상 성두 土는 벽상土를 보호함으로서 모두 길하다. 火를 보면 조화造化가 전혀 없는데, 태양 벽력 火는 비록 밝게 비춘다고 말하지만 도리어 절뚝거려 위태롭다. 만약 명命에서 먼저 木을 보고나서 火를 만나면 귀鬼를 도와 분극焚剋하고 운에서 재차 火를 만나면 화환으로 요절하는데 사주에 水의 구제함이 있으면 자못 득이 된다. 水를 볼 때는 甲申 정천水를 보면 가장 길하며 乙酉 정천水는 그 다음이고, 천상水는 비와 이슬이니 또한 길한 것이다. (凡見木皆可爲主.庚寅辛卯,亦是棟梁,只辛申酉衝破,子卯相刑,大林有風,若無承載之土,加凡水火,土作事難成,貧賤而夭.土愛路傍,謂之負載,屋上,城頭,可以護身,皆吉.見火全無造化,太陽,霹靂,雖云照耀,到底蹇危,若命先已見木,遇火助鬼焚剋,運再逢之,主禍患夭折,柱有水救濟稍得.水見甲申爲最吉,乙酉次之,天上雨露亦吉.)

대해水는 물이 범람하는데 벽상土가 어찌 안전하겠는가! 설사 근기根基가 있을지라도 역시 흉한 것이다. 모든 金 중에 오직 금박金만 좋아하는데, 명命에서 먼저 목신木神이 있으면 귀한 것으로서, 궁실의 금벽金碧이 휘황찬란한 것이니 조정이 아니라면 감히 사용할 수 없고, 검봉金은 상상하고 해가 되며 나머지 金은 소용이 없다. (大海漂泛,此土何安?縱有根基亦凶.諸金惟愛箔金,命裏先有木神則貴,以其成宮室而金碧輝煌,非朝廷不敢用也,劍金傷害,餘金無用.)

戊寅 己卯 성두토城頭土

성두土는, 천경天京의 옥루玉樓인데, 금성金城에 용이 천 리에 서려 있는 형상이며, 호랑이가 사방에 걸터앉아 있는 위세인 것이다. 성두土는 이룬 것이 있고 아직 이루지 못한 양론兩論을 말하는데, 대개 노방土를 보게 되면 이미 성두土를 이룬 것이니 火가 필요하지 않고, 만약 노방土가 없다면 아직 성두土를 이루지 못한 것이니 반드시 火가 필요한 것이다, 대체적으로 성두土는 모두가 木의 도움이 필요한데, 양류木의 癸未가 가장 아름다우며, 양류 木壬午는 꺼리고, 상자木의 癸丑은 上이 되고 壬子는 그 다음이다. (城頭土者,天京玉壘,帝里金城,龍盤千里之形,虎踞四維之勢.此土有成有未成,作兩般論,凡遇見路傍,爲己成之土,不必用火,若無路傍,爲未成之土,必須用火.大都城土,皆須資木,楊柳癸未最佳,壬午則忌,桑柘癸丑爲上,壬子次之.)

庚寅 辛卯는 자리에서 상극하여 성두土가 붕괴되어 편안할 수 없는데 어찌 사람인들 편안할 수 있을 것인가! 가령 (성두土가) 木을 보는데 가까이서 도와줌이 없다면 단지 귀인과 녹마祿馬로 논해야 하고, 水를 볼 때는 산이 있어야 귀함이 나타나고, 甲申 丁丑은 모두 길하며, 천하水는 자조滋助하므로 또한 길하다. 오직 꺼리는 것은 벽력火와 대해水이나 그러나 壬戌은 꺼리지 않고, 합화合化하면 길함으로 추론한다. 土에서는 노방토를 좋아하는데, (노방토를 보면) 모든 火를 보는 것을 막아야 한다. 대역土는 山을 보아야 모름지기 귀하게 되는데, 만약 근본 없이 홀로 본다면 빈천하여 요절하거나 고독할 수 있다. 金 오행을 볼 때는 단지 백납金이 손방巽方을 두려

워하는 것은 庚辰과 辛巳가 서로를 방해하는 까닭이고, 나머지 金은 소용이 없으며 또한 반드시 귀인과 녹마祿馬를 살펴봐야 하는 것이다. (庚寅辛卯就位相剋,則城崩不寧,何以安人也耶.如見木無夾輔,只以貴人祿馬論之,見水有山爲顯貴,甲申丁丑俱吉.天河滋助亦吉.惟忌霹靂大海,壬戌不忌,合化俱以吉推.土愛路傍,防見諸火,大驛逢山,須作貴觀,若獨見無根本,貧夭孤寒.五行見金,只有白鑞怕巽,二者相妨,餘金無用,亦須以貴人祿馬看之.)

丙辰 丁巳 사중토砂中土

사중土는 물결이 휘돌아서 쌓이는 곳에 파도가 모래섬을 만든 것이고, 용과 뱀이 은둔하는 집으로서 언덕과 계곡이 변천하여 형성된 땅인 것이다. 사중土는 맑고 수려하여 오직 청한 金이 양육하는 것을 기뻐하며 거듭하여 청정한 土를 얻으면 일찍부터 귀하고, 차천 사중 검봉 금박의 四金은 (사중土와) 서로 돕는데, 가령 丙人이 辛亥를 보면 건방乾方의 문호에 드는 것이니 부르기를 가해장홍駕海長虹이라 하고, 또 성공북지星拱北之라 하여 모두가 귀격인 것이다. (砂中土者,浪回所積,波渚而成,龍蛇盤隱之宮,陵谷變遷之地.此土淸秀,惟喜淸金養之,更得淸淨之土,主早貴,釵砂劍箔,此四金淸秀相助,如丙人見辛亥,爲丙丁入於乾戶,號曰駕海長虹,又有星拱北之論,皆貴格也.)

다시 水를 얻으면 상함相涵이 되어 더욱더 최고의 길함이 되고, 만약 水가 없으면 日時에서 천상火가 비추면 역시 가능하다. 예를 들면, 丙辰 乙未 癸酉 戊午, 이 명命은 2개의 金으로 근본을 기르고 水가 전혀 없어도 태양火로 조명하므로 귀격인 것이다. 또 丁巳 癸卯 己未 壬申, 이 사주는 戊午라면 크게 조열하겠지만, 己未라서 자못 완화되었으나, 수명의 길고 짧음이 같지 않은 것이다. (更得水相涵,尤爲上吉,若無水,而時日得天上火照亦可.如丙辰,乙未,癸酉,戊午,此命有二金資養,卻全無水,得太陽火照,故貴,如丁巳,癸卯,己未,壬申,此命二金資養,得天上火照,亦貴.然戊午太燥,己未稍緩,壽夭不同.)

水에서는 정천水와 간하水가 청결하므로 (사중土를 보면) 길한데, 만약 金으로서 水를 기른다면 귀하지만, 가령 사중土가 이미 金을 얻어 (水를) 양육하였는데 日時에 대해水가 있으면 쉽게 조화가 무너지며, 癸亥 대해水는 맑고 가벼워서 丙人이 이것을 보고 운에서 만나도 역시 영화로움을 나타내나, 나머지 水는 소용이 없다. 火에서는 태양 천상火를 좋아하는데 주작등공격朱雀騰空格이라 부르며 귀하고, 산두 산하 노중 복등의 모든 火는 만약 水로서 구제함이 없으면 요절하게 된다. (水以井澗潔爲吉,若有金以養之,貴,如此土已得金養,而日時有海水,便壞造化,癸亥輕淸,丙人見之,限運逢,亦主顯榮,餘水無用.火喜太陽,在格號爲朱雀騰空,主貴,山頭,山下,爐中,覆燈諸火,若無水濟,主壽夭.)

木에서는 상자木과 양류木을 좋아하는 것은 사중土로서 상자木과 양류木을 재배할 수 있기 때문이며, 나머지 木은 녹마祿馬와 귀인을 참작해야 하며, 가령 日에서 형충하여 파극하는데, 木을 비록 보더라도 무슨 조화가 있을 것인가! 그러하니 길함이 없는 것과 마찬가지다. 오행에서 土는 상형相刑하는 것을 가장 꺼리며, 노방土는 몸이 편안하고 金으로 木을 자생資生하면 복과 경사스러움이 있다. 대역土가 왕래하여 보는 것은 가장 못마땅하고, 설혹 金水가 있을지라도 역시 흉하며, 나머지 土는 더욱 길하지 못한 것이다. (木愛桑拓, 楊柳, 以此土能栽二木故也, 餘木以祿馬貴人參之, 如日中刑破衝剋之木雖見, 有何造化. 不如無爲吉. 五行最忌土相刑, 路傍安身, 有金木資生, 亦主福慶. 大驛往來, 最不宜見, 縱有金水亦凶, 餘土尤不爲吉.)

庚午 辛未 노방토路傍土

노방土는 대지에 이어진 길이며 평평한 밭은 만경창파萬頃蒼波로서 곡식은 (노방土에) 의지하여 자라나며 초목들도 무성하게 자라는 것이다. 노방土는 火의 따뜻함과 土가 온화하므로 만물을 자라나게 하는 土인 것이므로 반드시 水를 먼저 빌려야 하는데, 물을 공급함으로 윤택하며 번성하게 되고, 차제에 水로 화化하면 더욱 마땅하며 묘한 것인데, 다시 金이 와서 도와준다면 곡식은 결실을 이루는 것이다. (路傍土者, 大地連途, 平田萬頃, 禾稼賴以資生, 草木由之暢茂. 此乃火煖土溫, 長養萬物之土也, 故須假水爲先, 乃灌漑滋潤之論, 次第尤宜水化爲妙, 更得金來相助, 則禾稼成實.)

예컨대 庚午 노방土가 甲申 井泉水을 보고 辛未 노방土가 乙酉 정천수를 보면 녹祿이 된다. 만약 충파가 없다면 일찍부터 귀하게 되고, 천상水는 비와 이슬로서 돕는 것인데 庚午 노방土가 丁未 천하水를 보며 辛未 노방土가 丙午 천하水를 보면 기쁜 것인데 관귀官貴와 녹祿이 합하여 묘하게 되고, 간하水는 庚午 노방土가 丁丑 간하水을 보면 귀인과 녹이 바뀌어 있고[46], 辛未가 丙子를 보면 화수化水하여 봉생逢生하고, 대계水의 乙卯는 우레가 있어 노방土를 발생시킬 수 있고 또 乙庚이 합하여 화化하므로 모두가 길한 것이다. (如庚午見甲申, 辛未見乙酉, 爲祿, 若無衝破, 主早貴, 天上水, 雨露相滋, 庚午喜見丁未, 辛未喜見丙午, 爲官貴祿合之妙, 澗下, 庚午見丁丑, 貴祿交馳, 辛未見丙子, 化水逢生, 大溪乙卯爲雷, 能發生此土, 又乙庚合化, 故皆主吉.)

장류水와 대해水는 노방土에게 水를 공급할 수 없는 것이므로 장류水와 대해水를 가장 꺼리는데, 흉하여 요절할 수 있다.[47] 벽력火를 만나는 것은, 庚午가 己丑을 보는 것인데 귀인과 녹祿이 교차하고 辛未가 戊子를 보면 정인과 귀인이 조양朝陽하여 다 길한 것이다. 천상火는 상생하게 되어 대단히 조열하여 土가 도리어 만물을 생할 수 없으니 水의 윤택함이 있으면 비로소 (천상火를) 얻을 수 있고, 만약 (水 없이 노방土가) 홀로 천상火를 본다면 요절하고, 노중火 역시 조열하므로 또한 수명에 지장이 있고, 복등火 산두火는 옥상土가 있으면 비로소 조화에 구응하므로 초범입성超凡入聖이라 이름하고, 그렇지 않으면 역시 흉하다. (長流, 大海二水, 以其不能澆灌此土, 故最忌之, 主凶夭. 火逢霹靂, 庚午見己丑, 貴祿交穿, 辛未見戊子, 印貴朝陽, 皆吉. 天上火就位相生, 太燥, 則土反不能生物, 有水潤之始得, 若獨見主夭, 爐中火亦燥, 亦主妨壽, 燈頭有屋土, 方應造化, 名超凡入聖, 不

---

46) 庚의 귀인은 丑, 丁의 녹祿은 午임.
47) 논밭에 물이 범람하면 곡식이 자랄 수 없다.

然亦凶.)

木을 보면 발생이 가능하며 그리고 귀인과 녹마祿馬가 있으면 길하고, 형살刑殺이나 충파衝破가 있으면 흉하다. 단지 庚寅 송백木이 있어서, 노방土가 만나면 대단히 좋고, 대림木은 우월할 수 없고, 가령 토위土位에서 만나는 것은 丙辰, 丙戌, 辛丑, 辛未 土를 보면 모두 길하다. (見木可以發生,然有貴人祿馬則吉,刑煞衝破則凶.只有庚寅木,此土逢之大好,大林不能勝載,如逢土位,見丙辰,丙戌,辛丑,辛未皆吉.)

만약 庚午가 辛未를 보고 辛未가 庚午를 보면 이의귀우二儀貴偶하니 귀하지 않음이 없다. 차천金과 사중金의 二金은 맑은 水가 자조滋助하여 金水가 같이 보면 대길한데, 만약 명命에서 이미 水를 보았는데 金이 없다면 운로에서 이 차천金 사중金을 만나도 역시 복이 된다. 乙丑 해중金은 산으로 말하는데, 만약 천하水의 맑은 水가 乙丑을 돕고 庚生人이라면 대단히 좋은 것이다. 『난대묘선』의 금마시풍격金馬嘶風格은 庚午 甲午 출생인이 辛巳時를 얻는 것이고, 마화룡구격馬化龍駒格은 午생인이 辰時를 보는 것이고, 풍소맹호격風嘯猛虎格은 庚辛 출생인이 辛巳 乙巳를 얻는 것인데, 다 귀하다고 하며, 水火土金은 비슷하여 서로에게 구애받지 않는다고 하였다. (若庚午見辛未,辛未見庚午,二儀貴偶,無有不貴.釵釧,砂中二金,可以滋助清水,金水並見大吉,若命已見水無金,運遇此金亦福.乙丑海金可爲山論,若得天河清水助之,庚生人大好.妙選有金馬嘶風格,以庚午,甲午生人,得辛巳時,有馬化龍駒格,又以午生人見辰時,有風嘯猛虎格,以庚辛生人得辛巳,乙巳.俱以貴論,而水火土金,似不相拘.)

戊申 己酉 대역토大驛土

대역土는 당당한 대로이며 탄탄하고 평탄한 길로써 구주九州에 두루 통하여 만국에 이르지 못함이 없다. 대역土의 위치로는 곤방坤方에 속하며 덕의 후함을 실어 하늘의 둘레를 태양이 선회하고, 바다를 품고 山을 올라타는 土이므로 만물을 발생시키는 木의 터전이 되는 것이다. 戊申은 장생의 土로써 덕이 후하여 끝이 없으니, 3~4개의 木을 보더라도 능히 기를 수 있고, 己酉는 자패지自敗地의 土이니 木이 많으면 도기盜氣당한다. (大驛土者,堂堂大道,坦坦平途,九州無所不通,萬國無行不至,此乃位屬坤方,德乃厚載,輪天轉日,負海乘山之土也.發生萬物,以木爲基.戊申長生之土,德厚無疆,見三四木,皆能滋生,己酉自敗之土,木多則竊氣.)

대림木은 합하는 가운데 충을 만나면 요절하는 수도 있고, 다른 木은 길하지만 다시 녹과 귀인을 참작하여야 한다. 정천 간하의 二水는 맑고 귀하여 마르지 않고, 가령 戊申이 丁丑 혹은 乙酉를 보거나, 己酉가 丙子 혹은 甲申을 보면 관官과 귀인으로 말하니 길한 것이다. 천하水의 丙午를 己酉 대역土가 얻거나, 丁未 천하水를 戊申 대역土가 얻는다면 역시 귀인과 녹祿이 되고, 장류水는 복이 되는데 戊申이 癸巳를 보거나 己酉가 壬辰을 보면 역시 길하지만 많이 만나면 평안

하지 못하다. (大林合中逢衝,主夭,別木則吉,更以祿貴參之.井泉,澗下二水,淸貴不燥,如戊申見丁丑,
或乙酉己酉見丙子或甲申,謂之官貴,主吉.天河丙午而己酉得之,丁未而戊申得之,亦爲貴祿,主福長流,
戊申見癸巳,己酉見壬辰亦吉,多逢則不寧靜.)

대계水의 乙卯는 동쪽 진방震方으로 발생하는 뜻이 있는데 하나만 보면 역시 길하고, 대해水를
대하면 뚫어서 대역土가 이길 수 없으니 日時에서 만나면 요절할 수 있다. 山을 얻으면 조금 가
볍고, 戊申에서는 癸亥를 보면 戊癸는 합하고 申亥로 천지 교태交泰가 되어 도리어 길하다. 火를
볼 때는 태양 벽력 火는 싱스러운 火로서 대역土를 가장 잘 발생시키며 水의 도움을 만나면 현
달한다. 그 나머지 火는 다시 木의 생함을 만나면 거듭 마르게 되어 흉하여 요절하는 것이다.
(大溪乙卯爲東震發生之義,單見亦吉,海水對穿,土不能勝,日時遇主夭,得山稍輕,內戊申見癸亥,戊癸合
申亥,爲地天交泰,反吉.火見太陽,霹靂,謂之聖火,最能發生此土,如達水助,主顯達,其餘凡火,再逢木生
之,更燥,主凶夭.)

오행에서 土를 본다면 노방土가 가장 마땅하며 옥상 벽상 사중 土는 비록 먼저 木을 얻을지라
도 역시 민절泯絶되어 사라지고, 성두土는 水가 있으면 자못 길하다. 명命에서 만약 金이 있으면
청수하여 길하다. 차천金의 辛亥를 얻고 금박金의 壬寅을 얻고 戊申이 이를 만나고 사주에서 다
시 水가 조력을 더하면 천지교태하고 水가 멀리서 山을 둘러 대격大格으로서 귀하게 되고, 己酉
대역土가 庚戌 차천金과 癸卯 금박金를 보는 것은 다음이고, 사중金은 조화로우니 역시 검봉金
과 동일하고, 모름지기 木이 쓰임을 얻을 때라야 하며 그렇지 않으면 이익이 없다. (五行見土,惟
路旁最宜,屋上,壁上,砂中,縱先得木,亦爲泯絶,城頭有水稍吉.命若有金,淸秀吉.釵釧得辛亥,金箔得壬
寅,戊申遇之,柱中更加水助,乃地天交泰,水遠山環,大格主貴,己酉見庚戌,癸卯稍次.砂金造化,亦同劍
金,須候木得用,不然無益.)

丙戌 丁亥 옥상토屋上土

옥상土는 찰흙과 나무를 섞어서 모아놓아 水火가 기제旣濟를 이루니, 대개 눈과 서리가 쌓이는
것을 가리며 요동치는 비바람을 막는 공이 있으니 옥상土는 기와인 것이다. 木이 아니면 버틸 수
없으므로 木으로 근본 토대가 되니, 평지木은 上이 되고 대림木은 그 다음이며 나머지는 천간이
화목化木이 되면 역시 길한데 단지 충파를 두려워한다. 옥상土는 이미 물物을 이룬 土로서 火를
보는 것은 마땅하지 않고, 노중火의 丙寅은 가장 흉하나 丁卯는 약간 낫고, 태양 벽력 火는 상부
상조하고, 산하 산두 火는 木이 있어 火를 생하면 화禍가 되고, 복등火가 비추고 丙戌 옥상土가
乙巳 복등火를 보면 상격이 되고, 丁亥 옥상土가 甲辰 복등火를 보면 그 다음으로 화토입당격火
土入堂格이라 말하는데, 만약 사주에 木이 많으면 또한 길하게 되지 않는다. (屋上土者,埏埴爲林,
水火旣濟,蓋蔽雪霜之積,震凌風雨之功,此土瓦也.非木無以架之,故以木爲根基,平地爲上,大林次之,餘
取天干化木亦吉,只怕衝破.此已成之土,不宜見火,爐中,丙寅最凶,丁卯稍可,太陽,霹靂,可取相資,山下,

山頭,有木生之則禍,燈照丙戌見乙巳爲上,丁亥見甲辰次之,謂之火土入堂格,若柱中木多,亦不爲吉.)

水를 볼 때 마땅한 것은 천하 정천 간하 水인데 모두 길하다. 가령 먼저 평지木을 얻어 성격成格이 되면 대귀하고, 대계水와 장류水는 木이 없으면 요절함이 많다. 만약 丙戌 옥상土가 癸巳 장류水를 얻고 丁亥 옥상土가 甲寅 대계水을 얻는다면 별도로 논하는데, 재차 살펴보면 日時에서 조화를 이룬 것과 어찌 같겠는가! 대계水는 산이 없으면 土를 보는 것은 마땅하지 않다. 노방土를 볼 때는 가령 丙戌 옥상土가 辛未 노방土를 얻고 丁亥 옥상土가 庚午 노방土를 얻는다면 음양을 서로 어긋나게 보며 다시 木을 토대로 한다면 귀하게 되고 벽상土는 역시 마땅하나 나머지는 부침浮沈이 있게 된다. (水宜天河,井泉,澗下皆吉,如先得平地木,成格大貴,溪流無木多夭,若丙戌而得癸巳,丁亥而得甲寅,則又別論,再看日時所以造成何如.大海無山,則不宜見土.土見路傍,如丙戌得辛未,丁亥得庚午,陰陽互見,更假木爲基,主貴,壁土亦宜,餘則汨沒.)

만약 木은 결손되고 삼형三刑이 모인다면 설사 二土라도 역시 흉하며, 사중土에서 丁巳는 오직 방해받지 않는다. 金을 (볼 때는) 오직 검봉金과 차천金이 가장 길하고, 丁이 壬申을 보면 천간은 화목化木이 되고 지지는 건곤乾坤으로 맑고 온화하다. 丙이 辛亥를 보면 천간은 화수化水하고 지지에서 丙은 건방乾方의 문호門戶에 들어 모두 대귀격이 된다. 만약 丁亥가 庚戌을 보고 丙戌이 癸酉를 본다면 길하지 않다. 금박金은 장식으로 사용하므로 또한 길한데, 나머지 金은 소용이 없고 마땅히 귀인과 녹을 자세히 참작해야 한다. (若缺木而三刑聚,縱是二土亦凶,砂土獨丁巳不妨.金惟劍鋒,釵釧最吉,丁見壬申,天干化木,地支乾坤淸夷,丙見辛亥,天干化水,地支丙入乾戶,皆大貴格,若丁亥見庚戌,丙戌見癸酉,則不爲吉.箔金有粉飾之用,亦吉,餘金無用,當以貴祿參詳.)

丙子 丁丑 간하수澗下水

간하水는 山을 두르는 작은 물줄기로 세찬 물살이 용솟음치며 급류를 타고 날아올라 남북으로 연결하여 흐르니 감궁坎宮과 이궁二宮離宮이 대치한다. 간하水는 맑고 깨끗하여 金이 자양滋養함을 좋아하고, 사중金과 검봉金이 가장 마땅하며, 차천金의 庚戌은 丁丑 간하水가 마땅하지 않은 것은 丑戌이 상형相刑하기 때문이고, 辛亥 차천金이 丙子 간하水를 보면 丙辛이 水로 화화하여 더욱 귀한 것이다. 나머지 金은 녹과 귀인을 참작하며 생부生扶하는 것은 취하고 충파하는 것은 싫어한다. (澗下水者,山環細浪,洶湧飛湍,相連南北之流,對峙坎離之位.此水淸澄,喜見金養,砂中,劍鋒二金最宜.釵釧庚戌丁丑不宜,以丑戌相刑,辛亥見丙子,則丙辛化水尤貴.餘金以祿貴參之,取其資生,惡其衝破.)

木은 하나를 보는 것은 방해받지 않으나 2~3개를 보게 되면 고생을 하고 또한 귀인과 녹마祿馬를 참작하여야 한다. 명命에서 (간하水는) 土를 보게 되면 사람이 많이 탁하고, 천원天元이 만약 木일지라도 혹 화수化水하면 청하게 되어 길하다. 사중土와 옥상土는 기가 점차 맑아지고, 노방土와 대역土는 탁함이 심하여 재물이 흩어지고 흉화가 발생한다. 가령 辰戌丑未의 토국土局이라면 흉이 더욱 심한데, 水가 탁한 것은 土가 흐리기 때문이다. (見木一位不妨,二三則主勞苦,亦以貴人祿馬參之.命中見土,主人多濁,天元若木,或化水則主淸吉,砂中屋上二土,其氣稍淸,路傍,大驛則濁甚,又主財散禍生,如辰戌丑未土局,其凶尤甚,以水濁土渾故也.)

태양火를 보면 비록 치열하지만 중간에 기제旣濟와 미제未濟로 논함이 있고, 벽력火는 같은 자리에서 상쟁하므로 가장 마땅하지 않은 것이다. 만약 (벽력火 戊子 己丑) 二火가 모두 있게 되고 金의 도움이 없다면 음란함이 지나친데, 金이 있으면 달리 논한다. 산하火와 산두火는 또한 길하나 만약 제왕이나 임관이 日時라면 혐오하는 것이다. 명명에서 水를 만나면 도리어 표탕하게 되고, 천하水를 보게 되면 평범한 사람이 성인에 들게 된다. 대해水를 보면 복과 귀가 낭묘廊廟의 조종祖宗이 되어 모두 길하고, 丁丑이 홀로 壬戌을 보면 丑戌이 상형相刑하고 丁壬이 음란한 합을 하여 풍류만 찾아 바르지 못하다. 대계水는 성질이 급하고, 장류水는 조용하지 못하니 모두가 길하지 못한 것이다. 대체로 간하水는 모름지기 金이 주체가 되어야 하며 火土가 섞이고 혼잡함이 없으며 재차 대계水의 水를 얻으면 근원이 깊고 맑은 물이 멀리서 부터 흐르게 되어 군자君子인 것이다. (火見太陽雖炎,中間有旣濟未濟之論,霹靂就位相爭,最所不宜.若二火並臨,無金資助,主荒淫,有金別論.山下,山頭亦吉,若帝臨時日則嫌.命中遇水,反成漂蕩,見天河爲引凡入聖,見大海爲福貴廟宗,皆吉,獨丁丑見壬戌,則丑戌相刑,丁壬淫合,主風聲不雅,大溪性急,長流不靜,皆不爲吉.大抵此水須以金爲主,而無火土夾雜,再得甲寅乙卯之水,則源遠流淸,君子人也.)

甲寅 乙卯 대계수大溪水

대계水는, 쾌속한 파도가 절벽에 부딪쳐서 퍼지니 놀란 파도는 하늘에 물보라를 일으킨다. 기세는 수만 리까지 너그러움을 포용하며 수많은 산의 환영이 푸른빛으로 바뀌어도 돌아갈 곳이 있고 길러줄 곳이 있으니 가장 기쁜 것이다. 감坎을 만나면 돌아갈 수 있고, 金을 얻으면 길러주나, 혐오하는 것은 月日時 중에 申酉가 있어 충하여 동하거나 혹 辰巳(巽風)의 바람이 부추기면 표류漂流한다. 정천水는 깨끗하여 머무르고, 간하水는 丑이 있어 간산艮山이 되며, 천하水는 윤택함을 더하고, 대해水는 水의 조종(宗主)이 되니, 이 네 가지 水는 모두 길하다. 장류水는 풍風이 있어 오직 (대계水를) 보는 것은 마땅하지 않다. (大溪水者,驚濤薄岸,駭浪浮天,光涵萬里之寬,碧倒千山之影,最喜有歸有養,遇坎則爲有歸,得金則有爲養,所嫌者,日月時中,有申酉衝動,或辰巳風吹,主飄流,井泉水淨而止,澗下有丑爲艮,天河沾潤,大海朝宗,此四水皆吉,長流有風,獨不宜見.)

대계水는 청청한 金으로 생부生扶해야 하는데, 오직 차천金과 사중金이 가장 마땅하다. 백납金도 또한 청하지만 만약 차천金과 백납金이 충을 하면 마땅하지 않다. 해중金에는 비록 조화造化가 없을지라도 甲子는 감坎에 속하고 乙丑은 간艮이 되므로 근원으로 돌아가는 지지이니 역시 길하다. 금박金은 가장 미약하여 상생할 수 없는데 어찌 발군을 나타내는 법이 있겠는가! 검봉金

은 비록 水로 化化할지라도 대계水를 꺼리는데, 卯는 우레雷와 손방巽方의 바람으로 성품이 부정
不定하다.(此水以淸金爲助養,惟釵釧最宜,鑌金亦淸,若有釵金對衝,則不宜,海中雖無造化,甲子屬坎,乙
丑爲艮,乃歸源之地,亦吉,箔金最微,不能相生,豈有超顯之理.劍金雖化,於大溪卻忌,卯雷巽風,主性不
定.)

대계水는 오행에서 모든 土가 무익한데, 옥상土와 성두土는 대계水의 흐르는 것을 가로막는다.
노방土는 조금 나으나 역시 좋지 못하다. 벽상土의 辛丑 혼자만 산이 있고, 대역土의 己酉만이
합이 있고, 戊申은 충을 하고 庚子 벽상土는 형형刑을 하니 모두가 길하지 못하다. 태양火[48]를 보
면 비록 빛을 비출지라도 벽력火와 서로 만나게 되면 더욱 꺼린다. 만약 二火를 모두 보면 빈천
하게 되고, 단 하나만 보면 별도로 논한다. (五行有土,皆爲無益,屋上,城頭,壅阻此水,路傍稍可,亦不
爲奇,壁上獨辛丑爲山,大驛惟己酉有合,戊申則衝,庚子則刑,皆不爲吉.火見太陽,雖假照耀,霹靂尤忌相
逢,若二火互見,主貧,單見別論.)

木이 대계水를 보면 형벌을 당하거나 유랑한다. 오직 상자木의 壬子는 감坎이 있고, 癸丑은 산
이 되어, 물이 산을 휘감아 선회하니 귀하다. 甲寅人이 壬子를 보면 길하고, 乙卯人이 癸丑을 보
면 길하다. 나머지 木은 녹과 귀인을 참작하고, 충파를 더욱 꺼린다. (木見此水,徒被漂蕩,惟桑柘
木,壬子有坎,癸丑爲山,爲水遶山環之貴,內甲寅人見壬子吉,乙卯人見癸丑吉,餘木以祿貴參之,尤忌衝
破.)

壬辰 癸巳 장류수長流水

장류水는 거듭 섞이어 끝없이 도도히 흐르며 다하지 않고, 아래로 나아가 반드시 동남에서 받
아들여 순하게 흘러서 辰巳로 스스로 돌아간다. 대계水는 金의 생부生扶함을 기뻐하며 金으로는
백납金과 차천金이 필요한데, 천간에는 庚辛의 진금眞金이 있고 지지의 辰巳는 같은 자리에서
상생하여 나아가고 戊亥는 근원의 지지로 돌아간다. 검봉金은 순수한 金水이고, 금박金은 水木이
동방에 거하므로 모두 길한 것으로 논한다. 해중金과 사중金은 취하지 않고, 土로서 막거나 물을
마르게 하는 것을 혐오하며 土는 제방의 쓰임이 있으니 육토六土 중에서는 庚辛 丙丁을 취함은
길하고 戊己는 소용이 없다. (長流水者,混混無窮,滔滔不竭,就下必納於東南,順流自歸於辰巳.此水
喜金生養,金要白鑌釵釧,以天干有庚辛眞金,地支辰巳,就位相生,戊亥爲歸源之地.劍鋒純是金水,箔金
水木居東,皆以吉論.海中砂中無取,嫌土蹇涸,而土有隄防之用,六土之中,取庚辛丙丁爲吉,戊己無用.)

장류水는 火를 만나면 상형相刑이 되지만 수화기제하는 묘함도 있다. 壬辰은 丁卯 丁酉를 보
면 기뻐하고, 癸巳는 戊子 戊午를 보면 기뻐하는 것은 천간이 합화合化하기 때문이다. 복등火 산
두火 癸巳는 甲辰을 보면 더욱 좋아한다. 산두火와 壬辰은 乙亥를 만나면 더욱 기뻐하는데 화룡

---

48) 삼명통회 납음오행의 설명에서 태양은 천중화를 말한다.

귀록化龍歸祿하여 더욱 아름다운 것이다. 장류水는 木을 만나면 비록 표류할지라도 상자木의 癸丑은 산이 있고, 양류木의 癸未는 전원田園이 되므로 年時에서 장류水를 얻으면 전원을 둘러싸고 물로 휘감은 언덕에 꽃을 피우니 대귀격인 것이다. (遇火則相刑,而有旣濟之妙,內壬辰喜見丁卯,丁酉,癸巳喜見戊子,戊午,以天干合化故也.燈頭癸巳尤喜見甲辰.山頭壬辰尤喜遇乙亥,化龍歸祿,取義更佳.逢木雖漂泛,而桑柘癸丑爲山,楊柳癸未爲園,年時得此水圍之,爲水遶花堤,大貴格也.)

송백木과 석류木은 천간에 金이 있어 상생하고, 대림木과 평지木은 비록 土가 있어 혐오하지만 癸巳 장류水가 戊辰 대림木을 보고 壬辰 장류水가 己亥 평지木을 보는 것은 모두가 길하나. 水는 동류가 되므로 간하水는 丁壬이 합화合化하며, 천상水는 우로雨露로서 서로 도우고, 정천水와 대계水는 무익하다. 대해水는 무리의 水들이 흘러서 돌아가는 곳인데, 壬辰 장류水의 용龍이 癸亥 대해水를 얻으면 용이 천문天門으로 날아오르니 춘하추절 출생은 길하다. 혹 용잠대해龍潛大海라면 동절생이 마땅하고, 사주에서 모름지기 먼저 金을 얻어야 묘하게 된다. (松柏,石榴,天干有金相生,大林,平地,雖嫌有土,而癸巳見戊辰,壬辰見己亥,俱吉.水爲同類,澗下則丁壬合化,天上則雨露相資,井泉大溪無益,海乃衆流所歸,而壬辰之龍得癸亥,則龍躍天門,春夏秋生爲吉,或龍潛大海,則冬生乃宜,柱中須先得金爲妙.)

또 壬辰은 스스로 인印이 되는 水로서 재차 壬辰을 보게 되면 형刑한다. 형하면 자해自害가 되고, 戊戌을 보면 충이 되며 충하게 되면 범람하여 흉하다. 癸巳는 자절自絶하는 水로서 이름을 학류涸流라 하는데, 만약 丙戌, 丁亥, 庚子, 辛丑의 土를 만나면(옥상土나 벽상土를 만나면) 마르게 된다. 사주에서 만일 삼합하여 생왕生旺한 金을 얻어 장류水를 생하면 길한 것이다. (又壬辰爲自印之水,再見壬辰則刑,刑則自害,見戊戌則衝,衝則汎濫,主凶.癸巳自絶之水,名爲涸流,若遇丙戌,丁亥,庚子,辛丑之土,其涸可待,柱中如得三合生旺之金生之,則吉.)

丙午 丁未 천하수天河水

천하水는 모든 들판에 어지러이 물을 뿌리며 밭두렁과 들에도 골고루 비를 뿌리고 계속되는 물줄기는 은하銀河에서 쏟아지며, 세세하게 푸른빛이 떨어지듯이 천하水는 천상天上의 비와 이슬로서 만물을 발생시키니 천하水를 의지하지 않음이 없는 것이다. 은한銀漢의 水는 土가 극할 수 없으므로 土를 보는 것을 꺼리지 않으며 자윤滋潤하는 이로움이 있는 것이다. 천상의 水는 지지의 金이 생하기 어려우므로 金을 보아도 이롭기는 어려우나 또한 함수涵秀의 정은 있는 것이다. 생왕生旺함이 태과하면 음료淫潦하여 오히려 물物을 상하게 하고, 사절死絶함이 태다太多하면 가물게 되어 또 물物을 생할 수 없고, 중요한 것이 삼추三秋에 생해야 하며 득시得時하면 귀하게 되는 것이다. 水는 장류水와 대해水를 기뻐하는데, 丙午 천하水에서는 癸巳와 癸亥가 마땅하고, 丁未 천하水는 壬辰과 壬戌이 마땅하며 음양이 서로 보면 더욱 길하고, 대계水의 乙卯는 우레가 있고 정천水의 乙酉는 귀인이 있어 모두 길한 것으로 논한다. (天河水者,亂灑六野,密沛千郊,淋淋

瀉下銀河,細細飛來碧落,此乃天上雨露,發生萬物,無不賴之.銀漢之水,土不能克,故見土不忌,而且有滋潤之益.天上之水,地金難生,故見金難益,而亦有涵秀之情,生旺太過,則爲淫潦,反傷於物,死絶太多,則爲旱乾,又不能生物,要生三秋,得時爲貴也.水喜長流大海,內丙午宜癸巳,癸亥,丁未宜壬辰,壬戌,陰陽互見尤吉,大溪乙卯爲雷,井泉己乙酉爲貴,俱以吉論.)

火에서는 벽력火를 기뻐하는데 신룡神龍의 火로서 천하水와 상제相濟되고, 갑작스런 변화로 구름이 유행하여 비를 몰아오면 어찌 귀하지 않을 수 있겠는가! 노중火는 火가 왕성하고 대해水는 水가 왕성한데, 가령 사주에서 2火 2水를 얻으면 상하가 상제相濟되므로 정精과 신神이 함께 갖추게 되니 대귀격인 것이다. 복등火는 바람이 있고 산두火는 귀인이 있어 모두 길한 것으로 논하고, 또 반드시 별도의 水로서 구제해야만 비로소 길하고, 천상火는 같은 자리에서 상극을 취하므로 서로 보는 것을 꺼리는 것이다. 木에는 석류木 양류木 모두가 길하고, 대림木은 손방巽方이 있고 평지木은 亥가 있어 역시 길하고, 송백木 석류木은 丙辛이 합화合化를 만나니 역시 길한 것으로 논한다. (火喜霹靂,神龍之火,與此水相濟.而焂忽變化,雲行雨施,豈有不貴.爐中火旺,大海水旺,如柱中得二火二水,上下上相濟,謂之精神俱足,大貴格也.燈頭有風,山頭有貴,皆以吉論,又須以別水濟之方吉,天上就位相克,則忌見之.木,石榴,楊柳俱吉,大林有巽,平地有亥,亦吉,松柏石榴,遇丙辛合化,亦以吉論.)

『난대묘선』에는 영사입천하격靈槎入天河格이 있는데 이것은 사절死絶되어 무근無根한 木을 취하고 사주에서 土의 배양함이 없으면 천하에 표류하는 것이다. 土가 비록 극할 수 없을지라도 사주에서 (노방土) 庚午 辛未를 만나면 같은 자리에서 상극하여 土는 水를 막아 정체되고, 혹 水가 또 동절에 생하면 수는 연못에 모여서 반드시 탁하며 범람하고 나머지 土는 사중土 옥상土와 같이 모두 길하고, 성두土와 대역土는 소용이 없고, 벽상土는 지지에서 충하므로 역시 조화造化가 무너진다. 금은 비록 천하水를 생할 수 없을지라도 유독 辛亥 차천金은 건방乾方의 天에 속하므로 水는 천상天上에 있으므로 단지 辛亥만 가장 길한 것이다. 나머지 金은 역시 천간에 庚辛壬癸가 있어 쓰임이 되고 甲乙은 무익하며 재차 녹마祿馬 귀인으로 참조하면 비로소 얻을 것이다. (妙選有靈槎入天河格,是取死絶無根之木,柱無土培,則漂流天河是也.土雖不能剋,而柱逢庚午,辛未,就位相剋,土壅水滯,或水又冬生,則水結池塘,必主濁濫,餘土如砂中,屋上皆吉,城頭,大驛無用,壁上地支對衝,亦壞造化.水金雖不能生,獨辛亥釵金,卻屬乾天,水在天上,只此最吉.餘金亦取天干有庚辛壬癸者爲用,甲乙無益,再以祿馬貴人參之始得.)

『난대묘선』에서는 또 천하水 출생인이 庚子 壬子를 얻으면 운등우시雲騰雨施라 하여 생한 것이 춘절이면 가물게 되고, 하절이면 장마가 지며, 동절이면 추우므로 유독 삼추만이 가장 길한데, 甲辰, 乙巳, 庚辰, 辛巳를 보면 사주에 壬이 있으면 구름이 되고 辰이 있으면 용이 되어 풍우작림風雨作霖이 되는데, 만약 동월 태생이면 상응박로霜凝薄露이고, 日時에서 寅卯를 보면 기쁜 것인데 온화한 기로서 해동하니 함께 귀격이 되는 것이다.(妙選又以水生人得庚子,壬子,爲雲騰雨施,生春則旱,夏則潦,冬則寒,獨三秋最吉,遇甲辰,乙巳,庚辰,辛巳,柱中有壬爲雲,有辰爲龍,爲風雨作霖,若

生冬月,是霜凝薄露,日時喜遇寅卯,溫和之氣,可解斯凍,俱貴格也.)

甲申 乙酉 정천수井泉水

정천水는 맑고 차가운 샘으로 양육하는데 궁窮하지 않으니 팔가八家에서 파고 뚫어 함께 먹음으로서 많은 백성이 생활하는 근본이 된다. 정천水는 金으로 생하면 木으로 나오므로 金을 보면 복이 되어 기뻐하는데, 사중金은 토성土性이 있어 가장 좋아하고, 차천金은 청수淸秀하나 그 다음이고, 백납金과 차천金은 상충하므로 재차 보는 것은 좋아하지 않는다. 검봉金의 申酉는 (金이) 태왕太旺하여 범람하는 재앙이 두렵고, 海中金은 취하지 않는데 乙丑은 간방艮方으로 山 아래에 샘이 솟으니 또한 길한 것이다. (井泉水者,寒泉淸冽,取養不窮,八家鑿之以同飮,萬民資之以生活.此水生於金而出於木,故喜見金爲福,砂中有土性,與之最宜,釵釧淸秀次之,鑞金與釵金相衝,故不宜再見.劍鋒申酉太旺,恐有泛濫之災,海金無取,乙丑爲艮,山下出泉亦吉.)

정천水는 木이 아니면 나올 수 없으니, 비유컨대 통용되는 논리이므로 木을 보면 대체로 길하고, 가령 평지木과 대림木을 보면 모름지기 검봉金을 빌려 깎고 다듬어야 비로소 사용이 가능하다. 상자木과 양류木은 소용이 없고, 송백木은 서로 교환되어 귀록歸祿[49]이 되니 정천水는 송백木이 가장 길하다. 모든 火는 음양이 교차되어 보면 길하고, 벽력火는 이름하여 입성入聖이 되고 태양火는 밝게 비춤을 나타내니 二火인 벽력火와 천상火를 보게 되면 가장 길하나 함께 나란히 있는 것은 좋지 못한 것이니 흉하다. (此非木不能出,譬之桶論,故見木皆吉,如見平地,大林,須假劍金削之,方可取用.桑柘,楊柳無用,松柏則互換歸祿,此其最吉.諸火陰陽互見則吉,霹靂名爲入聖太陽號爲顯照,二火相見,最吉,俱不宜並有,則凶.)

(정천水는) 모든 土에서 노방土와 사중土가 가장 길하며, 옥상土는 천문天門인 水를 생하는 근원이 있으므로 역시 길하고, 성두土 벽상土와 정천水는 간섭함이 없고, 대역土는 같은 자리에서 상극을 취하여, 水를 土가 가리게 되는데 우물이 더러워져서 먹을 수 없으니 반드시 木이 있어 제거해야만 비로소 가능한 것이다. 水에 있어서는 대해水를 기뻐하는데 인범입성引凡入聖이 되고, 천상水 간하水 장류水도 또한 재앙이 되지 않고, 대계水인 甲寅 乙卯는 길하다. 가령 甲申이 乙酉를 보고 乙酉가 甲申을(井泉水가 서로) 보면 관성官星이 서로 교환되어 가장 길하고, 가령 二水가 年과 時에 있고 二木이 月과 日에 있으면 수요화제水遶花隄라 하여 귀격인 것이다. (諸土路傍砂中最吉,屋上有天門生水之源,亦吉,城頭壁上與此水則無干涉,大驛,就位相克,水爲土掩,則井渫不食,須有木去之方可.水喜大海,爲引凡入聖,天上潤下長流,亦不爲災,大溪甲寅乙卯爲吉.如甲申見乙酉,乙酉見甲申,官星互換最吉,如二水在年時,二木在月日,謂之水遶花隄,乃貴格也.)

---

49) 甲申 乙酉는 庚寅 辛卯와 녹록祿이 교차되어 있다.

壬戌 癸亥 대해수大海水

　대해水는 모든 시냇물을 받아들여 총괄하며 큰 바다가 넓고 끝이 없어 건곤乾坤의 웅대함을 포괄하여 日月의 빛을 떠올리고 잠기게 한다. 대해水는 원래 청탁이 있어 양단으로 분류하여 논하면 壬戌은 土가 있는데 土는 탁濁이 되며, 癸亥는 간지가 순수한 水로서 납음 또한 水이므로 청淸하다. 壬戌人은 山을 꺼리는 것은 土의 기운이 태성太盛하기 때문인데 金이 있어 청하게 하여야 비로소 길하고, 癸亥는 山을 보면 가장 기쁜 것인데 그런 후에라야 대해水의 성품이 바야흐로 편안하고, 간하水의 丁丑은 산이 있고, 천하水와 대해水는 상하가 서로 통하여 사주에서 木의 뗏목이 있으면 뗏목을 타고 천하天河에 들어가게 되어 지극한 상격上格이 되고, 장류水 대계水 등의 水는 필경 모두 다 바다로 돌아감으로서 대해水는 세류를 선택하지 않는 것이므로 능히 그 웅대함을 이루는 것이다. 壬辰 장류水은 용이 되어 대해大海로 돌아가니 더욱 길하며 중간에 또 음양으로 나누어 서로 보아서 간지가 합화合化하여야 비로소 가능한 것이다. 정천水는 제制하는 것이 있어 바다와 통하지 않는 것이므로 대해水 보는 것을 좋아하지 않는 것이다. (大海水者,總納百川,汪洋無際,包括乾坤之大,升沉日月之光.此水原有淸濁,以兩段分論,壬戌有土,土爲濁,癸亥干支純水,而納音又水,故淸.壬戌人嫌山,以土氣太盛,有金淸之方吉,癸亥最喜見山,然後海水之性始安,澗下丁丑爲山,天河與海,上下相通,柱中有木爲槎,則乘槎入於天河,極爲上格,長流,大溪等水,畢竟皆歸於海,以海水不擇細流,故能成其大也.壬辰爲龍歸大海,尤吉,中間又分陰陽互見,干支合化方可.井泉則有所制,與海不通,故不喜見之.)

　모든 金에서 오직 해중金이 제일인데, 壬戌 癸亥 대해水는 甲子 乙丑 해중金을 보면 좋아하며, 사중金 甲午 乙未 또한 얻음이 있으나 나머지 金은 또 마땅히 귀인 녹마祿馬를 참작하여야 한다. 천상火 戊午 己未를 좋아하는 것은 대해水 壬戌 癸亥와 서로 밝게 비추니 최고로 길하다. 벽력火의 己丑은 산이 있고 (戊子와 癸亥는) 戊癸가 합화合化하면 사주에서 木火가 왕성한 지지를 얻어 역시 길하다. 산하火 산두火 복등火의 모든 火는 木을 보면 좋지 않은데 오직 壬子 癸丑 상자木과 壬午 癸未 양류木은 함께 길하다. 대림木 戊辰 己巳은 바람이 있어 水의 성질을 충동衝動하여 불안하고, 평지木 戊戌 己亥은 두터움을 타서 곧 같은 위치에서 서로 얻음을 취하고 (壬戌 癸亥와 戊戌 己亥), 송백木과 석류木은 만약 (大海水를) 土가 제함이 없으면 표류하게 되어 안정됨이 없다. (諸金獨海中第一,以壬戌,癸亥喜見甲子,乙丑,砂中亦得,餘金又當以貴人祿馬參之.火喜天上,與海水相爲照耀最吉.霹靂己丑爲山,戊癸合化,柱得木火旺地亦吉.山下,山頭,覆燈諸火,不宜見木.惟壬子,癸丑,壬午,癸未俱吉.大林有風,衝動水性不安,平地厚載,則就位相得,松柏,石榴,若無土制,則漂泊無定.)

　土에서는 노방土 庚午 辛未와 대역土 戊申 己酉를 좋아하는 것은 오직 二土는 (대해水를) 떨치기에 충분하고 누설되지 않게 하는데, 하물며 癸亥 大海水가 戊申 대역土을 보면 천관지축天關地軸의 대격大格이 되고, 日時에서 이 노방과 대역의 두터운 土를 만나면 설사 풍뢰가 있을지라도 또한 해가 되지 않으며, 성두土의 己卯는 모름지기 간艮(山)을 도우면 길한데, 가령 벽력火

戊子 己丑를 만나면 뇌화雷火가 변화를 일으켜 해수海水가 용솟음치므로 빈한한 것이다. (土愛路傍,大驛,惟此二土,足以振之不泄,況癸亥見戊申,爲天關地軸大格,日時遇此厚土,縱有風雷,亦不爲害,城頭己卯,須資艮則吉,如達霹靂,則雷火變化,海水洶湧,亦主貧寒.)

10. 육십갑자납음취상六十甲子納音取象

육십갑자는 납음의 상象을 취하고 그 십간十干에는 金이 되는 것이 있고 金이 될 수 없는 것이 있는데, 비록 처한 값의 수가 같지 않지만 오행의 종류로 변화하거나 따라가는 묘함이 있으니 그 이치 역시 모르면 안 되는 것이다. 가령 甲乙 庚辛 壬癸의 삼행三行은 金이 될 수 있으나 丙丁 戊己는 金으로 삼을 수 없는 것이다. 庚辛은 으뜸 되는 金으로 본가本家의 물物로서 고정적이나 壬癸는 金이 아닌 것인데 또 어째서 金인 것인가! 金水는 상생하는 이치로서 水도 또한 金이 될 수 있는 것이다. 세상에서 水는 푸르고 金은 명료한 물物이고 甲乙의 木은 그 질질堅强하므로 세상에서 木이 변화하여 돌이 되는 것이다. 그러므로 이 둘은 金의 상象을 취하고 본가本家의 물物과 같은 것이다. 丙丁은 火에 속하므로 마르고 강강함이 같지 않고, 戊己는 土에 속하여 강유剛柔가 같지 않아 金과 상반相反되므로 金으로 말할 수 없는 것이다. (六十甲子納音取象,其十干有可以爲金,有不可以爲金者,雖因所值之數不同,而五行類化類從之妙,其理亦不可不知.如甲乙庚辛壬癸,此三行者,可以爲金,而丙丁戊己不與焉.庚辛元金,固爲本家之物,壬癸非金也,又胡爲金.以金水相生之理,而水亦可以爲金,故世有水碧金明之物,甲乙之木,其質堅强,世有木化爲石者,可以例見,故此二者,可以取象爲金,與本家之物同也.丙丁屬火,燥剛不同,戊己屬土,柔剛不同,與金相反,自不可以金論.)

戊己 庚辛 壬癸 이 여섯 천간은 木이 될 수 있고, 甲乙 丙丁은 관계없는 것이다. 丙丁은 근본 火로서 木을 불사르므로 취할 수 없고, 甲乙은 본래 木인데 어째서 木으로 취할 수 없는가! 오행을 알지 못하는 가운데서 金은 金으로 돌아오고, 水는 水로 돌아오고, 火는 火로 돌아오고, 土는 土로 돌아오나 유독 木은 변화함으로서 木은 水火土의 성품을 도우며 거짓으로 합하고 생하니 줄기가 끊어져 마르고 시들면 水로 돌아가는 것이다. 불사르면 火가 되어 火로 돌아가는 것이고, 부패하면 土가 되어 土로 돌아가는 것이다. 그러므로 木을 사용하지 않으므로, 소위 탈체화신脫體化神인 것이다. 여섯 甲이 순환하며 처한 값의 수이고, 오행이 섞여 있는 것을 얻는 이치로서 깊이 이해하여야 한다. (戊己庚辛壬癸此六干者,可以爲木,而甲乙丙丁不預焉.以丙丁元火所以焚木,自不可取,甲乙原木胡不取之.殊不知五行中,金還金,水還水,火還火,土還土,獨木則變,以木資水火土之性,假合而生,脈絶而枯槁,則還水也.灼之爲火,則還火也,腐之爲土,則還土也.故不用木,所以脫體而化神也.六甲輪環所値之數,五行錯綜所得之理,自可以默識矣.)

대개 木은 水에서 소생所生되니 진액津液은 곧 水이므로 壬癸는 木이 될 수 있는 것이고, 庚辛은 질질로서 그 견고함이 甲乙과 같은 것이다. 그러므로 甲乙은 금이 될 수 있으며 庚辛도 木

이 될 수 있으니 (金과 木은) 서로 교환하여 소통하는데 그 이치는 또한 둘이 아니다. 丙丁 甲乙 壬癸는 水의 상상을 취하는데, 壬癸는 원래 水이고, 丙丁은 水가 변화한 것이고, 甲乙은 진액으로 곧 水인 것이다. 戊己의 土는 水를 극하는 것이며, 庚辛의 金은 水를 말리므로 기氣에서 차이가 있으니 水로서 논하는 것은 불가한 것이다. 甲乙 丙丁 戊己는 火의 상상을 취하는데, 丙丁은 원래 火이고, 戊己는 火가 변화한 것이고, 甲乙은 불타는 것을 생하니 곧 火인 것이다. 壬癸의 水는 火를 극하는 것이고, 庚辛의 金은 火를 건조하게 하고 종류가 같지 않은 것이므로 火로 논하는 것은 불가한 것이다. (凡木皆水所生,其津液卽水也,故壬癸可以爲木,庚辛之質,其堅與甲乙同,故甲乙可以爲金,而庚辛可以爲木,互換交通,其理亦無二也.丙丁甲乙壬癸,取象爲水,以壬癸原水也,丙丁其化也,甲乙之津液,卽水也.戊己之土,所以剋水,庚辛之金,所以燥水,氣有異也,自不可以水論.甲乙丙丁戊己,取象爲火,以丙丁原火也,戊己其化也,甲乙之生燃,卽火也.壬癸之水,所以克火,庚辛之金,所以燥火,類不同也,自不可以火論.)

　　丙丁 戊己 庚辛의 납음은 土에 속하는데, 戊己는 원래 土이고, 丙丁의 火가 변화하여 재가 되니 재는 곧 土이고, 庚辛의 金은 土 가운데에 섞인 것으로 土의 정기精氣가 모인 것이므로 모두 土가 되는 것이다. 만약 壬癸의 水가 윤택하게 아래로 흘러 엉기지 않으면, 甲乙의 木은 위에서는 흩어지고 멈추지 않으니 土로 말해서는 안 되는 것이다. 그 상상을 취하는 것을 궁구해보면, 경중이 있고, 대소大小가 있고, 강유剛柔가 있고, 기미氣味가 있고, 체질體質이 있고, 공용功用이 있어 각각 서로 같지 않은데, 이 또한 지지에서 한 부분의 위치를 겸하여 왕상휴수旺相休囚가 같지 않고, 천간에 둔 것은 혹 화상化像을 따르거나 혹 다른 상상을 쫓고, 하늘과 사람이 교류하여 그 이치를 다하여 생극하며 서로 그 뜻을 이루고, 金으로는 해중금과 사중금 금박금 백랍금 검봉금 차천금으로 분별함이 있으며 金의 상상은 남아 쌓이는 것이 없고 나머지 木火水土는 보이는 예제가 있다. 이 납음의 상상을 취하는 것은 소위 조화의 묘함인 것이다! (丙丁戊己庚辛,納音屬土,戊己原土也,丙丁之火,化而爲灰,灰卽土也,庚辛之金,混於土中,乃土之精氣所結,故皆可以爲土.若壬癸之水潤下不凝,甲乙之木,散上不止,自不可以土論.究其取象,有輕重,有大小,有剛柔,有氣味,有體質,有功用,各各不同,此又兼地支方隅之位,旺相休囚不同,而天干之所値,或從本象,或從化象,或從別象,天人交盡其理,生克互成其義,此金所以有海中,砂中,金箔,白鑞,劍鋒,釵釧之別,而金之象無餘蘊矣,餘木火水土,可以例見.此納音取象,所以爲造化之妙也歟.)

　　혹시 말하기를 오행 가운데서 오직 水火가 태왕太旺한 것은 마땅치 않은데, 왕하면 약藥을 구하는 것은 불가하므로 丙午 丁未의 천하수로 배합을 하면 水는 능히 火를 제制할 수 있는 것이다. 戊午 己未는 천상화라 말하는데, 戊己로 그 (火) 위를 덮는다면 火는 불타지 않는 것이고 午未는 하늘 가운데 있으며 丙丁은 火에 속하니 午未가 모두 왕성한 곳이므로 대대를 지내오면서 이 二年을 만나서 편안하지 못하였는데, 이 이론은 본래 상상의 뜻을 취한 것이 아니나, 그러나 또한 알지 못하면 안 되는 것이다. (或曰,五行之中,惟水火不宜太旺,旺則不可救藥,故丙午丁未配以天河水,以水能制火也.戊午己未謂之天上火,以戊己蓋其上,則火不焰也,午未在天之中,丙丁屬火,皆午未旺鄕,故歷代遇此二年皆不靖,此以理論,而非原取象之義,然亦不可不知.)

다시 납음에서 상을 취하는 것은 황제黃帝로부터 나왔으므로 모든 것은 술가術家가 조종祖宗으로 삼는 것이며, 서대승徐大升이 『정진론定眞論』에서, 누경婁景 이전에는 金이 해중海中에 있다는 논리를 알지 못했다. 그리고 원元의 성사星士는 납음納音은 헛된 것으로 스스로 하늘의 진리를 잃은 것이라고 하였다. 그러므로 오늘날 명명을 말하는 자들은 단지 정오행正五行을 말하고, 납음은 취하지 않은 것이니, 어찌 납음의 이치를 알겠는가! (再按納音取象出自黃帝,故諸術家皆宗之,自徐大升作定眞論,有婁景以前,未知金在海中之論,而元之星士,遂有納音空自失天眞之說,故今之說命者,只論正五行,而納音不取焉.豈知納音之理!)

상象의 정수精髓를 취하는 것은 올바른 조화造化이기 때문에 오묘奧妙한데, 무릇 사람의 명명을 논할 때는 더욱 자세히 규명하지 않을 수 없으니 체體를 살펴보고 정미精微함을 다해야 하는 것이다. 오늘날 음양가陰陽家들은 선천先天의 낡은 오행만 논하면서 홍범오행洪範五行은 취하지 않고, 보는 것은 『멸만경滅蠻經』으로 음양을 전도顚倒하여 반대로 水火를 바꾸고, 태화太和의 주시周視는 『음양정론陰陽定論』을 지어 그것을 깊이 비판했다. 서촉西蜀의 나청소羅靑霄는 『음양변의陰陽辨疑』를 지어 홍범오행은 팔괘八卦로부터 나온 것으로 결단코 사용하지 않을 수 없다며 주씨周氏의 견해가 잘못된 것을 바로잡았다. 아아! 어찌 앞뒤로 정설이 없는 것인가! 내가 납음오행을 보니 곧 홍범오행의 뜻으로, 하나를 받들고 하나를 폐廢하는 것은 불가한데, 명명을 말하는 자들은 본래 오행을 경經으로 삼고 납음으로 위緯를 삼아 참작하면 명수命數의 이치를 다하기에 충분하고 조화造化에서 남은 여온餘蘊이 없을 것이다. (取象之精,此正造化之所以爲妙,凡論人命,尤不可不推究而體察之,以盡其微也.今陰陽家論先天老五行,而不取洪範五行,目爲滅蠻經,以其顚倒陰陽,反易水火,太和周視,作陰陽定論,乃深闢之,西蜀羅靑霄作陰陽辨疑,以洪範五行出自八卦,斷不可不用.又闢周氏之見爲誣,噫!何前後無定也耶,余見納音五行,卽洪範五行之義,不可擧一廢一,談命者,本之以五行爲經,參之以納音爲緯,庶足以盡命數之理,而造化無餘蘊矣.)

논하여 말하기를, 천지가 개벽開闢하면서부터 간지干支의 이름이 곧 세워지며 천황天皇과 지황地皇이 출현하면서 전해졌고 여러 가지가 뒤섞여 육십갑자六十甲子가 되었는데, 복희伏羲가 갑력甲曆을 처음 만들고 이미 갑력이라 칭하였으며, 年月日時는 모두 육십갑자의 법칙으로 하여 천지의 시종始終은 日月의 운행으로 사시四時의 한서寒暑와 음양의 변화는 모두 바뀔 수 없는 것을 삼진三辰으로 정하였고, 황제는 육십갑자 납음의 상象을 취하여 오행에 각각 소속하여 金木水火土의 성정性情 형질形質 공용功用이 변화하여 그 쌓여진 것을 다하고 그 중에 있는 것이 저절로 바뀐 것이다. (論曰,自天地開闢,而干支之名卽立,相傳出自天皇地皇,而錯綜爲六十甲子,則自伏羲造甲曆始也,旣名甲曆,則年月日時,皆以六十甲子紀之,而天地之始終,日月之運行,四時之寒暑,陰陽之變化,皆不能易,三辰以定,自黃帝以六十甲子納音取象,於是五行各有所屬,而金木水火土之性情形質,功用變化,悉盡其蘊,而易自在其中矣.)

그러므로 이것으로 양의兩儀를 헤아리면 천지에서 벗어날 수 없고, 이와 같이 삼광三光을 추산하면 일월성신日月星辰은 변할 수 없고, 이것으로 사시四時를 고찰하면 한서寒暑는 바뀔 수 없고, 이것으로 사람의 일을 점친다면 길흉화복과 수요壽夭를 궁통窮通하게 되어 예외가 생길 수 없으며 조화의 작용은 숨을 곳이 없는 것이다. 지금의 선비들은 단지 복희씨의 팔괘도八卦圖는 알고 있는데, 문왕文王은 중요한 64괘를, 주공周公은 효사爻辭를 만들고, 공자는 『계사전繫辭傳』을 지었고, 역易은 다시 사성四聖이 이룬 후에 경經이라 말하며, 오행가五行家의 안목은 구류九流인 것이니 그 역시 생각이 깊지 않은 것이다. 어찌해서 오행가는 전적으로 생왕生旺만을 논하면서 정리正理에는 어둡고, 천명天命을 위임받고도 인사人事를 버리고, 역易과 도를 합하지 않는가? (故以此而測兩儀,則天地不能逃,以此而推三光,則日月星辰不能變,以此而察四時,則寒暑不能易,以此而占人事,則吉凶禍福,壽夭窮通,擧不能外,而造化無遁情矣.今之儒者,但知八卦畫自伏羲,文王重之爲六十四,周公作爻辭,孔子作繫辭,以易更四聖而後成,謂之經,目五行家爲九流,其亦不思甚矣.豈以五行家專論生旺而昧正理,委天命而棄人事,與易道不合耶.)

오호라! 간지干支는 상고때부터 출현하고, 甲子의 근원은 희황羲皇이며, 음음의 상상象은 황제로부터 전하였다. 이것은 성인聖人의 수數인데, 어찌 문왕 주공 공자의 후에 있을 것인가! 만약 천지가 개벽하고 간지의 명칭이 세워지지 않았다면, 섞여서 甲子가 될 수 없으며, 육십갑자도 없고, 오행도 섞일 수 없는데, 어떻게 세월이 흘러 세세歲를 이룰 것인가. 일년은 360일이 있고, 세세歲는 12월이 있고, 달은 30일이 있고, 날은 12時가 있으니, 누구나 명백하게 알고, 누구나 그것을 따르고 아는 것이다. 세상이 혼돈混沌한데, 홍몽洪濛한 가운데 있으면, 어찌 양의兩儀를 세우고 삼재三才가 관여하여 세계世界를 이루었을 것인가! (嗚呼.干支出自上古,甲子本之義皇,音象傳自黃帝,是數聖人也,豈在文王周公孔子後耶.若天地開闢,而干支之名不立,則不能錯綜爲甲子,無六十甲子,則不能錯綜五行,何以紀歷成歲,而一年有三百六十日,歲有十二月,月有三十日,日有十二時,孰從而明之,孰從而知之.而擧世混混沌沌,如在洪濛之中,何以立兩間參三才而成世界也耶.)

가르쳐 말하길, 백성은 日의 쓰임을 알지 못하니, 종신토록 살피지 않은 것이다. 역易의 도가 비록 정미精微할지라도, 천지의 정위正位를 따르는 것에 불과하니, 산山과 택澤은 기가 통하고, 뇌雷와 풍風은 서로 업신여기고, 水와 火는 서로 방사放射하지 않는 것이다. 상상象은 팔괘八卦를 그린 것을 취하니, 그 이치는 간지갑자干支甲子의 밖을 벗어나지 않으며 별도로 시작하는 곳이 있는 것이다. (匠謂百姓日用而不知,終身由之而不察者是矣.易道雖微,不過因天地定位,山澤通氣,雷風相薄,水火不相射,取象以畫入八卦,其理自不出干支甲子之外,而別有所創置也.)

오호라! 간지가 섞이어 60간지가 되고, 팔괘가 섞이어 64卦가 되어, 甲子의 수는 납음의 이치적인 상상을 취함으로 오행의 정正인 것이며, 팔괘의 체體는 이미 갖추었고, 팔괘는 우러러보고 굽어살펴서, 멀게는 모든 사물을 취하고, 가까이는 자신의 모든 것을 취하여 64卦, 364爻가 되니, 역시 일년一年의 수인데, 간지를 사용하여 운행함으로, 간지는 근본 천지의 경경經이 되고, 팔괘의 도는 음양의 위緯가 되어 경위經緯가 착종錯綜하며, 천지의 온오蘊奧함과, 귀鬼와 신神의 정상情狀과 인사의 길흉은 그 가운데 다함이 있고, 그 뜻은 정미한 것이다. 세상의 유학자들이 또 탄식하며 오행을 낮추어 구류九流라 한 것이다. (嗚呼!干支錯綜而爲六十,八卦錯綜而爲六十四,

甲子以數納音,以理取象,乃五行之正也,而八卦之體已備,八卦仰觀俯察,遠取諸物,近取諸身,爲六十四卦,三百六十四爻.亦一年之數也,而干支之用以行,干支本天地以爲經,八卦道陰陽以爲緯,經緯錯綜,往來變化,而天地之蘊奧,鬼神之情狀,人事之吉凶,盡在其中,而其義微矣.世之儒者,又烏可鄙五行爲九流哉.)

삼명통회 2권

出處:武陵出版社 著者:萬民英 譯者:秀氣流行

1. 논하도급홍범오행論河圖及洪範五行

옛적에, 포희씨가 천하를 거느렸을 때, 하도로 팔괘를 만들고 차례를 乾, 坤, 坎, 離, 震, 巽, 艮, 兌로 명칭하고, 天, 地, 日, 月, 風, 雷, 山, 澤의 象을 설립하였다. 계사에서 말하기를, 천지의 자리가 안정하니 산택은 기가 유통되고 풍뢰는 서로 야박하고 수화는 서로 헤아리지 않으니, 팔괘가 서로 섞이어 배열을 이루고 이십 사위가 동행하여 그 중에서 陰陽의 소식이 그에 징험하지 않음이 없었다. (古者庖羲氏之王天下也.則河圖以作八卦,故序乾坤坎離震巽艮兌之名,設天地日月風雷山澤之象.繫辭曰,天地定位,山澤通氣,風雷相薄,水火不相射,八卦相錯,八卦成列,而二十四位同行乎其中,莫不以陰陽消息驗之.)

팔괘의 변화로는 甲은 본래 木(나무)에 속하고 納卦는 乾으로서 乾坤이 교류함으로서 坤의 상하 二爻가 乾의 상하 二爻와 교환되어 坎의 象으로 변화 했다. 甲은 坎을 따라 화하므로 수에 속하는 것이다. 乙도 본래 木에 속하나 納卦로는 坤으로서 坤乾이 마주하여 乾의 中 爻와 坤의 中爻와 교환되어 離卦의 象을 이루고 乙은 離卦로 化하므로 火에 속하는 것이다. 丙은 본래 火에 속하나 納卦로는 艮으로서 艮兌가 마주하여 兌의 下爻와 艮의 下爻와 교환하여 離卦의 象으로 化成하여 丙은 離卦로 化하므로 火에 속하는 것이다. 丁은 본래 火에 속하나 納卦로는 兌로서 兌艮이 마주하여 艮의 上爻와 兌의 上爻와 교환하여 乾卦의 象으로 化成하니 丁은 乾으로 化하므로 金에 속하는 것이다. 庚은 본래 金에 속하나 納卦로는 震으로 震巽이 마주하여 巽卦의 下爻와 震卦의 下爻가 교환하여 坤卦의 象을 이루어 庚은 坤으로 化하므로 土에 속하는 것이다. 辛은 본래 金에 속하나 納卦로는 巽으로 巽震이 마주하여 震의 上爻와 巽의 上爻가 교환하여 坎의 象을 이루니 辛은 坎으로 化하므로 水에 속하는 것이다. 壬은 본래 水에 속하나 納卦로는 離卦로서 離坎이 마주하여 坎의 中爻와 離卦의 中爻와 교환하여 乾의 象을 이루니 壬은 乾으로 化하므로 본래는 마땅히 金에 속하나 離火를 받아 火焰으로 金을 녹이니 물러날 자리가 없으니, 離火에 붙어서 세워지므로 火에 속하는 것이다. 癸는 본래 水에 속하나 納卦로는 坎으로 坎離가 마주하여 離卦의 中爻와 坎의 中爻가 교환되어 坤象을 이루니 癸는 坤으로 化하므로 土에 속하는 것이다. (八卦之變,甲本屬木,納卦於乾,乾與坤交,以坤之上下二爻,交換乾之上下二爻,化成坎象.甲隨坎化,故屬水也.乙本屬木,納卦於坤,坤與乾對,以乾之中爻,交換坤之中爻,化成離象,乙受離化,故屬火也.丙本屬火,納卦於艮,艮與兌對,以兌之下爻,交換艮之下爻,化成離象,丙受離化,故屬火也.丁本屬火,納卦於兌,兌與艮對,以艮之上爻,交換兌之上爻,化成乾象,丁受乾化,故屬金也.庚本屬金,納卦於震,震與巽對,以巽之下爻,交換震之下爻,化成坤象,庚受坤化,故屬土也.辛本屬金,納卦於巽,巽與震對,以震之上爻,交換巽之上爻,化成坎象,辛受坎化,故屬水也. 壬本屬水,納卦於離,離與坎對,以坎之中爻,交換離之中爻,化成乾象,壬受乾化,本當屬金,納於離火,火焰金銷,不能退立,而自附於離火立焉.故屬火也.癸本屬

水,納卦於坎,坎與離對,以離之中爻,交換坎之中爻,化成坤象,癸受坤化,故屬土也.)

八干納卦의 변화를 비유하면 乾坤의 上下二爻가 교류하여 (天地)否, (地天)泰인 象의 뜻을 취하므로 天地의 위치가 정해진 것을 말하는 것이다. 震艮의 上爻가 巽兌와 교류하고 巽兌의 下爻가 震艮과 교류하여 (澤山)咸, (雷風)恒, 巽(山澤), (風雷)益인 뜻의 象을 취하는 것이므로 말하기를 雷風은 서로 야박한 것이고, 山澤은 氣가 유통된다. 離의 中爻가 乾坤에 교류하고, 乾坤의 下爻가 坎離에 교류하여 旣濟와 未濟의 象을 취한 것이므로 水火는 서로 헤아리지 않는 것이라고 말한 것이다. (此八干納卦之變,如乾坤上下二爻交者,取象於否泰之義,故曰天地定位.震艮以上爻交於巽兌,巽兌以下爻交於震艮者,取象於咸恒損益之義,故曰雷風相薄,山澤通氣.離以中爻交於乾坤,乾坤以下爻交於坎離,取象於旣濟未濟,故曰水火不相射是也.)

八卦에는 변하는 것이 있고 변하지 않는 것이 있다. 乾坤의 체는 金土라고 부르며 변하지 않는 것이며 陰陽의 조종이고 卦중의 부모인 것이다. 휴명(休明)의 땅에서 퇴신하여 늙고 다 찬 것이므로 불변하는 것이다. 그러므로 坎, 離, 震, 兌는 4정에 위치하여 金, 木, 水, 火로서 불변하는 것으로 子, 午, 卯, 酉 4위로서 각각 4왕지만을 전담하여 4계절의 슈을 선포하고 기화하여 행하므로 불변하는 것이다. 艮巽은 用으로서 변하는 것이다. 艮土는 坎, 震 東北의 세계에 역위하고 衰한 丑과 병든 寅의 사이에서 처신을 바꾸어 서로 대립하여 생각해 자연적인 산을 이루어 木으로 화한다. 巽의 체는 震, 離, 東南의 세계에 역위하며 衰한 辰과 병든 己 사이에 입신하므로 자립을 하지 못하고 오히려 수에 귀속한다. 辰을 묘지로 하며 진과 함께 병립하여 모두 水이다. 亥의 본체는 水에 속하고 금이 생함으로서 금을 대위해 서는 것으로 乘하므로 亥는 金에 속한다. 寅의 체는 木에 속하고 水가 生함으로 水를 대위해 서는 것으로 乘하므로 寅은 水에 속하는 것이다. 巳의 체는 火에 속하고 木이 生하므로 辰의 쇠함을 타고 辰土를 대신하므로 巳는 木에 속하는 것이다. 신의 체는 금이고 수는 신에서 생하고 금은 수세를 도우므로 신은 수에 속한다. 진술축미는 오방 오토의 신으로 4계절을 분리하며, 조화로서 질그릇을 만드는 주인의 후한 재질이 되어 본체는 변할 수 없다. 토로 인하여 목이 생하므로 토에 부합하며, 奪土하면 반은 水이고 水는 動하고 土는 靜하는데 辰戌은 陽으로서 動하므로 水에 속하고 丑未는 陰의 靜이므로 土에 속하는 것이다. (八卦有變不變,乾坤本乎金土而不變者,乃陰陽之祖宗,衆卦之父母也.退身於休明之地,老亢而不變也.故坎離震兌,位乎四正,金木水火而不變者,以子午卯酉四位,各專四旺之地,宣布四時之令,而氣化行焉,故不變也.艮巽用變者,艮土易位於坎震東北之界,處身於衰丑病寅之間,思於更相代立,自然成山而化木也.巽本易位於震離東南之界,立身於衰辰病己之間,不能自立,反歸於水,辰為墓地,並與辰皆水也.亥本屬水,因金以生,乘代金立,亥屬金也. 寅本屬木,因水以生,乘代水立,故寅屬水也.巳本屬火,因木以生,乘震之衰,代震之立,故巳屬木也.申本屬金,水生於申,金助水勢,故申屬水也.辰戌丑未,五方五土之神,分為四季,作造化甄陶之主,為厚載之質,本不可變,因土以生木,附於土,奪土一半為水,水動土靜,辰戌陽之動也,故屬水,丑未陰之靜也,故屬土.)

화기오행을 취하는 바는 대체적으로 이러하다. 대개 천지는 교류하여 만물이 유통되는 것으로 상하가 교류하여 덕업을 이루고, 남녀가 교류하면 志氣가 같은 것이다. 예로부터 지금까지 교합하지 않으면 그 造化를 이루지 못하는 것이다. 쇠하고 병드는 것을 대신함도 自繼禪乘(道 닦는 일을 말하지 않나 생각함)도 대신할 수 없고 존재하지 못하는 것이며, 기틀이 운행하여 화함으로서 도달할 수 있는 것이다. 그러므로 洪範大五行이라 말하는 것이다. 乙丙離壬은 염화이고, 乾亥兌丁은 從革의 고향이고, 癸丑坤庚未은 가색이며, 震艮의 사위는 曲直이며, 甲子寅申巽辛은 地이며, 辰戌은 모두 潤下로 동행하는 것이다. 무릇 사람의 명은, 가령 甲乙丁庚辛壬癸의 干을 만나면 乾艮巽坤의 고향에 居하는 것이며, 또 당연히 변화하는 것으로 논하며 십간의 화기와 육십납음, 납갑을 서로 참작하여 볼 것이며, 단지 河圖正五行만으로 命을 論하는 것은 불가 한 것이다. 그리고 자평의 법에서도 이와 같이 세상에서 명을 논하는 것들은 소위 인정할 수 없는 것이 많다고 말하였다. (化氣五行所取之由,大率類此.蓋天地交而萬物通,上下交而德業成,男女交而志氣同.古徃今来,未有不交合而能成其造化者也.衰病代謝,未有不自繼禪乘代,而能致化機之運者也.　故洪範大五行,所以云,乙丙離壬爲炎火,乾亥兌丁從革鄉,癸丑坤庚未稼穡,震艮四位曲直,甲子寅申巽辛地,辰戌皆同潤下行.凡人命,如遇甲乙丁庚辛壬癸干,居於乾艮巽坤之鄉,又當以所變者而論之,與十干化氣,六十納音納甲,相參互看,不可只以河圖正五行論命.而曰子平法如此,此世之談命者,所以多不准也.)

2. 논천간음양생사論天干陰陽生死

　혹자는 묻기를, 天干은 陰陽과 剛柔와 生死로 나눈 것이 있다는데 그 말이 과연 그러한가? 답을 하기를, 十干의 五陽五陰에서는 陽은 강한 것이고 陰은 부드러운 것이 되고, 易에서 말하기를, 陰陽으로 나누어서 剛柔를 번갈아가며 사용하는 것이다. 그 生死로 나누어지는 것은 예컨대 母는 자식을 낳고, 자식이 장성하면 母는 늙어서 죽는 것으로 자연의 법칙인 것이다. [오행원리소식]賦에서 이르기를, 陽이 생하는 곳에서는 陰이 死하고 陽이 死하는 곳에서는 陰이 生하며 逆 또는 順으로 循環하며 變化하는 이치를 보여주는 것이다. (或問十干有陰陽剛柔生死之分,其說然否？答曰,十干五陽五陰,陽者爲剛,陰者爲柔,易曰,分陰分陽,迭用柔剛是也.其生死之分,如母生子,子成而母老死,理之自然.賦曰,陽生陰死,陽死陰生,循環逆順,變化見矣.)

　甲木은 十干의 으뜸으로서 四時를 주재하여 萬物을 生育하고, 하늘에서는 雷(우뢰)와 龍이 되고, 땅에서는 梁(들보)과 棟(마룻대)이 되어 양목이라 말하는 것인데 寅에 이르면 祿이 되고 토를 벗어난 목이 되어 뿌리는 끊어지고 가지는 절이 되니 사목이라 말하는 것이다. 사목은 목이 강해지니 모름지기 도끼로서 깎고 다듬어야 만이 비로소 그릇을 이루는 것이다. 해에서 장생하는데, 해는 강과 못의 수가되어 부르기를 사수라고 말하는 것이다. 그러므로 사목이 사수에 놓이면 비록 오랫동안 잠길지라도 썩어서 파괴되지 않으니, 비유컨대 삼춘(참나무와 참죽나무)은 물속에 있으면 견고해지는 것이다. 만약 (甲木이) 水를 떠나 언덕위에 이르러 癸水를 만난다면, 계수는 활수인 것이니, 천지간의 우로가 되어, 태양은 비와 이슬을 말리니 건조함과 습함이 조절되지 않아 마침내 마르고 썩게 되므로, 능히 생화할 수 있으니, 화가 왕성하면 나무는 반드시 불살라지므로 재는 날리고 연기는 사라지는 환란이 생기는 것이다. 또 午는 離火에 속하는데, 화는 모의 생함에 의지하니, 목은 화의 母가 되고, 화는 목의 자식이 되므로 자식이 왕성하면 母는 쇠하는 것인데 어찌하여 끝이 없는 이치인 것인가? 그러하니 甲木은 午에서 사하는 것이다. 경에서 이르기를, 목은 남방으로 달리지 않는 것이 바람직한 것이다. 또 말하기를, 갑목은 양이 강하여 준동하고, 원래 뿌리와 지엽이 없는데, 만약 그릇을 이루어 쓰임을 얻으려면 필히 금이 바탕이 되어야 하고, 몰래 감추어야 괴멸되지 않고, 반드시 수에게 의지하여야 하고, 화는 처음 배합을 얻어야만이 문명의 상을 이루는 것으로서, 화가 과다한데 겸하여 남방을 만난다면 재나 숯으로 변화하니 도리어 해가 미치는 것이다. 대개 갑목은 봄과 가을이 아니면 영화가 사라지고 物과 접촉하면 변화하니 또한 形을 정할 수 없으며 모름지기 火, 金, 水가 어떠한지를 살펴야하는 것이니 한 가지를 고집하여 논하는 것은 불가한 것이다. (甲木,乃十干之首,主宰四時,生育萬物,在天爲雷爲龍,在地爲梁爲棟,謂之陽木.其祿到寅,寅爲離土之木,其根已斷,其枝已絶,謂之死木.死木者,剛木也,須仗斧斤斲削,方成其器.長生於亥,亥爲河潭池沼之水,名曰死水,故死木放死水中,雖浸年久,不能朽壞,譬如杉椿之木,在於水中,則能堅固.若離水至岸,而遇癸水,癸水者,活水也.爲天地間雨露,日曬雨淋,乾濕不調遂成枯朽,則能生火,火旺而木必焚矣,故有灰飛煙滅之患.且午屬離火,火賴木生,木爲火母,火爲木子,子旺母衰,焉有不終之理故甲木死於午.經云,木不南奔.正謂此也.又曰,甲乃陽剛蠢木,原無根葉枝荄,若成器得用,必藉乎金,密藏不壞,必賴乎水,火初得配,遂成文明之象,使火過多,兼遇南方,化成灰炭,反致其害矣.蓋甲木不以春秋而爲榮悴,觸物變化,亦無定形,須看火金水如何,又看化合何如,不可執一而論.)

을목은 갑을 계승한 후에 만물을 발육하며 끊임없이 생하고 하늘에 있어서는 바람이 되며 땅에 있어서는 나무가 되니 음목이라고 한 것이다. 그(乙木)은 卯에 이르면 祿이 되고 樹木(수목)이 되어 뿌리는 깊고 가지는 무성해지니 活 木이라 하는 것이다. 活 木이라는 것은 유목이니 양금의 작벌함을 두려워하는 근심이 있는 것인데, 가을의 목은 시들고 떨어지니 두려운 것이고, 潤土하여 뿌리를 배양하며 活水로서 목의 지엽은 번성하는 것이다. 활수라는 것은 계수인 즉 하늘에서는 우로이고 땅에서는 샘의 근원이 되고, 윤 토는 기 토인데 가령 밭을 갈고 김을 매는 토로서 稼穡의 공을 이루는 것이다. 기의 록은 오에 있는데 오는 六 陽이 소진하고 일음이 다시 생하는 것이므로 도화(벼의 꽃)는 오시에 개화하니 乙 木은 午 地(지지)에서 생하는 것이다. 十月에는 亥를 세우며, 해는 순음이 사령하며 임의 록이 해에 이르면 당권하고 死 水가 범람하여 토는 엷고 뿌리는 虛해지니 유실되어 배양하여야 하는 것이다. 그러므로 乙 木은 亥에서 死하는 것이다. 경에서 말하기를, 수가 범람하면 목은 뜨는 것이니 바로 이를 말한 것이다. 또 말하기를, 을은 지엽이 번성한 목으로서 따뜻하게 비추어 양으로 화함을 크게 기뻐하니 發榮하는 것이고, 陰 冷하면 비참해져 이롭지 못하니 마르고 소모되므로, 수다하면 그 뿌리가 무너져 내리고, 금이 왕성하면 그 生意가 손상되는 것이다. 가령 신은 쇠한데 화가 많고 더하여 남방으로 운행하면 禍가 가볍지 않고 西로 행하여 土가 중하면 살을 도와 傷身하게 되고, 극을 따르지 않으면 禍는 더욱 심하니, 대개 활목은 뿌리가 연결된 나무이니 어찌 동량에 비유 하겠는가! (乙木繼甲之後,發育萬物,生生不已,在天爲風,在地爲樹,謂之陰木.其祿到卯,卯爲樹木,根深枝茂,謂之活木.活木者,柔木也,懼陽金斫伐爲患,畏秋至木落凋零,欲潤土而培其根荄,利活水而滋其枝葉.活水者,癸水也,即天之雨露,地之泉源,

潤土者,己土也,如耕耨之土,成稼穡之功.己祿在午,午乃六陽消盡,一陰復生,故稻花開於午時,乙木生於午地.十月建亥,亥乃純陰司令,壬祿到亥當權,死水泛濫,土薄根虛,有失培養.故乙木死於亥.經云,水泛木浮.正此謂也.又曰,乙乃枝葉繁華之木,大喜陽和煦照,則發榮,不利陰冷慘刻,則耗枯,水多則傾頹其根荄,金旺則戕剝其生意.如身衰火多,兼行南方而禍不淺,西行土重,助煞傷身,不克從者,爲禍尤深,蓋活木連根之木也,豈棟梁之比哉)

丙火는 하늘 한복판에서 빛나고, 천하를 두루 비춘다. [六合은 六方의 뜻으로 천하, 우주를 말한다.] 하늘에서는 太陽이 되고 번개가 되며, 땅에 있어서는 화로가 되며 용광로가 되는 것이니 陽 火인 것이다. 그 祿은 巳에 있으며 巳는 爐冶의 火가 되며 死火인 것이다. 死火는 강력한 火이니 死 木으로 불꽃을 발생시킴을 좋아하고, 土와 金은 그 빛을 가리니 싫어하는 것이다. 死木은 甲 木인데 甲의 祿은 寅에 있으며, 寅은 陽木의 울타리로서 木盛하면 火生하고, 木石之間에 은폐하니 사람이 그것을 사용하지 않으면 발생시킬 수 없다. 그러므로 五陽은 모두 자연에서 나온 것이며 先天이 되고, 五陰은 모두 사람의 일과 관계되어 後天이 되는 것이고, 丙火는 寅에서 長生하는 그 이치가 분명한 것이다. 예컨대 태양의 화는 東에서 떠올라 西에서 지는 것이고, 또한 酉는 兌에 속하며 兌는 澤이 되며 己 土는 金을 生하여 金氣가 왕성하면 丙火의 빛을 가려서 찬란한 빛을 나타낼 수 없으니, 어찌 어둡지 않겠는가! 그러므로 丙火는 寅에서 生하여 酉에서 死하는 것이다. 經에서 말하길, 火는 西로 향하면 사라지는 것이 正位 이것을 말함이다. 또한 말을 하면 丙火는 태양의 象이 되어 上下 빛으로 변화하여 비추지 않는 곳이 없고, 그러나 물위에 떠있는 木은 母가 될 수 없으며 불꽃이 있는 火를 生할 수 없는 것이며, 濕水의 土(丑土)는 子가 될 수 없으며, 陽火로는 생산할 수 없는 것이다. 설령 강호의 死水를 만날지라도 불합하고 不衝하니 파도로도 衝激하지 못하니, 어찌 剋 火의 害가 될 수 있으리오! 꺼리는 바는 번화한 木으로서 물에 젖으면 火를 生할 수 없으니 오히려 火光을 어둡게 할 것이며, 五星의 太陽처럼 木의 炁(氣의 古字)로서 어렵다는 뜻이다. (丙火,麗乎中天,普照六合,在天爲日爲電,在地爲爐爲冶,謂之陽火.其祿在巳,巳爲爐冶之火,謂之死火.死火者,剛火也,喜死木發生其焰,惡金土掩其光.死木者,甲木也,甲祿在寅,寅乃陽木之垣,木盛火生,隱于木石之間,非人用之,不能生發.故五陽皆出乎自然,而爲先天,五陰皆系乎人事,而爲後天,丙火生於寅,其理甚明.如太陽之火,自東而升,至西而沒,且酉屬兌,兌爲澤,己土生金,金氣盛,掩息丙火之光,不能顯輝,豈無晦乎!故丙火生於寅,而死於酉.經云,火無西向.正此謂也.又曰丙火太陽之象,上下化光,無所不照,然不以浮水之木爲母,不能生有焰之火,不以濕水之土爲子,陽火所不産也.縱遇江湖死水,不合不衝,則波濤弗致衝激,焉能爲剋火之害,其所忌者,乃繁華之木,渦水不能生火,而反能晦火之光,如五星太陽,以木炁爲難之義.)

丁火는 丙을 계승한 후 만물의 精이 되어 文明의 象을 이루어, 하늘에서는 뭇별이 되고, 땅에서는 燈火가 되니 陰火로 말하는 것인데, 丁火의 祿은 午에 있고, 午火는 六陰의 첫머리다. 丙은 乙木으로 능히 丁火를 生할 수 있으니, 乙은 活木이 되고 丁은 活火가 된다. 活火는 柔 火이니 丁은 乙木의 生함을 기뻐하니 陰으로 陰을 生하는 것이다. 예컨대 세인들이 채유와 삼유를 사용하는 등촉(등불)을 뜻하는 것이니, 무릇 기름이란 을목의 脂膏(지방)인 것이다. 酉時에 이르면 四

陰이 권리를 행사하니 燈火는 곧 휘황할 수 있고, 뭇별들도 찬란할 수 있으므로 丁은 酉에서 生하는 것이고, 寅地에 이르면 三陽은 마땅히 陽火와 합하여 生하니 陰火는 물러나는 것이며, 가령 太陽이 東에서 떠오르면 뭇별들은 빛을 감추는 것이니, 燈燭은 비록 불꽃이 있을지라도 그 빛을 드러내지 못하는 것이다. 그러므로 丁火는 酉에서 生하여 寅에서 死하는 것이다. 經에서 말하길, 火의 밝음이 滅하는 것은 正位 이것을 일컫는 것이다. 또 말하기를, 丁火는 陰柔하여 중요한 것은 時를 얻고 局을 만나야만 비로소 輝煌燦爛할 수 있으니, 비록 頑鈍(둔탁하고 무딘)한 金이라도 역시 단련하는 바가 있으며, 만약 때를 잃고 국을 상실한다면 곧 희미한 빛은 자취를 감추며 연기도 存在하지 않게 되니, 비록 微眇한 金일시라노 역시 制할 수 없으며, 그러나 마른木이 비록 적더라도 오히려 發火의 조짐은 충족된 것이니 濕한 木이 비록 많더라도 火를 밝히기는 어려운 것이니 그 중의 强弱을 살펴보는 것이 중요하니 진창하게 한쪽으로 치우치는 것은 不可한 것이다.   (丁火,繼丙之後,爲萬物之精,文明之象,在天爲列星,在地爲燈火,謂之陰火.其祿到午,乃六陰之首,丙有乙木,能生丁火.乙爲活木,丁爲活火.活火者,柔火也,丁喜乙木而生,乃陰生陰也.如世人用菜油麻油爲燈燭之義,夫油乃乙木之脂膏也.至於酉時,四陰司權,燈火則能輝煌,列星則能燦爛,故丁生於酉,至於寅地,三陽當合陽火而生,陰火而退,如日東升,列星隱耀,燈雖有焰,不顯其光.故丁生於酉,而死於寅也.經云,火明則滅.正謂此也.又曰,丁火陰柔,要得時遇局,方能輝光燦爛,雖頑鈍之金,亦在其所煅煉,若失時喪局,卽韜光晦跡,而煙無存,雖微眇之金,亦不能制,然木燥雖少,猶足以發火之機,木濕雖多,亦難以治火之明,要看其中强弱,不可泥於一偏.)

戊土는 洪濛(천지자연의 원기)이 아직 분별되지 않았으나, 하나를 온전히 감싸 안고, 천지는 다하여 만물은 두터워져 中央으로 모였다가 四維로 흩어졌다. 하늘에서는 안개가 되며 땅에서는 산이 되어 陽土라고 하는 것이다. 그 祿은 巳에 있고 노야(爐冶)의 火가 되어 단련(鍛鍊)하여 그릇을 이루고 두드리면 소리가 나며, 그 성질은 강맹하여 근접하기 어려운 것이다. 陽火의 상생을 좋아하며 陰金의 盜氣를 두려워한다. 陽火는 丙火인데 丙은 寅에서 長生하고 寅은 艮에 속하며 艮은 山에 속하며 山은 剛土가 되는 것이니 곧 戊土인 것으로서 丙火가 生하여 줌을 의지하는 것이다. 酉地에 이르면, 酉는 兌金에 속하니 戊土의 氣를 소모하여 金이 旺盛하면 土는 虛해지고 母가 衰하면 子는 왕성해지니 또 金으로 부딪혀 돌을 분쇄하니 어찌 壽를 연장할 것인가? 이른바 戊土는 寅에서 長生하여서 酉에서 死하는 것이다. 土는 虛하면 무너지는 것이니 정위 이것을 두고 하는 말이다. 또 말하길, 戊土는 깊고 두터워서 그 象이 성곽과 같아, 季月에서 生하고 地支에서 통근되어야 만이 비로소 河海를 진동시키고 洩氣되지 않는다. 만약 上下에서 합하더라도 形이 견고하면 疏土되고 洩氣될 염려가 없으며, 身이 水木으로 虛弱하게 되면 그 세력이 위태로우니 붕괴의 우려가 있고, 土가 失時하고 金의 설기가 많은 것을 크게 꺼리는데 마치 성벽이 다한 것과 같아 木으로 疏土함을 가중하는 것은 불가한 것이다. 東南으로 운행함을 기뻐하는데, 만약 원래 印綬가 있어 왕성한데, 재차 인수로 운행하면 즉 火는 身으로 生化하여 도리어 過하여 禍가 되는 것이다. (戊土.洪濛未判,抱一守中,天地既分,厚載萬物,聚於中央,散於四維.在天爲霧,在地爲山,謂之陽土.其祿在巳爲爐冶之火,煅煉成器,叩之有聲,其性剛猛,難以觸犯.喜陽火相生,畏陰金

- 124 -

盜氣.陽火者,丙火也,丙生於寅,寅屬艮,艮爲山,山爲剛土,即戊土也,賴丙火而生焉.至於酉地,酉屬兌金,耗盜戊土之氣,乃金盛土虛,母衰子旺,又金擊石碎,豈能延壽. 故戊土生於寅,而死於酉.經云,土虛則崩.正此謂也. 又曰,戊土深厚,其象如城牆,要生季月,更求支下通根,方能振河海而不洩.若上下帶合,則其形堅固,無疎漏之虞,身乘水木虛弱,則其勢傾危,而有崩頹之患,如土失時,大忌多金漏洩,如城牆旣就,不可加木疎通.喜行東南,若原旺有印,再行此地,則火化生身,反爲過中之禍矣.)

己土는 戊를 계승한 후 천지의 원기로서 땅의 참된 土인 것이다. 淸氣는 상승하고 천지는 衝하며 和合하고, 탁기는 하강하여 모여서 만물이 발생되니 陰土라 일컫는 것이다. 天, 地, 人 三才는 모두 土를 缺할 수 없는 것이다. 예컨대 乾坤가운데 하나만 중매한다면 陰陽을 잃은 것인데 어찌 짝을 할 것인가? 그러므로 四時가 運行하지 않으면 존재할 수 없는 것이니, 四時에 寄生하여 왕성한 것이 眞 土인 것이다. 丁火로 생하는 것을 기뻐하며 陽火로 단련함을 두려워하고, 祿이 午에 이르면 午中 丁火는 己土를 生 할 수 있으니 乙木은 재배하는 기운을 도둑 당하니 酉地에 이르면 丁火를 生하니, 丁火는 이미 生한 것이니 己土 또한 生하는 것이니 寅에 이르면 用事하여 木火가 권리를 맡아서 己土를 단련하면 자석(磁石)을 이루니 오히려 중화의 氣를 잃은 것이니 어찌 손해의 이치가 아닐 것인가? 그러하니 己土는 酉에서 長生하여 寅에서 死하는 것이다. 따라서 말하기를 火가 燥하면 土는 찢어지는 것은 바로 이것을 말하는 것이다. 또 가로되, 己土는 넓고 두터워서 그 象이 밭과 같아서 합하고 生扶함이 많으면 貴하지 않고, 오직 刑, 衝의 유용함을 좋아하니 진실로 萬物의 體를 生하는 것이고, 만약 失令하여 천박하다면 天時는 불리한 것이니 단지 근본적인 힘을 펼치기 어려울 뿐만 아니라, 역시 창검인 金을 매몰할 수 없는 것이다. 혹시 재차 金水의 旺한 곳으로 행한다면 身은 점점 약해져 더욱 不利하게 되는 것이다. 만약 火土의 生成함을 만난다면 가색(稼穡)으로 거듭 生함이 있으니 妙한 것이다. (己土,繼戊之後,乃天之元氣,地之眞土.淸氣上升,沖和天地,濁氣下降,聚生萬物,謂之陰土.天地人三才,皆不可缺此土,如乾坤中一媒妁,陰陽失此,豈能配偶. 故於四行無不在,於四時則寄旺焉,乃眞土也.喜丁火而生,畏陽火而煉,其祿到午,午中丁火,能生己土,被乙木盜其栽培之氣.至於酉地,丁火而生,丁火旣生,己土亦能生也,至寅用事,木火司權煆煉己土,遂成磁石,反失中和之氣,豈有不損之理. 故己土生於酉,而死於寅.遂云火燥土裂.正此謂也.又曰,己土廣厚,其象如田疇,不貴多合生扶,惟喜刑衝有用,此固生物之體,苟失令淺薄,及天時不利,不但難施鎡基之力,亦不能埋劍戟之金.倘再兼行金水旺處,則身愈弱,尤爲不利.如逢火土生成,則稼穡有生生之妙矣.)

庚金은 천지를 장악한 숙살의 권한으로 사람들 사이에서 개혁으로 변화를 주도한다. 하늘에 있어서는 風, 霜이 되고, 땅에 있어서는 금과 철이 되어 陽金이라 말하는 것이다. 그 록은 신에 이르며, 신은 강한 금인 것으로 戊土의 생함을 기뻐하고, 계수에게 빠짐을 두려워하며, 사에서 장생이 되고 사중 무토는 능히 경금을 생하니 양은 양을 생하는 것이고, 사는 노야(爐冶)의 火로서 庚金을 단련(鍛鍊)하여 종정(鐘鼎)의 그릇을 이루어, 두드리면 소리가 나고, 만약 수토를 만나서 잠기고 매몰되면 소리는 없는 것이니 소위 "금실무성"이라 한다. 子地에 이르면 水의 旺한 鄕으로 金寒水冷(金은 차갑고 水는 冷함)이 되고, 子가 旺하여 母가 衰하면 역시 잠기고 함몰되는 환란을 만날 것이니 어찌 다시 소생할 것인가! 그러므로 庚金은 巳에서 生하여 子에서 死하는 것이다. 경에서 말하길, 금침수저는 이것을 두고 하는 말이다. 또 가로되, 경금은 완둔하여 화로서 제극함을 얻어야 그릇을 이루고, 成器(기물을 이룬)된 金은 火鄕을 만나면 도리어 괴멸되니, 夏節에 生하여 無根하고 또 東南의 地로 運行하면 용해된 쇳물에 불과하니 끝내는 이루는 것이 없다. 秋節에 生하여 火가 없고 다시 西北으로 운행하면 맑고 깨끗하여 힘써 애쓰나 한줌 빛과 같은 것이다.(한유의 선비에 불과 함)만약 水에 가라앉아 잠기면 끝내 출세는 기약할 수 없고, 金은 도리어 水에게 손상되는 것이니, 만약 연약한 쇠로 무성한 숲을 작벌하려 한다면, 木을 작벌할 수 없을 뿐만 아니라 오히려 木에게 손상된다. 설령 土가 重하여 金이 암상뇌어, 형, 충, 극, 파함이 없으면 金은 끝내 매몰되니 역시 그 유용함을 바랄 수 없는 것이다. (庚金,掌天地肅殺之權, 主人間兵革之變.在天爲風霜,在地爲金鐵,謂之陽金.其祿到申,申乃剛金,喜戊土而生,畏癸水而溺,長生於巳,巳中戊土能生庚金,乃陽生陽也.巳爲爐冶之火,鍛煉庚金,遂成鍾鼎之器,叩之有聲,若遇水土沉埋, 則無聲也,所謂金實無聲.至於子地,水旺之鄕,金寒水冷,子旺母衰,亦遭沉溺之患,豈能復生.故庚金生於 巳,而死於子.經云,金沉水底.正此謂也. 又曰,庚金頑鈍,得火制而成器,成器之金,遇火鄕而反壞,夏生無 根,又行東南之地,則鎔化不已,而終無所成.秋生無火,更行西北之鄕,則澄淸淬礪,而光芒自如.若沉於水 底,則終無出用之期,金反受傷於水,至若用薄鐵而伐茂林,非惟不能折木,而反爲木所傷.設使土重藏金, 而無刑衝剋破,則金終埋沒,亦無望其有用也.)

辛金은 庚을 계승한 後 五金의 머리가 되므로 八 石의 으뜸인 것이다. 하늘에 있어서는 日月이 되어 太陰의 精이 되고, 땅에 있어서는 金이 되어 산석지광(山石之礦)이 되므로 陰金이라 말하는 것이다. 그 祿이 酉에 이르면 酉中 己土는 능히 辛金을 生하니 陰이 陰을 生하는 것으로서 酉金이라 말하는 것이며 太陰의 精이 되는 것이다. 仲秋節에 이르면 金水가 상정하니 會合하여 빛을 머금어 원융교결(圓融皎潔:둥글고 깨끗하여 교교함)한 것이니 <소자>는 八月 十 五日은 완섬(蟂蟾:달에는 세 발 달린 두꺼비가 산다는 전설, 시문에서 달을 지칭한 것이니, "중추절의 달빛을 구경하는 것이다.")의 빛이 이것 이라고 말한 바가 있다. 子에서 長生하고 子는 坎水의 垣으로서 坎 中의 一陽은 金에 속하고 그 밖에 二陰은 土에 속하므로 土는 능히 金을 生하니, 子는 母의 胎에서 숨는 것으로 그 형체를 나타내지 않으며 子水는 탕양(물이 넘실거림)함을 얻어 도거부사(쌀을 일적에 모래알갱이가 떠서나오는 것)하니 비로소 모습이 나올 수 있으니, 이것이 수제금휘(금은 水와 더불어 빛을 발휘함)로서 존재를 분명히 하는 것이다. 巳地에 이르면 巳는 爐冶의 火로서 辛金은 단련하면 死器를 이루고, 또한 巳中 戊土에 매몰되어 그 형체는 변화할 수 없으니 어찌 다시 소생함을 얻을 것인가! 또 말하길, 辛金은 濕하고 윤택하여 완둔(頑鈍)하고 堅剛한 形體가 아니므로, 만일 화염으로 단련하게 된다면 성질은 도리어 損傷하게 되니 어찌 그 아름다움을 이룰 것인가! 단지 水土로서 바탕을 돕는 것이 마땅한 것이니 부드럽고 넉넉하여 그 體를 윤택하게 한 것이고, 原來 화가 크게 번성하면 西北으로 운행함을 기뻐하니 火를 제거하여 金을 존재하게 하는 것이다. 가령 金이 太寒 하다면 역시 丙, 丁이 필요한 것이니 金은 和睦하고 冷함을 제거하는 것이다. 만약 坐祿에 통근하면 身旺地이니 설령 厚土가 더할지라도 함몰되지 않으므로 陽金과는 비교가 안대는 것이다. (辛金,繼庚之後,爲五金之首,八石之元.在天爲日月,乃太

陰之精,在地爲金,金乃山石之礦,謂之陰金.其祿到酉,酉中己土,能生辛金,乃陰生陰也,謂之柔金,爲太陰之精.至於中秋,金水相停,會合含光,圓融皎潔,邵子有云,八月十五翫蟾光是也.長生於子,子乃坎水之垣,坎中一陽屬金,外有二陰屬土,土能生金,子隱母胎,未顯其體,得子水蕩漾,淘去浮砂,方能出色,此乃水濟金輝,色光明瑩.至於巳地,巳爲爐冶之火,將辛金煅成死器,亦被巳中戊土埋沒其形,不能變化,豈得復生!故辛金生於子而死於巳也.經云,土重金埋.正謂此也.又曰,辛金濕潤,非頑鈍堅剛之物,使遇火炎煅煉,性質反傷,安能成其美用.只宜水土資扶,優柔浹洽,以潤其體,原火太繁,喜行西北,使去火而存金.如金太寒,亦要丙丁,使和金而去冷.若坐祿通根,卽身旺之地,縱加厚土,亦不能汩沒,所以非陽金比也.)

壬水는 陽土를 좋아하는데 제방으로 도와주는 것이고, 陰木은 도기(洩氣)의 우려가 있어 두려워하는 것이다. 하늘에 있어서는 구름(雲)이 되며, 땅에 있어서는 못(澤)이 되니 陽水라 말하는 것이다. 亥는 큰못(池沼)이 되어 水가 머무르기에 死水라고 말하는 것이다. 死水는 왕성한 水로서 庚金의 生함을 의지하는데 庚의 祿인 申에 이르면 능히 壬水를 生하는 것으로서 五行은 회전하여 養生의 氣가 되는 것이다. 卯地에 이르면 卯는 꽃, 가지, 수목이 되므로 卯에서 木은 왕성하여 土를 剋할 수 있으니 土가 虛弱하면 무너지므로 제방이 붕괴하니 壬水는 새어나가고 사방으로 흩어져 질펀하게 흘러서 되돌릴 수 없고, 또 陰木에게 도기(盜氣)를 당하면 어찌 살 수 있겠는가! 그러므로 壬水는 申에서 生하여 卯에서 死하는 것이다. 經에서는 말하기를, 死水가 횡류(물이 자유롭게 흐름)하는 것은 바로 이것을 두고 하는 말이다. 또 말을 하기를, 壬水는 호탕하고 水의 근원이 있어 수많은 하천이 天下에 흩어져 土는 그 제방이 되니, 만약 干支에 土가 없다면 반드시 사방에 흘러넘치게 될 것이고, 身이 쇠약한데 많은 火土를 만나면 도리어 근원이 부족하여 흐름이 막혀서 주저하게 되고, 또 壬水는 남쪽으로 行함을 좋아하는 것으로서, 午未는 胎, 養의 地支가 되어 財의 祿인 온화한 고향으로 祿이 長生지로 돌아오니 申, 亥가 지나칠 수 없다. 대개 통종회원(統宗會元)의 부(府)는 水를 얻어 돌아가는 곳인 것이다. 만약 재는 많고 신약하게 되면 반드시 복은 모일 것이나 신왕하고 재가 가벼우면 도리어 그 재난을 받을 것이다. 설령 힘센 소년장사라 해도 역시 이길 수 없는 것이다. (壬水,喜陽土而爲堤岸之助,畏陰木而爲盜氣之憂.在天爲雲,在地爲澤,謂之陽水.其祿在亥,亥爲池沼存留之水,謂之死水.死水者,剛水也,賴庚金而生,庚祿到申,能生壬水,乃五行轉養之氣.至於卯地,卯乃花葉樹木,木旺於卯,則能剋土,土虛則崩,故堤岸崩頹,而壬水走泄,散漫四野,流而不返,又被陰木盜氣,豈得存活.故壬水生於申而死於卯也.經云,死水橫流.正謂此也.又曰壬水浩蕩,有源之水,併百川而漫天下,藉土爲之隄防,若干支無土,必至漂流四溢,身衰多遇火土,反見耗源塞流之吝,且壬愛南行,以未午爲胎養之地,財祿和煖之鄉,長生歸祿,莫過申亥.蓋統宗會元之府,而水得其所歸故也.若財多身弱,値此必能集福,身旺財輕,遇此反受其災.縱强壯少年,亦不能勝此也.)

癸水는 壬水를 계승한 後 천간은 일주하여 음양의 기가 끝을 이루니 도리어 시작하게 되는 것이므로 그것은 수가 되는 것이다. 청탁으로 나누어지고 사방으로 흩어져 윤하는 토를 돕는 공이 있어 만물의 덕으로서 자라나게 하고 하늘에서는 우로가 되며 땅에서는 샘물이 되니 음의 수라 말하는 것이다. 록이 자에 이르면 子는 陰이 극하여 양생하는 地로서 辛金은 庚이 死하는 울타리에서 生하니 계수는 활수가 되어 활수는 유약한 水이니 陰金의 生함을 좋아하고 陽金의 건체함을 두려워하고 陰木으로 행하여 그 뿌리는 陰土와 소통할 수 있는데, 이미 소통되어 지맥으로 순조롭게 흐르게 되는 것이다. 二月은 卯로서 세우니 꽃과 과실과 수목이 되어 木은 旺하고 토는 허약하니 계수가 비로소 통달한 것이다. 신지에 이르면 삼음이 사용되니 卦가 권리를 맡지 아니하면 ,천지는 교류하지 못하므로 만물은 통하지 않으니 申중의 坤土와 庚金은 제방을 이루어 계수를 순조롭게 흐르지 못하게 되어 지소(못, 늪)로 인해 베풀수 없게 되니 어찌 物이 다시 생하겠는가! 그러므로 癸水는 卯에서 生하여 申에서 死하는 것이다. 經에서 말하기를, 水(물)가 서쪽으로 흐르지 않음은 바로 이것을 말하는 것이다. 또 말하실, 癸水는 우로이고 음택으로 윤택한 것이다. 만약에, 자에 통근한다면 가득모여서 흘러서 강을 이루어 사주에 坎坤이 없으면 그 생왕하는 근본을 잃어 마침내 신약하게 되고 국에 재관이 있으면 비록 내가 사용하는 物이라도 태과하게 되는 것은 불가하다. 가령 신자진이 전부 있으면 水는 一家가 모여 돌아오니 암충인 인오술 화를 사용하면 반대로 상격이 되는데, 만약 분명하게 인오술 화를 사용한다면 틀림없이 겉과 속이 약하지 않게 되어 아름다운 것이 된다. 혹 한여름에 생하여 재관을 사용하고 그 의지할 궁을 잃지 않는다면 크게 부귀하고 다시 서북으로 운행하여도 태과한 것이 혐의되지는 않는 것이다.   (癸水,繼壬之後,乃天干一週陰陽之氣,成於終而反於始之漸,故其爲水,淸濁以分,散諸四方,有潤下助土之功,滋生萬物之德.在天爲雨露,在地爲泉脈,謂之陰水.其祿到子,子乃陰極陽生之地,辛生庚死之垣,癸爲活水,活水者,柔水也,喜陰金而生,畏陽金而滯,欲陰木行其根,則能疏通陰土,陰土既通,於地脈則能流暢.二月建卯,爲花果樹木,木旺土虛,癸水方得通達.至於申地,三陰用事,否卦司權,天地不交,萬物不通,申中坤土庚金,遂成圍堰,使癸水不能流暢,困于池沼,無所施設,豈再生物.故癸水生於卯而死于申.經云,水不西流.正謂此也.又曰,癸水雨露,陰澤之潤也.若根通亥子,則盈科集流,以成江河,柱無坎坤,失其生旺之本,終爲身弱,局有財官,雖我所用之物,不可遇之太過,如申子辰全,則水歸聚一家,暗衝寅午戌火爲用,反爲上格,若明用寅午戌火,須表裏不弱,得之乃佳,或生於深夏得用財官,不失其倚之宮,主大富貴,運道再行西北,不爲太過之嫌.)

논하여 말하기를, 오행의 장생하는 법은 만물 또한 같은 이치다. 또한 태양이 처음 나올 무렵에는 밝은 빛을 볼 것이며 오의 이궁에 이르면 밝은 빛은 점점 더할 것이고, 달이 처음 나오면 공교롭게 예쁜 눈썹과 같으며 밝은 빛이 둥글고 맑기를 바라니, 만약 人生이라면 어릴 때부터 장성하고 늙어서 죽음에 이르는 것은 평범한 이치인 것이다. 사람이 처음 태어나면 갓난아이가 울고 웃을 뿐이며, 장성하고서야 어리석음과 현명함을 비로소 분별하니 만물이 모두 같은 것이다. (論曰,五行長生之理,與萬物亦同.且如日之初出時,光明可觀,至午離宮,光明愈甚,月之初出,巧若蛾眉,至望光明圓潔,若人之生也,自少至壯,自老至死,常理也.人之初生也,嬰孩啼笑而已,至壯賢愚方辨,萬物皆一同.)

甲木은 亥에서 長生하는데 亥는 水에 속하며 甲 木이 거처하고, 木 旺한 봄의 寅 임관(臨官: 건록을 말함)에 이르면 祿이 돌아와 甲 木은 원(垣)을 얻고 午에 이르면 死한다. 丙 火는 寅에서 長生하는데 寅은 木에 屬하며 丙 火가 居하고 火 旺한 여름의 巳 臨官에 이르면 祿이 돌아와 丙

火는 垣을 얻고 酉에 이르면 死한다. 庚 金은 巳에서 長生하는것은 巳는 火에 屬하면 庚金이 居하고 金 旺한 가을의 申 臨官에 이르면 祿이 돌아와 庚 金은 垣을 얻고 子에 이르면 死한다. 壬 水는 申에서 長生하는데 申은 金에 속하며 壬 水가 居하고 水 旺한 겨울의 亥 臨官에 이르면 歸祿하여 壬 水는 垣을 얻고 卯에 이르면 死한다. (甲木生亥,亥令屬水,甲木居焉,木旺於春,至寅臨官歸祿,甲木得垣,至午則死,丙火生寅,寅令屬木,丙火居焉,火旺於夏,至巳臨官歸祿,丙火得垣,至酉則死,庚金生巳,巳令屬火,庚金居焉,金旺於秋,至申臨官歸祿,庚金得垣,至子則死,壬水生申,申令屬金,壬水居焉,水旺於冬,至亥臨官歸祿,壬水得垣,至卯則死.)

戊土가 寅에서 長生하는것은 寅中에는 火가 있어 戊 土를 生하는 것이고 3陽의 때이며 土는 비옥(肥沃)한 땅으로서 動하여 萬物을 發生시키므로 戊 土는 寅에서 長生하는 것이다. 土는 4계절에 왕성하여 火 土는 母子가 相生하는 것이므로 戊는 丙을 따라서 臨官하며 巳의 祿으로 돌아 (戊土生於寅,寅中有火,戊土生焉,三陽之時,土膏以動,萬物發生,是戊生於寅也.土旺於四季,火土有如母子相生,所以戊隨丙,臨官歸祿於巳.)온다.

己는 丁을 따라서 임관하며 午의 祿으로 돌아오고, 戊土는 寅에서 長生하며 己土는 酉에서 長生하는 것이 분명한 것이다. 만약 戊가 申에서 長生하며 己가 卯에서 長生한다면 어찌 壬戊는 亥의 祿으로 돌아오며 癸己는 子의 祿으로 돌아오지 아니할 것인가. 후인들이 土의 노래를 모방하여 망령되게 만들어 戊己의 土는 마땅히 絶에 있어 巳를 품은 구절이 존재하니 戊는 申에서 長生하고, 酉는 沐浴, 戌은 冠帶로 陰陽의 간격을 두니 심히 잘못된 것이다. (己隨丁,臨官歸祿於午,戊土生於寅,己土生於酉明矣.若以戊生申,己生卯,何不以壬戊歸祿於亥,癸己歸祿於子.後人妄作擬土歌,有戊己當絶在巳懷之句,以戊生申,酉沐浴,戌冠帶,陰陽間隔,謬戾甚矣.)

혹은 이르기를, 五行의 長生은 母가 있는 後에 子가 있으니, 母가 임신(姙娠)을 하여 귀결되는 說이다. 다만 土의 一行은 體用을 나누어 두터운 德으로 만물을 싣고 居하는 중에는 쓰이지 않는 것이 土의 體이며, 사유(四維)에 흩어져 각각 四季節에 왕성한 것이 土의 用이다. 體는 巳에서 生하며 父母의 祿을 탄 것이며, 用은 申에서 長生하는 父母의 자리이니, 水土가 申에서 長生하는 것은 陰陽家의 說이고, 土가 巳에서 長生하는 것은 의가(醫家)의 說인데, 五星 書를 고찰해 보면 申은 陰陽의 宮인 것이므로 水土는 함께 申에서 長生하고 坤方은 水土의 자리로서 근본 서로 떨어지지 않으니, 土는 水의 근원을 따르는 說인데 역시 이치가 있는 것이다. (或曰,五行長生有母,而後有子,歸母成孕之說也,獨土一行,分體用厚德載物,居中不用者,土之體也,散於四維,各旺四季,土之用也.體生於巳,乘父母之祿,用生於申,維父母之位,水土生申,陰陽家之說,土生於巳,醫家之說,考五星書,申爲陰陽宮,故水土俱生申,坤位水土,原不相離,而土隨水源之說,亦爲有理.)

四行은 하나의 長生이 있으나, 오직 土는 寅에서 長生하고 또 申에서 長生하니 하나의 物이 둘의 長生함이 있음으로 坤과 艮은 土의 방위로서 九 坤은 西南方에 속하고 土는 이에 이르면 벗을 얻은 것이므로 利 亨을 말한다. 壺中子가 말하기를, 坤은 厚重하여 土가 쌓여 功을 이루니,

土는 이곳에서 長生하는 것이 분명한 것이다. 거듭 말하는데 戊土는 寅에서 長生하고 祿은 巳에서 기탁(寄託)하니 母를 따라 家를 얻는 뜻이니 土는 正位가 없으므로 物을 生하는 方位가 많음을 어찌 의심하겠는가. (四行有一生,獨土長生於寅,又生於申,一物而有兩生,以坤艮土之方,九坤屬西南,土至此而得朋.故曰利亨.壺中子曰,坤之厚重,積土成功,土生於此者然也.復言戊土生寅,寄祿於巳者,隨母得家之義也,是以土無正位,生物多方,又何疑矣.)

또 주시고가 지은 陰陽定論에서 이르길, 乙木은 午에서 長生하며, 癸水는 卯에서 長生하고, 辛金은 子에서 長生하고, 丁火는 酉에서 長生하는데 이것은 陽이 死하는 곳에서 陰이 長生하고, 동지는 子水가 旺한 때이며 춘분은 乙木이 旺한 때이고 하지는 丁火가 旺한 때이며 추분은 辛金이 旺한 때임을 알지 못하며, 坎 離 巽 兌는 곧 子 午 卯 酉의 正位인데, 위치는 時에서 정하며, 時는 위치의 妙用으로 어찌 死絶에서 生을 만나지 아니할 것인가? [明史/권98/藝文三 의 周視考《陰陽定論》三卷.] (再考周視作陰陽定論有云,乙木生於午,癸水生於卯,辛金生於子,丁火生於酉,是爲陽死陰生,不知冬至卽子水旺時,春分卽乙木旺時,夏至卽丁火旺時,秋分卽辛金旺時,而坎離巽兌,卽子午卯酉之正位,位者,時之定在,時者,位之妙用,曷嘗逢生於死絶哉.)

혹은 말하기를, 예를 들자면 소위 乙 木은 어찌 생겨나는 것이며, 가령 亥에 있어서, 亥중에 멈추면 甲이 있고, 甲 木은 어찌 생겨나는 것이며, 가령 卯에 있어서는 卯중에 멈추면 乙이 있고, 火 土 金 水의 例도 분별할 수 있으니 음양은 서로 일체라고 말하는 것이다. 공자께서는 태극은 양의를 생한다고 말씀하셨고, 周子(주돈이)는 陽은 陰과 합하여 변화하며 水 火 木 金 土를 生한다고 말하였고, 朱子(주희)는 萬物은 각각 하나의 太極을 갖춘다고 말하였는데, 이 3가지 말은 모두 오행의 본질을 묶으니 곧 만물은 각각 一 太極을 갖춘 말로서 木으로 物로 삼으니 역시 一 太極을 갖춘 것을 가히 알 수 있는 것이다.(或曰,果如所謂,則乙木何由生耶,假云在亥,亥中止有甲,甲木何由生耶,假云在卯,卯中止有乙,試辨以火土金水之例,曰陰陽相爲一體.孔子曰,太極生兩儀,周子曰,陽變陰合,而生水火木金土,朱子曰,萬物各具一太極,此三言者,皆五行之樞紐,卽萬物各具一太極之說,則木之爲物,亦具一太極者可知矣.)

즉 太極이 兩 儀(陰陽)를 생한다는 說은, 甲 乙을 나누어, 甲은 陽으로 먼저 動하고, 乙은 陰으로 나중에 靜하는 것을 가히 알 수 있다. 陽이 變하여 陰과 합하는 說은 즉 甲이 一變하여 乙과 一合한 연후에 木이 능히 생겨나는 것을 또한 알 수 있는 것이다. 甲이 一 木이고 乙이 또 별도로 一 木인 것은 아닌데, 대개 甲 乙은 서로 도와 一 木이 되는 것이니, 甲은 굳건하여 卯에서 旺盛한 것은 아니며, 卯는 乙로서 後에 旺하지 않을 수 없고, 乙 역시 亥에서 生하는 것은 아니며, 亥는 甲으로 그 먼저 生하지 않을 수 없는 것이다. 헤아려보면 丙丁은 火가 되고, 戊己는 土가 되고, 庚辛은 金이 되고, 壬癸는 水가 되는 것이 어찌 확연하지 않을 것인가? (卽太極生兩儀之說,則分甲乙,而甲爲陽之動於先,乙爲陰之靜於後可知矣.卽陽變陰合之說,則甲之爲一變,而乙之爲一合,然後能生木者,又可知矣.非謂甲是一木,而乙又別爲一木也,夫甲乙相須而爲一木,則甲固不必旺於卯,而卯自不能不爲乙以旺於後,乙亦不必生於亥,而亥自不能不爲甲以生乎其先.推而至於丙丁相須

爲火,戊己相須爲土,庚辛相須爲金,壬癸相須爲水,豈不了了然哉.)

朱子(주희)는 말하기를, 陰氣는 流行하면 陽이 되며, 陽氣는 응집하면 陰이 되니 진실로 陰陽은 상대적인 것은 아니다. 채씨는 말하기를, 東方의 寅 卯는 木인데 辰土는 亥에서 長生하고, 南方의 巳午는 火인데 未土는 寅에서 長生하고, 西方의 申酉는 金인데 戊土는 巳에서 長生하고, 北方의 亥子는 水인데 丑土는 申에서 長生한다. 또 말하기를, 金 木 水 火 土는 각각 一陰一陽이 있는데, 예를 들면 甲은 木의 陽이며 乙은 木의 陰이고, 乙은 質로 말하며 甲은 氣로 말하고 陰은 주로 흡수하니 대체적으로 모으고 거두어들여 이루는 것이 乙이 되는 것이다. 陽은 주로 열어가니 대체적으로 피어오르고 광채를 발산하는 것이 甲이 되는 것이다. 이 역시 살펴보면 甲이 반드시 주체는 아니며 乙은 반드시 生하는 것은 아니라고 설명한 것이다. 이 말은 앞에서 설명한 편파적인 것을 깨트린 것으로 古人이 근원을 論한 十干의 뜻이 합해져 있는 것이다. (朱子曰,陰氣流行則爲陽,陽氣凝聚則爲陰,非眞有二物相對也.蔡氏曰,東方寅卯木,辰土生於亥,南方巳午火,未土生於寅,西方申酉金,戊土生於巳,北方亥子水,丑土生於申.又曰金木水火土,各有一陰一陽,如甲便是木之陽,乙便是木之陰,乙以質言,甲以氣言,陰主翕,凡聚斂成就者,乙爲之也.陽主闢,凡發暢暉散者,甲爲之也.觀此亦見甲不必主,乙不必生之說矣.其言足以破前說之偏,而有合古人原論十干之義也.)

거듭 廣錄을 고찰해보면, 甲은 木의 줄기이며, 乙은 木의 뿌리이고, 丙은 火의 머무는 집이고, 丁은 火의 빛이고, 戊는 土의 강함이고, 己는 土의 부드러움이고, 庚은 金의 質이고, 辛은 金의 칼날이고, 壬은 水의 근원이고, 癸는 水의 흐름이니, 이것은 甲 乙이 하나의 木인데 陰陽으로 나눈 것이지 死 木과 活 木은 아닌데 갈라져 둘이 된 것이다. 즉 하나의 목으로 모두 同死同生하는 것이므로 古人들은 단지 4大 長生으로 설명하였으나, 오늘날에 陰陽으로 둘로 나누어 소위 陽死陰生과 陽生陰死로 구분한 것이다. (再考廣錄,甲,是木之幹,乙,是木之根,丙,火之宿,丁,火之光,戊,土之剛,己,土之柔,庚,金之質,辛,金之刃,壬,水之源,癸,水之流,是甲乙一木而分陰陽,非死木活木,歧而二之也.旣一木皆同死同生,故古人只有四大長生之說,今分陰陽爲二,所以有陽死陰生,陽生陰死之辨.)

진단(陳摶)을 고찰해보면 甲은 木이며 乙은 草이고, 丙은 火이며 丁은 灰이고, 戊는 土이며 己는 砂이고, 庚은 金이며 辛은 石이고, 壬은 水이며 癸는 泉이라고 설명하였는데, 이것 역시 둘로 나눈 것이다. 만약 나누지 않으면 관살(官 煞), 식상(食傷), 인수(印綬), 효신(梟神), 겁패(劫 敗), 비견(比肩)이 어떻게 一 物의 이름이 둘이 된다 할 것인가. 吉凶禍福이 서로 같지 않으니 간명(看命)을 하려면 마땅히 앞에서 설명한 것처럼 해야 하는 것이다. (考陳摶甲木乙草,丙火丁灰,戊土己砂,庚金辛石,壬水癸泉之說,是亦分而爲二也,若不分,則官煞,食傷,印綬,梟神,劫敗,比肩,何以一物名而爲二,而吉凶禍福,逈不相同也.看命者當以前說爲是.)

3. 논지지論地支-上

地支의 쓰임은 天干에 견줄 수 없고, 動과靜이 같지 않으며 方(각)과 圓(원)이 판이하게 다르나, 五行에 소속된 것은 하나인데 처한 곳의 地支는 하나같지 않다. 또한 年에 있다면 年으로 論함이 있고, 月에 있다면 月로 論함이 있고, 日時에 있다면 日時로 논함이 있으니, 그 陰陽에는 輕重과 剛柔가 어째서 一體(한 몸)에 진창(섞인) 것인가? 당령(當令)한 月 제강(提綱)을 위주로 하여 감추어진 것을 사용하며, 어떤 神을 보느냐가 중요한데 소모하는 것과 꺼리는 것이 어떤 물건과 연관되는지가 중요하다. 대체적으로 사주에서는 神의 심천(深淺)을 비교하여 본 후에 用하는 것이다. (地支之用,不比天干,動靜不同,方圓迴異.然五行所屬則一,而所處之地不一.且如在年,則有在年之論,在月,則有在月之論,在日時,則有在日時之論,其陰陽輕重剛柔,豈可泥(混)於一體.今當以月提爲主,所藏所用,要見何神,所耗所嫌,要係何物.凡四柱之神,較量深淺而後用.)

子는 十二支의 으뜸으로서 계간(溪澗)의 왕양(汪洋)한 水이며 戊土가 旺한 地支인데, 그러나 반드시 大雪이 지난 시기이니 一 陽이 다시 돌아온 後에 비로소 旺盛하게 되는 것이다. 辛金이 장생하는 것 또한 반드시 陽의 따뜻한 水로 돌아온 후에 生하는 것이다. [子]와 午는 相衝하고, 卯와는 相刑하며, 申 辰과는 삼합한다. 만약 申子辰이 구전(俱全)하면 水局이 일어나 곧 강과 바다를 이루니 파도소리가 난다. (子十二支之魁,溪澗汪洋之水,乃戊土旺地,然必過大雪之期,一陽來復之後,方能成旺.辛金所生,亦必於陽回水煖而後能生也.與午相衝,與卯相刑,與申辰三合.若申子辰全,會起水局,卽成江海,發波濤之聲也.)

丑은 비록 冬節에 융성할지라도 얼음과 서리가 있어 가히 두려운데, 다만 天時가 이미 二 陽으로 돌아오니 丑중의 己土가 따뜻하여 능히 萬物을 生하며 辛 金의 養 地인데 어찌 깊이 감추어진 것인가. [丑 土는] 戌을 보면 刑하고, 未를 보면 衝하니 庫地는 刑 衝이 가장 마땅하므로 쓰이지 않음이 없다. 巳酉(丑)三合을 만나면 金局이 일어난다. 만약 人命에서 丑月에 生하여 日과 時에 水 木을 많이 보면 반드시 기울게 되니 巽 離 宮으로 운행하여야 토가 비로소 쇠약하지 않는다. (丑雖隆冬,有冰霜之可怯,但天時已轉二陽,是以丑中己土之煖,能生萬物,辛金養地,豈只深藏.見戌則刑,見未則衝,庫地最宜刑衝,不爲無用.見巳酉三合,會起金局.若人之命生於丑月,而日與時多見水木,必側行巽離之地,而土方不衰耳.)

寅은 봄을 수립하고 氣가 三陽에 모여 丙火를 生하고 있는 것이다. 寅은 巳를 刑하고 巳는 申과 合하니 병왕(並旺)하여 貴客이 되고, 卯에서 旺盛하고 未에서는 庫로서 같은 종류이니 一家가 된다. 午에 이르면 火의 광채가 빛나니 보통을 초월하여 성인에 드는 아름다움이 있다. 申을 만나면 寅은 衝을 받아 파록상제(破祿傷提)의 근심이 있다. 만약 사주에 화가 많으면 남방화의 지지로 들어가서는 안 된다. 經에서 말하기를 木이 남쪽으로 달리는 것은 안 되는 것이다. (寅建於春,氣聚三陽,有丙火生焉.寅刑巳,巳合申,並旺而爲貴客,旺於卯,庫於未,同類則爲一家.至午則火光輝,而有超凡入聖之美.見申則寅受衝,而有破祿傷提之憂.若四柱火多,則又不可入南方火地.語(經)云,木不

南奔是也.)

卯는 仲春의 木으로 氣가 번성하고 화려하여 비록 金水를 사용하더라도 太過해서는 안 된다. 만약 天干에서 庚辛을 중첩하여 본다면 地支에서 申酉를 보는 것은 不可한데 破하고 공격당하는 害가 두려운 것이고, 地支에 亥子를 거듭 만나고 天干에 壬癸를 보는 것은 不可한데 표류(漂流)하는 傷함을 입는다. [卯는] 酉를 만나면 衝하여 木은 반드시 잎이 떨어지고, 亥未를 만나면 合하여 木은 반드시 숲을 이룬다. 만약 日時에 金이 重한데 大運에서 다시 西方으로 向하게 되면 災殃을 면할 수 없는 것이다. (卯木仲春,氣稟繁華,雖用金水,不可太過.若干頭庚辛疊見,地支不可見申酉,恐有破伐之害,地支亥子重逢,干頭不可見癸壬,主有漂流之傷.見酉則衝,木必落葉,見亥未則合,木必成林.若時日歸於金重,大運更向西行,患不禁也.)

辰은 季春을 세우고 진흙으로 습기가 있으니 萬物의 뿌리는 모두 辰土에 의지하여 배양된다. 甲은 辰에 이르면 비록 衰하지만 乙의 餘氣가 있고, 壬은 辰에 이르면 비록 墓일지라도 癸의 魂이 돌아오고, 戌을 만나면 잠기어져 있어 庫中의 物을 열어야하는데, 만약 3개의 戌이 거듭 衝하면 門을 부순 것이 되어 吉하지 않다. 日時에서 水 木을 많이 보고 그 運이 다시 西北으로 向하면 辰 土는 존재할 수 없는 것이다. (辰建季春,爲水泥之濕,而萬物之根,皆賴此培養.甲至此雖衰,而有乙之餘氣,壬至此雖墓,而有癸之還魂,見戌爲鑰,能開庫中之物,若三戌重衝,破門非吉.日時多見水木,其運更向西北,則辰土不能存矣.)

巳는 초여름이 마땅하며 火는 빛을 증가하고 六陽이 지극한 것이다. 庚 金이 기생(寄生)하여 곤궁한 戊의 母에게 의지하고, 戊 土는 祿으로 돌아가서 火를 따른다. [巳는] 申을 보면 刑하지만 刑중에 合이 있어 도리어 害가 없고, 亥를 만나면 衝하는데 衝하여 반드시 破하여 쉽게 손상된다. 만약 운이 재차 東南의 生發의 지지로 행하면 하늘은 焰熱한 세력으로 불타오르게 되는 것이다. (巳當初夏,其火增光,是六陽之極也.庚金寄生,困賴戊母.戊土歸祿,乃隨火孃.見申則刑,刑中有合,反爲無害,見亥則衝,衝而必破,便爲有傷.若運再行東南生發之地,便成燒天烈焰之勢矣.)

3. 논지지論地支-下

午月은 화염이 솟아오르고 中氣에 들어가면 一 陰이 生하는 것이다. 庚은 午에 이르면 소용이 없으며, 己는 午에 이르면 垣으로 돌아오고, 申子를 만나면 반드시 戰 剋하며, 寅 戌을 만나면 光明이 뛰어나게 된다. 運이 東南으로 行하면 정위 身强한 地支인데, 만약 西北에 들면 休囚하여 形을 잃어버릴 것이다. (午月,炎火正升,入中氣,則一陰生也.庚至此爲無用,己至此爲歸垣,見申子則必戰剋,見寅戌則越光明.運行東南,正是身强之地,若入西北,則休囚喪形矣.)

未는 季夏가 당연하며, 陰은 깊어져 火는 점점 衰한다. 未中에는 乙木이 있고 丁火가 있어서, 관성과 인수는 암장되었으나 재성은 암장되지 않았다. 亥 卯로 會合함이 없으면 形이 변화하기 어려우니, 단지 火 土로만 論하고, 丑 戌로서 未를 刑 衝함이 없으면 庫가 열리지 않으니 관성과 인성의 힘을 얻기 어렵다. 四柱에 火가 없으면 金水運으로 行함이 두렵고, 日時에 寒氣가 많으면 丙丁을 좋아하게 된다. 대개 用神의 喜忌를 분별하여 깨닫는 것이 가장 마땅하며, 터럭만큼의 오류도 있어선 안 되는 것이다. (未當季夏,則陰深而火漸衰.未中有乙木,有丁火,是藏官藏印不藏財也. 無亥卯以會之,則形難變,只作火土論,無丑戌以刑衝之,則庫不開,難得官印力.柱中無火,怕行金水之運, 日時多寒,偏愛丙丁之鄉.蓋用神之喜忌,最當分曉,不可毫髮誤也.)

申宮은 水와 土가 長生하는 地支이며, 巳 午에 들면 火의 단련함을 만나 창검을 이루고, 子 辰을 보면 물로 담금질하게 되어 칼날이 광채를 얻어 이로우며, 木은 많은데 火가 없으면 金은 마침내 능멸하게 되고, 만약 土가 거듭 쌓여서 매몰되면 金은 도리어 凶함이 있는 것이다. 대개 申은 완둔(頑鈍)한 金으로 온화하고 부드러운 주옥(珠玉)과 같지 않기 때문인 것이다. (申宮水土 長生之地,入巳午則逢火煉,遂成劍戟,見子辰則逢水淬,益得光鋒,使木多無火,金終能勝,若土重堆埋,金 卻有凶.蓋申乃頑鈍之金,與溫柔珠玉不同故也.)

酉는 8月을 세우며 金은 희고 水는 맑게 흐르는데, 만약 日時에서 火를 많이 만나고 運이 다시 東으로 가는 것을 근심한다. 만약 日時에서 木 旺함을 만나고 運 또한 남쪽으로 行하는 것을 두려워한다. 四柱에서 水와 진흙을 보면 응당 有用하게 되고. 運이 西北으로 行하면 어찌 無情할 것인가? 巳丑 三合을 만나면 역시 단단하고 예리한데, 어찌 陰 金이 온유할 것이며 주옥을 진흙으로 논할 것인가? (酉建八月,金色白,水流清.若遇日時火多,運更愁東去.若遇日時木旺,運亦怕南行. 柱見水泥,應爲有用,運行西北,豈是無情.然逢巳丑三合,亦能堅銳,豈可以陰金爲溫柔,珠玉而泥論哉.)

戌은 넓은 화로의 庫이며 鐵을 무디고 金은 완고하여 단련됨에 의지한다. 辰龍을 만나면 衝하여 壬 水가 나오니 雨 露가 所生하는 것이다. 그러나 火의 命에서 戌을 만나면 入 墓가 되어 차라리 傷하진 않을지언정 무사할 것인가?[손상하진 않지만 무사하긴 어렵다는 말] (戌乃洪爐之庫, 鈍鐵頑金,賴以煉成.見辰龍則衝出壬水,而雨露生焉.見寅虎則會起丙火,而文章出焉.然火命逢之,則爲 入墓,寧能免於不傷哉.)

亥는 육음의 지지이며 눈비는 질퍽하게 실으며, 土는 亥에 이르면 따뜻하지 않고, 金이 亥에 이르면 한기를 生한다. 그 象이 五湖와 같이 모여 돌아오며 그 쓰임은 三合에 마음이 있는 것이므로 乾坤이 화합하고 따뜻한 곳을 알고자 하면 곧 艮 震 巽 離의 地支를 따라 찾아야 하는 것이다. (亥地六陰,雨雪載塗,土至此而不煖,金至此而生寒.其象若五湖之歸聚,其用在三合之有心.是故欲 識乾坤和煖之處,卽從艮震巽離之地而尋之也.)

대저 오행의 용법은 대체로 진실이 없고 生 死 衰 旺 역시 假名일 뿐이다. 곧게 근원을 향해 그 출처를 밝히면 五陽은 剛하고 五陰은 柔한 것과 같다. 만약 失 令하여 身이 쇠약한데 生 扶함을 만나지 못하고 泄 氣가 빈번하다면 剛한 것은 그 剛함을 잃어버린다. 만약 得 令하고 身 强하여 用을 하는데 돕는다면 柔한 것이 柔함을 잃지 않는다. 중간에 또 木 火는 陽으로 구분하고 金 水는 陰으로 구분하여 모두가 生 扶하고 資 助함을 기뻐하며, 중요한 것은 中和함으로써 貴한 것이다. (大抵五行用法, 總無眞實, 生死衰旺, 亦假名耳. 直向源頭, 明其出處, 如五陽爲剛, 五陰爲柔. 若失令身衰, 不遇資扶, 而頻泄氣, 則剛者失其爲剛. 若得令身强, 用事有助, 則柔者不失之柔. 中間又分木火爲陽, 金水爲陰, 皆喜生扶資助, 要以中和爲貴.)

3. 십간분배천문十干分配天文-上

甲木은 우레가 된다. 우레는 陽氣를 내뿜는 것이고, 甲木은 陽에 속하는 것이므로 우레의 象을 취하는 것이다. 月令을 상고해보면 仲春의 月(달)로서 우레가 소리를 내니, 木이 旺盛함이 곧 그 증거이며 하물며 우레가 땅에 울리니 木은 땅에서 생겨나는데 그 이치가 또한 같지 않음이 없다. ,소자(邵子)가 말하길, "지뢰복괘에서 천근(天根)을 볼 수 있다"고 하였고, 양목이 생하면 누가 천근의 움직임이 아니라고 하겠는가? 甲 木이 申에 이르면 絶이 되고, 뇌성(雷聲)도 申에 이르면 점점 멈추어지는 것이다. 무릇 命에서 甲의 日主에 속하면 봄 하늘을 기뻐하는데, 혹 유상(類象), 혹 추건(趨乾), 혹 요사(遙巳), 혹 공귀(拱貴)는 모두 대길하며 運은 西方을 좋아하지 않는다. 經에서는, 木이 春節生이면 처세가 편안하여 반드시 장수한다고 말하였다.[類象, 趨乾, 遙巳, 拱貴는 모두 格局을 말함.] (甲木爲雷. 雷者, 陽氣之噓也, 甲木屬陽, 故取象於雷焉. 稽諸月令, 仲春之月, 雷乃發聲, 甲木旺, 卽其驗也. 況雷奮於地, 木生於地, 其理又無不同者. 邵子云, 地逢雷處見天根, 陽木之生, 孰非天根之動爲之乎. 是甲木至申而遂絶, 以雷聲至申而漸收也. 凡命屬甲日主, 喜値春天, 或類象, 或趨乾, 或遙巳, 或拱貴, 俱大吉, 運不喜西方. 經云, 木在春生, 處世安然必壽.)

乙木은 바람이 되며, 乙 木은 午에서 長生이 되며, 敗 地는 巳에 있으며, 午에서 長生하는 것은 대개 乙은 山林의 活木으로 여름이 오게 되면 무성하게 자라는데, 詩에 소위 천 그루의 여름나무 그늘 맑기도 하다! 하는 것도 이것을 이르는 것이다. 그 敗地의 巳는 무엇을 말하는가? 巳는 巽方의 地支이며 巽은 風이 되고 木이 旺盛하면 바람이 생겨나고, 바람은 나무에서 생겨나지만 오히려 나무를 부러뜨리며, 오히려 火는 木에서 生하지만 도리어 木을 불사르니 그 敗地를 취하는 것은 실로 마땅한 것이므로 乙 木은 風인 것이고, 木이 自生하는 것을 말함이다. 가령 乙日에 태어난 사람은 秋令에 있으면 大吉한데, 秋令은 金이 旺盛하여 乙 木은 능히 化하여 從할 수 있고, 반근착절(盤根錯節: 구부러진 나무뿌리와 울퉁불퉁한 나무의 마디)이라서, 날카로운 도구가 아니면 자르고 깎을 수 없기 때문이다 . 亥를 만나면 반드시 死하니, 그 떨어진 잎은 뿌리로 돌아가는 때인가? (乙木爲風. 乙木長生在午, 敗在巳. 在午而生者, 蓋乙爲山林活木, 至夏來而暢茂, 詩所謂千章夏木靑[淸]是也. 其敗巳云何. 巳乃巽地, 巽爲風, 木盛風生也. 風生於木, 而反摧木, 猶之火生於木, 而反焚木, 其取敗也固宜, 所謂乙木爲風者, 木其所自生云爾. 如人乙日建生者, 在秋令大吉, 秋令金旺, 乙木

能化能從,而盤根錯節,非利器無所裁成.逢亥必死,其落葉歸根之時耶.)

丙火는 太陽이 된다. <설괘전>에서 말하기를, 離宮은 火이며 太陽이 되고, 太陽과 火는 모두 文明의 象인데, 丙火를 태양이라 이름하는 것은 바뀌지 않는 것이다. 太陽은 아침에 솟아올라 저녁에 들어가고, 陽火는 寅에서 生하여 酉에서 死하니 또 무엇이 다르겠는가? 만기진보부(萬騏眞寶賦)의 丙日 丑時는 日出地上의 格이 되어, 훌륭하고 훌륭하도다! 무릇 6丙日은 冬 夏節에 태어난 것은 春 秋節보다 못한데, 봄날은 따뜻하여 萬物에게 功이 있고, 가을의 陽氣는 건조하여 萬物에 쓰임이 있으며, 겨울은 음산하며 어둡고, 여름은 찔듯하게 더우니 마땅히 사세히 수산(推算)하여야 한다. (丙火爲日.說卦傳曰,離爲火,爲日,日與火皆文明之象,是以丙火爲日之名,不易焉.太陽朝出而夕入,陽火寅生而酉死,而又何異乎.萬騏眞寶賦以丙日丑時爲日出地上之格,有旨哉,有旨哉,凡六丙,生多夏,不如春秋,春日有暄萬物之功,秋陽有燥萬物之用,多則陰晦,夏則炎蒸,宜細推之.)

丁火는 별이 된다. 丙火가 사라져야 丁火는 생하게 되고, 하늘에서는 태양이 가려지면 별은 돌아오는 것이다. 대체로 이와 같이 별의 象은 밤이 되어야 찬란하며, 陰火는 오직 그믐에 가까워져야 휘황한 것인데 丁은 별이라 말하지 않는 것은 어째서인가? 진보부가 말하기를, 陰火는 때가 亥時라야 富貴가 長久한데, 이에 풀어보면 財 官 印의 三 奇 역시 가능한 것이다. 어찌 亥가 北方에 있음을 알고 天門이 되는 것은 또한 성공북지(星拱北之)의 說일 것인가? 무릇 丁日 生 사람은 밤을 만나야 좋고, 가을을 만나야 좋은데 별빛이 때를 얻은 것이며, 또 身弱地로 行함을 좋아하고, 가령 돌 속에 丁火가 감추어져 있으면 돌은 비록 水가 있더라도 즉시 깨트린다면 역시 저절로 火가 있는 것인데, 그 丁巳는 태양과 같아 父兄 妻子를 많이 剋하는데, 대체로 재성은 비겁을 꺼리니 형은 동생아래에 굴복하는데, 巳중에는 戊土가 있어 官을 損傷하는 것이다.[혹은~戊土 傷官이 있는 것이다.] (丁火爲星.丙火死,而丁火遂從生焉,在天之日薄而星廻也.類如是,星象惟入夜故燦爛,陰火惟近晦故輝煌,丁不謂之星而何?眞寶賦云,陰火時亥,富貴悠悠,解者以此爲財官印之三奇亦可矣.豈知亥在北方,是爲天門,又星拱北之說乎.凡丁日生人,喜遇夜,喜遇秋,如星光之得時也,又喜行身弱地,如石裏所藏屬丁火,石雖在水,卽時取擊,亦自有火,其丁巳一日,多剋父兄妻子,蓋財忌比劫,兄屈弟下,巳中有戊土傷官也.)

戊土는 노을이 되며, 土는 전일한 氣가 없어 火의 生함을 의지하니 노을은 體가 없어 太陽을 빌림으로서 나타나고, 丙火가 太陽임을 안다면 戊土가 노을인 것을 알 것이다. 이 노을이란 것은 太陽의 남은 기운인데 太陽이 다하면 노을도 장차 소멸되어 火가 꺼지면 土는 생의(生意)가 없으므로 노을이라 하는 것이다. 大撓씨는 納音五行의 象을 부연하였는데, 戊午가 天上火 가 되는 뜻은 대략 이와 같다. 가령 戊 土의 日主는 四柱에서 水를 대동하면 좋아하므로 즉 上格이 되고, 노을과 水(물)는 서로 비추어 문채(文彩)를 만드는 것이다. 다시 年 月의 天干에서 癸水를 보면 좋아하는데, 癸水는 곧 비가 되고, 비온 후에는 노을이 나타나니 文明을 보는 것이다. (戊土爲霞,土無專氣,仗火而生,霞無體,借日以現,知丙火之爲日,則知戊土之爲霞矣.是霞者,日之餘也,日盡而霞將滅沒,火熄則土無生意,故謂之霞也.大撓氏演納音五行象,以戊午爲天上火,意蓋如此.如戊土日主,愛四

柱帶水,則爲上格,霞水相映,而成文彩也.更喜年月干見癸,癸則爲雨,雨後霞見,而覩文明也.)

3. 십간분배천문十干分配天文-下

　　己土는 구름이 된다. 己土는 酉에 머물며 長生하고 酉는 兌方이며 그 象은 못이 된다. 선정은 말하기를, 하늘에서 비가 내릴 때는 산천에는 구름이 일어나고, 그런데 구름이란 것은 山澤의 기운이다. 己는 비록 土에 속할지라도 이 논리라면 己는 구름이라 하는 것이 마땅한 것이다. 그러므로 甲 己는 합하여 土로 변화하고, 그 氣運은 상승하여 구름으로 펼쳐진다. 구름과 우레가 교감하여 비가 되어 그 못에 하강하며 궁구하니 土는 윤택한 것인데, 이는 造化가 지극히 妙한 것이구나! 무릇 身主는 己 土에 속하나, 酉에 坐하면 貴하고, 봄에 태어나면 貴하며, 甲을 보면 貴한 것인데 亥에 坐하면 乙 木을 보는 것은 不可하고, 구름이 하늘에 상승하여 바람을 만나면 낭자(狼藉: 여기저기 흩어져 어지러움)하여 禁할 수 없는 것이다. (己土爲雲.己土生居酉,酉兌方也,其象爲澤.先正曰,天降時雨,山川出雲.然則雲者,山澤之氣也.己雖屬土,以此論之,則其謂之雲也亦宜.故甲己合而化土,其氣上升而雲施.雲雷交而作雨,其澤下究而土潤,此造化之至妙者與.凡身主屬己土,貴坐酉,貴春生,貴見甲,坐亥者,不可見乙木,雲升天遇風,則狼藉而不禁也.)

　　庚金은 달이 된다. 庚은 西方의 陽 金인데 어떻게 그 짝이 달이라는 것을 아는 것인가? 말하기를 五行에는 庚이 있으니 오히려 四時에 달이 있는 것이다. 庚은 가을을 기다리지 않아도 長生하고 그러나 반드시 가을에는 근본적으로 왕성하며, 달(月)은 가을을 기다리지 않는 後에도 있고 그러나 가을에는 반드시 더욱 밝다. 빛깔로 말하면 달은 실로 흰 것이며 그 색깔은 같은 것이다. 氣로서 말하면 金은 水를 生하는 것이며 조수(潮水)는 달에 應하는 것이며 그 氣는 같은 것이다. 옛적의 甲子는 庚으로 상장(上章: 天干은 庚을 古甲子로 명칭 함.)하여, 그것을 하루의 해가 뜨는 시각으로 본 것이다. 經에서 이르기를, 金은 子가 있어 잠기면 그것은 달이 파도에 침잠(沈潛)하는 것으로 본 것인데, 初三日 달이 경방(庚方: 24方位의 서쪽에서 남쪽으로 15도까지의 안이 되는 방향)을 보면 初生 달을 본 것과 庚은 같은 위치인 것이므로 庚 金은 달(月)이라고 말하는 것이다. 예를 들면 庚日 生 人이 乙 己의 글자가 나오면 월백풍청(月白風淸: 달은 밝고 바람은 선선하다는 뜻. 달이 밝은 가을밤의 경치를 형용함.)이라 하여, 秋節은 上格이고, 冬節은 그 다음이며, 春 夏節은 취할 수 없는 것이다. (庚金爲月.庚乃西方陽金,何以知其配月乎.曰五行之有庚,猶四時之有月也.庚不待秋而長生,然必秋而始盛,月不待秋而後有,然必秋而益明.以色言,月固白也,其色同矣.以氣言,金生水也,潮應月也,其氣同矣.古甲子以庚爲上章,見其與日平明也.經云,金沉在子,見其與月沉波也,三日,月見庚方,見月初生,與庚同位也,故曰庚金爲月.如人庚日生者,四柱有乙己字出,謂之月白風淸,秋爲上,冬次之,春夏無取.)

　　辛金은 서리가 된다. 八月 辛金은 建祿의 地支인 달(月)인데 天氣는 肅殺(엄숙하고 조용함)하며 백로는 서리가 되니 초목은 단풍들어 떨어지며 쇠약하게 변하므로 五行에서 陰木의 絶은 이

地支에 있으며, 만약 목은 도끼로 베어버린다면 아직은 소생할 수 없는 것이다. 도끼를 들고 山林에 들어갈 때는 엄한 서릿발로서 초목을 죽이는 때이니, 天道를 가늠하고 人事를 관여하니, 辛金이 서리가 되는 것을 믿는 것이다. 혹시 말하기를 서리는 항상 태양을 피하는데 丙과 辛이 合하면 어떠한가? 이 역시 相剋하는 법이라고 말하는 것인데, 火는 오직 金을 剋하므로 서로 合하여 水로 化하는 것이니 서리는 오직 태양을 꺼리는 것이므로 서로 만나면 얼음이 녹음으로 역시 水가 되는 것이니 이것을 오직 취할 뿐이다. 가령 辛人이 卯 未에 坐하고 乙이 透出하면 大富하고, 亥에 坐하고 丙이 透出하면 貴한데 冬節生을 좋아한다. (辛金爲霜.八月辛金建祿之地,是月也,天氣肅,白露爲霜,草木黃落而變衰,故五行陰木絶在此地,若木經斧斤之斬伐,未有能生焉者也.斧斤以時入山林,嚴霜以時殺草木,揆之天道,參之人事,信乎辛金之爲霜矣.或曰霜常避日,丙與辛合何也,曰此亦相剋之理也,火惟剋金,故相合而水斯化,霜惟避日,故相遇而冰以消,亦爲水也,是之取耳.如辛人坐卯未透乙,大富,坐亥透丙則貴,愛冬生.)

壬水는 가을의 이슬이다. 봄에도 이슬이 있으나 어찌 가을의 이슬에 견주겠는가? 대개 봄의 이슬은 비의 이슬에 이미 젖은 이슬이며, 가을의 이슬은 서리의 이슬에 이미 내린 이슬이니, 이슬은 같으나 봄(이슬)은 所生을 주관하며 가을의 이슬은 肅殺을 주관하니 功의 쓰임이 이렇게 같지 않으니, 나는 壬을 가을의 이슬이라 한 것이다. 대개 이슬은 水에 屬하며 壬水는 申에서 長生하고, 水는 본래 능히 木을 生 할 수 있으니, 水는 이미 이것에 있어서 生한 것인데 木은 어째서 이것에 絶이 되는가? 그런데 임은 이슬이 되며 가을의 이슬인 것을 아는 것이다. 가령 壬日이 秋節에 生하여 정화를 보면 가장 뚜렷하게 드러나니 임은 가을의 이슬이 되어 찌는 듯한 더위를 한꺼번에 씻어내니 象은 밝게 비출 것이 분명할 것이다. (壬水爲秋露.春亦有露,何獨擬之以秋？蓋春露,雨露旣濡之露,秋露,霜露旣降之露也,露一也,春主生,秋主殺,功用不同有如此,然吾以壬爲秋露也.蓋露屬水,而壬水生於申,水本能生木者,水旣然在此而生,木何由於此而絶.故知壬之爲露,秋露也.如壬日生秋,見丁火最顯,丁爲最顯,壬爲秋露,一洗炎蒸,象緯昭然矣.)

癸水는 봄의 비가 된다. 癸水는 卯 月에 生하여 이름 하여 춘림(春霖: 봄철의 장마 비)이라 말한다. 대개 음목은 비를 얻으면 발생하나, 그러나 申에 이르면 死하고, 7~8월에는 건조함이 많아 가문 것이다. 또 卯앞의 一位는 辰인데, 辰은 용궁(龍宮)이니 卯는 용궁이 가까우니 水(물)가 生기고, 龍이 한번 떨치면 변화하여 비가 되는 것이다. 卯는 뇌문(雷門)으로 우레가 한번 진동하면 龍은 반드시 일어나는 것이다. 이것으로 보면 癸水는 봄장마인 것이다. 예를 들어 癸卯 日 己字가 透出하면 구름이 끼고 비가 내리는 象으로 그 사람은 반드시 경제에 재능이 있는 것이다. 春夏節은 吉하고, 秋 冬節은 不吉하다. 詩에서 말하기를, 癸日 生이 己巳를 만나고 살성인 木이 와서 항복함이 필요한데, 비록 명리가 높이 오를지라도 다툼으로 평생의 수명(癸水爲春霖.癸水生卯月,號曰春霖.蓋陰木得雨而發生也,然至申則死,七八月多乾旱也.且卯前一位是辰,辰,龍宮也,卯,近龍宮而水生,龍一奮遂化爲雨焉.卯爲雷門,雷一震而龍必興焉,觀此則癸水其春霖矣.如癸卯日透出巳(己)字者,有雲行雨施之象,其人必有經濟才也.春夏吉,秋冬不吉.詩曰,癸日生逢己巳鄕,煞星須要木來降,雖然名利升高顯,爭奈平生壽不長.)이 길지 않다.

5. 십이지분배지리十二支分配地理-上

　子는 묵지(墨池)가 된다. 子는 正 北方에 위치하며 水에 屬하고 色의 象은 먹(墨)이므로 묵지 (墨池: 작은 웅덩이의 검은 물)의 象이 있다. 무릇 命에서 子年에 生하게 되어 時에서 癸亥를 보면 기뻐하며, 水가 大海로 돌아가는 것이고, 또 한 쌍의 물고기가 교묘히 유영(遊泳)하는 것을 말하니, 반드시 학식을 갖춘 선비가 되는 것이다. (子爲墨池.子在正北方,屬水,色象墨,故有墨池之象. 凡命逢子年生者,時喜見癸亥,謂之水歸大海,又謂之雙魚遊墨,必爲文章士矣.)

午는 망루의 봉화이다. 午는 南方의 바른 위치이며 火 土에 屬하고 그 色은 赤色 黃色이며 이름을 망루의 봉화라 말하는 것이다. 또 午는 말(馬)이 되며 망루의 봉화는 싸움을 알리는 장소이다. 午生의 사람은 時에서 辰을 보면 이로운데 眞龍이 나타나면 대개 말은 헛된 것이니 말은 龍馬로 변화함을 말한다. (午爲烽堠.午正位於南,屬火土,其色赤黃,名之曰烽堠者此也.又午爲馬,烽堠乃戎馬兵火之處所也.午生人,時利見辰,眞龍出,則凡馬空矣,謂之馬化龍駒.)

　卯는 瓊林(아름다운 숲)이 된다. 卯는 乙木을 계승하여 正東의 위치에 居하고 시기는 仲春으로 萬物을 生하고 色은 옥돌과 같이 푸른 것이므로 경림(瓊林)이라 말한다. 卯年이 己未時를 만나는 것은 토끼가 월궁에 들어가는 象이 되는 것이니 大貴한다. (卯爲瓊林.卯係乙木,居位正東,於時爲仲春,萬物生焉,色若琅玕之青,故曰瓊林.卯年遇己未時者,是爲兔入月宮之象,主大貴.)

　酉는 사찰의 鍾이 된다. 酉는 金에 屬하며 위치는 戌 亥와 가까운데, 戌 亥는 天門이며 종은 금속이니 사찰의 종을 치면 天門에 울려 퍼진다. 또 酉는 正 西方에 居하며 사찰은 西方 불계(佛界)이다. 酉는 寅을 보면 吉하고 종이 울리면 계곡에서 응답(메아리)하는 것이라 한다. (酉爲寺鐘. 酉屬金,位近戌亥,戌亥者,天門也,鐘,金屬也,寺鐘敲則響徹天門.又酉居正西,寺則西方佛界也.酉見寅吉,謂之鐘鳴谷應.)

　寅은 넓은 계곡이 된다. 寅은 艮方으로 艮은 山이 되고, 戊 土는 여기에서 長生하며 넓은 골짜기의 뜻을 나타낸다. 그러나 寅의 宮에는 호랑이가 있어, 寅生인 사람이 時가 戊辰인 것은 호랑이가 울부짖으니 골짜기에 바람이 생겨나니 위진만리(威震萬里: 천지를 진동함)한다. (寅爲廣谷. 寅乃艮方,艮爲山,戊土長生於是,而廣谷之義著矣.然寅宮有虎,寅生人而時戊辰者,謂之虎嘯而谷風生, 威震萬里.)

　申은 이름이 도읍지가 된다. 坤은 땅이 되며 그 體는 한계가 없고 도읍지로 不足하지 아니한 것을 비유한 것이다. 申은 坤이고 도읍지는 帝王이 머무르는 곳이며, 申宮에서 壬水가 생겨나고 또 艮 山을 마주하여 水(물)는 산의 둘레를 두르는 것이다. 무릇 命에서 申年 亥時를 좋아하니 천지교태(天地交泰: 天地의 氣가 서로 合하였다는 말)한 것이다. (申爲名都.坤爲地,其體無疆,非名都不足以喩之.申,坤也,都者,帝王所居,申宮壬水生,又與艮山對,是水遶山環也.凡命愛申年亥時,乃天地

之交泰.)

巳는 대역(大驛: 역참, 큰 정거장)이 된다. 대역은 사람이 연기처럼 스며들며 도로를 막힘없이 내왕하는 곳이다. 巳중에는 丙火와 戊土가 있으니 그 象인 것이다. 또 巳 앞에는 午 馬가 있으므로 대역이라 말하고, 巳生(巳年에 태어난 사람)은 辰時를 얻음을 좋아하여 뱀이 靑龍으로 변화하므로 천리용구(千里龍駒)格이 된다. (巳爲大驛.大驛者,人煙湊集,道路通達之地.巳中有丙火戊土,是其象也,又巳前有午馬,故曰大驛.巳生喜得辰時,蛇化靑龍,於格爲千里龍駒.)

亥는 현하(懸河: 급히 흐르는 강)이다. 천하(天河: 은하)의 물(水)은 급히 흘러 돌아오지 못하므로 懸河라 말하고 亥는 곧 天門으로 水에 屬하니 懸河의 象이 있지 않겠는가? 亥年에 生하고 日時에서 寅 辰의 2字를 보면 이것이 수공뇌문(水拱雷門)이다. (亥爲懸河.天河之水,奔流不回,故曰懸河,亥卽天門,又屬水,非有懸河之象乎.亥年建生,日時見寅辰二字,是乃水拱雷門.)

辰은 초택(草澤: 못의 풀)이다. 좌전에서 말하기를, 심산의 큰 못에는 용과 뱀이 생겨나는 것이다. 夫澤은 水(물)에 鍾이니, 辰은 東方다음에 있으며 水庫가 되므로 草가 되고 澤이 된다. 辰은 壬戌 癸亥를 만나면 곧 용귀대해격(龍歸大海格)이라 한다. (辰爲草澤.左傳曰,深山大澤,龍蛇生焉.夫澤,水所鍾也,辰在東方之次爲水庫,故爲草爲澤.辰逢壬戌癸亥,卽謂之龍歸大海格.)

戌은 소원(燒原: (논밭), (근원), 언덕을 불사르다.)이다. 戌月은 9秋에 있어 초목이 시들어 마르니 논밭을 불살라서 밭을 갈고, 또 戌은 土에 속하여 명칭이 燒原인 것이므로 戌과 辰의 地支는 모두 貴人이 臨하지 않는 것이다. 戌生이 卯를 만나면 춘입소흔(春入燒痕)이라 말한다. (戌爲燒原.戌月在九秋,草木盡萎,田家焚燒而耕,又戌屬土,是以名稱燒原,故戌與辰地,皆貴人所不臨也.戌生逢卯,號曰春入燒痕.)

丑은 유안(柳岸:버들의 언덕)이 된다. 丑중에는 水 土 金이 있어 언덕의 토이니 물(수)이 흐름을 멈추는 것이므로 柳岸이라 말한다. 詩에서는 말하기를, 버드나무의 색은 누런빛이고 금은 여린 것이다. 丑 人이 時에서 己未를 보면 달(月)이 버드나무가지를 비추어 지극한 上格이 된다. (丑爲柳岸.丑中有水有土有金,岸者土也,所以止水也,故謂柳岸.詩曰柳色黃金嫩是也.丑人時見己未,乃月照柳梢,極爲上格.)

未는 화원(花園)이 된다. 花園은 未에 속하고 卯에는 속하지 않는 것은 무엇 때문인가? 卯는 木이 旺盛하여 저절로 산기슭에 숲을 이루며, 未는 木의 庫인데, 가령 사람이 담장을 쌓아 온갖 꽃을 보호하는 것이니 백화라 말하고 未중에는 오직 雜氣만 있을 뿐이니, 未年은 入雙飛格이면 가장 妙한데, 가령 辛未가 戊戌을 보면 兩干이 雜되지 않는 것이다. (未爲花園.花園屬之未,不屬之卯,何也.卯乃木旺,自成林麓,未乃木庫,如人築牆垣,以護百花也,以百花言,未中有雜氣耳,未年入雙飛格最妙,如辛未見戊戌,兩干不雜是也.)

5. 십이지분배지리十二支分配地理-下

十干의 象을 取하는 것을 묻는다면, 그 配合으로부터 말할 수 있으며, 그 生 剋으로부터 말할 수 있고, 또 그 方位로부터 있으며, 그 節氣로부터 그 始終으로부터 말하는데, 서로 같지 않는 것은 무엇 때문인가? 나는 각각 한 부분의 예를 들어 견해를 말한 것이며, 훌륭한 學者는 유사하게 추산하니, 十干은 각각 영허소식(盈虛消息)의 기미(機微)가 있으며, 각각은 소리에 감응하는 氣運을 구하는 妙함이 있는 것이다. 이것은 道이며 造化는 自然의 道인데 어찌 나 한사람의 사사로운 말일 것인가? (問十干之所取象,有自其配合言之,有自其生剋言之,又有自其方位,自其時令,自其始終言之,不同,何也?曰予各擧其一隅而爲言也,善學者自類而推之,則十干各有消息盈虛之機,各有聲應氣求之妙矣.斯道也,造化自然之道,豈予一人之私言哉)

또 12支를 말하기를, 辰 戌 丑 未는 사우(四隅:4모퉁이)에 머무르며 대대(待對)하는 體로서 소위 支는 地에 屬하고 地는 靜하여 動할 수 없는 것이다. 戊 己는 中央에 居하며 流行하여 쓰이니 소위 干은 天에 속하며 天은 動하여 靜할 수 없는 것이다. 그러므로 地支의 4土는 더해도 이익이 아니므로 오직 專 氣만 있을 뿐이고, 天干의 2土는 더해도 손해가 아니므로 정해진 위치가 없다. 干支로하여 數를 나누는 차이가 없다면 어떻게 변화를 이루며 鬼神이 運行할 것인가. (又曰十二支,辰戌丑未居四隅,乃對待之體,所謂支屬地,地能靜而不能動也.戊己居中央,乃流行之用,所謂干屬天,天能動而不能靜也.故地支四土,非加益也,以其有專氣耳,天干二土非加損也,以其無定位耳.使干支無分數之差,何以成變化而行鬼神乎.)

대저 天元의 數는 10이 있으나 나는 이미 天文을 둘로 분배하고, 地元의 數는 12있으나 내가 또 地理로 분배하여, 그러나 소위 억지로 끌어와도 위태롭지 아니한 것이다. 이전에 성인들이 易을 만들 때 八卦의 象으로 멀게는 事物을 取하고 가까이는 身을 취하여 거듭하여 밝히고 유소불치(有所不置)하니 干支의 이치는 易書와 같은 이치이다. 術家들에게 흐르면서 어수(語數)는 이치에 어긋남이 많으니, 그러므로 내가 표출(表出) 한다. (夫天元之數有十,予旣分配二天文,而地元之數十有二,予又分配以地理,然則所謂牽强與,殆非也.昔者聖人作易,於八卦之象,遠取諸物,近取諸身,重復明之,而有所不置,干支之理,一易書之理也.術家者流,語數而違理者多矣,予故表而出之.)

賦에서 말하기를, 用神을 論하고 日主를 論한다면 각각 마땅한 것이 있고, 地脈을 취하고 天元을 取한다면 이것은 혹 하나의 道인데, 대개 이 妙함을 반드시 兼한 후에 도달하게 된다. 그렇지 않으면 이 또한 하나를 얻어 우매할 뿐이고, 또 天元의 分配는 그 순서가 정연하며, 地支는 四生, 四敗, 四庫의 위치에서 뒤섞인 것을 볼 수 있다. 學者는 합하기 전에 설명하고 보인다면 생각은 반을 지난 것이다. (賦云,論用神,論日主,各有所宜,取地脈,取天元,是或一道,蓋必兼此妙焉,然後爲至也.不然,是亦一得之愚而已,又天元之分配循其序,地支則擧其四生敗四庫之位,而錯綜之者,亦有見也.學者合前說而觀之,思過半矣.)

醉醒子는 말하기를, 대체적으로 干支는 物을 生하는 시작이며, 본래 天地는 萬物의 종주이고, 陰陽은 變化하는 조짐이 있어 節氣의 深淺으로 사용하는 것이므로 金木水火土는 形體가 없고, 生剋 制化를 취하는 법이 일정하지 않다. 가령 생기 없는 木이라면 활수로 습하게 하여 자라게 하는 것이 마땅하고, 비유컨대 만약 완고한 금이라면 넓은 화로로 단련함이 마땅하며, 太陽의 火는 숲을 이룬 나무는 꺼려하여 원수가 되고 , 棟梁의 재목은 도끼를 빌려 도와야 하고, 화는 수가 막으면 금을 주조할 수 없고, 金이 水에 잠기면 어찌 목을 극할 것이며, 活木은 뿌리에 묻힌 쇠를 꺼리고, 死金은 진흙으로 덮는 것을 싫어하고, 甲乙이 편안한 모양을 이루고자하면 모름지기 깎고 뚫는 功을 너해야 한다. (醉醒子曰,大哉干支,生物之始,本乎天地,萬物宗焉,有陰陽變化之機,時候淺深之用,故金木水火土無主形,生剋制化,理取不一.假如死木,偏宜活水長濡,譬若頑金,最喜洪爐火煉,太陽火,忌林木爲讐,梁棟材,求斧斤爲友,火隔水不能鎔金,金沉水豈能剋木,活木忌埋根之鐵,死金嫌蓋頂之泥,甲乙欲成一塊,須加穿鑿之功.)

壬癸가 五湖에 통할 수 있는 것은 대개 아울러서(합하여) 흐르는 성질이 있고, 쓸모없는 木은 도끼를 빠트릴 수 없고, 진주는 밝은 화로를 가장 두려워하고, 유약한 버드나무와 우뚝 솟은 소나무는 衰 旺을 시기로 나누고, 촌금과 장철은 氣의 剛柔로 사용하고, 농두(隴頭: 산꼭대기~즉 많은 흙을 말함)의 土는 적은 木으로 소통하기 어렵고, 화로속의 金은 축축한 진흙을 도리어 가리고, 비와 이슬은 고목을 편안히 돕고, 성장(城牆: 성의 담장)은 珍 金을 생산하지 못하고[土가 굳거나 높으면 金을 生하기 어렵다.], 功을 이룬 창검은 火를 만나면 도리어 파괴되고, 城의 담장이 쌓일수록 木地에 이르면 근심이 늘어난다. (壬癸能達五湖,蓋有倂流之性,樗木不禁利斧,珍珠最怕明爐,弱柳喬松,時分衰旺,寸金丈鐵,氣用剛柔,隴頭之土,少木難疏,爐內之金,濕泥反蔽,雨露安滋朽木,城牆不産珍金,劍戟功成,遇火鄕而反壞,城牆積就,至木地而愁傾.)

癸丙이 봄에 生하면 비 오지도 않고 개이지도 않는 象이고, 乙丁은 冬節에 생산되면 차갑지 않고 따뜻하지 않은 하늘이고, 하늘이 지극히 예리하면 水는 金을 끌어안고[金의 强銳함이 지나치면 水로서 洩氣함을 말하는 것 같음], 화로를 떠난 쇠는 가장 둔하고, 甲乙은 金의 强함을 만나면 魂이 西方의 兌 宮으로 돌아가고, 庚辛이 火 旺함을 만나면 氣는 南方의 離 宮에 흩어지고, 火 炎하고 土 燥하면 金은 의지할 곳이 없고, 水가 범람하여 木이 뜨면 火를 生 할 수 없고, 九夏의 녹은 金이 어찌 堅剛한 木을 制할 것이며, 三冬의 濕土는 범람하는 물결을 막기 어렵고, 티끌같이 가벼운 토가 모여도 끝내는 活 木의 토대가 아니며, 廢鐵과 鎖金으로 어찌 흐르는 근본을 도울 것이며[분쇄된 금과 완강한 금이 수를 생 할 수 없음], 木이 왕성하면 金을 이지러지게 할 수 있고, 土가 허약하면 오히려 水에게 기만당할 수 있고, 火는 木이 없으면 그 빛을 잃고, 木은 火가 없으면 그 質이 어두워지고, 乙 木이 秋節에 생하면 노쇠하고 말라서 꺾어지기 쉬운 것이다. (癸丙春生,不雨不晴之象,乙丁冬産,非寒非煖之天,天極鋒抱水之金,最鈍離爐之鐵,甲乙遇金强,魂歸西兌,庚辛逢火旺,氣散南離,土燥火炎,金無所賴,木浮水泛,火不能生,九夏鎔金,安制堅剛之木,三冬濕土,難隄泛濫之波,輕塵撮土.終非活木之基,廢鐵鎖金,豈是滋流之本.木盛能令金自缺,土虛反被水相欺,火無木則終其光,木無火則晦其質,乙木秋生,拉朽摧枯之易也.)

庚金이 多節(子月)에 死하면 모래에 침몰하고 바다에 떨어지는데 어찌 꺼리지 않을 것인가? 서리에 얼어붙은 풀이 어찌 금을 만나 쓸 것이며, 土에서 나온 金은 木을 능가할 수 없고, 火는 불이 붙기 전에는 연기가 먼저 나오니 水가 지나가서 오히려 습하다. 대체로 水가 차가우면 흐르지 않고, 木이 추우면 [싹이] 피지 않고, 土가 차가우면 所生할 수 없고, 火가 寒(식으면)하면 치열하지 못하고, 金이 차가우면 쇠가 녹을 수 없고, 이 모두가 天地의 올바른 氣運이 아닌 것이다. 그러나 만물은 처음 생겨나면 이룰 수 없고, 이루어 오래되면 즉 소멸된다.[生者必滅을 말함] (庚金多死,沉沙墜海豈難乎?凝霜之草,奚用逢金,出土之金,不能勝木,火未焰而先煙,水旣往而猶濕.大抵水寒不流,木寒不發,土寒不生,火寒不烈,金寒不鎔,皆非天地之正氣也.然萬物初生未成,成久則滅.)

만일 보통사람을 초월하여 성스러운 기틀이면 죽음을 벗어나 회생하는 미묘함으로 象은 아니지만 이루고, 形은 아니지만 化하고, 固用은 固本보다 못하니 꽃이 번성하여도 어찌 뿌리가 깊은 것과 같을 것인가? 또 예컨대 金은 水를 연모하여 北方에서는 形이 침몰되고, 南方의 木은 재(灰)가 날리며 體를 벗고(잃고), 東方의 水는 旺한 木으로 인해 근원이 마르고, 西方의 土는 金이 堅實하여 己는 虛하고, 火는 土로 인해 어두우며 모두가 태과한 것인데, 오행에서 귀함은 중화의 이치에 있으며, 거듭 구하고자 하여도 진실로 말을 못하니, 차가운 못 깊은 곳을 움켜쥐듯이 반드시 속 내부까지 보아야 한다. (其超凡人聖之機,脫死回生之妙,不象而成,不形而化,固用不如固本,花繁豈若根深.且如北金戀水而沉形,南木飛灰而脫體,東水旺木以枯源,西土實金而虛己,火因土晦皆太過,五行貴在中和理,求之求之勿苟言,掬盡寒潭須見底.)

6. 논지지속상論地支屬相

혹 묻기를, 地支에는 속상(屬相)이 있는데 天干에 없는 것은 무엇 때문인가? 답하기를, 天干은 動하여 相이 없고 地支는 靜하여 相이 있는 것이다. 대개 맑고 가벼운 것은 하늘이 되고, 무겁고 濁한 것은 땅이 되는데, 무겁고 濁한 것 가운데 物이 있는 것이다. 따라서 子는 쥐에, 丑은 소에, 寅은 범에, 卯는 토끼에, 辰은 용에, 巳는 뱀에, 午는 말에, 未는 양에, 申은 원숭이에, 酉는 닭에, 戌은 개에, 亥는 돼지에 屬하게 된다. (或問地支有屬相,而天干則無者,何也.答曰,天干動而無相,地支靜而有相.蓋輕淸者天也,重濁者地也,重濁之中,乃有物焉.故子屬鼠,丑屬牛,寅屬虎,卯屬兔,辰屬龍,巳屬蛇,午屬馬,未屬羊,申屬猴,酉屬雞,戌屬犬,亥屬豬.)

이 12의 속상은 또 기수(奇數)와 우수(偶數)로 나눔이 있는데 盛함과 衰함으로 사용한다. 奇(數)는 쥐, 범, 용, 말, 원숭이, 개는 1로서 陽에 속하며 6동물의 발톱은 모두 홀수이고, 偶(數)는 소, 토끼, 뱀, 양, 닭, 돼지는 2로서 陰에 속하며 6동물의 발톱은 모두 짝수이다. 단지 뱀은 발톱이 없는데 또 어떻게 뜻을 취했는가? 대개 巳月에서는 純陽의 달(月)로서 節氣에 있어서는 純陽의 節氣로서 數는 偶數이고 節氣는 陽이므로 뱀의 象으로 사용하며 뱀은 陰物이라서 그 발(발톱)

을 사용할 수 없어 象은 뱀으로 나타내나 의심되고 말하기 어렵지만 陰을 뜻함은 쌍두(雙頭)가 증거가 되고, 12相은 36금수(禽獸)중에서 그 머리를 비교하여 취하고 음양을 구별함에 있어서는 단 쌍(單 雙)으로 나누니 이 造化라는 것이 妙한 것이다. (此十二屬相,亦有奇偶之分,盛衰之用.奇者鼠虎龍馬猴犬,一則屬陽,六獸之足皆單,偶者牛兔蛇羊雞豬,二則屬陰,六獸之足皆雙.惟蛇無足,又何取義?蓋巳在月乃純陽之月,在時乃純陽之時,數則偶而時則陽,故用蛇以象之,蛇乃陰物,不用其足,而象巳著,疑亦諱言乎陰之意爾,況亦有雙頭者可驗,十二相,卽三十六禽中,取其首者擬之,自有陰陽之別,單雙之分,此造化之所以爲妙也.)

혹 묻기를, 12(동물)의 屬相은 각각 결함이 있는 것은 무엇 때문인가? 답하기를, 하늘은 서북으로 기울고 땅은 동남에 미치지 못하니[역주: 보통 命理書籍에는 "동남으로 빠져 있다."로 기재.] 天地가 아직은 缺되니 짐승의 體가 어찌 온전하겠는가. 그러므로 쥐는 빛을 멀리하니 밤에 나오고(활동하고), 소는 어금니가 없으니 입술로 새김질하고, 범은 목덜미가 없으니 身을 돌리고, 토끼는 잘 놀라므로 수컷을 무시하고, 용은 귀가 이지러져 뿔로 듣고, 뱀은 발이 없지만 잽싸게 달리고, 말은 겁이 많아 항상 멈추어 서서도 쉬지 못하고, 양은 눈동자가 없어 죽어서도 눈을 감지 못하며, 원숭이는 지라(脾臟: 위, 밥통)가 없어 과일 먹는 것을 좋아하며, 닭은 신장(性器, 콩팥)이 없어 음한하며 지조가 없고, 개는 위(胃)가 없으며 더러운 것을 먹고도 잘 짖고, 돼지는 힘줄이 없어 잠이 부족한 것인데, 이와 같은 것들은 음양을 갖추지 못한 뜻으로 造化가 相應한 것이지만 오직 사람만이 온전함을 갖추니 貴한 것이다. (或問十二屬相,各有所缺者,何也?答曰,天傾西北,地不滿東南,天地尚缺,獸體豈全.故鼠少光,夜出,牛無牙,唇吻,虎無項,和身而轉,兔缺唇,無雄,龍虧耳,角聽,蛇無足,快行,馬怯膽,常立不眠,羊無瞳,死不閉目,猴無脾,喜食果物,雞無腎,淫而無節,犬無胃,食穢善呼,豬無劦,常眠少立,此係陰陽不備之意,亦與造化相應,惟人獨會其全,此其所以貴也.)

왕충의 논형[論衡~中國 후한 때에 王充이 지은 時局을 批判한 책]에서 말하기를, 五行의 氣는 서로 도적에게 해를 당하여 피로 얼룩진 동물들이 서로 승부를 다툰다. 寅은 木이며 호랑이고, 戌은 土이며 개이고, 丑 未도 역시 土인데 丑은 소이며 未는 양인데, 木은 土를 이기는 것이므로 개와 소, 양은 호랑이에게 굴복한다. 亥는 水이며 돼지이고, 巳는 火이며 뱀이고, 子 또한 水이며 쥐이고, 午 역시 火이며 말인데, 水는 火를 이기는 것이므로 돼지는 뱀을 잡아먹으니 火는 水에게 害를 당하므로 말은 쥐똥을 먹으면 창자가 팽창한다. (王充論衡曰,五行之氣相賊害,含血之蟲相勝服.寅木也,其禽虎,戌犬(土)也,其禽犬,丑未亦土也,丑禽牛,未禽羊,木勝土,故犬與牛羊,爲虎所服.亥水也,其禽豕,巳,火也,其禽蛇,子亦水也,其禽鼠,午亦火也,其禽馬,水勝火,故豕食蛇,火爲水所害,故馬食鼠屎而腹脹.)

그러나 또한 서로를 이기지는 못한다. 午는 말이고, 子는 쥐이고, 酉는 닭이고, 卯는 토끼이니 水는 火를 이기는데 쥐는 어찌 말을 쫓아내지 못할 것인가? 金은 木을 이기는데 닭은 어찌 토끼를 쫓아내지 못할 것인가? 亥는 돼지고, 未는 양이고, 丑은 소이며 土는 水를 이기는데 소와 양은 어찌 돼지를 죽이지 못할 것인가? 巳는 뱀이고, 申은 원숭이며 火는 金을 이기는데 뱀은 어찌 원숭이를 먹지 못할 것인가? 원숭이는 쥐를 두려워하는 것이고, 원숭이를 개가 깨무는 것이다. (然亦有不相勝者.午馬也,子鼠也,酉雞也,卯兎也,水勝火,鼠何不逐馬？金勝木,雞何不啄兎？亥豕也,未羊也,丑牛也,土勝水,牛羊何不殺豕？巳蛇也,申猴也,火勝金,蛇何不食彌猴?彌猴畏鼠者也,齧彌猴者犬也.)

쥐는 水이고 원숭이는 金으로, 水는 金을 이길 수 없는데, 원숭이가 어찌 쥐를 두려워하기 때문이겠는가? 戌은 개이고 申은 원숭이로서 土는 金을 능가할 수 없는데, 원숭이가 어찌 개를 두려워하기 때문이겠는가? 십이진의 동물들은 氣와 性을 相剋하며 더군다나 相應하지 않는다. 대체적으로 보면 피로서 미물들이 서로 복종하고 음식을 씹기 위한 치아의 둔하고 날카로움과 근력의 우열로 스스로 서로 승복(勝服)하는 것이다. (鼠水,彌猴金也,水不勝金,彌猴何故畏鼠？戌犬也,申猴也,土不勝金,猴何故畏犬？十二辰之禽,以氣性相剋,則尤不相應.大凡含血之蟲相服,至於相啖食者,以齒牙鈍利,觔力優劣,自相勝服也.)

7. 논인원사사論人元司事-上

대저 一氣는 혼잡함에 젖어들어 아직 形과 質은 떨어질 수 없으니 어느 것이 陰陽이 되는 것인가? 太始는 이미 시작하였으니 하나가 셋으로 갈라져 홀연히 나누어지니 하늘은 가볍고 맑은 것을 얻어 陽이 되고, 땅은 무겁고 탁한 것을 얻어 음이 되니 사람의 위치는 天地가운데서 陰陽의 中和된 氣를 받은 것이다. 그러므로 이 맑고 가벼운 것은 十干이 되며 主祿은 錄을 주관하고 天元이라 하고, 무겁고 탁한 것은 十二支가 되며 主身은 身을 주관하고 地元이라 하니 天地는 각각 그 위치가 바르게 되고 兩間(천지사이)에서 바탕을 이룬 것이 소위 사람인 것이다. (夫一氣渾淪,形質未離,孰爲陰陽.太始旣肇,裂一爲三,悠忽乃分,天得之而輕淸爲陽,地得之而重濁爲陰,人位乎天地之中,稟陰陽中和之氣.故此輕淸者,爲十干,主祿,謂之天元,重濁者,爲十二支,主身,謂之地元,天地各正其位,成才於兩間者,乃所謂人也.)

그러므로 支中에 所藏된 命을 人元이라 하여 이름을 사사지신(司事之神)이라 하며 命術은 月令의 用神(用事之神)을 말한다. 經에서 이르기를, 用神은 손상해서는 안 되며 日主는 健旺한 것이 가장 바람직한 것이다. 예를 들면 正月은 寅을 세우고 寅中에는 艮土가 5日을 주관하며, 丙火의 長生이 5日이며, 甲木이 20日을 주관한다. 2월은 卯를 세우고(卯 月建) 卯中에는 甲木이 7日, 乙木이 23日을 주관한다. 3월은 辰 月建으로 辰中에는 乙木이 7日, 壬水의 墓庫가 5日, 戊土가 18日을 주관한다. 4월은 巳 月建으로 巳중에는 戊土가 7日, 庚金의 長生이 5日, 丙火가 18日을 주관한다. (故支中所藏者主命,謂之人元,名爲司事之神,以命術言之,爲月令用神.經云,用神不可損傷,日主最宜健旺是也.如正月建寅,寅中有艮土用事五日,丙火長生五日,甲木二十日.二月建卯,卯中有甲木用事七日,乙木二十三日.三月建辰,辰中有乙木用事七日,壬水墓庫五日,戊土一十八日.四月建巳,巳中有戊土七日,庚金長生五日,丙火一十八日.)

5월은 午 月建으로 午중에는 丙火가 7日, 丁火가 23日을 주관한다. 6월은 未 月建으로 未중에는 丁火가 7日, 甲 木의 墓庫가 5日, 己土가 18日을 주관한다. 7월은 申 月建으로 申중에는 坤土가 5日, 壬水의 長生이 5日, 庚 金이 20日을 주관한다. 8월은 酉 月建으로 酉중에는 庚 金이 7日, 辛金이 23日을 주관한다. 9월은 戌 月建으로 戌중에는 辛金이 7日, 丙火의 墓庫가 5日, 戊 土가 18日을 주관한다. 10월은 亥 月建으로 亥중에는 戊土가 5日, 甲木의 長生이 5日, 壬水가 20日을 주관한다. 11월은 子 月建으로 子중에는 壬水가 7日, 癸水가 23日을 주관한다. 12월은 丑 月建으로 丑중에는 癸水가 7일, 庚金의 墓 庫가 5日, 己土가 18日을 주관한다. (五月建午, 午中丙火用事七日, 丁火二十三日. 六月建未, 未中有丁火用事七日, 甲木墓庫五日, 己土一十八日. 七月建申, 申中有坤土用事五日, 壬水長生五日, 庚金二十日. 八月建酉, 酉中有庚金用事七日, 辛金二十三日. 九月建戌, 戌中有辛金用事七日, 丙火墓庫五日, 戊土一十八日. 十月建亥, 亥中有戊土五日, 甲木長生五日, 壬水用事二十日. 十一月建子, 子中有壬水用事七日, 癸水二十三日. 十二月建丑, 丑中有癸水用事七日, 庚金墓庫五日, 己土一十八日.)

이 12지는 12달(月)로서 각기 五行을 감추어 인원이 되며 四時에 배합하여, 봄은 따뜻하며 가을은 서늘하고 겨울은 차갑고 여름은 뜨거운데, 선회함이 끝이 없어 마치면 다시 시작하여 歲를 끝마침이 1년을 이룬다. 玉井을 다시 고찰해보면 甲 丙 庚 壬은 각각 35日, 乙 丁 辛 癸는 각각 35日, 戊 己는 각각 50日로서 도합 360일이다.[계산이 석연치 않다.] (此十二支, 按十二月, 各藏五行, 爲人元, 以配四時, 則春煖秋涼, 冬寒夏熱, 如環無端, 終而復始, 歲功畢而成一年. 再考玉井, 則以甲丙庚壬各三十五日, 乙丁辛癸各三十五日, 戊己各五十日, 共計三百六十日.)

正月 寅(立春, 雨水) 己 七日, 丙火 五日, 甲木 十八日.
二月 卯(驚蟄, 春分) 乙 十八日, 甲 九日, 癸 三日.
三月 辰(淸明, 穀雨) 戊 十八日, 乙 九日, 癸 三日.
四月 巳(立夏, 小滿) 丙 十八日, 戊 七日, 庚 五日.
五月 午(芒種, 夏至) 丁 十八日, 丙 九日, 乙 三日.
六月 未(小暑, 大暑) 己 十八日, 乙 五日, 丁 七日.
七月 申(立秋, 處暑) 庚 十七日, 己 七日, 戊 三日, 壬 三日.
八月 酉(白露, 秋分) 辛 二十日, 庚 七日, 丁 三日.
九月 戌(寒露, 霜降) 戊 十八日, 辛 七日, 丁 五日.
十月 亥(立冬, 小雪) 壬 十八日, 甲 五日, 戊 七日.
十一月 子(大雪, 冬至) 癸 十八日, 壬 五日, 辛 三日.
十二月 丑(小寒, 大寒) 己 十八日, 癸 七日, 辛 五日.

7. 논인원사사 論人元司事-下

醉醒子가 말하기를, 時가 行하면 物이 생겨나고, 天道는 항구적이며 一世(한해)에는 비록 進退가 있지만 四時에는 본래 輕重이 없으므로 金 木 水 火로 나누어 四時에 旺한 것이 각각 72일을 얻고 土가 四季에서 旺盛한 것이 각각 18일이 있으니 공히 360일로 歲(1년)를 이루는 것이다. 立春 後에는 陽木이 36일을 주관하고, 艮 土 분야로 丙戊가 長生하고, 경칩(驚蟄) 6日後는 陰木이 36일을 주관하며 癸水가 기생(寄生)하고, 청명(清明) 12일後는 戊土가 18일을 주관하며 陽水는 庫로 돌아오고 陰水는 반혼(返魂; 혼이 되돌아옴)하는데, 夏 秋 冬 역시 이와 같다. [36*2*4+18*4=360] (醉醒子曰,時行物生,天道之常,一歲之內,雖有進退,四時之內,本無輕重,故以金木水火,分旺四時,各得七十二日,土旺四季,各有十八日,共三百六十日,乃成歲焉.立春之後,則用陽木三十六日,艮土分野,丙戊長生,驚蟄後六日,則用陰木三十六日,癸水寄生,清明後十二日,則用戊土十八日,陽水歸庫,陰水返魂,夏秋冬亦如此.)

연해(淵海), 연원(淵源)에서는, 立春 後는 己土의 餘氣가 며칠로 艮土분야가 며칠인데, 丙戊가 長生하여 先後로 각각 며칠을 얻는다. 卯月은 癸水가 며칠 寄生하고, 辰月은 陽水가 庫로 돌아오며 陰水는 返魂하여 각각 며칠인데, 丑月의 쓰임은 충족되었으니 다르지 않고, 봄이 지난 후에는 어찌 餘氣가 있으리오. 分野라는 것은 일방적으로 旺氣가 모인 것이고, 長生이라는 것은 母에게 歸屬되어 잉태한 것이고, 先後라는 것은 대개 寅이 있는 後에 丙을 生하며 丙이 있는 後에 戊를 生하고, 寄生이라는 것은 다만 虛名일 뿐이며 실제는 없고, 歸庫라는 것은 그 生氣가 끊어져 收藏(감추어 거두어들임)되고, 返魂이라는 것은 그 死氣를 계승하여 변화한다. 이 五行生死의 進退는 깊고 기묘한 이치인데 어찌 며칠로 한정할 수 있을 것인가? (淵源,淵海,則以立春之後,己土餘氣幾日,艮土分野幾日,丙戊長生,先後各得幾日.卯月癸水寄生幾日,辰月陽水歸庫,陰水返魂,亦各幾日,殊不思丑月之用旣足,春後又何餘哉.分野者,聚一方之旺氣,長生者,歸母成孕,先後者,蓋有寅而後生丙,有丙而後生戊,寄生者,徒有虛名,乃無實位,歸庫者,絶其生氣而收藏,返魂者,續其死氣而變化.此五行生死進退之玄機,豈可以幾日爲限哉)

또 봄에는 木을 쓰고 가을에는 金을 쓰는데 진실로 一定한 이치인 것이다. 만일 기생하는 곳의 神이 섞이어 며칠을 점령한다면 本宮은 주된 氣의 數가 미상불(未嘗不) 缺損되거나 이지러질 것인데, 어찌 春木과 夏火를 볼 것이며, 一氣가 流行하여 72일의 數가 각각 왕성한 것인가? 四季로서 五行을 배합하여 사용하면 主는 客을 거두는 數가 있으나 客은 主를 이기는 법이 없다. 다만 主氣가 司權한다면 初中末 三氣의 深淺이 있으니 用하는 것은 마땅히 輕重을 較量하는 것을 말한다. 또 어째서 3, 5, 7일로서 한정되는 것인가? 그 말은 淵源의 오류를 破하는 것으로 충분하고, 또 支中에 所藏한 月로서 論하고 年 日 時는 論하지 않는다. 人命에서 提綱이 중요한데[비중이 큰데] 그것은 뜻이 있다. (且春之用水(木),秋之用金,固一定之理也.若雜揉寅處之神,占用幾日,則本宮主氣之數,未嘗不缺而虧矣,則何以見春木夏火,一氣流行,各旺七十二日之數耶.以四季配五行之用,乃主有納客之數,客無勝主之理.但主氣之司權,自有初中末三氣之淺深,用之者,特宜較量輕重言耳.又豈可以三五七日爲限哉?其說足以破淵源之誤,又支中所藏止以月而論,年日時不論.人命重提綱,厥有

旨哉.)

8. 논사시절기論四時節氣-上

　　立節의 氣는 그 春秋節로 나누는 것은 말할 필요조차 없으며, 夏 冬節에 있어서는 구분하여 말할 수 없으니 무릇, 우수 경칩이후의 24氣로 나누어 이름하고, 또한 반드시 이름 하는 연유가 있는데, 무슨 말인가? 四立(春夏秋冬)은 四時의 節氣로 丑에서 마치고 寅에서 시작하면 곧 節이 된다. 달(月)의 半은 둘로 나눈 중간으로 陰陽이 서로 반씩을 말하는 것이다. (立節中氣,其春秋有分而不言至,夏冬有至而不言分,及夫雨水驚蟄以降,二十四氣,分屬有名,亦必有所以爲名者,何言乎?四立者,四時之節氣也.丑之終,寅之始,則爲節.月之半,則爲中二分者,陰陽相半之謂也.)

　　二至는 至의 두 뜻이 있는데, 子에서 巳에 도달하면 6陽이고, 午에서 亥에 도달하면 6陰이 된다. 至는 巳 午와 亥 子사이에 드는 것이다. 冬(겨울)은 亥에 이르러 陰이 지극(至極)하므로 子라 말하며 子에서 멈추고 陽은 이에 生하는 것이므로 또한 至라 말한다. 夏(여름)는 巳에 도달하면 陽이 至極하므로 午라 말하며 午는 거역하여 陰이 이에 生하는 것이므로 역시 至라 말한다. 秋分부터 水(물)가 마르기 시작하며 立冬에는 물(水)이 얼기 시작하고, 冬至는 샘물이 動하고, 大寒에는 못의 물이 얼어붙고, 이제 우수가 되면 먼저 이슬이 되며 서리가 되며 눈이 되는 것인데 모두가 水氣가 凝結하므로 寒이 極에 도달한다. 봄에 더운 氣運이 순행하여 더위가 시작된다. 天一生水하여 사람과 萬物이 생겨나니 모두가 水에서 비롯된다. 봄은 木에 屬하고 木은 水에서 생겨나니, 立春 後에는 雨水로 계승됨이 마땅한 것이다. (二至者,至有二義,子至巳爲六陽,午至亥爲六陰.至者,介乎巳午亥子之間也.冬至亥,陰極,故曰子,子者止也,陽於此生,故亦曰至.夏至巳,陽極,故曰午,午者忤也,陰於此生,故亦曰至.自秋分,水始涸,立冬水始冰,冬至水泉動,大寒水澤履堅,爲今之雨水者,先是爲露爲霜爲雪,皆水氣凝結,以至於寒之極.春則暑氣順行,而又爲暑之始也.況天一生水,人物之生,皆始於水.春屬木,木生於水,立春後繼以雨水,宜也.)

　　卦氣(六十四卦를 氣候에 비유)에서 正月은 泰(지천태)가 되어 天氣가 下降하여 당연히 雨水가 되고, 二月은 大壯(뇌천대장)으로 우레가 天上에 있어 당연히 경칩(驚蟄)이 되니, 먼저가 雨水이며 나중에 驚蟄이 마땅한 것이니, 경칩에는 만물이 震方에서 나오며 震은 우레 이다. 청명(淸明)은, 만물이 巽方에서 가지런해지며 巽方은 風(바람)이 되어 정결하므로 淸明이라 말하고 淸明은 곧 정결(淨潔)한 뜻이다. 곡우(穀雨)는 三月中에서 雨 水후부터 땅은 기름지고 脈(혈맥)이 動하니 이때에는 또 雨로서 土의 脈(혈맥)으로 만물이 생겨나는 것이므로 오곡(五穀)의 種을 자라게 하는 것이다. (卦氣正月爲泰,天氣下降,當爲雨水,二月大壯,雷在天上,當爲驚蟄,先雨水而後驚蟄,亦宜也,驚蟄者,萬物出乎震,震爲雷也.淸明者,萬物齊乎巽,巽爲風也.巽潔齊而曰淸明,淸明乃潔齊之義.穀雨,三月中,自雨水後,土膏脈動,至此又雨,則土脈生物,所以滋五穀之種也.)

소만(小滿)은 사월중순이다. 선유(先儒)가 이르기를, 小雪후에 陽은 하루에 1분(分)이 생겨나니 30日이 쌓여 30分이 생겨나서 하루의 낮을 이루어 冬至가 되고, 小滿도 後에 역시 陰은 이처럼 생겨난다. 무릇 四月은 乾이 마치므로 滿이라 하고 (天風)姤의 初 六은 이시 부척촉(羸豕 孚蹢 躅: 여윈 돼지가 신뢰를 가지고 제자리에서 머뭇거림)하고, (重地)坤의 初 六은 이상견빙지(履霜 堅冰至: 서리를 밟으면 견고한 얼음이 다가온다.), 이시(羸豕)는 小를 비유한 것이며, 척촉(蹢躅) 은 滿을 비유한 것이고, 이상(履霜)은 小를 비유한 것이며, 견빙(堅冰)은 滿을 비유한 것이니, (周)易의 말(言)은 一陰이 이미 생겨난 後이며, 歷(法)의 말(言)은 一陰이 처음으로 움터 나오니, 여지심방지예야(慮之深防之預也). 小雪 후에는 大雪이 있지만, 다만 小滿은 있지만 大滿이 없는 뜻을 가히 알 것이다. (小滿,四月中,先儒云.小雪後,陽一日生一分,積三十日,生三十分,而成一晝爲冬 至,小滿後,陰生亦然.夫四月乾之終,謂之滿者,姤初六,羸豕孚蹢躅,坤初六,履霜堅冰至,羸豕喩其小,蹢 躅喩其滿,履霜喩其小,堅冰喩其滿,易言於一陰旣生之後,歷言於一陰方萌之初,慮之深防之預也.小雪後 有大雪,此但有小滿無大滿,意可知矣.)

8. 논사시절기論四時節氣-中

三月중순은 穀雨이며 五月중에는 芒種으로, 이 두 氣는 오직 쌀과 보리를 가리키는 말로서 쌀 (穀)은 반드시 들판에서 처음으로 생겨나며, 곡식(쌀)은 봄에 파종하여 木의 기운을 얻고 가을에 는 상잔되니 金은 木을 剋하고, 보리는 반드시 그 이루고 마치는 것이 중요하니 보리는 가을에 파종하여 金의 기운을 얻어 여름에 이루니, 火는 金을 剋하는 것이다. 六 月의 節은 小暑이고, 六 月중순은 大暑인데, 夏至후에는 더위가 이미 왕성하니 마땅하지 않아 작아진다고 하니 유달리 알지 못한다고 易에서는 말하고, 寒(추위)이 가면 暑(더위)는 오고, 暑가 가면 寒이 오니 寒暑가 서로 변천하여 세월을 이루는 것이다. 上半 年의 半을 지나면 모두가 더위라 하고, 下半 年의 半 을 지나면 寒이라 한다. 正月은 暑의 시작이고 十 二月은 寒이 마치므로 大暑와 小暑는 上半 年 을 말한 것에 불과(不過)할 뿐이다. (至若三月中穀雨,五月中芒種,此二氣獨指穀麥言,穀必原其生之 始,穀種於春,得木之氣,殘於秋,金剋木也.麥必要其成之終,麥種於秋,得金之氣,成於夏,火剋金也.六月 節小暑,六月中大暑,夏至後,暑已盛,不當又謂之小,殊不知易曰,寒往而暑來,暑往則寒來,寒暑相推,而歲 成焉.通上半年之半,皆可謂暑,通下半年之半,皆可謂寒.正月暑之始,十二月寒之終,而曰大暑小暑者,不 過上半年之辭耳.)

6月 중순의 더위가 지극(至極)하므로 大라하는데, 그러나 아직 大에 이르지 못하면 다만 小가 되는 것이다. 7월 중순의 處暑는, 7월의 暑(더위)가 끝나고 寒(추위)이 시작되어 大火가 西流하므 로 暑氣는 머무르고 숨는 것이니 장복(藏伏)하는 뜻이다. 백로(白露)는 八月의 節氣이며, 한로(寒 露)는 九月의 節氣로서, 가을은 본래 金에 속하며, 金의 색은 희고, 金氣는 차갑고, 白은 露의 色 이며, 寒은 露의 氣로서 먼저 희고 그리고 氣는 寒하기 시작하여 진실로 점진(漸進)한다. 九月중 순은 상강(霜降)으로 이슬이 차갑기 시작하여 서리가 되고, 立冬이 지나면 小雪 大雪인데 寒氣는

이슬로 시작하여 서리가 내리고 눈으로 마치는데, 서리 앞에는 이슬이 되며, 서리가 흰 것으로 말미암아 寒氣가 시작되고, 서리 後에는 눈이 되니, 눈(雪)이 작다가 크게 되므로 모두가 점진(漸進)하여 小寒 大寒에 이른다. 빈풍(幽風)이 이르기를, 첫날은 필발(觱發: 바람이 쌀쌀한 모양)하다가 둘째 날은 율열(栗烈: 몹시 추위가 심함)하여, 寒風이 휘몰아치므로 11월의 나머지는 小寒이고, 寒氣가 몹시 심하여 11월이 끝나면 大寒인 것이다. (六月中暑之極, 故謂大, 然則未至於大, 則猶爲小也. 七月中處暑, 七月暑之終, 寒之始, 大火西流, 暑氣於是乎處矣, 處者隱也, 藏伏之義也. 白露八月節, 寒露九月節, 秋本屬金, 金色白, 金氣寒, 白者露之色, 寒者露之氣, 先白而氣始寒, 固有漸也. 九月中霜降, 露寒始結爲霜也. 立冬後曰, 小雪大雪, 寒氣始於露, 中於霜, 終於雪, 霜之前爲露, 霜由白而始寒, 霜之後爲雪, 雪由小而至大, 皆有漸也. 至小寒大寒. 幽風云, 一之日觱發, 二之日栗烈, 觱發風寒, 故十一月之餘爲小寒, 栗烈氣寒, 故十一月之終爲大寒也.)

대체적으로 합하여 말하면, 上반년은 낳고 자라남을 주관(主管)하여 비, 우레, 바람이라 말하니 모두가 소생하는 기운이고, 下반년은 生成함을 주관하여 이슬(露), 서리(霜), 눈(雪)이 되어 모두가 성취하는 기운으로 下반년의 天時는 농사철이라 말할 수 없으니 농사철인 봄여름보다도 더욱 급할 수 없다. 선유는 말하기를, 變은 점차 변해가는 것이고, 化는 변화하여 이룬 것이다. 立春 雨水 後에는 寒氣가 점차 변하고, 立夏가 되면 寒氣는 소진(消盡)하고 변화하여 더운 것이니 小暑 大暑라 말하고 그 변화는 진실로 점진(漸進)하는 것이다. 立秋 處暑 後에는 더운 기운은 점점 변하여, 立冬이 되면 더운 기운은 소진되고 변화하여 寒氣가 되니 小寒 大寒이라 말하고 그 변화 역시 점진적인 것이다. 또 日月이 運行하여 四時를 이루는 것은 영원한 것이다. 그러므로 성인께서 법을 세워 따른 것인데, 陰陽이 서로 섞이어 萬物이 생겨나는 것은 無窮한 것이다. 그러므로 성인께서는 기후를 근거로 만물을 제시하고, 六氣의 시종(始終)과 조안(早晏: 빠르고 늦음)으로 관철(貫徹)하고, 五運의 大小와 盈虛로서 원래의 이치에 도달하고, 數를 고찰하여 만고(萬古)에 예시를 보이니 특이함이 있는 것이다.[어긋남이 없음] (大抵合而言之, 上半年主長生, 曰雨曰雷曰風, 皆生之氣, 下半年主生成, 爲露爲霜爲雪, 皆成之氣, 下半年言天時, 不言農時, 農時莫急於春夏也. 先儒云, 變者化之漸, 化者變之成, 立春雨水後, 寒氣漸變, 至立夏則寒盡化爲暑矣, 然曰小暑大暑, 其化固有漸也. 立秋處暑後, 暑氣漸變, 至立冬則暑氣盡化爲寒矣, 然曰小寒大寒, 其化亦有漸也. 又曰日月運行而四時成, 以其有常也. 故聖人立法以步之, 陰陽相錯而萬物生, 以其無窮也. 故聖人指物以候之, 貫六氣終始早晏, 五運大小盈虛, 原之以至理, 考之以至數, 而垂示萬古, 有差忒也.)

經에서 말하기를, 5日은 候라하고, 3候는 氣라하고, 六氣는 時(때)라하고, 四時는 歲(해)라 한다. 또 말하기를, 태양은 陽이고 달은 陰이 되어, 운행하는 분기가 있고 돌아가는 주기가 있는데, 태양이 1度 운행하면 달은 30度 운행하는 기이함이 있는 것이다. 그러므로 크고 작은 달로서 365日인 歲를 이루고, 남은 氣가 쌓이고 차면 윤달인 것이다. 經에서 이르기를, 날마다 하늘이 1도씩 晝夜로 운행하면 1日인데 도합 365일 4분의 1씩 天의 주기로서 한해(1년)를 이루고, 항상 5日은 1候에 應하므로 3候는 1氣를 이루니 곧 15日로서, 3氣는 하나의 節을 이루니 節은 立春, 春分, 立夏, 夏至, 立秋, 秋分, 立冬, 冬至라 하니 四節(4계절)이라 한다. (經曰, 五日謂之候, 三候謂之氣,

六氣謂之時,四時謂之歲.又曰,日爲陽,月爲陰,行有分紀,周有道里,日行一度,月行三十度,而有奇焉.故大小月,三百六十五日而成歲,積氣餘而盈閏矣.經云,日常於晝夜行天之一度,則一日也,共三百六十五日四分之一而周天度,乃成一歲,常五日一候應之,故三候成一氣,卽十五日也,三氣成一節,節謂立春,春分,立夏,夏至,立秋,秋分,立冬,冬至,此四節也.)

8. 논사시절기論四時節氣-下

3氣에 8節을 乘하면 24氣인데 四時(춘하추동)로 나누어 一 歲(한해)를 이루는 것이다. 春秋로 구분하는 것은 六氣로 말하면 2월의 반은 初氣가 마칠 때까지 둘의 氣를 교류하고, 8월의 半은 4氣가 다하여 다섯의 氣를 교류하고, 만약 四時로 나눈다면 陰陽寒暑의 氣로 時(때)를 구분하면 될 것이다. 晝夜(1일)는 50刻(1각은 15분)으로 나누고 또한 陰陽도 구분하는 것이므로 經에서 말하기를, 나누게 되면 氣가 달라지므로 이것을 일러 冬 夏節이 되는 것이고, 六氣로 말하면 5월의 半은 天氣가 주관하는 그 곳에 있고, 11월의 半은 샘의 氣가 존재하는 그 곳에 있고, 四時의 令으로 말하면 陰陽이 極에 이르는 때이다. 夏至의 해는 길어도 60刻에 불과하지만 陽이 極에 이르고, 冬至는 해가 짧아 40刻에 불과하지만 陰이 極에 이르나, 모든 하늘의 기후는 변하지 않는 것이므로, 經에서 말하기를, 至는 즉 氣가 같은 것을 말하는 것이다. (三八二十四氣,而分主四時,一歲成矣.春秋言分者,以六氣言之,則二月半,初氣終而交二之氣,八月半,四氣盡而交五之氣,若以四時之分言之,則陰陽寒暑之氣,到此可分之時也,晝夜分五十刻,亦陰陽之中分也,故經曰分則氣異,此之謂也,冬夏言至者,以六氣言之,則五月半司天之氣,至其所在,十一月半,在泉之氣,至其所在,以四時之令言之,則陰陽至此,極至之時也,夏至日長,不過六十刻,陽至此而極,冬至日短,不過四十刻,陰至此而極,皆天候之未變,故經曰,至則氣同,此之謂也.)

하늘은 西에서 東으로 회전하고 그 日月과 五星(金星 木星 水星 火星 土星)은 하늘을 따라 돌며 東에서 西로 회전한다. 그러므로 白虎通에서 말하기를, 하늘은 左旋하고 日月과 五星은 우측으로 運行하는 것은, 日月五星은 하늘에 있어서 陰이 되므로 우측으로 運行하는 것이니, 다만 신하가 군주를 대하는 것이다. 태양은 晝夜로 1度씩 運行하며 달은 晝夜로 하늘을 13度씩 運行하는 기이함이 있고, 거듭 1도씩 運行하는 중에 19分을 만들고, 나누어 7을 얻으니, 대체적으로 달은 매우 빠르게 運行하여 27일로 마치고, 달이 一周 天하는 이것이 30度로서 19분의 7數이고, 총체적으로는 29일이니, 계산하면 하늘이 387度로 運行하는 기이함이 있다. 계산하면 달은 빠른 數로 運行하는 반면 태양은 느린 數로 運行하니 즉 29일로서 태양은 하늘을 29도씩 運行하고, 달은 이미 一周 天하는 365度 外에 또 하늘을 22度 運行하여, 도리어 7度 적어지니 日(해)에 미치지 못하는 것이다.[천동설이 통용되는 시대의 말이다.] (天自西而東轉,其日月五星,循天從東而西轉,故白虎通曰,天左旋,日月五星右行,日月五星,在天爲陰,故右行,猶臣對君也,日則晝夜行之一度,月則晝夜行天之十三度有奇者,謂復行一度之中,作十九分,分之得七,大率月行疾速,終以二十七日,月行一周天,是將三十度,及十九分之七數,總之則二十九日,計行天三百八十七度有奇,計月行疾之數,此日行遲之

數,則二十九日,日方行天二十九度,月已先行一周天三百六十五度外,又行天之二十二度,反少七度,而不及日也.)

음양가의 설명은, 日月의 운행은 자연히 前後에 있어 빠르고 늦음이 같지 않으니 진실로 기준할 수 없으므로 크고 작은 달이 있고 다른 것이다. 본래 365日 4分度의 1은 곧 25刻이고, 마땅히 一 歲(1년)가 된다. 歲를 제한 나머지는 360일인데 또 작은달을 빼면 6일이 작은 것으로 354일이 一 歲(1년)를 이룬다. 적어진 11일 25각[현재시간 6시간 15분]이 가득차서 윤달을 만들고 남는 것은 12달로 제한(制限)하므로 立首之氣가 있다. (陰陽家說,謂日月之行,自有前後遲速不等,固無常準,則有大小月盡之異也.本三百六十五日四分度之一,卽二十五刻,當爲一歲,自除歲外之餘,則有三百六十日,又除小月所少之日六日,止有三百五十四日而成一歲.通少十一日二十五刻,乃盈閏爲十二月之制,則有立首之氣.)

氣는 3候로 이루어지고, 달이 북두칠성 자루가 있는 방향에 보이고, 이에 12진의 방위이다. 윤달의 요점은 윤달은 중기가 없고, 建方은 모든 다른 기인데 다만 달력歷에 의하면 입춘, 춘분, 입하, 하지, 입추, 추분, 입동, 동지의 8개의 절기로서 그것을 보면 나머지도 추론하고 이에 윤월을 이루어 天度가 畢한다. 그러므로 經에서 말하길 端(歲首, 즉 冬至節)을 시작으로 하여, 圭表(규표)로 中을 正하고, 餘를 終에 推하면, 이에 天度가 畢합니다. 이것을 가리키는 말이다. 하늘을 관찰하는 것은 심오한데 어찌 다시 度가 있겠는가? (氣乃三候之,至月半,示斗建之方,乃十二辰之方也,閏月之紀,則無立氣,建方皆他氣,但依歷以八節見之,推其所餘,乃成閏,天度畢矣.故經云,立端於始,表正於中,推餘於終,此之謂也,觀天之杳冥,豈復有度乎.)

이에 일월을 하루에 행하는 곳은 28수를 가리키는 것을 증명하고, 星辰이란 日月의 운행을 규정하는 수단이다. 여기서 製라는 것은 度를 말한다. 하늘에 또한 후가 없으나, 풍우, 서리이슬 초목의 부류로써 기간에 상응하여 징험하여 추측할 수 있으므로 候라고 한다. 候의 날을 말하면 또한 오운의 기와 상생하여 곧게 한 것이니 곧 5일이다. 마치 고리가 끝이 없는 것과 같이 계속 순환한다. 서경에 말하길, 氣는 366일이니 윤월로써 四時로 해가 완성함을 정하니 곧 그 뜻이다. (乃日月行一日之處,指二十八宿爲證,而記之曰度.故經曰,星辰者,所以制日月之行也,制謂度也,天亦無候,以風雨霜露草木之類,應期可驗,而測之曰候,言候之日,亦五運之氣相生,而値之卽五日也,如環之無端,周而復始,書曰,期三百六旬有六日,以閏月定四時成歲,卽其義也.)

9. 논일각論日刻

무릇 하루는 낮과 밤의 12時刻으로 하루를 고르게 나눈 것이므로 예전에 성인이 동항아리에 물을 담아두고 항아리 아래로 떨어지는 물방울로 百 刻의 度數로 나누었는데, 비록 日月이 어둡고 밝아도 끝내는 벗어날 수 없으니, 이 하루 중에는 百 刻이 있는 것이다. 대개 六氣는 一 歲

(한 해)를 왕래하니, 즉 一氣는 68日 87刻 半으로 氣가 교류할 때의 빠르고 늦는 것이 있음을 알고, 冬 夏節 날은 길고 짧은 차이가 있으니 밤낮은 상호간에 이동하여 해가 뜨고 지는 시각이 같지 않지만 그러나 百 刻으로 끝나는 것이다. 그 氣와 교류하는 刻은 바뀔 수 없는 것이다. (夫日, 一晝一夜十二時, 當均分於一日. 故上智設銅壺貯水, 漏下壺箭, 箭分百刻以度之, 雖日月晦明, 終不能逃, 是一日之中, 有百刻之候也. 夫六氣通主一歲, 則一氣主六十日八十七刻半, 乃知交氣之時有早晏也. 冬夏日有長短之異, 則晝夜互相推移, 而日出入時刻不同, 然終於百刻矣. 其氣交之刻, 則不能移也.)

　甲子의 歲에서, 처음의 氣는 물이 떨어지는 1刻에 시작하여 87刻 半에 마치니 子의 正 中央이다. 두 번째의 氣는 87刻 6分에 다시 시작하여 75각에 마치니 戌의 正 四刻이다. 세 번째의 氣는 76刻에 다시 시작하여 62각 半에 마치니 酉의 正 中央이다. 네 번째의 氣는 62刻 6分에 다시 시작하여 51刻에 마치니 未의 正 四刻이다. 다섯 번째의 氣는 51각에 다시 시작하여 37刻 半에 마치니 午의 正 中央이다. 여섯 번째의 氣는 37刻 6分에 다시 시작하여 25刻에 마치니 辰의 正 四刻이다. 이것은 주천(周天: 공전)하는 歲의 度數라 말하는데, 남는 刻은 乙丑 歲의 초기에 들어가는 것이다. 이와 같이 공전하여 戊辰 年에 도달하면 처음의 氣는 물이 떨어지는 1刻에 다시 시작하니 즉 4歲(4년)에 작게 一周한다. 그러므로 申 子 辰의 氣가 함께 모이는 것이다. (甲子之歲, 初之氣, 始於漏水下一刻, 終於八十七刻半, 子正之中也. 二之氣, 復始於八十七刻六分, 終於七十五刻, 戌正四刻也. 三之氣, 復始於七十六刻, 終於六十二刻半, 酉正之中也. 四之氣, 復始於六十二刻六分, 終於五十一刻, 未正四刻也. 五之氣, 復始於五十一刻, 終於三十七刻半, 午正之中也. 六之氣, 復始於三十七刻六分, 終於二十五刻, 辰正四刻也. 此之謂周天之歲度, 餘刻交入乙丑歲之初氣矣. 如此而轉至戊辰年, 初之氣, 復始於漏水下一刻, 則四歲而一小周也. 故申子辰氣會同者此也.)

　巳 酉 丑의 처음 氣는 모두 26刻에서 시작하고, 寅 午 戌의 처음 氣는 모두 51刻에서 시작하고, 亥 卯 未의 처음 氣는 76刻에서 시작하니, 氣는 모두가 같은 刻에서 시작하는 것이므로 三合이라 하는 뜻이 이것에 연유한다. 15번의 작은 週期(주기)로 하나의 큰 週期(주기)가 되니 곧 60년이다. 三車一覽(삼거일람)에서는, 申은 水의 生地가 되며, 子는 水의 旺地가 되고, 辰은 水의 庫가 되는 것이므로, 申子辰은 三合하지만 氣는 같은 刻에서 시작함을 알지 못하니, 天道는 자연적인 것으로 妙할 따름이다. (巳酉丑, 初之氣, 俱起於二十六刻, 寅午戌, 初之氣, 俱起於五十一刻, 亥卯未, 初之氣, 俱起於七十六刻, 氣皆起於同刻, 故謂之三合, 義由此也. 以十五小周, 爲一大周, 則六十年也. 三車一覽以申爲水之生, 子爲水之旺, 辰爲水之庫. 故申子辰三合, 而不知氣起於同刻, 乃天道自然之妙耳.)

10. 논시각論時刻-上

　대저, 晝夜 十二時를 고르게 100刻으로 나누는데, 1시간은 8大刻과 2小刻이 있으니, 大刻은 총 96이며 小刻은 총24인데, 6小刻은 1大刻에 準하는 것이므로 공히 100각이 되는 것이다. (夫晝夜十二時, 均分百刻, 一時有八大刻, 二小刻, 大刻總九十六, 小刻總二十四, 小刻六, 準大刻一. 故共爲百刻.)

時의 전반부는 大刻4인데, 시작을 말하면, 初의 初, 다음은 初1, 다음은 初2, 다음은 初3이고 마지막은 小刻으로 初4가 된다. 時의 후반부의 大刻 또한 4인데, 시작을 말하면 正의 初, 다음은 正1, 正2, 正3, 마지막은 小刻으로 正4가 된다. (上半時之大刻四,始曰初初,次初一,次初二,次初三, 最後小刻爲初四.下半時之大刻亦四,始曰正初,次正一,次正二,次正三,最後小刻爲正四.)

만약 子時라면, 子時의 전반부는 夜半 前이면 어제에 속하고, 子時의 하반부는 夜半 後면 오늘에 속하니, 마치 冬至는 11월의 中氣임에도 一陽이 다시 놀아와 天道의 시초인 것이다. 古歷에서는 每時마다 2小刻으로 [먼저]시작하여 각각 4大刻으로 이어나갔다. 그러나 오늘날의 역법처럼 셈하기에 편리하도록 한 것에는 미치지 못한다. 세속에서 子午卯酉는 각 9刻이라 하고, 나머지를 8刻이라는 것은 잘못된 것이다. (若子時,則上半時在夜半前,屬昨日,下半時在夜半後,屬今日, 亦猶冬至,得十一月中氣,一陽來復,爲天道之初耳.古歷每時以二小刻爲始,乃各繼以四大刻.然不若今歷之便於籌策也.世謂子午卯酉各九刻,餘皆八刻非是.)

동지 날, 태양은 箕[28수(宿)의 하나] 5度에 있지만, 조만간 箕6度에 있으므로 태양은 辰時 初 1刻에 떠올라 申時 正 4刻에 일몰하는 것은 後 8일로, 星紀之次(성기지차는 12황도 궁에 대응하는 12자리라는 천문학 용어로 북방칠수의 두성, 우성에 해당하는 12자리중의 하나) 궤도이다. (冬至日,日在箕五度,今在箕六度,日出辰初一刻,日入申正四刻,後八日,躔星紀之次.)

소한일, 태양은 斗(북두)2度에 있지만 조만간 斗8度에 있으므로, 태양이 酉時 初 2刻에 일몰하고, 6일후에는 태양이 卯時 正 4刻에 떠오르니, 낮은 42刻이며 밤은 58刻이다. (小寒日,日在斗十二度,今在斗八度,日入酉初二刻,後六日,日出卯正四刻,晝四十二刻,夜五十八刻.)

대한일, 태양은 牛[牛宿: 28수의 하나]4度에 있지만, 조만간 牛 初度에 있으므로, 태양이 酉時 初 1刻에 일몰하는 것은 後 12일이며, 태양이 卯時 正 2刻에 떠오르는 것은, 後 4일로 현묘한 성좌로 子에 들어 女[女宿, 斗, 牛, 女, 虛, 危, 室, 壁中 하나]2度하여, 낮은 43刻이며 밤은 57刻고, 13일후에는 낮이 44刻이며 밤은 56刻이 된다. (大寒日,日在牛四度,今在牛初度,日入酉初一刻,後十二日,日出卯正二刻,後四日,躔玄枵之次,入子,女二度,晝四十三刻,夜一(五)十七刻,十三後日,晝四十四刻,夜五十六刻.)

입춘일, 태양은 危[28宿의 하나,玄武之星, 虛危之星] 3度에 있지만, 조만간 女 6度에 있으므로, 後 12일은 태양이 酉時 初 3刻에 일몰하고, 後 13일은 태양이 卯時 正 2刻에 떠오르니, 낮은 45刻이며 밤은 55刻이 된다.(立春日,日在危三度,今在女六度,後十二日,日入酉初三刻,後十三日,日出卯正二刻,晝四十五刻,夜五十五刻.)

우수일, 태양은 危(위) 6度에 있지만, 조만간 尾[28宿의 하나. 창용칠수의 여섯째 星宿(성수),

19개의 별로 구성되어 있음] 初度에 있으므로, 後 12일은 태양이 유시 초 3각에 일몰하며, 13일은 태양이 卯時 正 1刻에 떠오르니, 낮은 47각이며 밤은 53각이고, 後 4일은 별들이 얽혀 꺼려서, 亥에 들어 危 13度가 되니, 낮은 48刻이며 밤은 52刻이 된다. (雨水日,日在危六度,今在尾初度,後十二日,日入酉初三刻,十三日,日出卯正一刻,晝四十七刻,夜五十三刻,後四日纏娵訾之次,入亥,危十三度.晝四十八刻,夜五十二刻.)

경칩일, 태양은 室 8度에 있지만, 조만간 危 15度에 있으므로 後 12일은 태양이 酉時 初 4刻에 일몰하며, 13일은 해가 寅時 正 初刻에 떠오르니, 낮은 49刻이며 밤은 51刻이 된다. (驚蟄日,日在室八度,今在危十五度,後十二日,日入酉初四刻,十三日,日出寅正初刻,晝四十九刻,夜五十一刻.)

춘분일, 태양은 壁 5度에 있지만, 조만간 室 10度에 있으므로 後 6일은 태양은 降婁之次(강루지차)궤도로 운행하여 戌에 들어 奎 2度가 되니, 後 13일은 해가 酉時 正 1刻에 日沒(일몰)하고, 14일은 해가 묘시 초 3각에 떠오르니, 낮은 51刻이며 밤은 49刻이 된다.(春分日,日在壁五度,今在室十度,後六日,日躔降婁之次,入戌,奎二度,後十三日,日入酉正一刻,十四日,日出卯初三刻,晝五十一刻夜四十九刻.)

청명일, 태양은 奎 12度에 있지만, 조만간 壁 10도에 있으므로, 낮은 53刻이며 밤은 47刻으로 그 해가 뜨고 지는 것이 모두 春分後에 있게 된다. (清明日,日在奎十二度,今在壁十度,晝五十三刻,夜四十七刻,其日出入,皆在春分後.)

곡우일, 태양은 婁의 10度에 있지만, 조만간 婁의 初度에 있으므로, 오늘(穀雨인 이날)은 해가 卯時 2刻에 떠오르고, 後 8일은 태양은 大梁之次(대량지차)궤도로 운행하여 酉에 들어 胃의 4刻이 되니, 낮은 55刻이며 밤은 45刻이 된다. (穀雨日,日在婁十度,今在婁初度,本日,日出卯二刻,後八日,日躔大梁之次,入酉,胃四度,晝五十五刻,夜四十五刻.)

입하일, 태양은 胃의 13度에 있지만, 조만간 胃의 1度에 있으므로, 해는 酉時 正 3刻에 일몰하고, 後 3일은 해가 卯時 初 一刻에 떠오르니, 낮은 56각이며 밤은 44각이 된다. (立夏日,日在胃十三度,今在胃一度,日入酉正三刻,後三日,日出卯初一刻,晝五十六刻,夜四十四刻.)

소만날, 태양은 畢[별이름의 하나 28수(宿)]의 初度에 있지만, 조만간 昴(별자리 이름,28수의 하나)의 4度에 있으므로, 後 10일은 해가 酉時 正 4刻에 일몰하여 卯時 初 初刻에 떠오르고, 後 9일은 室沈之次(심침지차)의 궤도로 申에 들어 畢의 7度가 되니, 낮은 58刻이며 밤은 42刻이 된다.   (小滿日,日在畢初度,今在昴四度,後十日,日入酉正四刻,日出卯初初刻,後九日,日躔室沈之次,入申,畢七度,晝五十八刻,夜四十二刻.)

망종일, 태양은 畢의 14도에 있지만 조만간 畢의 11度에 있으므로, 해(日)는 卯時 初 初刻에 떠올라서 酉時 正 4刻에 일몰하니, 그 낮과 밤은 길이가 본래 차이가 없다. (亡種日,日在畢十四度,今在畢十一度,日出卯初初刻,日入酉正四刻,其晝夜本無節.)

10. 논시각論時刻-下

하지일, 태양은 井[28수의하나,<禮記>仲夏之月, 日在東井]의 1度에 있지만 조만간 觜[28수(宿)의하나, 西方에 있는 白虎의 제6성,"觜觿(자휴)", "奎婁胃昴畢觜參"]의 11度에 있으므로, 태양은 寅時 正 4刻에 떠올라 戌時 初 初刻에 지고, 後 8일에는 태양이 鶉首之次(순수지차) 궤도로 운행하여 未에 들어 井의 9度가 되니, 낮은 59刻이며 밤은 41刻이 된다. (夏至日,日在井一度,今在觜十一度,日出寅正四刻,日入戌初初刻,後八日,日躔鶉首之次,入未,井九度,晝五十九刻夜四十一刻.)

소서일, 태양은 井의 16度에 있지만 조만간 井의 13度에 있으므로, 태양이 卯時 初 初刻에 떠올라 8일간 태양은 酉時 正 4刻에 지니, 낮은 58刻이며 밤은 42刻이 된다. (小暑日,日在井十六度,今在井十三度,日出卯初初刻,八日,日入酉正四刻,晝五十八刻,夜四十二刻.)

대서일, 태양은 鬼[朱雀 七宿의 제 2성, 28수의 하나]의 1度에 있지만 조만간 井의 28度에 있으므로, 後 7일에는 태양이 鶉火之次(순화지차) 궤도로 운행하여 午에 들어 柳[28수의 하나, 朱雀 七宿의 3째星, 별 8개로 구성, "柳宿"季夏九月曰在柳"<禮記>],의 4度가 되므로, 태양이 卯時 初 1刻에 떠올라 酉時 初 3刻에 지니, 낮은 57刻이며 밤은 43刻이 된다. (大暑日,日在鬼一度,今在井二十八度,後七日,日躔鶉火之次,入午柳四度,日出卯初一刻,入酉初三刻,晝五十七刻,夜四十三刻.)

입추일, 태양은 星[朱鳥 七宿의 4째 성수, 남방에 속하며,7개의 별로 이룸, 28수의 하나] 의 1度에 있지만 조만간 柳의 9度에 있으므로, 태양이 卯時 初 1刻에 떠올라 태양은 酉時 正 4刻에 지니, 낮은 56刻이며 밤은 44刻이 된다. (立秋日,日在星一度,今在柳九度,日出卯初一刻,日入酉正四刻,晝五十六刻,夜四十四刻.)

처서일, 태양은 張[朱雀 七宿(주작 칠수)의 5째 성수로서 6별로 구성, 28수의 하나]의 8度에 있지만 조만간 星의 7度에 있으므로, 태양이 卯時 初 2刻에 떠올라 酉時 正 2刻에 지니, 後 9일에는 태양이 鶉尾之次(순미지차)궤도로 운행하여 巳에 들어 張의 16度가 되니, 낮은 54刻이며 밤은 46刻이 된다. (處暑日,日在張八度,今在星七度,日出卯初二刻,入酉正二刻,後九日,躔鶉尾之次,入巳,張十六度,晝五十四刻,夜四十六刻.)

백로일, 태양은 翼[28수의 하나, 남방의 성수, 昏翼中<禮記>]의 5度에 있지만 張의 13度에 있으므로, 태양이 卯時 初 3刻에 떠올라 酉時 正 1刻에 지니, 낮은 52刻이며 밤은 48刻이 된다.

(白露日,日在翼五度,今在張十三度,日出卯初三刻,日入酉正一刻,晝五十二刻,夜四十八刻.)

추분일, 태양은 軫[28宿의 하나, "軫爲車, 主風"<史記>]의 1度에 있지만 조만간 翼의 10度에 있으므로, 태양이 卯時 初 4刻에 떠올라 酉時 正 初刻에 지니, 後 10일에는 태양이 壽星之次(수성지차)의 궤도로 운행하여 辰에 들어 軫의 12度가 되니, 낮은 50刻이며 밤도 50刻이 된다. (秋分日,日在軫一度,今在翼十度,日出卯初四刻,日入酉正初刻,後十一日,日躔壽星之次,入辰軫十二度,晝五十刻,夜五十刻.)

한로일, 태양은 軫의 16度에 있지만 조만간 軫의 8度에 있으므로, 태양이 卯時 正 1刻에 떠올라 酉時 初 3刻에 지니, 낮은 48刻이며 밤은 52刻이 된다. (寒露日,日在軫十六度,今在軫八度,日出卯正一刻,日入酉初三刻,晝四十八刻,夜五十二刻.)

상강일, 태양은 角[28宿의 하나, 東方에 있는 靑龍의 首星, "角宿未旦"<楚辭>]初의 10度에 있지만 조만간 角의 10度 5分에 있으므로, 태양이 卯時 正 2刻에 떠올라 酉時 初 2刻에 지니, 後 12일에는 태양이 大火之次(대화지차)의 궤도로 운행하여 卯에 들어 氐[28宿의 하나, 靑龍 七宿의 3째 성수, 별이 넷으로 구성]의 3度가 되니, 낮은 46刻이며 밤은 54刻이 된다. (霜降日,日在角初十度,今在角十度五分,日出卯正二刻,日入酉初二刻,後十二日,日躔大火之次,而入卯,氐三度,晝四十六刻,夜五十四刻.)

입동일, 태양은 氐[28宿의 하나, 靑龍 七宿의 3째 성수, 별이 넷으로 구성]의 5度에 있지만 조만간 氐의 3度에 있으므로, 태양이 卯時 正 3刻에 떠올라 酉時 初 1刻에 지니, 낮은 44刻이며 밤은 56刻이 된다. (立冬日,日在氐五度,今在氐三度,日出卯正三刻,日入酉初一刻,晝四十四刻,夜五十六刻.)

소설일, 태양은 房[28宿의 하나, 蒼龍 七宿의 넷째 성수, 별 넷으로 구성.]의 3度에 있지만 조만간 房의 1度에 있으므로, 태양이 묘시 정 4각에 떠올라 유시 초 초각에 지니, 낮은 42刻이며 밤은 58刻이 되고, 後 11일에는 태양이 析木之次(석목지차)의 궤도로 운행하여 寅에 들어 尾[28宿의 하나, 蒼龍 七宿의 6째 성수, 19별로 구성, 尾宿, "龍尾伏辰"<左傳>]의 4度가 된다. (小雪日,日在房三度,今在房一度,日出卯正四刻,日入酉初初刻,晝四十二刻,夜五十八刻,後十一日,日躔析木之次,入寅尾四度.)

대설일, 태양은 尾의 8度에 있지만 조만간 尾의 4度에 있으므로, 태양이 卯時 初 1刻에 떠올라 酉時 初 初刻에 진다. (大雪日,日在尾八度,今在尾四度,日出卯初一刻,日入酉初初刻.)

論하여 말하면, 命을 보는 법은 時에 따라 낮아지고 높아지게 되고, 時에는 8刻이 있는데 初와 正의 氣는 같지 않으며, 初는 朔氣(삭기)가 되고 正은 그 中氣가 되는 것이므로 時를 사용하는

法은 항상 正을 사용한다. 가령 癸는 子 下의 4刻이 되고, 艮은 丑 下의 4刻이 되어 그것으로 天干의 正氣를 얻은 것이다.[癸는 子의 하반시 4각이 되고 艮은 축 하반시 4각이 되는 것은 그것이 천간의 정기를 거기에서 얻었기 때문이다.] (論曰,看命之法,以時爲低昻,時有八刻,初正之氣不同,初者其朔氣也,正者其中氣也,故用時之法,每用其正.若癸爲子下四刻,艮爲丑下四刻,以其得天干之正氣焉.)

만약 初라면(上 半時) 앞선 時의 氣를 띠고 있고 아직 뒤의 時의 氣를 차지하지 않았으니 하물며 夜半(자정)을 나누시 않겠는가? 태양이 子 亥 중간에 어긋나 있어 [야반(夜半)은 분명하지 않아서] 그 時를 정하기 어려우니 初의 初와 正 4刻을 제외하고 나머지 6刻의 사이에도 구름이 끼거나 맑아짐이 갑작스럽고 춥고 따뜻함이 크게 차이가 나니 사람이 태어날 때에 끝내 그 해당되는 것을 얻는다. 그래서 내가 수시력(授時曆)으로 시각을 분별하였으니, 지혜로운 자는 세밀하게 살피고 상세히 묻는다면 거의 오류가 없을 것이다. (若初則帶先時之氣,未占後時之氣,況夜半不分.其日頓差,子亥中間,厥時難定.除初初正四刻,餘六刻之間,或陰晴焂忽,寒煖逈別,人之生時,果得其當也耶.余姑就授時曆分之,要在智者密察而詳問之,庶無誤矣.)

11. 논태양전차태음납갑급출인회합
論太陽躔次太陰納甲及出入會合-上

(陳摶曰,日,陽中之陽,人君之象也.其德至剛,其體至健,其行天,所以分晝夜,別寒暑,一日一周天,而在天爲不及一度,一歲之積,恰與天會,故日有三道.中道者黃道也,北至東井,去極近,南至牽牛,去極遠,東至角,西至婁,去極中,通中道,南道,北道爲三道也.蓋極南至於牽牛,則爲冬至,晝四十刻,夜六十刻,極北至於東井,則爲夏至,晝六十刻,夜四十刻,南北極中,則爲春秋,分晝夜各五十刻.)

진단(陳摶)은 말하기를, 태양은 陽중의 陽으로 임금의 象이 되며 德은 지극히 剛하고 體는 지극히 건장하여 하늘을 운행할 때에 낮과 밤이 분별되며 寒暑가 나누어지고, 하루에 하늘을 一周하는 것은 하늘에서는 1度에 미치지 못하고, 한 해씩 쌓여 마치 天會와 같은 것이므로 태양은 三道가 있다. 中道는 黃道(황도)니 北쪽의 東井星에 이르면 北極에 가까워지고, [태양이] 南쪽의 牽牛星에 이르면 北極에서 멀어지고, [태양이] 동쪽으로 각성에 이르고 서쪽으로 누성에 이르면 極과의 거리가 중앙이 된다. 中道 南道 北道는 三道가 된다. 대저 (해가) 南쪽에 도달하여 牽牛星에 이르면 冬至가 되고, 낮은 40刻이며 밤은 60각이 되고, (해가) 북쪽에 도달하여 東井星에 이르면 夏至가 되고, 낮은 60刻이고 밤은 40刻이 되고, 南極과 北極의 中央이면 봄가을이 되어 낮과 밤이 각각 50刻이 된다.

무릇 하늘에 운행함을 분별하면, 正月의 雨水中氣 後 2일에 亥方(해의 방향)의 별자리는 娵訾(추자)이고 甲 庚 丙 壬에 감응한다. 2月의 春分中氣인 後 2일에 戌方의 별자리는 降婁(강누)이고 艮 巽 乾 坤에 감응한다. 3월의 穀雨中氣인 後 5일에 酉方의 별자리는 大梁(대량)이고 乙 辛 丁 癸에 감응한다. 4월의 小滿中氣인 後 6일에 [申方의] 별자리는 實沈(실침)이고, 甲 庚 丙 壬에 감응한다. 5월의 夏至中氣인 後 5일에 未方의 별자리는 鶉首(순수)이고 甲 庚 丙 壬에 감응한다. 6월의 大暑中氣인 後 4일에 [午方의] 별자리는 鶉火(순화)이고, 乙 辛 丁 癸에 감응한다. (凡行天之分.正月雨水中氣,後二日,躔亥娵訾之次.其應甲庚丙壬.二月春分中氣,後二日,躔戌降婁之次,其應艮巽乾坤. 三月穀雨中氣,後五日,躔酉大梁之次,其應乙辛丁癸.四月小滿中氣,後六日,躔實沈之次,其應甲庚丙壬. 五月夏至中氣,後五日,躔未鶉首之次,其應坤乾巽艮.六月大暑中氣,後四日,躔鶉火之次,其應乙辛丁癸.)

7月의 處暑中氣인 後 5일에 巳方(사의 방향)의 별자리는 鶉首(순수)이고, 甲 庚 丙 壬에 감응한다. 8月의 秋分中氣인 後 8일에 辰方의 별자리는 壽星(수성)이고, 巽 艮 坤 乾에 감응한다. 9月의 霜降中氣인 後 9일에 卯方의 별자리는 大火(대화)이고, 乙 辛 丁 癸에 감응한다. 10月의 小雪中氣인 後 7일에 寅方의 별자리는 析木(석목)이고, 甲 庚 丙 壬에 감응한다. 11月의 冬至中氣인 후 4일에 丑方의 별자리는 星紀(성기)이고, 艮 巽 坤 乾에 감응한다. 12月의 大寒中氣인 後 6일에 子方의 별자리는 玄枵(현효)이고, 癸 乙 丁 辛에 감응한다. (七月處暑中氣,後五日,躔巳鶉首之次,其應甲庚丙壬.八月秋分中氣,後八日,躔辰壽星之次,其應巽艮坤乾.九月霜降中氣,後九日,躔卯大火之次,其應乙辛丁癸.十月小雪中氣,後七日,躔寅析木之次,其應甲庚丙壬.十一月冬至中氣,後四日,躔丑星紀之次,其應艮巽坤乾.十二月大寒中氣,後六日,躔子玄枵之次,其應癸乙丁辛.)

달은 陽中의 陰이나 后妃의 상이다. 그 德은 지극히 柔하고, 그 體는 지극히 順하며, 하늘을 운행할 때 태양을 보좌하고 夜景(야경)으로 경험하니 차기도하고 기울기도 한다. 달은 본래 빛이 없고, 고운 해는 밝음이 있고, 不明의 體로 이것을 말한 것이고, 純陰은 坤의 象이다. 그믐과 초하루의 때이다. 30일이 지나 (태양이) 37度 강에 미치지 못하여 달의 밝은 부분이 처음으로 생기고, 시작부터 날을 밝히고 빛이 있기에 초승달이라고 일컫고 陽의 처음으로 생겨나는 것이다. (달이) 저녁 무렵 庚방에서 보이고 震의 象이다. (月,陽中之陰,后妃之象也.其德至柔,而其體至順,其行天,所以佐理太陽,驗之夜景,以爲消息.月本無光,麗日而有明,以不明之體言之,則純陰而象坤,晦朔之時也,越三十日,不及日三十七度強,而哉生明,始資日之明而有光,因謂之朏,陽之初生也,昏見於庚,震之象也.)

初8일을 지나 태양이 98도에 미치지 못하면 태양은 반만 밝기에 弦이라고 일컫기 때문에 陽은 장차 반이 되고, (달이) 어두울 때 丁方에서 보여 兌의 象이다. 15일을 지나면 태양이 182도 반 강에 미치지 못하여 望에 대하여 보름달이라고 일컫고 3陽이 구비되었다. 저녁 무렵 甲方에서 보여 乾의 象이다. (越八日,不及日九十八度強,而資日之半明,因謂之弦,乃陽將半也.昏見於丁,兌(☱一短二長)之象也,越十五日,不及日一百八十二度半強,與對望,資日之全明而大圓,因謂之望,言三陽具備也.昏見於甲,乾(☰三長)之象也.)

또 30일은 219度강에 미치지 못하고, 처음으로 (달의)어두운 부분이 생겨나서 (望)보름달이 기울어 陰魄(달의 어두운 부분)이 비로소 생겨나기에 魄이라 하고 陰이 다시 움트기 시작한다. 달이 새벽에 辛方에서 보여 巽의 象이다. 또 5일(23일) 태양이 281度강에 미치지 못하여 반은 희미하고 반은 밝아지기에 하현이라고 일컫고 달은 半만 생겨나는 것이다. (달이) 새벽에 丙方에서 보이면 艮의 象이다. (又三(十)日,不及日二百一十九度强,而哉生魄,與日之望偏,而陰魄始生,因謂之魄,謂陰復萌也.晨見於辛,巽之象也,又五日,不及日之二百八十一度强,而半晦,半資日之明,因謂之下弦,謂月生之半也,晨見於丙,艮(☶,一長二短)之象也.)

또 6일(29일) 태양이 490分이 강하고, 365도 4분의 1에 미치지 못하면 태양이 交會(교회)하면 달은 온전히 밝고 서로 비출 수 없고 다시 어두워져 밝음이 없고 이것을 그믐이라고 하는데, 달이 乙方에서 지고 坤의 象이라 한다. 하늘을 운행하는 度數는, 하루에 300도 19분의 7度를 행하고(352도 828분 6전), 하늘에서는 20도(30度) 19분의 7도에 미치지 못하고, 태양에서는 13度 19분의 7度에 미치지 못하고 29일과 940분의 499일을 쌓아, 태양과 辰次의 곳에서 만나 一歲(1년)를 이룬다. (한 달에) 12번 만난다. 354일 940분(949분)이고, (태양은) 340분(348분)에 하늘과 만나 一歲를 이루므로 달은 九行이 있다. [책 원문에 오류가 많습니다.] (又六日,與日之四百九十分强,則不及,盡三百六十五度四分之一,而與日交會,日(月)之明,全不能相資,復晦而不明,因謂之晦,盡沒於乙,坤(☷,三短)之象也,其行天之度,一日之行,得三百度十九分度之七,在天爲不及二(三)十度十九分度之七,在日爲不及十三度十九分度之七,積二十九日,九百四十分日之四百九十九,而與日會於辰次之所,以爲一歲,十二而會,得三百五十四日,九百四十(九)分日之三百四十(八)分,而與天會是爲一歲也.故月有九行.)

11. 논태양전차태음납갑급출인회합
論太陽躔次太陰納甲及出入會合-中

九行은, 흑도(太陰의 궤도)의 둘인 立冬, 冬至는 黃道의 북쪽에서 나오고, 赤道의 둘인 立夏, 夏至는 黃道(태양의 視軌道)의 남쪽에서 나오고, 白道(달이 천구 위에 그리는 궤도)의 둘인 立秋, 秋分은 黃道의 서쪽에서 나오고, 靑道의 둘인 立春, 春分은 黃道의 동쪽에서 나온다. 황도는 모두가 九行이 되기 때문에 입춘과 춘분은 靑道를 따르는 甲度에서 나누어지고, 立秋와 秋分은 白道를 따르는 庚度에서 나누어지고, 立冬과 冬至는 黑道를 따르는 壬度에서 나누어지고, 立夏와 夏至는 赤道를 따르는 丙度에서 나누어진다. (九行者,乃黑道二.[立冬,冬至],出黃道北,赤道二.[立夏,夏至],出黃道南,白道二.[立秋,秋分],出黃道西,靑道二.[立春,春分],出黃道東.幷黃道,共爲九行也,故立春春分從靑道,分在甲度,立秋秋分從白道,分在庚度,立冬冬至從黑道,分在壬度,立夏夏至從赤道,分在丙度.)

그 日月이 會合하는 辰(별자리)은 三合이 비치는 곳의 방향이니, 이것은 天德과 月德의 星이 된다. 그러므로 3月建의 辰은 그 三合이 申子辰이고, 日月이 酉에서 모이고 庚方에서 나와 垣의 壬方에 들어가기 때문에 天德과 月德은 壬에 있다. 6月建의 未는 그 三合이 亥卯未이고 日月이 午에서 모이고 丙方에서 나와 垣의 甲方에 들어가기 때문에 天德과 月德은 甲에 있다. 9月建의 戌은 그 三合이 寅午戌이고 日月이 卯에서 모이고 申方에서 나와 垣의 丙方에 들어가기 때문에 天德과 月德은 丙에 있다. 12月建의 丑은 그 三合이 巳酉丑이고 日月이 子에서 모이고 壬方에서 나와 垣의 庚方에 들어가기 때문에 天德과 月德은 庚에 있다. 대저 子 午는 日月의 始終이고, 卯酉는 日月의 門戶가 出沒하기 때문에 겹쳐져 나누어지고 太陰 太陽이 있는 것이다. 무릇 人命에서 태양궤도를 차례대로 만나므로 4大 吉時인 天德과 月德이 생겨나고, 月 德이 하나같이 빼어나게 모인 것을 일컬으니 貴하고 인자함이 나타남이 많고 納甲卦의 氣를 더한다면 富貴가 끝이 없고 日月은 同體인 것이다. (其日月會合之辰,三合所照之方,是爲天德月德之星,故三月建辰,其三合申子辰,日月會於酉,出於庚,入垣於壬,故天德月德在壬,六月建未,其三合亥卯未,日月會於午,出於丙,入垣於甲,故天德月德在甲,九月建戌,其三合寅午戌,日月會於卯,出於申,入垣於丙.故天德月德在丙,十二月建丑,其三合巳酉丑,日月會於子,出於壬,入垣於庚,故天德月德在庚,蓋子午日月之終始.卯酉日月之門戶出沒,故其分多,而有太陰太陽也.凡人命遇日躔之次,四大吉時,及天月二德生,謂之聚一月德秀,多貴顯仁慈,再納甲卦氣,則富貴悠悠,與日月同體矣.)

내가 또 納甲의 說은 의심스러워 언급하지 않고 [위백양의] 참동계(參同契)의 월체납갑설을 언급한다. 術家들은 妙理에 근거하여 달의 본체를 생각하지 않아도, 아직은 缺陷(결함)이 없으니 제 때에 밝혀서 명명하니 그 온전한 것이 과연 존재하는 것이다. (余又疑納甲之說,易不言及,而參同契言之,術數之家,據以爲妙理,不思月之本體,未有虧缺,以其受明有時,故名,而其圓者,未嘗不在也.)

만약 卦에서 納甲은, 그 八卦가 陰陽의 이어짐과 끊어짐으로 나뉘어 고정불변한데, 어찌 그것과 더불어 서로 배합할 수 있는가? 달이 저녁에 庚方에서 보여 震의 象이 되고, 丁방에서 보이면 兌의 象이 된다. 坎離 두 卦는 중간이 실하고, 중간이 허하여, 그것을 경험하면 太陰이고 즉 분류할 수 없어 戊己는 納이라는 것은 이치에 맞지 않는 말을 면할 수 없다. 청낭경을 고찰하건대, 甲乙 壬癸는 陽에 마주 닿고, 陽중의 四支는 庚에 속하고, 丙 丁 辛은 陰에 예속하고, 陰중의 四支가 배합된다. 진단이 [청낭경]주에서 말하길 이 納干配支의 이치는 성인이 入用之道이다. (若納甲於卦,其八卦分有陰陽連斷,一定不易,惡可與之相配,以月昏見於庚爲震之象,見於丁爲兌之象也耶,坎離二卦,中實中虛,驗之太陰則不類,乃以戊己納焉.未免穿鑿,考靑囊經,甲乙壬癸隷於陽,而陽中四枝繫焉,庚丙丁辛隷於陰,而陰中四枝配焉.陳搏註云,此言納干配支之法,聖人所以入用之道也.)

乾은 陽의 體이고, 9궁에 居하고 陽의 卦이니 奇數(기수)이고, 甲은 天3의 陽數를 얻으며 天干의 陽에서 으뜸인 乾으로 父(아버지)라 칭하므로 納干은 甲이다. 坤은 陰의 體이고, 1宮에 居하며 陰의 卦이니 偶數(우수)이고, 乙은 地8의 陰數를 얻으며 天干의 陰에서 으뜸인 坤으로 母(어머니)라 칭하므로 納干은 乙이다. 乾坤은 父母이고 納干은 동쪽의 納干이고, 동쪽은 物이 생겨나는 地支이니 그러므로 乾坤은 그 權을 잡은 것이다. 艮은 陽이 어리고, 6宮에 居하고 陽의 卦이니 奇數(기수)이고, 丙은 天7의 陽數를 얻으며 艮은 少男이 되므로 納干은 丙이고 坤卦가 一變한 것이다. 兌는 陰이 어리고, 4宮에 居하고 陰의 卦이니 偶數이고, 丁은 地2의 陰數를 얻으며 兌는 少女가 되므로 納干은 丁이고 乾卦가 一變한 것이다. 그러므로 少男 少女는 남쪽의 納干이고, 남쪽은 物을 변화하는 地支이니 그러므로 艮兌는 그 변화를 맡은 것이다. (乾,陽體也,居於九宮,卦陽而數奇也,甲得天三之陽,天干陽首乾,稱乎父,故納干於甲.坤,陰體也,居於一宮,卦陰而數偶也,乙得地八之陰,天干陰首坤,稱乎母,故納干於乙,此乾坤父母,納干於東,以東者物生之地也,故乾坤秉其權焉.艮,陽穉也,居於六宮,卦陽而數奇也,丙得天七之陽,艮爲少男,故納干於丙,此坤卦之一變也.兌,陰穉也,居於四宮,卦陰而數偶也,丁得地二之陰,兌爲少女,故納干於丁,此乾卦之一變也,故少男少女,納干於南,以南者物化之地也,故艮兌司其化焉.)

11. 논태양전차태음납갑급출입회합
論太陽躔次太陰納甲及出入會合-下

震은 陽이 자라나고 8宮에 居하며 陽의 卦로서 偶數(우수)이고, 庚은 天9의 陽數를 얻으니 震은 長男이 되므로 納干은 庚이고 이 乾卦가 다시 變한 것이다. 巽은 陰이 자라나고 2宮에 居하며 陰의 卦로서 偶數이고, 辛은 地4의 陰數를 얻고 巽은 長女가 되므로 納干의 辛은 이 坤卦가 다시 變한 것이다. 그러므로 장남장녀의 納干은 서쪽이고, 서쪽은 物을 이루는 곳이기 때문에 震巽은 오직 그 令이다. 離는 陰을 用하고 3宮에 居하며 陰의 卦로서 奇數(기수)이고, 壬은 天1의 양수를 얻고 離는 中女가 되므로 納干은 壬이고 乾卦가 4變한 것이다. 坎은 陽을 用하고 7宮에 居하며 陽의 卦로서 奇數(기수)이고, 癸는 地6의 陰數를 얻고 坎은 中男이 되므로 納干은 계이고 곤괘가 4變한 것이다. 그러므로 中男中女의 納干은 북쪽이고, 북쪽은 物을 貯藏(저장)하는 곳이므로 坎離는 그 임무를 맡은 것이다. (震,陽長也,居於八宮,卦陽而數偶也,庚得天九之陽,震爲長男,故納干於庚,此乾卦之再變也.巽,陰長也,居於二宮,卦陰而數偶也,辛得地四之陰,巽爲長女,故納干於辛,此坤卦之再變也,故長男長女,納干於西,以西者物成之地也,故震巽專其令焉.離,陰用也,居於三宮,卦陰而數奇也,壬得天一之陽,離爲中女,故納干於壬,此乾卦之四變也.坎,陽用也,居於七宮,卦陽而數奇也,癸得地六之陰,坎爲中男,故納干於癸,此坤卦之四變也,故中男中女,納干於北,以北者物藏之地也,故坎離司其任焉.)

戊己는 天5地10의 成數(성수)를 얻어 天地의 中氣가 되므로 中處로 尊崇(존숭)한 皇極에 居하고, 納甲으로 배합하지 않으나 四氣의 季(끝)에서 化成하여 坤에서 양육하므로 坤(땅)의 質인 土이니 火金으로 교류하므로 附麗한다. 대개 그 陰陽에는 數가 서로 따르는데 孤旺한 卦로 정한다. (戊己得天五地十之成數,爲天地之中氣,故中處而尊居皇極,無可配納,化成於四氣之季,而致養於坤,以坤質土也,火金之交也,故附麗焉.蓋其陰陽以數相從,孤旺以卦而定.)

가령 12辰이 있으면 納卦의 法은 4行에 분배되어 4정궁에 附着(부착)하고, 坎의 水體는 申 子 辰으로 水의 垣이므로 納坎은 水를 따른다. 離의 火體는 寅午戌로 火의 垣(울, 담)이므로 納離는 火를 따른다. 兌의 金體는 巳酉丑으로 金의 垣이므로 納兌는 金을 따른다. 震의 木體는 亥卯未로 木의 垣이므로 納震은 木을 따른다. 이에 陽支는 陽干을 따르고 陰支는 陰干을 따르니 이것으로 五氣를 生成하고, 八卦를 합하여 모으니 聖人은 그 지극한 이치로서 (消息)차고 기움을 妙用하게 되니 天陽地陰이 한번 열렸다 한번 닫히고 一造一化하여 생성하는 방향이 없고, 그 조짐인 것이다. (至若地支十有二辰,納卦之法,則四行分配,而附麗於四正之宮,坎以水體,申子辰,水之垣也,故納坎從水,離以火體,寅午戌,火之垣也,故納離從火,兌以金體,巳酉丑,金之垣也,故納兌從金,震以木體,亥卯未,木之垣也.故納震從木,此陽支從陽干,陰支從陰干也,於是五氣生成,八卦翕合,聖人者.因其至理而消息之,以爲妙用,使天陽地陰,一闢一闔,一造一化,生成無方,其幾微矣.)

단경역술(丹經歷術)에서 納甲의 說은 老子의 혼백을 싣고서 하나로 안아서 서로 떨어지지 않게 할 수 있을까?[온 나라 백성의 마음을 하나로 모으고 이것이 떠나지 않게 할 수 있겠는가?] 라는 章에서 나온 것이 아니다. 그것을 日月로써 말한 것은 태양은 그 빛이 달에 더해진 것이고 魄은 그것을 밝힌 것이다. 사람이 그 위에 싣고 차에 오르는 것과 같다. 달이 차지 않았을 때는 빛이 서쪽에서 나기 시작해서 점점 동쪽으로 차오르고, 다 찼을 때는 빛이 서쪽에서 소멸하기 시작해서 점점 동쪽으로 가 없어진다. 달의 방향이 생겨난다는 말은 태양의 빛에서 달빛이 서쪽에서 더하니 동쪽에서 점점 차므로 望에 이른 후에 둥글고 보름이 지나게 되면 태양의 빛은 마침내 그 달빛의 동쪽을 지킬 것이며 점점 서쪽에서 줄어들어 그믐에 이른 후에는 사라지고, 달은 태양을 거슬러서 밝게 되고, [달은] 望(보름)이 안 되면 태양의 그 우측에 있고, 望이 지나면 태양의 좌측에 있다. 그러므로 각각 그곳에서 빛을 받음으로 納卦로는 실제로 論하면 같지 않다. (丹經歷術,納甲之說,無出老子載營魄抱一能無離乎一章,其以日月言者,謂日以其光,加於月魄而爲之明,如人登車而載於其上也,月未望而載魄於西,旣望則從魄於東,其溯於日乎,言月之方生,則以日之光加被於魄之西,而漸滿其東,以至於望而後圓,及旣望矣,則以日之光終守其魄之東,而漸虧其西,以至於晦而後盡,謂月溯日以爲明,未望則日在其右,旣望則日在其左,故各自其所在而受光,以卦納之,似非實論.)

12. 논오행왕상휴수사병기생십이궁
論五行旺相休囚死並寄生十二宮

四時의 旺盛한 氣運이 때를 타면 旺이라고 한다. 예를 든다면, 春節은 木이 旺盛한데, 왕성하면 곧 화를 생하니 火는 木의 자식이 되고, 자식은 부모의 업을 계승하므로 火는 相이 되고, 木은 水에서 생겨나니 生我者(나를 생하는 자)는 부모가 되고, 이제 자식이 이어받아 得時(득시: 때를 만나다.)하여 高明(고상하고 식견 높음)하고 顯赫(현혁: 높이 드러나서 빛남)하게 되어 생아자(부모, 인수)는 당연히 물러남을 아는 것이므로 水는 休(휴식)한다. 休는 美가 無極(끝이 없음)한데, 休는 그러나 행(事)하는 뜻이 없다.[즉 靜的이라는 말] 火는 능히 金을 剋하지만 金은 木의

鬼인데 [金은]火의 制剋함을 받아 베풀 수 없으므로 金은 囚(가두어짐)한다. 火는 능히 土를 生할 수 있고, 土는 木의 財가 되고 財는 감추며 숨겨진 物이 되어 초목이 發生하여 토의 기운이 흩어지기 때문에 春木이 土를 剋하면 死한다. 夏節은 火가 旺盛한데, 火가 土를 生하면 土의 바탕이 되고, 木이 火를 생하면 木은 休하고, 水가 火를 剋하면 水는 가두어지고, 火가 金을 剋하면 金은 死한다. (盛德乘時曰旺.如春木旺,旺則生火,火乃木之子,子承父業,故火相,木用水生,生我者父母,今子嗣得時,登高明顯林之地,而生我者當知退矣,故水休.休者美之無極,休然無事之義.火能剋金,金乃木之鬼,被火剋制,不能設施,故金囚,火能生土,土爲木之財,財爲隱藏之物,草木發生,土散氣塵,所以春木剋土則死.夏火旺,火生土則土相,木生火則木休,水剋火則水囚,火剋金則金死.)

6월은 土가 旺盛한 시기인데 土가 金을 生하면 金의 바탕이 되고, 火가 土를 生하면 火는 休하고, 木이 土를 剋하면 목은 囚하고, 土가 水를 剋하면 水는 死한다. 秋節은 金이 旺盛한데 金이 水를 生하면 水의 바탕이 되고, 土가 金을 生하면 土는 休하고, 火가 金을 剋하면 火는 囚하고, 金이 木을 剋하면 木은 死한다. 冬節은 水가 旺盛한데 水가 木을 生하면 木의 바탕이 되고, 金이 水를 生하면 金은 休하고, 土가 水를 剋하면 土는 囚하고, 水가 火를 剋하면 火는 死한다. (六月土旺,土生金則金相,火生土則火休,木剋土則木囚,土剋水則水死.秋金旺,金生水則水相,土生金則土休,火剋金則火囚,金剋木則木死.冬水旺,水生木則木相,金生水則金休,土剋木(水)則木(土)囚,水剋火則火死.)

살펴보면, 夏月은 큰 가뭄으로 金石이 녹아내리고 水土는 그을린다. 6월은 더운 기운이 증가하니 寒氣(추운 기운)는 소멸하고, 秋節은 金이 偏勝(편승)하니 草木은 누렇게 되어 떨어지고, 冬節은 크게 寒冷하여 水(물)는 結氷(결빙)하여 어니 火氣는 꺾이어 소멸되니 그 旺함과 그 死함을 가히 볼 수 있는 것이다. 무릇 四時의 순서에서 계절이 차면 물러나고 오행의 성품은 공을 이루고는 반드시 넘어지므로 陽極하면 하강하고 陰極하면 상승하여 태양은 中央에서 기울고 달이 차면 줄어드는 이것이 하늘의 常道(변하지 않는 도리)이다. 사람은 天地에서 태어나 기세가 쌓이면 반드시 덜어야하고, 재물이 모이면 반드시 흩어지고, 나이가 적으면 도리어 쇠약하고, 즐거움이 至極하면 도리어 슬퍼지는데 이는 사람이 항상 가지는 心情이다. 그러므로 한번 盛하면 한번은 衰하고, 혹 얻기도 하고 혹 잃기도 하는데, 興亡盛衰의 進退가 이 법을 벗어나기 어렵다. (觀夏月大旱,金石流,水土焦,六月暑氣增,寒氣滅,秋月金勝,草木黃落,冬月大寒太冷,水結冰凝,火氣頓滅,其旺其死,概可見矣.蓋四時之序,節滿卽謝,五行之性,功成必覆,故陽極而降,陰極而升,日中則昃,月盈則虧.此天之常道也.人生天地,勢積必損.財聚必散,年少反衰,樂極反悲.此人之常情也.故一盛一衰,或得或失,榮枯進退,難逃此理.)

經에서는, 사람이 비록 만물의 靈長일지라도 命은 五行을 벗어날 수 없다는 그 말일 뿐이다. 대저 五行은 12宮에 寄生하니, 長生,沐浴,冠帶,臨官,帝旺,衰,病,死,墓,絶,胎,養으로 순환하고 끝없이 회전하여 다시 시작하니 대체로 萬物을 만들고 사람도 유사하게 12宮으로 循環하니 역시 인간세상에서의 輪廻(윤회)와 같은 것이라 말하였다. <삼명제요>에서 이르기를, 五行이 12宮에 寄

生하여 첫째로 受氣(氣를 받음)를 말하면, 또 絕하고 胞하여 만물이 땅에서 존재하니, 그 象이 있기 전에 母의 腹中에는 비어 아직 物質이 있지 않는 것이다. 둘째로 受胎(수태)를 말하면, 天地의 氣가 교류하여 기운이 합하여 만물을 만들고 그 物은 땅속에서 움터나서 그 氣를 시작하니 사람이 부모의 氣를 받음과 같은 것이다. 셋째로, 成形을 말하면, 만물이 땅속에서 形을 이루는 것인데 사람은 母의 腹中에서 形을 이룸과 같은 것이다. (經云,人雖靈於萬物,命莫逃乎五行,斯言盡矣.夫五行寄生十二宮,長生,沐浴,冠帶,臨官,帝旺,衰,病,死,墓,絕,胎,養,循環無端,週而復始,造物大體,與人相似,循環十二宮,亦若人世輪廻也.三命提要云,五行寄生十二宮,一曰受氣,又曰絕,曰胞,以萬物在地中,未有其象,如母腹空,未有物也,二曰受胎,天地氣交,氤氳造物,其物在地中萌芽,始有其氣,如人受父母之氣也.三曰成形,萬物在地中成形,如人在母腹成形也.)

넷째로 長生을 말하면, 萬物은 발생(생겨나면)하면 繁榮(번영)함을 지향하는데 사람은 태어나면서부터 자라남을 지향함과 같다. 다섯 번째로 沐浴을 말하면, 또 敗라 하여 만물은 처음 태어나면 형체가 연약하여 쉽게 손상하는데, 사람이 태어나서 3일 후에 목욕하는 것은 얼마간은 피곤하고 막히는 것과 같은 것이다. 여섯 번째 冠帶를 말하면, 萬物은 점점 자라나 秀麗해지는데 마치 사람이 의관을 갖추는 것과 같은 것이다. 일곱 번째 臨官을 말하면, 만물은 이미 수려한 결실을 얻은 것인데 마치 사람이 관직에 임한 것과 같은 것이다.[12運星에서 建祿을 말함] 여덟 번째 帝旺을 말하면, 만물은 성숙한 것인데 마치 사람이 興旺(흥왕)한 것과 같은 것이다. 아홉 번째로 衰를 말하면, 만물은 형체가 쇠약해지니 마치 사람의 기운이 쇠약해진 것과 같은 것이다. 열 번째로 病을 말하면, 萬物은 病이 든 것이니 마치 사람이 病든 것과 같은 것이다. 열한 번째로 死를 말하면, 萬物은 죽은 것이니 마치 사람이 죽은 것과 같은 것이다. 열두 번째로 墓를 말하면, 또한 庫라 하여 萬物은 功을 이루어 庫에 감추는 것이니 마치 사람이 終局에는 무덤으로 돌아가는 것과 같은 것이다. 무덤으로 돌아가면 또 氣를 받아 잉태되고 그리고 태어난다. (四曰長生,萬物發生向榮,如人始生而向長也.五曰沐浴,又曰敗,以萬物始生,形體柔脆,易爲所損,如人生後三日,以沐浴之,幾至困絕也.六曰冠帶,萬物漸榮秀,如人具衣冠也.七曰臨官,萬物既秀實,如人之臨官也.八曰帝旺,萬物成熟,如人之興旺也.九曰衰,萬物形衰,如人之氣衰也.十曰病,萬物病,如人之病也.十一曰死,萬物死,如人之死也.十二曰墓,又曰庫,以萬物成功而藏之庫,如人之終而歸墓也.歸墓則又受氣包胎而生.)

무릇 조화를 추산하면 生旺한 것을 본다고 반드시 吉하다고 論하지 않으며, 休 囚 死 絕을 본다고 반드시 凶하다고 말하지 않는다. 가령 生旺함이 太過하다면 制伏함이 마땅하고, 死絕되어 不及하다면 生扶함이 마땅하니 妙함은 그 通變을 아는 것에 있다. 옛적에는 胎 生旺 庫로서 4貴로 하였고, 死 絕 病 敗(沐浴 支를 말함)는 4忌로 하였고, 나머지는 4平으로 하였으니 대체적으로 말하였다. (凡推造化,見生旺者,未必便作吉論,見休囚死絕,未必便作凶言.如生旺太過,宜乎制伏,死絕不及,宜乎生扶,妙在識其通變.古以胎生旺庫爲四貴,死絕病敗爲四忌,餘爲四平,亦大概而言之.)

13. 논둔월시論遁月時

대저, 命에서는 年은 本으로 삼아 父가 되고, 月은 형제 동료 친구가 되고, 日은 主로 삼아 妻가 되며 자신이 되고, 時는 자손이 되며 帝座가 되어 평생의 榮辱(영화로움과 치욕)을 주관하는 으뜸이 된다. 또 말하기를, 年은 根(뿌리)이 되고, 月은 苗(싹)가 되고, 日은 꽃(花)이 되고, 時는 열매(實)가 되기 때문에 싹은 뿌리가 없으면 생겨날 수 없고, 열매는 꽃이 없으면 맺지 못하니, 月의 遁(변화함)은 年을 따르고 時의 遁(변화함)은 日을 따른다. 遁月은, 甲 己의 年에서 正月은 丙寅에서 일어나고, 2月은 丁卯로 12月을 순행한다. (夫命以年爲本,爲父,月爲兄弟僚友,日爲主,爲己身,時爲子孫,爲帝座,爲平生榮辱之主首.又曰年爲根,月爲苗,日爲花,時爲實,故苗無根不生,實無花不結.所以遁月從年,遁時從日.遁月,卽甲己之年,正月起丙寅,二月丁卯,順行十二月.)

古歌에서 말하기를, 甲己의 年은 丙으로 시작하고, 乙庚의 歲(년)는 戊가 머리가 되고, 丙辛의 歲는 庚에서 찾고, 丁壬은 壬의 자리에서 순행하고, 다시 戊癸는 어느 곳에서 일어나는가? 甲寅에서 시작하게 된다. 遁時[時頭法]는, 가령 甲子日이 子時 生이면 甲이 되어 돌아오니 子時는 甲子, 丑時는 乙丑으로 12時를 순행한다. 古歌에서 말하기를, 甲 己는 甲으로 돌아오고, 乙 庚은 丙에서 처음 시작하고, 丙 辛은 戊를 따라서 일으키고, 丁 壬은 庚子[時]에 있는데 戊 癸는 어느 방향에서 일어나는가? 壬子 時가 바른 길이다. (古歌曰,甲己之年丙作首,乙庚之歲戊爲頭,丙辛之歲尋庚上,丁壬壬位順行流,更有戊癸何處起,甲寅之上好追求.遁時,如甲子日子時生人,卽甲己還加甲,便知子時乃甲子,丑時乃乙丑,順行十二時.古歌曰,甲己還加甲,乙庚丙作初,丙辛從戊起,丁壬庚子居,戊癸何方發,壬子是直途.)

右起(우측에서 일으키는) 月과 時의 法칙은 天干의 合한 數를 취한 陰陽의 配合이다. 이미 合數를 취하였으면 저절로 변화하는 數가 생기니, 月은 生함을 취하고, 時는 剋을 취한다. 가령 甲 己의 化土에서는 火生土하므로 月은 丙寅에서 일으키고, 木剋土하므로 時는 甲子를 일으킨다. 遁月(둔월법)은 寅에서 일어나니 사람은 寅에서 생겨남을 뜻하며 東方에서 비로소 興하는 시기가 되는 것이고, 遁時(시두법)는 子에서 일어나니 하늘은 子에서 열리는 것을 뜻하고 1陽이 비로소 생겨나는 때이다. 窮究(궁구)하여 말하면 모두가 相生하며 돌고 순환함이 끝이 없는 것이다. 무릇 上古의 曆元에서는 甲子年 甲子月 甲子日 甲子時의 甲己는 甲子에서 일으키니 이것이 祖宗(조종, 근본, 시초)인 것이다. 甲子가 있으면 곧 乙丑 丙寅으로 順하게 12宮을 펴면 陽은 陽에서 생겨나고 陰은 陰에서 생겨나니 상호간에 하나의 자리인 同類로 夫婦가 되는데 이것이 月을 일으키는 法이고 時를 일으키는 것도 이 법칙을 벗어나지 않는 것이다. (右起月時之法,取天干合數,陰陽之配也.旣取合數,自生化數,月則取生,時則取剋.假如甲己化土,火生土,故月起丙寅,木剋土,故時起甲子.月遁起寅,人生於寅之義,東作方興之時也,時遁起子,天開於子之義,一陽方生之候也.究而言之,則皆相生而轉,循環無端焉.蓋上古曆元,年甲子,月甲子,日甲子,時甲子,甲己起甲子,祖於此也.有甲子,則乙丑,丙寅順布十二宮,陽生陽,陰生陰,相間一位,同類爲夫婦.是起月之法,不外起時之中矣.)

14. 논년월일시論年月日時-上

무릇, 사람의 命을 논하면 年 月 日 時로 배정하여 사주를 이룬다. 遁月法은 年을 따름으로서 年을 本(근본)으로 하고, 時頭法은 日을 따름으로서 日이 主(주인, 주체)가 된다. 古法에서는 年으로 보았고, 子平에서는 日로서 보는 法을 근본으로 하였다. 가령 사람의 本은 木인데 卯月을 얻어 타고 主가 金인데 酉時를 얻어 타게 되면 本과 主는 旺氣를 탄 것이라 한다. 예를 들어 本(년)이 水인데 甲申, 丙子, 壬戌, 癸亥月 얻으며 主(일주)가 火인데 丙寅, 戊午, 甲辰, 乙巳時를 얻은 것과, 本이 木인데 己亥, 辛卯, 甲寅, 庚寅月을 얻으며 主가 金인데 辛巳, 癸酉, 庚申, 壬申時를 얻으면 本과 主는 還家(집으로 돌아오다.)라 한다. (凡論人命,年月日時,排成四柱,遁月從年,則以年爲本,遁時從日,則以日爲主.古法以年看,子平以日看,本此.如人本木,而得卯月以乘之,主金,而得酉時以乘之,謂之本主乘旺氣,如本水,而得甲申,丙子,壬戌,癸亥月,主火,而得丙寅,戊午,甲辰,乙巳時,本木而得己亥,辛卯,甲寅,庚寅月,主金,而得辛巳,癸酉,庚申,壬申時,謂之本主還家.)

本이 木인데 癸未月을 얻으며 主는 金인데 乙丑時를 얻은 것과, 本이 水인데 壬辰月을 얻으며 主가 火인데 甲戌時를 얻으면 本과 主는 印을 지닌 것이라 한다. 4位가 이와 같이 거듭 吉神이 왕래하여 흉신악살이 회피하면 本과 主는 자리를 얻은 것이라 한다. 本(년)이 主(일주)를 이기는 (剋)것은 조상의 음덕을 많이 얻고, 主가 本을 이기는(剋) 것은 당연히 자립하고 本과 主가 모두 강하면 富貴가 雙全한다. (本木而得癸未月,主金而得乙丑時,本水而得壬辰月,主火而得甲戌時,謂之本主持印.四位如此,更吉神往來凶煞廻避,謂之本主得位,本勝於主者,多得祖蔭,主勝於本者,當自卓立,本主兩強,富貴雙全.)

사주에서 다시 抑揚(누르고 오르고, 扶抑을 말함)하여 中道로 돌아가서 太過不及 함이 없어야 비로소 좋은 命이 되고, 한 자리라도 不及함이 있으면 主는 반드시 蹇滯(막혀서 절름거림)하는데, 그러나 모든 命術家들은 年이 좋은 것은 月이 좋은 것만 못하고, 月이 좋은 것은 日이 좋은 것만 못하고, 日이 좋은 것은 時가 좋은 것만 못하다고 말하였는데, 대체로 年은 1歲를 총괄하고 月은 30일을 갖추며 日과 時는 홀로 얻게 되니, 日時에서 吉함을 얻어도 月에서 應하지 않으면 도리어 無用한 것을 알지 못한다. 하물며 用神은 月에서 많이 取하는데 이 月을 어찌 가벼이 하겠는가? (四柱中更揚抑歸中,無太過不及,方作好命,有一位不及,必主蹇滯,然諸家命術,皆云好年不如好月,好月不如好日,好日不如好時,大率以年則統乎一歲,月則該乎三十,而時日爲得之獨,不知得日時之吉,而月不應,反爲無用,況用神多取諸月,是月又可輕乎.)

당나라의 이허중이 유독 日干을 위주로 하여 年 月 時의 生剋制化와 旺相休囚를 더불어 보고 格局을 세웠다. 저울에 비유한 것인데, 年은 저울의 갈고리와 같아 그 물건을 매어들고, 月은 그물을 얽어매는 것과 같아 그 물건을 끌어 일으키고, 日은 저울의 몸체와 같아 두 星의 차이가 없도록 저울추로 輕重을 나누어 터럭만큼도 차이가 나지 않게 하는 것이므로 오늘날 術家의 宗主

이다. (唐李虛中, 獨以日干爲主, 卻以年月時, 合看生剋制化, 旺相休囚, 取立格局. 譬之衡焉, 年如衡鉤, 縋起其物, 月如綱紐, 提起其物, 日如衡身, 星兩不差, 錘分輕重, 分毫加減. 此發前賢所未發, 故今術家宗之.)

古人이 命을 論할 적에 3主로 나누고 셋으로 한정하니 年과 月은 初主를 주관하고, 月과 日은 中主을 주관하고, 日과 時는 末主을 주관하였는데 그 法은 星歷家가 3主로 나눈 것과 동일하다. 만약 처음 主星이 生年에서 힘을 얻으면 初主는 좋은 것이고 힘을 얻지 못하면 初主는 蹇滯(건체)하며 中主와 末主도 동일하다. 3限(셋으로 정한 것)에서 生月은 初로 규정하여 25年을 주관하고, 生日은 中으로 규정하여 25年을 주관하고, 生時는 末로 규정하여 50年을 주관한다. 만일 初로 규정한 것이 祿馬 貴神을 두고 截路 空亡 交退 伏神을 犯하지 않으면 쉽게 현달하고, 中限이 初限과 같으면 中年에 입지를 세우고, 末限도 中限과 같으면 晩年(노년)에 편안함을 누리게 되니 四柱에서 3主 3限으로 나누는 것이 마땅히 조정하는데 중요할 것이다. (然古人論命, 分三主, 定三限, 以年與月管初主, 月與日管中主, 日與時管末主, 其法與星歷家分三主同, 若初主星, 當生年得力, 則初主好, 不得力, 則初主蹇滯, 中末主同, 三限以生月爲初限, 管二十五年, 生日爲中限, 管二十五年, 生時爲末限, 管五十年, 若初限值祿馬貴神, 不犯空亡截路, 交退伏神, 便於初限進達, 中限如初限, 便當中年成立, 未(末)限如中限, 便當晩年享用, 是四柱中分三主三限, 可見當均重也.)

또 말하기를, 年은 太歲가 되어 사람의 一生禍福을 주관하는데, 가령 태어난 太歲가 金이나 木이라면 중요한 것이 日月時가 相生相應해야 조화롭고 화순하니 즉 근본 뿌리가 튼튼하여 일생을 우뚝 세우고 성취한다. 만일 干支五行이 不順하면 도리어 剋 沖破하여 本과 主가 傷하게 되어 長壽하지 못하고, 刑하고 殺을 대동한 月 日 時 生이라면 主는 本氣를 손상하여 祖業을 破하며 六親에게 冷淡(냉담)한 蹇滯(막히고 절름거림)한 命이다. (又曰, 年爲太歲, 主人一生禍福, 如當生太歲是金是木, 要日月時相生相應, 造化和順, 則根基牢固, 一生卓立成就. 若支干五行不順, 反剋衝破, 爲傷本主, 無壽, 被刑帶煞. 及生月日時者, 主損本氣, 破傷祖業, 六親冷淡, 蹇滯之命也.)

月은 運元이 되어 行運은 月을 쫓아 일으켜 세우는데, 만약 日時가 本人 生年의 福이라면 마땅히 運元은 生旺한 곳으로 돌아가 日時를 扶助(부조)하고 官印과 貴人 祿馬 財星은 마땅히 運元이 生旺한 곳에 있어야 아름다운 것이다. 만약 日時가 本人 生年의 禍가 되면 마땅히 運元은 制剋하는 곳으로 돌아가 구제해야 한다. 그런데 土가 많아 막히면 마땅히 運元은 소통하는 곳으로 돌아가야 하고, 水가 많아 泛濫(범람)하면 마땅히 運元은 歸宿하는 곳으로 돌아가야 하고, 火가 많아 난폭해지면 마땅히 運元은 晦息(어둡고 쉬는)하는 곳으로 돌아가야 하고, 金木이 太强하면 마땅히 運元은 沈潛(침잠)하는 곳으로 돌아가야 한다. 혹시 運元이 生時에 모여 福이 되면 運元은 生時에서 發福한다. (月爲運元, 行運從月建起, 若日時是本生年之福, 宜歸運元生旺處以扶助之, 故官印貴人, 祿馬財星, 宜在運元生旺處爲佳. 若日時是本生年之禍, 宜歸運元剋剋處以潛濟之. 故土多窒塞, 宜歸運元疏通處, 水多泛濫, 宜歸運元歸宿處, 火多暴露, 宜歸運元晦息處, 金木太強, 宜歸運元沈潛處. 或運元集生時之福, 或運元發福於生時.)

14. 논년월일시論年月日時-下

    日은 3陽이 모이는 帝王의 象이며, 時는 친히 帝座를 가까이 모시는 臣下로서, 時와 日에는 君臣慶會(군신경회)하고 天地德合(천지합덕)함이 있다. 혹 年 月 日 時의 4位가 納音의 生旺한 氣이거나, 혹 4位가 祿 馬 福 貴의 氣가 時上에 모여 있으면 4위는 福이 帝座에 모였다고 한다. 혹은 時에서 顚倒(전도)되어 드높아진 旺氣와 秀氣가 諸位(4位)에 散在하여 諸位가 吉함이 모인 氣運을 탄 것이니 帝座는 4位에서 發福한다 하였다. (日者,三陽之會,帝王之象,時者近侍之臣,以親帝座,而時日有君臣慶會,天地德合.或年月日時,四位納音生旺之氣,或四位祿馬福貴之氣,聚在時上,謂之四位集福於帝座.或時倒揭旺氣秀氣,散在諸位,而諸位乘吉會之氣者,謂之帝座發福於四位.)

    대저, 福이 帝座에 모이면 순수하고 인정이 두터우며 충성스럽고 믿음직한 마음을 가지게 되어 4位에서 발복하니, 총명하며 단정하고 정직하여 스스로 진출한다. 만약 가까이 모시는 신하라면 火 土 金이 太旺함을 절대로 꺼리니 오래도록 맡을 수 없고, 水木이 淸奇(맑고 뛰어남)하면 翰苑에 많이 든다. 年 月이 發福하는 곳이면 生時에서 破壞하지 않아야 하고, 파괴되는 곳은 生時에서 구원해줌이 필요하다. (夫集福於帝座,則以純厚忠信爲心,發福於四位,則以聰明端直自進.若近侍之臣,切忌土火金氣太旺,不能久任,水木淸奇,多是翰林.年月發福處,不要生時破壞,敗壞處,仍要生時解釋.)

    이로 말미암아 論하면, 年 月 日 時는 균등함이 중요한데 時가 더욱 중요하다. 人命은 貴賤(귀천)과 壽夭(수요; 장수함과 요절함)와 窮通(궁통)하는 得失은 다만 生時를 분별함에 있다. 時는 8刻으로 나누는데 初 正 末의 氣가 같지 않으니 반드시 세밀히 살펴야한다. 또 말하기를, 節氣에서 立春은 12月末에 있으니 오히려 12월에 태어나면 明年(내년)의 봄기운을 얻고 兩 年(올해와 내년)의 氣候를 차지하니 垂帶貴人이라 한다. 2月에 있어 3月의 節氣를 얻으면 오히려 氣가 교체하는 때이니 剩餘(잉여, 남는 氣)중에 태어나면 無後貴人이라 한다. 貴人을 드리우고 태어난 主는 福祿이 長久하니 차지한 氣運이 많다. 後에 貴人이 없이 태어난 主는 富貴가 길지 못하니 얻은 氣運이 적다. (由是論之,年月日時均重,而時爲尤重.人命貴賤壽夭,窮通得喪,只在生時之辨.時分八刻,有初正末氣不同,須細察之.又曰,節氣有立春在十二月末,卻在十二月生,得明年春氣,占兩年氣候者,謂之垂帶貴人,有二月而得三月節氣,卻在交氣之時,餘剩中生者,謂之無後貴人,垂帶貴人,生主福祿悠長,占氣多也.無後貴人,生主富貴不久,得氣少也.)

    또한 定眞論에서 말하기를, 四柱에서 年은 祖上이 되니 조상의 계통과 흥망성쇠를 알 수 있고, 月은 父母가 되니 [父母]의 은택과 名利有無등을 알 수 있고, 日은 自身이 되니 그 干(일간)으로 여덟 글자를 살펴보고 內外의 取捨(취할 것은 취하고 버릴 것은 버림)하는 근원으로 삼고, 干(일간)이 약하면 旺한 氣를 빌려 구해야 하고, 남음이 있으면(有餘) 부족해지길 원한다. (又定眞論曰,四柱以年爲祖上,則知世代宗派盛衰之理,以月爲父母,則知親蔭名利有無之類,以日爲己身,當推其

干,搜用八字,爲內外取捨之源,干弱則求氣旺之藉,有餘則欲不足之營.)

日干과 같으면 兄弟가 되는데, 가령 乙은 甲을 보면 兄으로 삼아 庚(金)이 重함을 꺼려하고, 甲은 乙을 아우(弟)로 삼아 辛(金)이 많음을 꺼려하고, 日干이 剋하는 것은 妻와 財가 되는데 財가 많고 日干은 旺盛해야 한다는 뜻이다. 만약 日干이 衰弱한데 財多하면 禍가 되고, 日干이 干與支同은 妻와 財를 損傷하고, 남자는 日干을 剋하는 것으로 자식이 되고, 여자는 日干이 生하는 것으로 자식이 되니 存 失함이 같은 例이고, 時의 部門(부문)에서는 貴賤과 貧富를 추산하는 구역이다. 혹 年을 主로 하면 수없이 많은 富貴가 서로 같은 사람임을 알 수 있다. 甲子年에 대어나면 本命이 日을 꺼려하여 막게 되고, 月은 兄弟가 되는데 火의 命이 酉 戌 亥 子月에 출생하면 형제는 절대로 힘을 얻지 못하고, 日이 妻가 되는 경우는 空亡 刑 剋 煞地에 있게 되면 妻妾을 결단코 剋한다는 말이고, 時가 자식이 되는 경우는 死 絶하거나 傷 煞하는 곳에 臨하면 자식이 단연코 적다는 말이다. (干同以爲兄弟,如乙見甲爲兄,忌庚重,甲以乙爲弟,忌辛多,干剋以爲妻財,財多干旺,則稱意.若干衰財多,則禍,干與支同,損財傷妻,男取剋干爲嗣,女取干生爲子,存失皆例,以時分野,當推貴賤貧富之區.或用年爲主,則可知萬億富貴相同者,如甲子年生,便爲本命忌日之戒,以月爲兄弟,如火命,生酉戌亥子月,言兄弟不得力之斷,或日爲妻,如在空刑剋煞之地,言剋妻妾之斷,或時爲子,臨死絶傷煞之鄉,言少子之斷.)

또 말하기를, 年을 손상하면 부친이 不利하고, 月을 손상하면 兄弟가 불리하고, 또한 主는 初年에 艱難辛苦(간난신고)하며, 日을 손상하면 자신에게 不利하여 折腰煞(타인에게 허리를 굽히는 살)이라 부르고, 時를 손상하면 子孫(자손)에게 不利하며 또한 結果가 없다. 만약 年에서 月 日 時 의 3位를 生하면 上이 下를 生한다하여 主는 本의 기운을 손상하여 祖業(조상으로부터 내려오는 가업)을 破한다. 時 上에서 日 月 年을 生하면 下가 上을 生한다하여 主는 福德이 증가한다. 만약 上이 下를 生하더라도 五行의 相逢함을 얻고 福氣를 타면 이 또한 好命으로 看做(간주)하지만 만일 서로에게 화를 더한다면 아름답지 못한 것이다. 四柱가 純粹하고 刑衝破害空亡死絶됨이 없고 다시 福神이 상호간에 도와야 비로소 吉命이 되고 이와 반대가 되면 凶하다. (又曰,傷年不利父,傷月不利兄弟,亦主初年艱辛,傷日不利己身,名折腰煞,傷時不利子孫,亦無結果.若年生月日時三位,謂之上生下,主損本氣,兼破祖業.時上生日月年,謂之下生上,主增福德.若上生下,得五行相逢,乘生福氣,亦作好命看,若相乘生禍則不佳.四柱純粹,無刑衝破害空亡死絶,更有福神互爲之助,方爲吉命,反此則凶.)

15. 논태원論胎元

대저 胎는 形을 받는 시작이며, 易의 乾에서 太始를 알게 되니 形으로 말할 수 있다. 月은 氣를 이루는 時이며 傳하여 말하기를, 日이 쌓여 月이 되니 氣로 말할 수 있다. 오늘날 命을 論할 때 胎月이 중요하지 않으니 사주의 根苗인 胎月을 생각하지 않으며, 日時가 비록 긴요하지만 만일 胎月을 파하거나 犯하지 않는 경우는 旺氣가 祿馬를 타게 되어 福이 더욱 많게 되고, 日時가 吉하여도 胎月을 犯하게 되면 吉함 또한 無用하게 되니 이 胎月이 가장 중추적 요인이 된다. (夫胎者,受形之始,故易乾知太始,以形言也.月者,成氣之時,故傳曰,積日爲月,以氣言也.今談命或不以胎月爲重,殊不思胎月是四柱之根苗,日時雖爲緊,若不犯破胎月,或乘旺氣祿馬之處,則爲福尤多,或日時之吉,而爲胎月所犯,則吉亦歸無用.是胎月最爲樞要.)

옥호전논 태수는 좋은 것이 있으나, 요즘 사람들은 胎元을 取하는 法이 많아서 精當하게 살피지 않는다. 戊子生 甲寅月은 往往 乙巳가 胎元이 되고, 대략 乙巳는 生月의 10개월 前인데 그 중에 閏(剩餘)의 有無가 명확하지 않으며 日(날)을 取하는 경우는 특히 生日 干支를 合하는 것으로 受胎하는 시기(날)로 삼는데 그 중에 干支의 합이 완전하지 않을 수 있으니 역시 취하는 근거가 없다. (玉湖專論胎數,良有以也,今人多以法取胎元,未審精當,且戊子生甲寅月,往往便以乙巳爲胎,蓋言乙巳是生月前十月,更不明其中有閏無閏,或取日,特以生日支干合者,爲受胎之時,中有不値干支合全者,亦取之無據.)

오직 한 가지 방법이 있는데, 출생전의 300일은 10개월의 氣가 되니 受胎의 正이다. 甲子日生을 비유하면, 甲子日에서 受胎日이 되기까지는 대개 5乘6하여 300일로 계산하니, 그 生日이 어느 月중에 있는가를 살펴보고 있으면 閏이 그 중에 있는 것이다. 또 예컨대 戊子生人의 甲寅月 乙丑日이면 반드시 半月(15일)前인 10개월 또는 11개월 안에서 乙丑日生을 찾아야하므로 300일이 올바른 胎인 것이다. (惟有一法,以當生前三百日爲十月之氣,乃是受胎之正,譬甲子日生,便以甲子爲受胎之日,蓋五六計三百日,看其生日在何月中,有則閏在其中矣.且如戊子生人,甲寅月,乙丑日,須於半月前,十月或十一月內,尋當生乙丑日,乃是三百日之正胎.)

經에서는, 胎는 元命을 生한다는 선인(先人)의 말은 子生이 子胎를 얻고, 丑生이 丑胎를 얻음과 같은데 이 설명 또한 좋지 않다. 또 예컨대 辛未 生이 壬辰 月을 얻으면 癸未로서 胎를 삼으니 辛未(路傍)土는 癸未(楊柳)木의 制를 받아 身鬼가 되는데, 어찌 胎가 元命을 生한다고 할 것인가? 五行이 相剋하고 兼하여 胎가 六害에 머문다면 설령 日時가 福이 되더라도 역시 獨强하여 자립하는 것인가. (經云,胎生元命,前人言如子生得子胎,丑生得丑胎,此說亦未善.且如辛未生,得壬辰月,以癸未爲胎,辛未土,受癸未木制,爲身鬼,又何以謂之胎生元命,五行相剋,兼胎處六害之地,縱使日時爲福,亦主獨强自立者歟.)

난대묘선에는 "子歸母腹格"(자귀모복격)이 있는데, 金年에 受胎하여 土年에 출생하면 吉하나 火年에 출생하면 凶하고, 月 日 時가 相生하면 吉하나 相剋하면 凶하다고 하였다. 또 말하기를, 보통 사람은 胎數가 길면 壽는 반드시 길고 胎數가 짧으면 壽는 반드시 짧으니, 항상 受胎한 零數(잉태하여 차지 않는 數)의 간격으로 수명을 한정하는데, 德을 만나면 零數는 증가하고 煞을 만나면 零數는 감소하고, 受胎가 깊지 못하면 오래 견디지 못하여 廢(떨어져)하여 곧 休하기 쉬우니, 다시 納音이 어떠한가를 보아야한다. 만일 胎의 時 干支納音이 刑 戰하지 않고 相生하면

長壽한다. 希尹은 胎月이 貴(귀인)를 보면 반드시 福을 받고, 刑衝破害하면 틀림없이 艱難辛苦(간난신고)한다고 말하였다. 鬼谷子는 胎중에 祿이 있게 되면 貴 豪家태생이고 혹 空亡 중에 놓이면 貧窮하여 원망과 탄식이 생긴다고 말하였다. (蘭臺妙選有子歸母腹格,謂金年受胎,達土年生者吉,火年生者凶,月日時相生則吉,相剋則凶.又曰,凡人胎數長,壽必長,胎數短,壽必短,常以受胎隔零數爲壽限,遇德,卻於零數增之,遇煞,於零數減之,受胎不深者,不能耐久,廢卽易休,更看納音何如,若胎時支干納音相生不刑戰者,主壽.希尹曰,胎月見貴,必受福蔭,刑衝破害,決主艱辛.鬼谷子曰,胎中如有祿,生在貴豪家,或値空亡中,貧窮起怨嗟.)

옛 詩에 이르길 時가 末年이면 胎는 수명을 주관하며 말년이란 모두 50세후가 된다. 帝座(일간)의 시작은 胎가 생하여 氣가 맺혀지는 것이니 많은 해 동안 노인의 수명을 취하여 살펴보았는데 이와 같이 생각이 정립되었다. 태분경에 의하면 사람은 잉태하여 270일에 태어나게 되고, 醫家(의가)에서는 10개월에 태어나면 그 心臟(혈장)이 乾濕(건습)해지는데 1개월로 계산한다. 하물며 사람은 수개월에 태어나는데, 모자란 개월에 태어난 자는 어떻게 볼 것인가? 多月(많은 달)에 생한 자는 고령에 장수하지 못하고 내가 알고 있는 두 세 사람이 모두 빈한한 가정 출생이며 少月생은 마치 배나무에서 건져진 도헌과 같다. 칠삭둥이면 넉넉하게 벼슬을 하며 임금이 직접 찾을 정도다. 少月에 태어난 者로는 두증도헌(杜拯都憲)은 7개월에 태어났다는 것을 나와 동료, 친척들이 들었었다. 또 오연영(吳淵穎)선생께서 송의 문헌공(文憲公) 렴(濂)도 임신 7개월에 태어났으나 귀인(貴人)의 수태(受胎)가 300日로 정해졌다는 것을 어찌 근거로 삼을 수 있는가? (古詩云,時爲末主胎爲壽,盡在末年五十後,帝座朝胎生氣結,看取壽年多老耄,意蓋謂此,據胎分經,人懷胎二百七十日而生,醫家以十月産者,計其血臟乾濕之一月也.況人有多月生者,少月生者,以何爲准,多月生者,不但古今可考,就余所知者二三人,俱是貧家,少月生,如杜拯都憲,止七個月,余與同僚,親聞渠說,又吳淵穎先生來,宋文憲公濂,俱姙七月而生,然則貴人受胎,定在三百日,又豈可據乎.)

[참고]
杜拯都憲(두증도헌)의 四柱
甲 癸 戊 戊
寅 巳 午 寅

* 宋 濂, 宋文憲公 1310 ~ 1380 자 경렴(景濂).호 잠계(潛溪). 저장성[浙江省] 진화현[金華縣] 출생. 원(元)나라 말기의 저장의 학자 오내(吳萊)·유관(柳貫)·황잠(黃潛) 등의 문하에서 배워 박식하기로 유명하였으며, 그들의 학통을 이어받았다. 원나라 말기 전란을 피하여 용문산(龍門山)에 은거하며 저작에 종사하여, <송학사전집(宋學士全集)>(42권), 《편학류찬(篇學類纂)》《용문자(龍門子)》 등의 저서를 남겼다. 명나라 태조(太祖)가 세력을 잡은 후(1360)에 부름을 받고 난징[南京]으로 가서 왕세자의 스승이 되고, 1369년 《원사(元史)》 편수의 총재를 지낸 뒤, 동년 한림학사(翰林學士)에 임명되었다. 이후, 태조의 고문으로 신임이 두터웠고, 68세에 치사(致仕:관직을 내놓고 물러남)하였다. 71세 때 그의 손자가 죄를 지었기 때문에 그도 쓰촨성[四川省]에 귀양을 가

서 그곳에서 병사하였다.

<오행정기>

참고 : 據胎分經巢元方曰,妊娠一月,名胚胎,足厥陰脈養之,二月名始膏,足少陽脈養之.三月名始胎,手心主脈養之,當此時,血不流行,形象始化,四月始受水精,以成血脈,手少陽脈養之.五月始受火精,以成氣,足太陰脈養之.六月始受金精,以成筋,足陽明脈養之.七月始受木精,以成骨,手太陰脈養之.八月始受土精,以成膚革,手陽明脈養之.九月始受石精,以成毛髮,足少陰脈養之.十月,五臟六腑,關節,人神皆備.其大略也.

[五行精紀,卷七:論五行]據胎分經言,人懷胎二百七十日而生,醫家以十月產者計其血臟乾濕之一月也,況人有多月生者,以何為準? 故云,勿用胎元.]

16. 논좌명궁論坐命宮

[鬼]神은 사당(조상의 神주를 모시는 곳)이 없으면 돌아갈 곳이 없으며, 사람은 집이 없으면 거처할 곳이 없고, 命은 宮이 없으면 주재할 곳이 없으므로 命宮의 說이 있는데 그렇지 않으면 [年運]流年의 星辰이 凶하고 吉한 것을 무엇을 근거로 하겠는가? 이 法은 어느 달(月)에 태어난 사람인지 무슨 時에 자리한 것인지 살펴본 연후에 命이 어느 宮에 坐한 것을 비로소 定한다. (神無廟無所歸,人無室無所棲,命無宮無所主,故有命宮之說,不然,流年星辰,爲凶爲吉,以何憑據.此法看是何月生人,坐於何時,然後方定命坐何宮.)

먼저 출생한 生月에, 子에서 正月을 일으켜 亥에2月, 戌에3月, 酉에4月, 申에5月, 未에6月, 午에7月, 巳에8月, 辰에9月, 卯에10月, 寅에11月, 丑에12月로 하여 12위를 역행한 다음에 [멈추어]生時를 生月에 붙여 12위를 순행하다가 卯를 만나는 자리가 곧 命宮이 된다. (先將所生之月,從子上起正月,亥上二月,戌三,酉四,申五,未六,午七,巳八,辰九,卯十,寅十一,丑十二,逆行十二位,次將所生之時,加於所生之月,順行十二位,逢卯卽安命宮.)

經에 이르기를 天輪(월장)에 地輪(시간)을 더하여 계산하면, 卯宮에서 분명히 命宮이 된다는 것이다.[日出之門戶인 卯에서 命宮을 찾는 것이다.] 가령 甲子年 3月 戌時에 출생한 사람이라면, 正月에 子를 붙이고 2月은 亥에 있고,3月은 戌에 있으니 멈추어서, 또 戌時를 戌에 붙이면 亥에서는 亥, 子에서는 子, 丑에서는 丑, 寅에서는 寅, 卯에서는 卯가 되어 卯를 만나는 이것이니 곧 命은 卯宮에 坐하는 것이다. 甲子年을 쫓아 일어나는 遁月法처럼 甲己之年은 丙을 머리로 하니 丁卯 宮이다. 다음으로 三方(명궁, 재백궁, 관록궁)과 本命(명궁)을 아울러 보아 流年天干이 어느 별을 犯하였는지를 살펴서 吉凶을 추리한다. (經云,天輪轉出地輪上,卯上分明是命宮是也.假令甲子年三月生人,得戌時生,卻將正月加子,二月在亥,三月在戌爲止,又將戌時加在戌上,亥上亥,子上子,丑上丑,寅上寅,卯上卯,逢卯便是,卽命坐卯宮是也.仍隨甲子年起,亦如起月之法.甲己之年丙作首,乃丁卯宮

也.次看三方,幷本命流干,犯何星凶吉推之.)

17. 논대운論大運-1

　　대저 運이란, 人生의 여정에서 여관(머물다 가는곳)에 해당하는 것이다. 命을 探究하는 학설은 먼저 三元四柱, 五行生死, 格局에 합하는 것으로 根基를 정한 연후에 運氣를 고찰하고 상세히 조사하어, 화힙하고 따르는 것으로 平生의 吉凶을 성한다. 또 根氣는 (오행에서) 木과 같고 ,運氣는 (계절에서) 봄과 같으니, 봄은 木이 없으면 드러날 수가 없으며 木은 봄이 아니면 영화로울 수가 없다. 賦에서 根氣가 척박한 것은 쑥이나 잡풀이 미미한 것과 같아 봄바람에 숨었다가 피어나니 또 능히 펼쳐져서 무성하더라도 어찌 능히 오래갈수 있겠는가? 根氣가 두터운 것은 송백(松柏)의 견실함과 같아 추운 한 겨울이라도 변하지 않으니 이야말로 먼저 根基를 論한 後에 運氣라는 것을 말해야 하는 것이다. (夫運者,人生之傳舍.探命之說,先以三元四柱,五行生死,格局致合,以定根基,然後考覈運氣,協而從之,以定平生之凶吉也.且根基如木,運氣如春,春無木而不著,木無春而不榮,賦以根基淺薄者,如蒿萊之微,春風潛發,亦能敷茂,豈能久耶?根基厚壯者,如松柏之實,不爲歲寒所變,此所謂先論根基,後言運氣者歟.)

　　고인은 大運의 1辰을 10歲(년)으로 하고 折除(절제)하여 3日이 1年이 되는 것은 무엇 때문인가? 대저, 1개월이 끝나는 것은 그믐에서 초하루까지가 週期(회전)하여 30일이 있게 되고, 1日이 끝나는 것은 晝夜가 週期(회전)하여 12時(辰)가 있는 것으로서, 총 10年의 運氣이다. 무릇 3日은 36時이며, 이에 360일이 1歲數(1년)가 되고, 1개월은 360時를 折除(절제)한 節氣인데, 계산하면 3600일이 1辰의 10年이 된다. 인생은 120세가 天의 週期로 折除의 法을 論한 것인데 ,반드시 출생자의 실제 歷에서 지나간 日時로 數는 그 節氣의 數로 사용한다. 陽男陰女는 大運에서 생일 후인 미래의 절기가 日時의 數가 되어 순행하고, 陰男陽女는 대운에서 생일전인 과거의 절기가 日時의 數가 되어 역행한다.[참고:(과거)1日=12時辰=(현재)24時=12時(辰)] (古人以大運,則一辰十歲,折除以三日爲年者何?蓋一月之終,晦朔周而有三十日,一日之終,晝夜周而有十二時,總十年之運氣,凡三日,有三十六時,乃見三百六十日,爲一歲之數,在一月之中,有三百六十時,折除節氣,算計三千六百日,爲一辰之十歲也.人生以百二十歲爲周天,論折除之法,必用生者實曆過日時,數其節氣之數.陽男陰女,大運以生日後未來節氣日時爲數,順而行之,陰男陽女,大運以生日前過去節氣日時爲數,逆而行之.)

　　가령, 甲子年 陽男이 12月 24日 巳時에 出生하였다면, 이 달(月)은 29일 申時가 立春인데, 陽男의 數는 미래일로서 24일 巳時로부터 25일 巳時가 되어야 비로소 1日(하루)의 실제의 數인데, 29일 신시에 이르러야 정확히 5日 3時刻(시각)의 節氣를 얻으니, 실제 歷에서는 63日을 지난 것인데 절제하여 63時(5일3시=12×5+3)를 지난 것이고 절제한 것을 계산하면 630일인데 이에 1歲 9월의 대운이 된다. (假如甲子陽男,十二月二十四日巳時生,是月也,二十九日申時立春,陽男數以未來之日,自二十四日巳時至二十五日巳時,方是一日之實數,至二十九(日)申時,正得五日三時之節氣,實曆

過六十三日,折除過六十三時,折除計六百三十日,乃一歲奇九月之大運.)

丁丑에서 運을 일으키는데, 반드시 12월이 生日 後부터 21개월이 세월(日月)이 경과한 후, 運은 그때서야 宮을 옮긴다. 이것은 3歲를 지나 9月內가 되고, 甲子12월생은 1歲 9월의 大運으로 行한다. 지금 사람들은 行運에서 約法을 논하여 많이 사용하는데, 1세 8월에서 運을 일으키면 다시 2歲 9월이 지나야 된다. 실제 달력의 數를 절제한 것이 명확하지 않다. (起於丁丑,必自十二月生日後,實經歷過二十有一之日月,運方移宮,是越三歲九月之內,方是甲子十二月生,行一歲奇九月之大運也.今人行運,多用約法論,以一歲奇八月,起運便以二歲(九月過矣).殊不明折除實歷之數也.)

또 말하길, 대운은 팔자와 표리관계에 있다. 대운의 취용은 마땅히 그 심천을 헤아려야 하고, 세를 이루고 무릇 多寡(많고 적음)를 비교해야 되나 3일이 1년을 이룬다. 나머지가 있다면, 사람은 이것을 일컬어 우수리라고 하고, 不足함을 본다면 사람이 그것을 빌려야 하나, 다만 그 우수리와 빌리는 것을 아나 우수리를 빌리는 까닭을 알지 못한다. 가령, 남자(陽命)가 정월 初하루 丑時 正1각에 태어났다면, 初4일 丑時 正1刻에 이르러 입춘절이면 1세가 완전하게 된다. 만약 봄에 인시라면, 일순에 없고, 만약 한 시간이 흠결되면 一旬에서 빌린다. [우수리~일정한 수나 수량에 차고 남는 수나 수량.] (又曰,大運者,乃八字之表裏也,取用當度其淺深,成歲須較夫多寡,然三日而成一歲,見有餘,人謂之零,見不足,人謂之借,但知其零借,不知其所以零借,假如陽命,正月初一日丑時正一刻生,至初四日丑時正一刻立春節,乃作一歲全,若春在寅時,則多一時,乃零一旬,若欠一時,乃借一旬.)

또 行運의 法으로 이것을 論하면, 가령 甲子年 正月 初하루 子時 正1刻에 태어나면 行運은 乙丑年 正月 初하루 子時 정1각에 1세를 이룬다. 내소 6개월, 즉 6일을 나아가고, 초7일에 자시 정1각에 바야흐로 1세를 이룬다. 다만 12개월로 계산하기만 하면 된한데, 오히려 본년에 윤4월이 있으면 (1개월)한 달이 많게 된다. 당연히 本年 12월 初7일 子時 正1각 運이 교체되고, 이처럼 계산한 후 10주년이 비로소 1大運을 바꾼다. 만약 학자가 그 태어난 時刻을 알지 못하더라도, 오직 그 태어난 時를 안다면 즉 태어난 시간으로 六 節의 시각을 공제하여 계산해도 크게 다르지 않다. (又以行運之法論之,假如甲子年正月初一日子時正一刻生,行運算至乙丑年正月初一日子時正一刻,乃作一歲,內小六個月,卽進六日,在初七日子時正一刻,方作一歲,只要算足十二個月,卻爲本年有閏四月,乃多一月矣.當退還本年十二月初七日子時正一刻交運,從此算後,十週年方換一運,若學者不知其生刻,獨知其生時,卽以生時扣算六節之時,亦差不遠.)

17. 논대운論大運-2

무릇 大運의 흐름이 天干에 있으면 地支를 兼用(겸용)하지만, 地支에 있으면 天干을 포기한다.(참고; 대운은 지지의 영향이 크다는 말함,사용하지 않는다.) 대체로 大運은 地支가 중요하니 東方, 南方, 西方, 北方으로 운행하는 것을 구분하고, 用神에 손해되는 것은 運에서 그것을 制하고, 用神에 이로운 것은 運에서 그것을 生하여야 한다. 身弱하면 運은 旺한 곳으로 나아가야하고, 官은 運에서 生해야하며 運에서 損傷(손상)하면 안 되고, 煞은 運에서 制해야하며 運에서 도우면 안 된다. 財는 運에서 도와야하며 運에서 겁탈해서는 안 되고, 印(인수)은 運에서 旺해야 하며 衰弱하면 안 되고, 食(식신)은 運에서 生해야하며 運에서 梟神(효신)이나 絕하면 안 된다. (凡行運在干,兼用地支之神,在支,則棄天干之物.蓋大運重地支,有行東方,南方,西方,北方之辨.損用神者,欲運制之,益用神者,欲運生之,身弱,欲運引進旺鄉,官欲運生,不欲運傷,煞欲運制,不欲運助.財欲運扶,不欲運劫,印欲運旺,不欲運衰,食欲運生,不欲運梟絕.)

그리고 四柱에서 强弱의 여부를 살펴봐야하는데 원래의 有無와 輕重을 봐야한다. 가령 木人이 金을 사용하여 官이 되면 陽男은 運이 未에서 나와 申으로 들어가고, 陰男은 運이 亥에서 나와 戌로 들어가야 하고, 金人이 木을 사용하여 財가 되면 陽男은 丑에서 나와 寅으로 들어가고, 陰男은 巳에서 나와 辰으로 들어가니 모두 祿을 향하거나 馬에 임한다. 원래 官이 있는데 官運으로 行하면 官이 發하고, 원래 財가 있는데 財運으로 行하면 發財하고, 원래 災(재앙)가 있는데 災運으로 行한다면 재앙이 생긴다. 다시 生年에 얻은 기운의 깊고 얕음을 살펴보면, 사주에서 深氣를 얻고 運을 맞게 되면 發福하게 되고, 淺氣를 얻으면 모름지기 運이 지나갈 때[만날 때] 비로소 發할 것이며, 그 中氣를 얻고 運이 가운데 이르면 곧 發할 것이다. (更看四柱强弱如何,原有原無,原輕原重.如木人用金爲官,陽男運出未入申,陰男運出亥入戌,金人用木爲財,陽男出丑入寅,陰男出巳入辰.俱向祿臨馬.原有官,行官運發官,原有財,行財運發財,原有災,行災運發災.更看當生年時得氣淺深,四柱得氣深,迎運便發,得氣淺,須交過運始發,得其中氣,運至中則發.)

낙녹자가 이르기를, 그것(運)은 氣인데 장차 다가오는 것은 나아가고 공을 이룬 것은 물러나야 한다. 형화상이 이르기를, 臨官 帝旺地를 맞이하게 되면 장차 다가오니 나아가는 것이고 休廢死絕地로 배반하여 功을 이루고 나면 물러나는 것이다. 또 말하기를, 태어나서 休敗地를 만나면 요절하거나 고빈(孤貧)하며, 늙어서 健旺한(臨官 帝旺地) 곳을 만나도 절뚝거리거나 스러지게 된다. (珞琭子云,其爲氣也,將來者進,成功者退.瑩和尚云,迎之以臨官帝旺,將來者進,背之以休廢死絕,功成者退.又曰,生逢休敗之地,早歲孤貧,老遇健旺之鄉,臨年偃蹇.)

형화상은 이르기를, 身은 모름지기 運을 쫓더라도 반드시 運을 빌려서 身을 도와야하고, 勢力은 모름지기 때가 맞아야하고, 또한 때를 빌려서 세력을 이룬다. 또 말하기를, 出生하여 旺한 歲를 만나면 운도 마땅히 왕한 곳에 居處(거처)해야 하고, 만년에 衰한 年(세운)을 만나면 大運이 곤란한 것과 흡사하다. (瑩和尚云,身須逐運,必假運而資身,勢須及時,亦假時而成勢,又曰,生逢旺歲,運須處於旺鄉,晚遇衰年,運恰宜於困地.)

호중자가 말하기를, 늙거나 어려서는 조신하여야 하니 강한자리에 들면 안 되고 장성하여 견실해야 만이 왕성한 곳으로 달릴 수 있고, 生旺하면 비록 吉하지만 반드시 길한 것은 아니며, 衰滅하면 비록 凶하지만 반드시 凶하지 않으니, 이것에 통달해야 비로소 運을 옳게 論할 수 있다. 대개 사람은 태어나서 늙을 때까지는 반드시 미약함으로서 건장하게 되는데, 10세가 되어야 비로소 소년이 되니 胎, 養, 生, 沐浴, 冠帶로 가히 行하고, 30~40에는 당연히 陽이 强하고 나이가 건장한 시기이니 旺한 곳으로 行해야 하고, 50~60에는 天癸(천계: 인체의 생장, 발육)가 고갈되니 단지 衰, 敗, 死, 絶로 행해야 하고 이와 반대가 되면 일생의 運이 배반하게 되고, 三限이 질주하여 晩年에 넉넉하고 旺한 곳에 들면 이미 화합하는 조짐은 아니다. (壺中子曰, 老幼愼勿坐强, 壯實惟宜趨旺, 生旺雖吉, 而未必吉, 衰滅雖凶, 而未必凶, 達此者始可論運. 蓋人自生至老, 必從微以至少壯, 十歲之時, 方當少年, 惟可行胎, 養, 生, 沐浴, 冠帶處, 三十四十, 當陽强齒壯之時, 可行旺處, 五十六十, 天癸枯竭, 只可行衰, 敗, 死, 絶, 反此者, 謂之一生運背, 三限驅馳, 直饒晩入旺鄕, 已非符叶.)

또 말하기를, 命中에서 五行이 衰弱한 것은 運에서 旺盛함이 마땅하고, 오행이 왕성한 것은 運이 쇠약한 것이 마땅하고, 衰弱한 것이 다시 衰弱한 運으로 行하면 不及한 것인데, 불급하면 머뭇거려 절어 침체하고, 왕성한 것이 다시 왕성한 運으로 행하면 太過(태과)라 하는 것인데 過하면 擊하여 성패를 만드니 중화가 되어야한다. (又曰, 命中五行衰者運宜盛, 五行盛者運宜衰, 衰者復行衰運, 是謂不及, 不及則迍蹇沈滯, 盛者復行盛運, 是謂太過, 過則擊作成敗, 要歸於中而已.)

낙녹자가 이르기를, 年에서 비록 冠帶를 만나더라도 재난이 남아있는 것은 運初에 衰鄕에 들기에 오히려 福이 적게 된다. 왕씨註(주석)에서 이르기를, 年 運이 혹시 처음 沐浴의 敗地에서 順行(순행)하여 冠帶가 되어도 福이 되지 않으니 오히려 衰敗地의 災가 남아 있는 것이다. 혹 旺地에서 운행하여 처음 衰鄕에 들어도 역시 禍가 되지 않고 오히려 旺鄕地에서 福이 적게 되니 行運에는 前後 5年의 說이 있다. (珞琭子云, 年雖達於冠帶, 尙有餘災, 運初入於衰鄕, 猶披剷福. 王氏註云, 年運或初離沐浴暴敗之地, 順行至冠帶, 未可便以爲福, 尙有衰敗之餘災也. 或自旺地而行, 初入衰鄕, 亦不可便以爲禍, 猶披旺鄕之剷福也. 行運所以有前後五年之說.) [剷~적을 선]

호중자가 말하기를, 물리려고 해도 물릴 수 없고, 차라리 약한 재앙이 낫다. 바꾸려고 하여도 바꿀 수 없고, 오히려 어느 정도의 잔인한 禍가 낫다. 이 말은 運이 衰絶處로 行하고, 장차 吉하고 경사로운 곳으로 들어가는데 반드시 衰絶處를 떠날 때 크게 휘어지고 고생을 한다는 것이다. 運이 吉慶地에 있고 장차 衰絶處로 들어가면 반드시 衰絶處의 運이 처음 들 때 에는 큰 福이 있다는 것이다. 또 말하기를 吉運이 오기 전에 미리 福을 이루는 것은 凶神으로 인해 과거에 재앙이 이미 있었고, 불꽃이 일어나기 전에 먼저 연기가 나는 것과 같고, 水가 먼저 왔으면 현재도 습한 이치이니 아울러 詳察해야 한다. (壺中子曰, 將徹不徹, 寧有久否之殃, 欲交不交, 尙有幾殘之禍, 蓋言運行在衰絶之處, 將入吉慶之地, 必於臨離之時, 更有重撓, 運在吉慶之地, 將入衰絶之處, 必於初入之時, 更有重福. 又云, 吉運未到先作福, 凶神過去始爲殃, 乃火未焰而先煙, 水旣往而猶濕之理, 當更詳之.)

또 말하기를 陰男陽女는 出入하는 해(年)를 잘 보아야 하고, 陽男陰女는 元辰(원진)의 해를 잘 보아야 한다. 대개 陰男陽女는 稟氣(품기)가 대개 不順하므로 대운에서 출입하는 세년을 잘 보아야 하는데, 여기에 吉凶의 변화가 있다고 한다. 陽男陰女는 稟氣가 비록 순하나 出入하는 年의

運에 잘 부응하지 않고, 또한 元嗔을 만나 厄을 당하는 경우가 없어야 한다. 호중자가 말하기를 運에서 元辰(원진)을 犯하는 것은 공자가 진나라에서 고생을 한 것과 같다. (又云,陰男陽女,時觀 出入之年,陰女陽男,更看元辰之歲,蓋言陰男陽女,禀氣不順,故大運,時觀出運入運之年,而有吉凶之變, 陽男陰女,禀氣雖順,不以出入之年爲應,亦不可遇元辰之厄會.壺中子云,元辰犯運,仲尼困陳蔡之饑是 也.)

17. 논대운論大運-3

또 말하기를, 무릇 大運이 이로운 곳으로 行하면 吉하고 편안한 運이 되지만 항상 福이 될 수 없고 태세행년과 더불어 생왕하고 화합하여야 비로소 발복한다. 만약 大運이 吉하고 매년태세와 小運이 刑 害하는 곳이 되면 작은 근심과 재앙이 있으나 단 크게 해롭지는 않다. 만약 大運이 절름거리는 凶禍地로 行하고 매년의 太歲가 또 刑 衝을 만나고 小運이 不和하여 衝擊死絶할 지라도 發福한다. 만약 소운과 태세가 생왕한 祿馬와 貴人이 되고 일체의 吉神을 되더라도 그 해는 경사스러움이 작으니 지나간 것은 아니다. (又曰,凡大運行有益處,爲吉泰之運,亦不能常爲福,須 候太歲行年,更於生旺和合,方可發福.若大運至吉鄉,卻遇逐年太歲小運到刑害之鄉,亦主細累浮災,但不 爲重害也.若大運行迍蹇凶禍之地,逐年太歲又見刑衝,小運不和,衝擊死絶,方主發福.若小運與太歲到生 旺祿馬貴神,一切吉神,其年卻有小慶,過去則否.)

촉신경은 이르길, 무릇 命의 禍福을 추산할 때는 먼저 基地(기지)의 厚薄(후박)한 것을 가늠한 연후에 災와 福을 정한다. 가령 命에서 10분의 福氣가 있는데 3~4분의 惡運이 行하면 凶함을 느끼지 못하는데 福力이 두텁기 때문이다. 만약 5~6分의 惡運이면 다만 가벼운 재난과 작은 근심이 있을 뿐이고, 7~8분의 惡運이 되어야 비로소 재난이 중하다. 가령 命에서 5분의 福氣가 있는데 3~4분의 惡運으로 行하면 凶함이 甚한 것인데 만약 4~5분의 惡運이라면 반드시 죽게 되는데 基地(기지)가 견고하지 않기 때문이다. (燭神經云,凡推命之禍福,須先度量基地厚薄,然後定災福.如 命有十分福氣,行三四分惡運,都不覺凶,福力厚故也.若五六分惡運,只浮災細累而已,至七八分惡運,方 有重災.如命有五分福氣,行三四分惡運,爲甚凶,若四五分惡運,則須死,蓋基地不牢故也.)

만약 大運에서 이미 本命의 長生 處를 지나면 氣가 旺盛한 運이 되어 비록 歲運에서 衝 剋하더라도 禍가 重하지 않는데 運氣가 강하기 때문이다. 아직 長生을 지나지 않았으며 歲運이 刑衝 剋破하면 재앙이 되는데 氣가 未備(미비)하여 운이 약하기 때문이다. 만약 이미 旺相함이 지나서 死絶을 만나면 命은 不吉하나 災(재앙) 또한 가볍게 되고 음양오행이 代謝(대사)하여 순순한 도리인 것이다. 설사 이것에 死한다면 모름지기 질병으로 마친다. 만약 방향이 長生을 지나고 敗地를 지나게 되면 그 중에 刑剋惡煞이 있어 命에서 서로 맞아 보게 되면 五行의 氣가 도리어 싸우기 때문에 凶惡하게 죽는다. (若大運曾歷過本命長生處者,謂之氣盛之運,雖歲運來衝剋者,爲禍不重, 運氣強故也.未經長生,而歲運刑衝剋破,則便爲災,蓋氣未備,運弱故也.若曾過旺相而逢死絶,如命不吉,

爲災亦輕,陰陽五行,代謝之順道也.縱死於此,亦須令疾而終.若方經長生,歷於敗地,其中有刑剋惡煞,與命相符而見者,則五行之氣反戰,故有凶惡而終.)

무릇 行運이 長生이면 창건적인 새로운 일을 하며, 臨官(록) 帝旺이 되면 흥성하여 쾌락하며 복을 받아 재물이 쌓이고 자식을 낳는 骨肉의 慶事(경사)가 있고, 衰 病地가 되면 敗退(패퇴) 破財(파재) 疾病(질병) 등의 일이 많고, 死 絕地가 되면 골육이 죽는 喪을 당하고 자신의 몸도 쇠하여 禍와 번민하며 많은 일들이 절름거리며 막힌다. 敗運이 되면 魄이 나락으로 떨어져 게으르며 酒色(주색)에 昏迷(혼미)하고, 胎의 庫에서 冠帶에까지 形을 이루기 까지는 모든 일을 하는데 평탄하고 편안하다. (又曰,凡行運長生,主有創建作新之事,到臨官,帝旺,主興盛快樂,發福進財,生子骨肉之慶,到衰,病之鄉,多退敗,破財,疾病等事,到死,絕鄉,主骨肉死喪,自身衰禍鈍悶,百事蹇寒(塞).到敗運,主落魄懶惰,酒色昏迷,到胎庫成形冠帶之鄉,百事得中,安康平易.)

무릇 行運이 夾貴, 華蓋, 貴人이 六合하고 生旺한 氣를 타게 되면 모두가 선량하고 경사스러운데, 마땅히 根基를 生하는가를 살펴보고 10分에서 5分에 應하는데 生時가 5分이면 10分으로 應하니 福[應하는 것]과 災殃[應하는 것]이 같은 것이다. 행운이 임관, 제왕지가 되고 太歲(세운)에서 그것(臨官, 帝旺)이 되면 官員은 녹봉과 품계가 승차하는 기쁨이 있으며 官, 印, 食神 역시 그러하고 馬(역마)가 旺하고 貴人이면 반드시 군주를 모시는 자리에 드는데, 貴는 君의 道(이치)이고 馬(역마)는 이동하기 때문인 것이다. (凡行運至夾貴,華蓋,貴人,六合上,及乘生旺氣者,皆主善慶,仍須察當生根基,十分則應五分,生時五分,則應十分,福與災同.凡行運至臨官,帝旺上,太歲持之,官員主薦章改秩之喜.官印食神亦然,馬旺貴人之地,必入參侍之列,蓋貴爲君道,馬主遷動故也.)

17. 논대운論大運-4

또 말하길, 대저 四柱에서 子 丑 寅 卯 辰 巳의 陽이 많은 사람은 行運이 午 未 申 酉 戌 亥에 이르면 陰氣를 타서 발달하고, 四柱에서 午 未 申 酉 戌 亥의 陰이 많은 사람은 子 丑 寅 卯 辰 巳의 運으로 行하여야 陽氣를 타서 발달하니, 이 2가지 경우는 陰陽이 고르게 조절되는 것인데, 그러나 陰人이 陽을 만나면 발전이 빠르지만 陽人이 陰을 만나면 발전이 더디다. (又曰,凡子丑寅卯辰巳四柱陽多人,行運至午未申酉戌亥上,乘陰氣而發,午未申酉戌亥四柱陰多人,行子丑寅卯辰巳運,乘陽氣而發,二者陰陽均協,然陰人陽發者快,陽人陰發者遲.)

또 말하길, 무릇 水命의 四柱에 土가 있고 火運이면 본래는 財運이지만 도리어 鬼가 되는 것은, 火는 土를 生하고 土가 水를 剋하니 財가 化하여 鬼가 되니 福이 바뀌어 禍가 된다. 四柱에 金이 있고 土運에 이르면 鬼運이 되어 도리어 吉하게 되는 것은 土는 金을 生하고 金은 水를 生하여 化한 鬼가 助氣하니 반대로 禍가 福이 된다. 또 예를 들어 水命의 사람이 柱中에 寅午戌이 있고 혹 納音으로 火인데 다시 寅午戌로 運行하면 모두 好運(호운)이 된다. 만약 四柱에 金도 있고 火도 있으면 진실로 福이 되고 만일 水運으로 흐르면 그 福이 나누어지니 즉 好運이 안되고, 四柱에 土가 많은데 木運으로 行하면 이름하여 損氣라 하여 駁雜(뒤섞여 순순하지 않음)하니 비록 구원함이 있더라도 고생이 많고 좌절하니 나머지는 이에 준해 추산한다. (又曰,凡水命,四柱有土,至火運,本是財運,卻反爲鬼者,以火生土,土剋水,是財化爲鬼,轉福成禍.四柱有金,至土運是鬼運,卻反爲吉者,以土生金,金生水,是化鬼爲助氣,反禍爲福.又如水命人,柱有寅午戌,或納音火,更行寅午戌,皆爲好運.若四柱有金有火,固是爲福,若行水運,則分擘其福,卽爲不好運,四柱多土,卻行木運,名曰損氣,主駁雜,雖有救,亦多辛苦歇滅,餘仿此推.)

또 말하기를, 丁丑인이 丁未 運으로 行하면 부르기를 將凡入聖(장범입성:凡夫가 聖賢에 들다.)이라 하여 假가 眞이 되며 退神을 論함이 아니다. 四柱에 丁丑 丁未가 있으면 이에 얽매이지 않는다. 만일 戊寅 人이 丁丑 運으로 行하면 비록 退神일지라도 濟化(제화)로 福이 된다. 만약 庚辰 生人이 庚辰 日일 경우에 乙酉 運으로 行하거나 乙酉生人이 乙酉月일 경우에 庚辰 運으로 行한다면 부르기를 원앙양양(鴛鴦兩兩)이라 하여 발전하는데 단 중첩하면 아름답지 않고, 乙庚人이 酉 年 月 日 時자는 크게 흉하다. 甲申人은 丙寅運으로 行하면 부르기를 역정상충(力停相衝)이라 하여 재물을 다투어 破하고 굴신(屈伸:나아가고 물러남)을 구분하지 못 한다. 丙戌人이 辛卯 運으로 行하면 우둔하고 융통성이 없으니 단지 武人일 뿐이다. 丙子 人이 壬寅 運으로 行하면 壬이 丙家에 들어 破財하여 吉하지 못하니 나머지도 이에 준해 살펴봐야한다. (又曰,丁丑人行丁未運,名曰將凡入聖,以假爲眞,不以退神論,四柱有丁丑丁未者,不在此限.若戊寅人,行丁丑運,雖是退神,卻有濟化爲福,若庚辰生人,或庚辰日行乙酉運,乙酉生人,或乙酉月行庚辰運,名曰鴛鴦兩兩,主發跡,但重疊者不佳,乙庚人,酉年月日時者,大凶.甲申人,行丙寅運,名曰力停相衝,主破財爭競,屈伸不辨,丙戌人行辛卯運,主鈍滯,只宜武人.丙子人行壬寅運,壬入丙家,破財不吉,餘仿此推.)

대저 命에는 氣와 象이 있는데 生時干神은 氣가 되고 四柱干神은 象이 된다. 가령 甲己는 土氣이고 乙庚은 金氣이고 丙辛은 水氣인 종류가 化象이 된다. 甲乙丙丁은 本象이 되고, 行運에서 氣象이 得地한 곳은 吉하고 得地하지 못한 곳은 凶하다. (又曰,凡命有氣象,當取生時干神爲氣,四柱干神爲象.如甲己則有土氣,乙庚有金氣,丙辛有水氣之類,爲化象.甲乙丙丁爲本象,行運至氣象得地處吉,不得地處凶.)

庚辛壬癸,乙庚,丙辛,爲金水象,運至申酉丑上得地,
庚辛戊己,甲己乙庚爲金土象,運至申酉辰上得地,
庚辛丙丁,乙庚戊癸爲金火象,運至巳午戌上得地,
庚辛甲乙,乙庚丁壬爲金木象,運至丑寅卯上得地,
甲乙壬癸,丁壬丙辛爲水木象,運至亥子辰上得地,
丙丁甲乙,戊癸丁壬爲火木象,運至寅卯未上得地,
戊己壬癸,甲己丙辛爲水土象,運至辰上得地,
戊己丙丁,戊癸甲己爲火土象,運至戌上得地,

戊己甲乙,甲己丁壬,爲土木象,運至未上得地,

戊己庚辛,乙庚甲己爲金土象,運至丑上得地.

庚辛壬癸, 乙庚 丙辛은 金水象이 되며 運이 申酉丑에 있으면 得地한 것이고,

庚辛戊己, 甲己 乙庚은 金土象이 되며 運이 申酉辰에 있으면 得地한 것이고,

庚辛丙丁, 乙庚 戊癸는 金火象이 되며 運이 巳午戌에 있으면 得地한 것이고,

庚辛甲乙, 乙庚 丁壬은 金木象이 되며 運이 丑寅卯에 있으면 得地한 것이고,

甲乙壬癸, 丁壬 丙辛은 水木象이 되며 運이 亥子辰에 있으면 得地한 것이고,

丙丁甲乙, 戊癸 丁壬은 火木象이 되며 運이 寅卯未에 있으면 得地한 것이고,

戊己壬癸, 甲己 丙辛은 水土象이 되며 運이 辰에 있으면 得地한 것이고,

戊己丙丁, 戊癸 甲己는 火土象이 되며 運이 戌에 있으면 得地한 것이고,

戊己甲乙, 甲己 丁壬은 土木象이 되며 運이 未에 있으면 得地한 것이고,

戊己庚辛, 乙庚 甲己은 金土象이 되며 運이 丑에 있으면 得地한 것이다.

　　四柱에서 干神이 어떤 象을 얻었는가를 살펴보아서 순수한 金 木 水 火 土면 5象이 된다. 만약 雜되어 象이 되지 못하면 發하지 못하고 發하여도 오래가지 못한다. 5象이 순수하여도 太過한 象이 있으니 태어난 月令의 得地를 자세히 알고 난 연후에 行運에서 得地와 得地하지 못한 것을 살핀다는 말이다. 祿 馬 貴人을 만난다고 運을 얻은 것이라 할 수는 없으나, 空亡 陽刃 劫煞을 만나면 運을 잃은 것이다. (看四柱干神得何象,如純金木水火土,亦爲五象.若雜而不入象者不發,發亦不久,如五純象,亦有太過之象,仍詳當生月令得地,然後看行運得地不得地而言,不可以遇祿馬貴人爲得運,遇空亡陽刃劫煞爲失運也.)

17. 논대운論大運-5

　　또 말하기를, 무릇 行運에서 태어난 해의 納音이 金木水火土의 어떤 命인지를 보아야 한다. 가령 土命이 서남방으로 행한다면 서남에서는 벗을 얻는 기쁨이 있고, 木命이 동방으로 행하고 火命이 남방으로 행하고 金命이 서방으로 行하고 水命이 북방으로 行하면 모두가 得地한 것이 된다. 다시 運이 행하는 곳을 보고 納音과 命이 서로 같은 同類(동류)로 부합되면 가장 吉하고 재관은 다음이고, 만약 泄氣하거나 혹 剋을 심하게 받는다면 吉하지 못한 것이다. (又曰,凡行運看納音年庚金木水火土是何命人,如土命而行西南方,爲西南得朋之慶,木命而行東方,火命而行南方,金命而行西方,水命而行北方,皆爲得地.更看所行之運,納音與命相孚同類,最爲上吉,財官次之,若泄氣,或受剋重則不吉.)

　　또 말하길, 古人은 甲子 乙丑을 干支로 이름하고 60甲子는 花字를 사용하였으니 이 모두가 나무에 비유한 뜻이다. 만일 天干地支가 때를 얻으면 자연히 꽃은 피고 열매를 맺고 무성하게 된

다. 月令은 天元이니 運은 月에서 일어나는 것인데 비유하면 나무의 苗(싹)인데 나무는 싹을 보면 그(나무) 이름을 알게 되니, 月의 用事之神으로 곧 그 格을 아는 것이다. 따라서 運이 교차하는 것을 말하면 나무에 비유함과 같이 命은 根苗花實(근묘화실)에 있으니 이는 올바른 뜻이다. 만일 癸에서 나와 甲으로 들어간다면 비유컨대 反汗之人(반한지인~(反汗)출처<한서유향전>땀은 한번 나오면 다시 몸속으로 들어가지 못함과 같이, 윗사람의 명령도 한번 내리면 취소할 수 없다는 뜻.)이니 대다수 吉하지 않다. (又曰,古人以甲子乙丑名支干,六十甲子用花字,是皆以木喩義.若天干地支得時,自然開花結子茂盛,月令者,天元也,今運就月上起,譬之樹苗,樹之見苗,則知其名,月之用神,則知其格.故謂父運,如同接木,命有根苗花實,正此意也.若出癸入甲,譬反汗之人,多主不吉.)

古語에 말하기를, 寒에 傷하여 陽으로 바뀌니 행운이 甲으로 바뀌어 잘못을 바꾸면 人(사람)이고 잘못을 바꾸지 못하면 鬼(귀신)이다. 가령 甲戌이 癸亥를 接한다면 火土가 水를 연결한 것인데 丑 寅이 교류하고, 辰 巳가 교류하고, 未 申이 교류하고, 戌 亥가 교류하여 東西南北 4方位의 角을 굴러가니 나무뿌리를 옮겨 심고 나무를 연결하는 것을 말하는데, 다시 바뀐 甲을 만나고 格이 凶하면 死가 많고 善해도 災는 있는데 老人은 大忌(크게 꺼림)하니 후대에도 어긋나고 오만하다. (古語云,傷寒換陽,行運換甲,換過是人,換不過是鬼,假如甲戌接癸亥,是火土接水,丑交寅,辰交巳,未交申,戌交亥,東西南北,四方轉角,謂移根椄木,更遇換甲,格凶者多死,善者亦災,老人大忌,後生差慢.)

만약 寅 卯 辰 巳 午 未 申 酉 戌 亥 子 丑의 一氣가 서로 연결되어 있으면 接木之說(접목지설)은 아니며, 설사 甲을 接하여 만나도 역시 큰 禍는 없다. 가령 甲 乙이 寅 卯運으로 가면 부르기를 劫財, 敗財(패재, 비견)라 하여 父母를 剋하고 妻를 剋하며 破財하고 다투는 일이 생기고, 丙丁 巳午 運은 傷官運이라 하여 子女를 剋하며 訟事(송사)에 연루되어 감금되고, 庚辛 申酉運은 七煞과 官으로 이름을 얻지만 太過함이 지나치면 災殃과 惡疾에 걸리고, 壬癸 亥子는 生氣인 印綬運으로 경사가 증가하여 자식을 낳고, 辰戌丑未 戊己의 財運(재성운)은 名利(명예와 이로움)가 通한다는데, 이것은 死法인 것이다. 반드시 格局의 喜 忌에 따라 살펴야하고 天干이 旺하면 衰運이 좋고, 天干이 弱하면 旺한 氣運을 구해야하고, 남는 것이 있으면 부족해지길 원하니 모름지기 通變이 중요한데 다시 겸하여 流年의 모든 神煞을 추산하면 그 증험함이 神과 같이 된다. (若寅卯辰巳午未申酉戌亥子丑,一氣相連,皆非接木之說,縱遇接甲,亦無大禍.假如甲乙傳寅卯運,名曰劫財敗財,主剋父母,及剋妻破財爭鬪之事,丙丁巳午運名傷官運,主剋子女,訟事囚繫,庚辛申酉運七煞官鄉,主得名,發越太過,則災病惡疾,壬癸亥子生氣印綬運,主吉慶增產,辰戌丑未戊己財運,主名利皆通,此乃死法.須隨格局喜忌推之,干旺宜衰運,正所謂干弱則求氣旺之藉,有餘則欲不足之營,須要通變,更兼流年諸神煞推之,其驗如神.)

18. 논소운論小運

대저 大運은 10年의 禍福(화복, 길흉) 주관하고 小運은 1年의 災難(재난)과 福을 주관하니 이

小運은 大運의 부족한 것을 보완하여 세워진 이름이다. 古人이 남자는 丙寅에서 일어나고 여자는 壬申에서 일어나는 것은 무엇 때문인가? (夫大運司十年之休咎,小運掌一歲之災祥,是小運者,補大運之不足而立名也.古人以男起丙寅,女起丙申者何.)

대개 元氣가 잉태하는 곳은 子에서 시작하여 巳에서 세워지는데 子라는 글자에서 시작하여 巳에서 包가 시작하니 子에서부터 추산하고, 남자는 좌측으로 行하여 30번째인 巳에서 세우고, 여자는 우측으로 나아가서 20번째인 巳와 합해지며 巳는 正陽인 것이니 실제로 陰이 따르는 것이다. (蓋元氣之所孕,始於子,立於巳,子者字之始,巳者包之始,自子推之,男左行,三十而立於巳,女右去,積二十而合之巳,巳正陽也,陰實從焉.)

그러므로 聖人이 예법을 제정하니 參天兩地(삼천양지)는 자연적인 數의 배합이다. 巳로부터 잉태하게 되니 남자는 寅에 10개월 길러지고, 여자는 申에 10개월 길러지고, 申은 3陰이 되고 寅은 3陽이 되므로 年運(소운)이 일어나는 것이다. (是故聖人因是而制禮,參天兩地,自然之數妃也,自巳而壬(妊)之,男十月毓於寅,女十月毓於申,申爲三陰,寅爲三陽,故年運起焉.)

日은 甲에서 생겨나고 月은 庚에서 생겨나니 日月東西는 夫婦(부부)의 象인 것이다. 甲은 寅의 계통이고 庚은 申의 계통인 것이므로 陰陽의 合은 정당하여 장차 순수한 性命의 이치인 것이니, 이 小運이라는 것이 남자는 丙寅에서 일어나서 順行(순행)하고, 여자는 壬申에서 일어나 逆行(역행)하고 일정하여 변하지 않는 것이다. (日生於甲月生於庚,日月東西,夫婦之象也,甲統於寅,庚統於申,是故陰陽之合以正,將以順性命之理耳,此小運所以男起丙寅順行,女起壬申逆行,一定而不可易也.)

풀어보면 남자는 陽火로서 元氣가 戊子에서 일어나서 30번째가 丁巳인데 10달의 丙寅이 되면 木이 火를 生하고, 여자는 陰水로서 元氣가 庚子에서 일어나서 [逆行한다.]20번째가 辛巳인데 10달의 壬申이 되면 金이 水를 生하는 이것이 그 數인 것이다. (解者謂男子(之)陽火,元氣起戊子,三十丁巳,十月至丙寅,此木生火,女子(之)陰水,元氣起庚子,二十辛巳,十月至壬申,爲金生水,此其數也.)

백호통에서 말하길, 남자[나이] 30이면 筋骨(체력)이 堅强(튼튼하고 강함))하고 父의 임무를 부여받고, 여자[나이] 20이면 피부가 충만하고 왕성하여 母의 임무를 부여받는데 합하면 50이 되어 大衍(대연)의 數에 應하니 萬物을 生하고, 陽은 奇數(홀수)로 펼쳐지기 때문에 3으로 끝나고, 陰은 偶數(짝수)로 促하기 때문에 再에서 끝나니 參天兩地(삼천양지)의 道가 그 이치이다. (白虎通謂男三十,筋骨堅强,任爲人父,女二十,肌膚充盛,任爲人母,合爲五十,應大衍之數,以生萬物,陽奇而舒,故三終,陰偶而促,故再終,參天兩地之道,此其理也,)

혹은 甲子 旬은 위와 같이 일어나고, 甲申 旬은 男은 丙戌에서 일어나고 女는 壬辰에서 일어나고, 甲午 旬은 남자는 丙申에서 일어나고 女는 壬寅에서 일어나고, 甲辰 旬은 男은 丙午에서 일어나고 女는 壬子에서 일어나고, 甲寅 旬은 男은 丙辰에서 일어나고 女는 壬戌에서 일어난다면 聖人이 원래 年運을 일으켜 세운 뜻에 어긋나는 것이다. 요즘의 談命者(命을 말하는 사람)는 단지 大運만 사용하는데 小運도 중요한 연관이 있음을 알지 못한다. 大運이 비록 吉하더라도 小運이 通하지 않으면 吉하며 이롭다고 말해서는 안 되고, 예컨대 大運이 비록 凶하더라도 小運이 吉하다면 凶하다고 추리하는 것은 옳지 않다. (或者以甲子旬,如上起,甲申旬,男起丙戌,女起壬辰,甲午旬,男起丙申,女起壬寅,甲辰旬,男起丙午,女起壬子,甲寅旬,男起丙辰,女起壬戌,則非聖人原立起年運之義矣.今之談命者,只以大運爲用,殊不知小運亦有緊關.大運雖吉,其小運不通,未可便言吉利,如大運雖凶,其小運却吉,未可便作凶推.)

이에 小運을 또 行年이라 부르고 연구하지 않을 수 없다. 취성자는 男女의 小運은 모두 生時에서 비롯하여 逆과 順으로 行하고 年으로 정한다. 가령 陽命陽年이 甲子時에 生하면 墮地(떨어뜨려지는 간지)는 곧 乙丑으로 行하고 2歲는 丙寅으로 一位가 一年으로 두르며 다시 시작을 하고 陰命陽年은 역행으로 그렇게 行한다. 시험해보니 제법 증험하였다. 또 大運 및 柱中의 用神, 日主와 더불어 吉凶을 較量(교량)하는 것이 중요하고 아이일 때인 大運이 교체되기 전까지는 이 法을 사용하고, 死 絶 煞旺한 宮으로 行하면 반드시 위험한 재난이 있는데, 먼저 八字의 衰 旺 喜 忌를 자세히 살핀 연후에 이것을 참조하면 적중하지 않음이 없을 것이다. (此小運又名行年,不可不究.醉醒子以爲男女小運,皆由時生,而行之逆順,亦以年定.如陽命陽年,甲子時生,墮地卽行乙丑,二歲丙寅,一位一年,週而復始,陰命陽年,逆行亦然.嘗試用之屢驗,亦要與大運及柱中用神日主,較量吉凶.童限未交大運,用此法,行死絶煞旺之宮,必有危難.先詳八字衰旺喜忌,然後以此參之,蔑不中矣.)

19. 논태세論太歲-上

대저 太歲라는 것은 한 해(一歲)를 주재(主宰)하여 諸神(제신)들의 우두머리가 된다. 그 說은 2가지가 있으니, 예컨대 四柱중에서 生年으로 當生太歲라 말하고, 예컨대 해(年)마다 흐르는 것으로 遊行太歲(유행태세: 歲運을 말함)라 말한다. 當生太歲(당생태세: 四柱의 年柱를 말함)는 종신토록 주인이 되는데 그 이치는 이미 앞에서 論하였고, 매년의 太歲는 12宮을 遊行(유행)하여 1년의 禍福을 定하니 四時의 吉凶이 된다. (夫太歲者,乃一歲之主宰,諸神之領袖.其說有二,如四柱中生年,曰當生太歲,如逐年輪轉,曰遊行太歲.當生太歲,乃終身之主,其理已論於前,其逐年太歲,遊行十二宮,定一年之禍福,爲四時之吉凶.)

經에서 이르길 太歲는 衆煞의 주인으로 命에 [煞]이 들어도 반드시 凶한 것은 아니지만 戰鬪(沖 剋)하게 된다면 반드시 本命(年柱)을 刑한다. 대개 太歲는 임금과 같고 大運은 신하와 같은 것이다. 가령 君臣[太歲와 大運]이 화합하면 기쁘니 그 해(年)는 吉하고 만약 刑戰하면 그 해는 凶하다. (經云,太歲乃衆煞之主,入命未必爲凶,如逢戰鬪之鄉,必主刑於本命,蓋太歲如君也.大運如臣也.如君臣和悅,其年則吉,若值刑戰.其年則凶.)

經에서 또 이르기를 太歲이 日干을 傷하면 禍가 가벼우나 日干이 歲君을 犯하면 災殃은 반드시 중하다. 구분하여 말을 하면 歲君이 日干을 손상한다는 것은, 예를 들면 庚年이 甲 日干을 剋하면 편관이 되니, 비유하자면 君이 臣을 다스리고 父가 子를 다스리는 것이니, 비록 재난이 조금 있지만 크게 害가 되지 않는데 어떤 연유인가? 上이 下를 다스리는 것은 순리인 것이니, 그 情이 오히려 끊어지지 않는 것이다. 日干이 歲君을 犯하는 것은, 예를 들면 甲 日干이 戊 年을 剋하면 편재가 되니, 비유하자면 신하가 임금을 犯하고 자식이 부모를 거역하는 것이니 심하게 이롭지 않는데 어떤 연유인가? 下가 上을 능멸하면 거역하는 것이니 그 凶은 결코 免할 수 없다. (經又云,歲傷日干,有禍必輕,日犯歲君,災殃必重.此又分言,歲君傷日者,如庚年剋甲日爲偏官,譬君治臣,父治子,雖有災晦,不爲大害,何則.上治其下,順也,其情尙未盡絶,日犯歲君,如甲日剋戊年爲偏財,譬臣犯其君,子忤其父,深爲不利,何則.下淩其上,逆也,其凶決不能免.)

만약 五行의 구원함이 있어 사주가 有情한 경우는, 예를 들면 甲 日干이 戊 年을 剋하여도 四柱원국에 庚申 金이 있거나 혹 大運에라도 庚申 金이 있다면 甲 木을 制壓(제압)하는 純粹(순수)함이 있어 戊 土를 구원하여 剋할 수 없는 것이다. (若五行有救,四柱有情,如甲日剋戊年,四柱原有庚申金,或大運中,亦有將甲木制伏純粹.不能剋戊土爲有救.)

經에서 이르길, 戊己는 근심인 甲乙을 보면 干頭(천간)에 모름지기 庚辛이 필요한 것이다. 가령 大運이나 四柱중에서 1글자의 癸가 있어 戊와 相合하면 有情하게 되는 것이다. 經에서 말하길, 壬은 癸의 누이동생이 戊와 배합하면 凶이 吉兆가 되는 것이다. 만약 2字가 함께 있으면 그 해는 凶이 도리어 吉이 되고, 1字만 있는 경우는 凶이 반감되고, 2字가 함께 없으면 凶을 피할 수 없다. 經에 이르길, 오행의 救援(구원)이 있으면 그 해는 반대로 반드시 財가 되고 四柱가 無情하면 論한 것처럼 歲君을 剋하는 것이다. (經云,戊己愁逢甲乙,干頭須要庚辛是也.如大運幷四柱中,有一癸字,與戊相合,爲有情.經云,壬以癸妹配戊,凶爲吉兆是也.若二字俱全,其年凶反爲吉,有一字者凶半,二字俱無,凶莫能解.經云,五行有救,其年反必爲財,四柱無情,故論名爲剋歲是也.)

또 眞太歲와 征太歲의 說이 있다. 經에서 말하기를, 태어난 때에 相逢하는 것을 眞 太歲라고 한다. 가령 甲子 生人이 甲子 年을 보는 것을 眞太歲(진태세)라 하고 또 轉趾煞(전지살)이라고 부른다. 大運이나 日主와 太歲가 서로 和順(화순)하면 그 해는 吉하다. 만약 刑 衝 破 害에 놓이거나 太歲가 서로 戰剋하면 凶하다. (又有眞太歲,征太歲之說.經云,生時相達眞太歲.假如甲子生人,又見甲子年,謂之眞太歲,又名轉趾煞,要大運日主,與太歲相和相順,其年則吉.若値刑衝破害,與太歲互相戰剋則凶.)

19. 논태세論太歲-下

癸巳日이 丁亥(流)年을 만나는 것과 같이 日干支(일주)가 太歲를 衝剋하는 것을 征(정)이라 하며, 大運의 干支가 太歲를 衝하여 損傷하는 것 또한 征이라 하고, 太歲의 干支가 日干支(일주)를 衝하여도 역시 征이라 하는데 그 해는 凶하여 災禍를 免하지 못한다. 또 가령 甲子(流)年에 甲子 大運이면 歲運倂臨(세운병임)이라 하는데, 단지 羊刃, 七煞은 凶하고 財, 官, 印綬는 吉하다. (如 癸巳日逢丁亥流年,日干支衝剋太歲,曰征,運干支傷衝太歲,亦曰征,太歲干支衝日干支,亦曰征,其年則 凶,災禍未免.又如甲子流年,又是甲子運,謂之歲運倂臨,獨羊刃,七煞爲凶,財,官,印綬亦吉.)

經에 이르길, 歲運倂臨(太歲와 大運이 같음)하면 재앙이 도래하는데 이는 羊刃을 가리키는 말이나. 가령 甲子日이 甲子太歲보는 것을 日年相倂(일연상병)이라 하는데, 군자가 그것(日年相倂)을 얻는다면 君臣慶會(군신경회)라 하여 그 해는 이로워지니 군자의 얼굴에 기쁨이 있다. 만약 선비가 이를 얻는다면 등용되어 벼슬길로 나아가는 象이 되고 또한 歲君(年柱)과 帝座(時柱)가 화합하여 돕는다면 비로소 奇特(기특: 뛰어나고 특별함)한 것이다. 만일 평범한 사람이 이(日年相倂)를 만나면 가장 좋지 못한 것인데, 만약 生時가 서로 화합하면 재앙이 점점 가벼워진다. (經 云,歲運倂臨,災殃立至,此指羊刃言也,又如甲子日,見甲子太歲,謂之日年相倂,如君子得之,謂之君臣慶 會,其年利奏對,有面君之喜.若當省士人得之,有登薦仕進之象,又要與歲君帝座和協,方爲奇特,若是常 格小人遇之,最爲不善,若生時相和,爲災稍輕.)

그런데 經에서 말하기를, 太歲는 마땅히 으뜸으로서 諸神이 감당하지 못하는데, 만일 官事의 우려함이 없더라도 重喪을 보게 된다. 더구나 勾絞,元亡,咸池,孤害,宅墓,病死,官符,喪弔,白虎,羊 刃,暴敗,天厄등의 모든 凶煞이 아울러 임하면 禍患이 수없이 나타나고 심할 경우는 죽는다. (故 經云,太歲當頭立,諸神不敢當,若無官事擾,定主見重喪,此之謂歟,更加以勾絞,元亡,咸池,孤害,宅墓,病 死,官符,喪弔,白虎,羊刃,暴敗,天厄諸凶煞倂臨,禍患百出,甚者死.)

가령. 甲日이 戊年의 太歲를 보고 甲이 또 寅卯亥未의 年이나 月에 生하고 日時에 또 거듭 甲乙字를 보게 되면 나란히 戊年을 剋하고, 四柱중에 庚辛巳酉丑의 金局이 木을 制剋함이 없고 丙丁의 火局으로 木을 불사르는 경우는 크게 凶하다. (假如甲日見戊年太歲,甲又生寅卯亥未年 月,日時又重見甲乙字,倂剋戊年,柱中無庚辛巳酉丑金局制木,丙丁火局焚木者,大凶,如一命戊辰,戊午, 戊戌,甲寅,羊刃倒戈,遇壬申年四月,項生惡瘡,頭將墮死.又一命,乙丑,乙亥,壬申,乙巳,運行辛未,丙寅 年,日干之壬剋太歲之丙,日支之申庚剋太歲之寅甲,又寅刑巳,巳刑申,申刑寅,行辛未運,合太歲之木局, 傷官,皆不爲吉,其年甲午月,火旺戰剋,故死非命.)

命造 例-1
甲戊戊戊　甲癸壬辛庚己
寅戌午辰　子亥戌酉申未
　羊刃이 倒戈되어 壬申年 四月에 목에 惡瘡(심한 부스럼, 혹은 종기)이 생겨서 머리가 떨어져 죽었다.

命造 例-2

乙壬乙乙　戊己庚辛壬癸甲

巳申亥丑　辰巳午未申酉戌

　　辛未運으로 行하는, 丙寅年에 日干의 壬水가 太歲의 丙火를 剋하고, 日支의 申中 庚金이 太歲의 寅中 甲木을 衝剋하고, 또 寅刑巳, 巳刑申, 申刑寅하고, 辛未運은 太歲를 合하여 木局 傷官으로 모두 吉하지 못하니, 그 해(丙寅年) 甲午月에 火旺하여 戰剋하므로 非命橫死(비명횡사)했다.

　　대저 日柱가 歲君을 犯하는 경우는 5陽干이 있으면 重하고 5陰干이 있으면 輕하다. 만약 日干에 天月德이 있고 太歲가 用神이면 허물이 없고 반대로 획득함이 있다. 만약 사주에 天地가 衝擊함이 원래 있는데 流年에서 재차[天地衝擊] 만나도 역시 크게 허물이 없다. 만약 太歲가 生時를 剋하거나 혹 時가 太歲를 剋하면 역시 재앙이 있으니 다만 자손궁으로 단정하는 것이다. (大抵日犯歲君,在五陽干則重,在五陰干則輕,若日干是天月德,太歲是用神,則無咎而反有獲.若天衝地擊,柱中原有,流年再遇,亦無大咎.若太歲剋當生時,或時剋太歲,亦主有災,卻以子位斷之.)

20. 총론세운總論歲運-上

　　대저 太歲라 하는 것은 年中의 天子이며 한 해의 모든 神煞에 至尊(지존)이 된다. 正방위를 통솔하고 6氣를 순환하고 전송하여 運을 四季節로 이동시켜서 한 해의 功을 이루니 至高無上한 것이다. 만약 사람이 剋 衝이나 壓伏(억눌리고 굴복함)을 당하면 상서롭지 못한 조짐이다. 運은 24절기가 和協(서로 소통하고 화합함)하여 보통 運은 일생의 禍福으로서 사주를 돕거나 三元을 輔弼(보필)하고, 運과 流年[大運과 歲運]은 서로에게 表裏가 되니 사람의 命에서 禍福과 生死가 달린 것이다. (夫太歲者,年中天子,一歲諸神煞之尊,統正方位,廻送六氣,遷運四時,以成歲功,至尊無上.若人遇剋衝壓伏,皆不詳之兆.運者,協和二十四氣,般運一生休咎,扶持四柱,輔弼三元,運與流年,二者相爲表裏,乃人命禍福死生所係.)

　　歲(세운)는 天元[천간을 말함]을 사용하고 運(대운)은 地支를 사용한다. 무릇 好運으로 行할 경우에, 日干(일간)이 流年의 天干을 손상시키면 禍가 가볍고 만약 好運이 아닌 곳으로 行할 경우에 財 官運을 벗어나고 日干이 歲運의 天干을 손상시키면 禍가 重한 것이다. 만약 이미 發福한 命이면 禍患(환환)이 至極(지극)하다. 무릇 好運이 아닌 곳으로 行한다고 衰 絶을 적합한 말이라 할 수 없고, 대체적으로 이미 發하였는지 發하지 않는가를 알아야하고 그 氣運이 이미 지났는지 지나지 않았는지를 말하는 것이다. 行運은 生月로 運元을 삼고 行運과 太歲가 衝剋하는 것을 가장 두려워하고, 만일 歲運이 月을 衝하면 禍가 반드시 일어나고, 만일 歲運과 日干이 相對的인 것을 返吟(반음)이라 하고, 歲運(세운)이 日干을 壓迫(압박)하는 것을 伏吟(복음)이라고 하는데, 반음과 복음은 육친에게 불리하며 행여 破財를 당하지 않아도 吉兆는 되지 않는다. (歲用天元,運用地支.凡行好運,而日干傷流年天元,爲禍輕,若行不好運,及脫財官運,而日干傷歲干,爲禍重.若是已發

- 187 -

之命,禍患立至.凡行不好運,未可便言衰絶,大要知已發未發,其氣運已過未過言之.行運以生月爲運元,最怕行運與太歲衝剋.若歲運衝月,必禍,若歲運與日相對,謂之返吟,歲運壓日,謂之伏吟,二者不利六親,非橫破財,不爲吉兆.)

　　무릇 歲運의 吉凶은 天元(천간)에서 생겨나고, 혹시 地支에 원래 官星이 없고 天元(천간)에 正官이 있거나 혹 원래 偏官이 있는데 制伏함이 太過하면 歲運에서 天元(天干)의 官星을 만나면 역시 發福을 한다. 歲運의 地支에 財가 없고 세운의 천간이 財라면 역시 發財하고 歲運의 地支에는 煞이 없고 歲運의 天干이 煞이면 역시 충분히 禍가 된다. (凡歲運吉凶,當生天元,或支中原無官星,天元有正官,或原有偏官,制伏太過,運遇天元官星,亦可發福,運支無財,而運干是財,亦可發財,運支無煞,而運干是煞,亦足爲禍.)

20. 총론세운總論歲運-下

　　또 말하길, 晦氣(회기)는 밝지 못한 象으로 昏昧(혼매)한 道인 것인데, 즉 甲己 乙庚의 例로서 合하면 昏迷(혼미)한 것이다. 日干과 時干은 太歲天元과의 合은 적당하지 못한데 合하면 즉 晦氣(어두운 기운)하게 되는 것이다. 또한 구분함이 중요한데 日干이 太歲를 合하는 것은 甲日 己年의 경우이고, 太歲가 日干을 合하는 것은 己日 甲年의 경우와 같다. 甲이 己를 합하면 災가 무거우며, 己가 甲을 合하면 災가 가볍고, 太歲의 위치에서 가까운 것은 災가 重하며 먼 것은 災가 가벼운데, 가령 太歲가 日干앞의 五辰[다섯 번째의 干支]에 있어서 合하는 것을 太歲入宅[太歲가 집에 들어간 것]이라 하는데, 어두운 기운이 門에 臨하여 災厄(재액)이 발생한다. (又曰,晦氣者,乃不明之象,昏昧之道也.卽甲己乙庚之例,以合則晦也.日干與時干,不宜與太歲天元合,合則名爲晦氣.又要分日干合太歲,如甲日己年之例,太歲合日干,如己日甲年之例.甲合己,災重,己合甲,災輕,歲位近者災重,遠者災輕,如歲在日前五辰而遇合,謂之太歲入宅,晦氣臨門,主災厄.)

　　신백경에서 말하기를, 晦氣를 말할 경우에는 日은 가볍고 時는 무거운데 다시 人元이 旺하면 집안의 가족들에게 災가 발생하고 死絶과 함께 衝하게 되면 자신에게 災가 발생한다. 만일 지지는 6合하며 [天干이] 서로 合한다면 鴛鴦(원앙)合이라 하여 유용하며 好事(좋은 일)가 있게 된다. 만약 干支가 함께 合하면 집안의 식구가 늘어나고, 吉神과 同位(동위, 동궁)하면 선비는 마땅히 官(공직, 벼슬)에 천거되는 문서를 보는 기쁨이 있다. (神白經曰,論晦氣,日輕時重,更看人元旺,則主門戶眷屬之災,死絶併衝,主身災,若在地支六合相合,謂之鴛鴦合,有用,主好事相近,若干支俱合,主添進人口,得吉神同位,士人宜見官奏薦文書之喜.)

　　만약 서로 증오한다면 이별의 고통이 있고, 相刑하고 休囚하는 곳이라면 本身은 災禍가 있고, 만약 6害가 있으면 식구가 적으며 질병이 있거나, 혹은 노비가 달아나 근심이 있고, 만일 日時가 宅墓之位[宅墓煞은 年支의 기준으로 前5位는 宅煞 後5位는 墓煞]에 있으면 집안이 편하지 못하고 陰人은 요란하다. 만약 懷妊(회임)을 하면 産後(산후)에는 반드시 편안하지 못한 象으로서 여자를 낳기가 쉽고 남아를 낳기는 불리한데, 남자를 낳는다면 母子중에 한 사람은 잃게 되고, 歲君과 大運의 合도 역시 같은 논리이다. (若相憎,則有離別之苦,若有相刑之位,更處休囚,主本身災禍, 若在六害之位,主小口有疾,或奴婢走失之惱,若在日時宅墓之位,主門戶不寧,及陰人爲撓.若有懷妊,必 産後有不寧之象,利生女不利生男,生男,母子有一失,歲君與大運合,亦同論.)

또 말하길, 大運은 太歲와 相剋 相沖됨이 마땅하지 않는데, 大運이 太歲(流年)를 剋하는 것을 더욱 꺼리니 마치 日을 犯함과 같아 刑喪과 破耗가 생기고, 貴人 祿馬가 있으면 凶을 풀어 吉해지니 八字에서 구원함이 있으면 근심이 없다. 經에서 이르길, 太歲가 大運을 衝 剋하는 경우는 吉하며, 大運이 太歲를 衝 剋하는 경우는 凶하고, 格局이 不吉한 경우는 死하며, 太歲와 大運이 相生하는 경우는 吉하고, 祿 馬 貴人이 서로 合하는 경우도 역시 吉하다. 세밀하게 자세히 추리하면 증험하지 않을 수 없다.[역주: 문구에 따라 태세와 유년태세 혼동하면 안됨] (又曰,大運不宜 與太歲相剋相衝,尤忌運剋歲,與日犯同,主破耗喪事,有貴人祿馬解之,稍吉,八字有救無虞.經云,歲衝剋 運者吉,運衝剋歲者凶,格局不吉者死,歲運相生者吉,祿馬貴人相合交互者亦吉,詳審細推,無有不驗.)

21. 논진교퇴복論進交退伏

염동수가 말하기를,[六十甲子로써 四候를 삼고]10干은 4候가 되며, 15일은 1候가 되니 12일은 進神의 候가 되고 外의 3일은 交退伏神候(교신 퇴신 복신의 候)가 된다. 그러므로 甲子는 第1의 進神(진신)이 되며, 丙子, 丁丑, 戊寅은 交退伏神(교신 퇴신 복신)이 되고, 己卯는 第2의 進神이 되며 辛卯, 壬辰, 癸巳는 交退伏神이 되고, 甲午는 第3의 進神이 되며, 丙午, 丁未, 戊申은 交退伏神이 되고, 己酉는 第4의 進神이 되고, 辛酉, 壬戌, 癸亥는 交退伏神이 된다. 進神은 업적이 드러나서 형통하고, 交神은 여러 일에 화협을 못하고, 退神은 녹봉이 내려 깎이고, 伏神은 行하는 곳에 滯留(체류)한다. (閻東叟云,以十干爲四候,十五日爲一候,十二日爲進神候,外三日爲交退伏神 候.故甲子爲第一進神,則丙子,丁丑,戊寅爲交退伏神.己卯爲第二進神,則辛卯,壬辰,癸巳爲交退伏神,甲 午爲第三進神,則丙午,丁未,戊申爲交退伏神,己酉爲第四進神,則辛酉,壬戌,癸亥爲交退伏神.值進神,則 發跡亨快,值交神,則庶事不諧,值退神,則官資降黜,值伏神,則所作滯留.)

經에 이르기를, 進神은 四座를 겸하여 奇特하고 貴煞이 서로 도와 福力이 되는 것이다. 호중자가 말하길, 太歲가 順하게 行하면 進神이라 하고, 太歲가 거슬러 돌아오면 퇴신이라 하고, 進神을 보면 文章이 수려하고, 退神을 보면 지식이 어두워지고, 廣信集에서는 또 甲乙丙丁 子丑寅卯는 進이 되고, 丁丙乙甲 卯寅丑子는 退가 된다. 만약 干支가 함께 물러날 경우라면 뜻한 것은 있으나 뜻한 것을 따르지 않는다. 가령 庚戌이 甲寅을 얻으면 나아가게 되고 庚戌이 乙巳를 얻으면 물러나게 된다. 본래의 旬中에 있지 않고, 단지 進退에 있으며 交伏에는 없으니 두려워하지 않는 것이다. (經云,進神四座兼奇特,貴煞相扶爲福力是也.壺中子云,順太歲而行,曰進神,逆太歲而回,

曰退神,逢進神則文章穎銳,遇退神則智識暗昧,廣信集則又以甲乙丙丁,子丑寅卯爲進,丁丙乙甲,卯寅丑子爲退.若干支俱退者,主稱意中有不稱意者隨之,如庚戌得甲寅爲進,得乙巳爲退,不在本旬者慢,是只有進退而無交伏,恐非是.)

22. 논십간합論十干合-上

내서 슴이라는 것은 和諧(화해)의 의비인데 가령 陽이 陽을 보면 두 陽이 서로 경쟁하여 剋이 되고, 陰이 陰을 보면 두 陰이 부족하여 剋이 된다. 오직 陰이 陽을 보거나 陽이 陰을 보아야 슴이 되니, 예컨대 男女가 서로 合하여 夫婦의 道를 이루는 것이다. 易에서 말하기를, 一陰一陽을 道라 하였고, 陰陽이 한쪽으로 치우치면 病인 것이라 하였다. (夫合者,乃和諧之義,如陽見陽,二陽相競則爲剋,陰見陰,二陰不足則爲剋,惟陰見陽,陽見陰爲合,亦如男女相合,而成夫婦之道焉.易曰,一陰一陽之謂道,偏陽偏陰(偏陰偏陽)之謂疾是也.)

東方의 甲乙 木은 西方의 庚辛 金의 剋을 두려워한다. 甲은 陽에 屬하며 兄이 되며 乙은 陰에 屬하며 妹(누이동생)가 되는데, 甲兄은 乙 누이동생을 金의 집에 시집보내니 庚의 妻가 된다. 陰陽이 和合을 하면 兩家가 서로 損傷하지 않기 때문에 乙과 庚은 合하는 것이다. 乙은 비록 시집가서 庚의 妻가 되지만 봄이 오면 木은 旺하고 金이 囚(가두어지다.)하니 金의 剋을 두려워하지 않으니 乙은 마침내 本家로 돌아와 甲을 따르지만 궁극적으로 金家에서의 懷胎(회태=회임=임신)를 피할 수 없으며 木家에 돌아와 생산한다. 木은 靑色이고 金은 白色인데 이는 봄이 오면 정원의 나무에서 잎은 푸르고(靑色) 꽃은 白色으로 開花(개화)하는 것이다. (東方甲乙木,畏西方庚辛金剋,甲屬陽爲兄,乙屬陰爲妹,甲兄遂將乙妹,嫁金家,與庚[爲]妻,庶得陰陽和合,兩不相傷,所以乙與庚合.乙雖嫁與庚爲妻,春來木旺金囚,不畏金剋,乙遂歸本家就甲,究竟不免在金家懷胎,歸木家産,木色靑,金色白,是以春來園林木,靑葉開白花.)

南方의 丙丁 火는 북방의 壬癸 水의 剋을 두려워한다. 丙은 陽에 屬하여 兄이 되며 丁은 陰에 屬하여 妹(누이동생)가 되는데, 丙 兄은 丁 누이를 水家에 시집보내 壬의 妻가 되기 때문에 丁과 壬은 合하는 것이다. 丁은 비록 시집가서 壬의 妻가 되지만 여름이 오면 火는 旺하고 水는 囚(가두어지다.)하여 水의 剋을 두려워하지 않으니 丁은 마침내 火의 本家로 돌아와 丙을 따르지만, 그러나 水家에서의 임신은 피할 수 없으니 火家로 돌아와 생산한다. 水는 黑色이며 火는 赤色인데 小滿후에는 오디(뽕나무의 열매)가 익어갈 때는 赤色이 있는 것이다.[적색에서 검은색으로 변함] (南方丙丁火,畏北方壬癸水剋,丙屬陽爲兄,丁屬陰爲妹,丙兄遂將丁妹,嫁水家與壬爲妻,所以丁與壬合.丁雖嫁與壬爲妻,夏來火旺水囚,不畏水剋,丁遂歸火家就丙,然不免在水家懷胎,歸火家産,水色黑,火色赤,小滿後桑椹熟,當有赤.)

中央의 戊己 土는 동방의 甲乙 木의 剋을 두려워한다. 戊는 陽에 屬하여 兄이 되며 己는 陰에

屬하여 妹(누이동생)가 되는데, 戊 兄은 己 누이를 木家에 시집보내 甲의 妻가 되기 때문에 甲과 己는 合하는 것이다. 己는 비록 시집가서 甲의 妻가 되지만 6월은 土가 旺盛하고 木은 가두어지기에 木의 剋을 두려워하지 않으니 己는 마침내 土의 本家로 돌아와 戊를 따르지만, 그러나 甲家에서의 회임은 피할 수 없으니 戊家로 돌아와 생산한다. 土는 黃色이며 木은 靑色인 것은 이른바 6월에는 오이가 비록 익더라도 속은 黃色이고 겉은 靑色인 것이다. (中央戊己土,畏東方甲乙木剋,戊屬陽爲兄,己屬陰爲妹,戊兄遂將己妹,嫁木家與甲爲妻,所以甲與己合.己雖嫁與甲爲妻,六月土旺木囚,不畏木剋,己遂歸土家就戊,然不免在甲家懷胎,歸戊家産,土色黃,木色靑,所以六月甛瓜雖熟,肉黃皮靑.)

西方의 庚辛金은 南方의 丙丁 火의 剋을 두려워한다. 庚은 陽에 屬하여 兄이 되며 辛은 陰에 屬하여 누이동생이 되는데, 庚은 辛 누이동생을 火家에 시집보내 丙의 妻가 되기 때문에 丙과 辛은 合하는 것이다. 辛은 비록 시집가서 丙의 妻가 되지만 가을이 오면 金은 旺盛하고 火는 가두어지니 火의 剋을 두려워하지 않으니 辛은 金家로 돌아와 庚을 따르지만, 그러나 火家에서의 姙娠은 피할 수 없으며 金의 本家로 돌아와 생산한다. 火는 赤色이며 金은 白色인데, 가을에 대추가 익어갈 즈음에 半은 붉고 半은 하얀 형상이고, 단풍잎이 붉게 물든 것이다. (西方庚辛金,畏南方丙丁火剋,庚屬陽爲兄,辛屬陰爲妹,庚兄乃將辛妹,嫁火家與丙爲妻,所以丙與辛合.辛雖嫁與丙爲妻,秋來金旺火囚,不畏火剋,辛乃歸金家就庚,然不免在火家懷胎,歸金家産,火赤金白,秋中棗熟,有半赤半白之狀,楓葉丹.)

北方의 壬癸 水는 中央의 戊己土의 剋을 두려워한다. 壬은 陽에 屬하여 兄이 되고 癸는 陰에 屬하여 누이동생이 되는데, 兄인 壬은 癸누이동생을 土家에 시집보내 戊의 妻가 되기 때문에 戊와 癸는 合하는 것이다. 癸는 비록 시집가서 戊의 妻가 되지만 겨울이 오면 水는 旺盛하고 土는 가두어지니 土의 剋을 두려워하지 않으니 癸는 마침내 水의 本家로 돌아와 壬을 따르지만, 그러나 戊家에서의 姙娠은 피할 수 없으며 壬의 本家로 돌아와 생산한다. 水는 黑色이고 土는 黃色인데, 엄동설한에는 草木들이 죽으면 누런색을 나타낸다. (北方壬癸水,畏中央戊己土剋,壬屬陽爲兄,癸屬陰爲妹,壬兄乃將癸妹,嫁土家與戊爲妻,所以戊與癸合.癸雖嫁與戊爲妻,冬來水旺土囚,不畏土剋,癸遂歸水家就壬,然不免在戊家懷胎,歸壬家産,水黑土黃,嚴冬霜雪,草木死而黃出.)

22. 논십간합論十干合-中

甲과 己는 어째서 中正之合이라고 하는가? 甲은 陽木으로 그 성품은 인자하고 10干의 첫머리에 위치한다. 己는 陰土로서 항상 고요하며 순박하고 인정이 두터워, 事物을 생하는 德이 있으므로 甲己는 中正의 합이 된다. 甲己 合이 있으면 사람을 매우 존중하며 관대하고 곧아 정직하다. 가령, 煞을 대동하고 五行이 無氣하면 성냄이 많아 잘 怒하고, 성품이 강경하여 굽히려 하지 않는다. (甲與己,何名爲中正之合.甲,陽木也,其性仁,位處十干之首,己,陰土也,鎭靜淳篤,有生物之德,故

甲己爲中正之合.帶此合,主人尊崇重大,寬厚平直.如帶煞而五行無氣,則多嗔好怒,性梗不可屈.)

乙과 庚은 어째서 仁義之合이라고 하는가? 乙은 陰木으로 그 성품은 어질고 매우 부드럽다. 庚은 陽金으로 굳고 강하여 굽히지 않으며, 剛柔가 相濟(서로를 보완하여 제도함)하고 仁義의 자질을 겸비한다. 그러므로 과감하고 분수도 지키고 미혹되거나 아첨하지 않으며, 행동함이 어질어 進退의 의리가 있다. 五行이 生旺하면 골격이 빼어나며 형체는 淸純하다. 만약 死絶되고 煞을 대동하면 氣運은 용맹함만 좋아하고 신체와 얼굴 모양은 수려하지 못하고 사리에 어두운 사람이다. 甲己 乙庚의 合은 婦人은 꺼리지 않는다. (乙與庚,何名爲仁義之合.乙,陰木也,其性仁而太柔.庚,陽金也,堅强不屈,則剛柔相濟,仁義兼資.故主人果敢有守,不惑柔佞,周旋惟仁,進退惟義.五行生旺,則骨秀形淸.若死帶煞,則使氣好勇,體貌不揚,自是非人.甲己乙庚之合,婦人不忌.)

丙과 辛은 어째서 威制之合이라고 하는가? 丙은 陽 火로 성대하게 빛나며 스스로 왕성하다. 辛은 陰 金으로 (羊)刃을 견뎌내며 (七)煞을 기뻐하므로 丙과 辛은 威制의 합이 된다. 사람의 거동을 보면 엄숙한 위엄으로 사람들이 많이 두려워하고, 혹독하며 뇌물을 좋아하고 음란한 짓을 좋아한다. 만약 煞을 帶同(대동)하고 五行이 死絶되면 온정을 베푸는 것은 적고 의리가 부족하니 무정한 사람이다. 부인이 그것과 天中(공망) 大耗(원진) 咸池(도화)殺이 아우르게 되면 얼굴모양은 아름다우나 목소리는 천박하고, 三合되면 요망하고 음란하다. (丙與辛,何名爲威制之合.丙,陽火也,輝赫自盛,辛,陰金也,剋刃喜煞.故丙辛爲威制之合.主人儀表威肅,人多畏懼,酷毒好賄,喜淫.若帶煞或五行死絶,則寡恩少義,無情之人.婦人得之,與天中,大耗,咸池相倂者,貌美聲卑,三合,夭冶而淫.)

丁과 壬은 어째서 淫暱之合이라고 하는가? 壬은 純陰의 水(물)로 三光(해, 달, 별)이 비치지 않는다. 丁은 陰을 품은 火라 自昧하여 밝지 못하기 때문에 丁과 壬은 淫暱(음일~음란하다.)한 합이 된다. 안목은 신령하고 요염하게 밝으며 多情(다정)하여 쉽게 마음을 움직여 고결하지 못하니 잘못된 습관을 버리지 못하여 음탕한 색정을 즐기고, 나의 것은 아끼고 타인의 것은 (貪)탐한다. 만약 五行이 死絶되고 혹 煞을 대동하여 咸池(도화) 大耗(원진) 天中煞(공망)인 自敗를 만나면 음탕한 가풍으로 추하게 된다. 소인배와는 친하게 지내고 군자를 업신여기고, 貪慾(탐욕)하여 허망한 일을 만들고는 반드시 이기고 나서야 그친다.[끝장을 보는 성격] 부인은 음란하고 사특하여 유혹에 쉽게 넘어가 辱된 일을 많이 불러일으키고, 혹여 나이가 많은데도 연하에게 시집가고, 혹 나이가 어린데도 늙은 남자를 짝하고, 혹여 먼저는 천박하나 후에는 선량하고, 혹 먼저는 선량하나 후에는 천박하다. (丁與壬,何名爲淫暱之合.壬者,純陰之水,三光不照,丁者,藏陰之火,自昧不明.故丁壬爲淫暱之合.主人眼明神嬌,多情易動,不事高潔,習下無志,耽歡媚色,於我則吝,於彼則貪.若五行死絶或帶煞,見咸池,大耗,天中自敗,有淫汚家風之醜.親厚小人,侮慢君子,貪婪妄作,必勝而後已.婦人淫邪奸慝,易挑易誘,多招玷辱,或年高而嫁少婚,或年幼而配老夫,或先賤而後良,或先良而後賤.[暱~친하다,일])

戊와 癸는 어째서 無情之合이라고 하는가? 戊는 陽土로서 늙고 醜한 사내이다. 癸는 陰水로서 춤추는 여자이다. 老陽과 少陰은 비록 합할지라도 無情하고, 사람됨은 좋기도 하고 醜하기도 한데, 가령 戊가 癸를 얻으면 아양 떨기를 좋아하고 자태는 아름다움을 얻으니 남자는 어린여자에게 장가들고 부인은 美男子에게 시집간다. 만일 癸가 戊를 얻으면 얼굴 생김은 古樸(고박: 소위 촌스럽게 생김)하고 늙도록 세속에 얽혀 메이니 남자는 늙은 妻에게 장가들고 婦人은 늙은 사내에게 시집을 간다. 經에 이르길, 戊癸의 합은 어리고 늙어서 [결혼하고 만나니] 無情한 것이다. (戊與癸,何名爲無情之合.戊,陽土也,是老醜之夫,癸,陰水也,是婆娑之婦,老陽而少陰,雖合而無情,主人或好或醜,如戊得癸,則嬌媚有神,姿美得所,男子娶少婦,婦人嫁美夫.若癸得戊,則形容古樸,老相俗塵,男子娶老妻,婦人嫁老夫.經云,戊得癸合,少長無情是也.)

22. 논십간합論十干合-下

혹 묻기를 10干은 반드시 6위를 離隔(이격)하여 합하는 것은 무엇 때문인가? 내가 답하기를, 天地의 數는 각각 5數에 不過(지나지 않음)한데 상5위는 생수이고, 하5위는 성수인데, 생수와 성수가 서로 만난 연후에 합하는 것이다. 天1은 壬을 生하고, 地2는 丁을 生하고, 天3은 甲을 生하고, 地4는 辛을 生하고, 天5는 戊를 生하고, 地6은 癸를 이루고, 天7은 丙을 이루고, 地8은 乙을 이루고, 天9는 庚을 이루고, 地10은 己를 이룬다. 天1數는 地2數를 본 연후에 합하기 때문에 반드시 6을 隔하는 것이다. 易에 말하기를, 天數는 5이며 地數도 5인데, 5位는 서로를 얻고서야 각각 합이 있는 것이다. (或問十干,必隔六位一合,何也.余答曰,天地之數,各不過五,上五位爲生數,下五位爲成數,生數與成數相遇,然後合,天一生壬,地二生丁,天三生甲,地四生辛,天五生戊,地六成癸,天七成丙,地八成乙,天九成庚,地十成己,天一數見地二數,然後合,所以必隔六也.易曰,天數五,地數五,五位相得而各有合是也.)

오행요론에서 이르기를, 天1은 水를 生하며 水는 事物에서는 精이 되고 精은 1의 所生인 것이다. 地2는 火를 生하며 火는 事物에서는 神이 되고 神은 2의 所生인 것이다. 天3은 木을 生하며 木은 事物에서는 魂이 되고, 魂은 神을 따르는 것이다. 地4는 金을 生하며 金은 事物에서는 魄이 되고, 魄은 精을 따르는 것이다. 天5는 土를 生하며 土는 事物의 體인데, 體는 精神魂魄이 갖추어진 후에 있는 것이다. 天1부터 天5까지는 五行의 生數이고, 地6부터 地10까지는 五行의 成數로서, 奇數(홀수)가 生하여 偶數(짝수)를 이루고, 偶數가 生하여 奇數를 이루니 따라서 成數를 이루는 모든 것이 5이고, 5는 天數의 中央이기 때문에 事物을 이루는 것이다. 道는 1에서 세워지며, 3에서 이루고, 5에서 변화하니 天地의 數가 갖추어 지는 것인데 그 10은 偶數(짝수)인 것이다. 經에서 이르길, 1과 6은 同宗(집안, 가족)이고, 2와 7은 同道이고, 3과 8은 朋(친구)가 되고, 4와 9는 友(벗)이 되고, 5와 10은 同途로 닫히고 열리는 奇數(홀수)와 偶數(짝수)인 것이다. (五行要論云,天一生水,其於物爲精,精者,一之所生也,地二生火,其於物爲神,神者,二之所生也.天三生

木,其於物爲魂,魂從神者也,地四生金,其於物爲魄,魄從精者也,天五生土,其於物體,體者,精神魂魄具而後有者也.自天一至天五,五行之生數,自地六至地十,五行之成數,以奇生者成而偶,以偶生者成而奇,其成之者皆五,五,天數之中,所以成於物也.道立於一,成於三,變於五,而天地之數具矣.其十也,偶之而已,經云,一六同宗,二七同道,三八爲朋,四九爲友,五十同途,闔闢奇偶是也.)

합은 貴에서 中庸(중용)을 얻어 一方으로 치우치지 않는 것이다. 가령 하나의 甲이 하나의 己를 얻고서 각각 生旺하면 이것을 得中而不偏이라고 한다. 예컨대, 甲은 太旺하고 己가 太柔(크게 유약)하나면 甲과 己는 서로 균형이 잡혀 있지 않으니 이것을 太過不及이라고 한다. 만일 1己가 2甲을 합하거나, 2甲이 1己를 합하면 이것을 陰陽偏枯라고 한다. 예컨대 아내(婦)는 많은데 남편(夫)은 적거나 남편은 많은데 아내가 적으면 서로 쟁투(다투고 투기)하여 모두가 法道를 어지럽히는 것이므로 偏則亂(치우치면 어지럽다.)이라 하였다. (合者,貴乎得中而不偏,如一甲得一己,各乘生旺,是謂得中而不偏,如甲太旺,己太柔,兩不相稱,是謂太過不及.若一己合兩甲,兩甲合一己,是謂陰陽偏枯,如婦多夫少,夫多婦少,相爭相妬,皆亂之道也,故曰偏則亂.)

호중자가 말하길, 氣가 偏枯하면 늙어서는 俗物(속물)이 된다고 하였다. 天元變化書에 말하기를, 天干의 합은 陽이 陰을 합하면 發福이 더디고 陰이 陽을 합하면 發福이 빠르게 된다. 그래서 甲이 己를 합하면 財가 되고, 己가 甲을 합하면 官이 되는데, 陽干이 陰干을 합하면 干合하는 福에서 멈추고, 陰干이 陽干을 합하면 [干合외에] 正官의 합까지 더하니 福이 배가 되는 것이다. 따라서 福의 정도가 같지 않으니 나머지 天干도 例로서 추산하라. (壺中子云,一氣偏枯,老爲俗物是也.天元變化書云,天干合,陽得陰合,福慢,陰得陽合,福緊.故甲得己合爲財,己得甲合爲官,陽干遇陰干合,止得干合之福,陰干遇陽干合,又得正官合輔,爲兩重福,故緊慢不同,餘干例推.)

또 말하기를, 干合과 아울러 支合을 하고 같은 旬에 있는 경우는, 甲戌이 己卯를 보고 甲辰이 己酉를 보는 종류인데 君臣慶會라 한다. 다른 旬에 있는 경우는, 甲子가 己丑을 보고 甲午가 己未를 보는 종류인데 夫妻聚會라 한다. 대개 세상일에는 본국에 임금이 있는데 타국의 신하가 있는 것은 아니기 때문에, 같은 旬내에서 만날 때에 비로소 君臣慶會라고 한다. 이어서 별도로 陽은 君이 되며 陰은 臣이 되고, 君의 위치는 上이며 臣의 위치는 下가 되는 것이다. 이와 반대가 되면 悖(패륜)가 되는데, 세상일에는 본래의 郡에 남편이 있지만 오히려 다른 郡에 처가 있을 수 있으므로 각각 다른 旬에서 서로 보는 경우를 夫妻會聚라 하고 또 일명 天地得合이라 한다. 만일 이 합을 보면 모름지기 和氣와 貴人이 서로 도와줄 경우에 비로소 유용한 것이고, 합한 가운데 衝破하여 손상을 받거나 刑殺이 있으면 대체적으로 불吉하게 된다. 御製言談에 이르기를, 합 중에 祿을 대동하면 公侯(공작과 후작, 제후)의 지위가 되고, 합한 곳에서 서로 損傷하면 도리어 도움이 안 되는 것이다. (又曰,干合更得支合,在一旬內,如甲戌見己卯,甲辰見己酉之類,謂之君臣慶會.在兩旬內,如甲子見己丑,甲午見己未之類,謂之夫妻聚會.蓋世事有本國之君,未嘗有異國之臣,所以在一旬內見,方曰君臣慶會.仍要別其陽爲君,陰爲臣,君位至上,臣位致下方是,反此則悖,世事有本郡之夫,卻有他郡之妻,所以各旬互見,謂之夫妻會聚,又名天地得合.若見是合,又須要和氣貴神相助,方爲有

用,內有衝破受傷,合中有形煞,蓋爲不吉.御製言談云,合中帶祿,定是公侯,合處相傷,反爲無補是也.)

23. 논십간화기論十干化氣-上

　　복양자가 말하기를, 十干이 合하여 變化하는 것은 陰陽이 配合하는 夫婦의 道이다. 6번째를 만나면 合하고 3遁하면 化한다. 다섯子는 남는 數에서 巳에 이르면 合을 얻고, 合이 되면 범(寅)에서 달아나 용(辰)을 통솔하고, 龍은 陽의 德으로 하늘을 주관하여 변화를 이루는 것이다. 子는 坎位로 하늘이 처음으로 水를 生하여 혼인(精을 교접함)하는 象으로 姙娠하여 陽이 된다. 그러므로 남자는 子를 따라서 좌측으로 行하여, 30번째 巳에 이르고, 陽인 것이므로 30살에 장가들고, 여자는 子를 따라 우측으로 行하여 20번째 巳에 이르고, 陰인 것이므로 20살에 시집간다. 이는 사람의 일에 오행의 조화가 부합하는 것이니 어찌 이 期約한 것을 지나칠 것인가? (復陽子曰,十干合而化者,陰陽之配,夫婦之道也.遇六則合,遁三則化.以五子餘數,至巳上得合,既合,遁虎統龍,龍主陽德,司天而成變化者也.子者,坎之位,天一生水,媾精之象,胎娠陽中.故男子從子左行,三十至巳,陽也,故三十而娶,女子從子右行,二十至巳,陰也,故二十而嫁.此人事合五行之造化,詎可過於此期哉)

　　東方은 壬子에서 丁巳에 이르면 6數(壬子 癸丑 甲寅 乙卯 丙辰 丁巳)이다. 그러므로 丁과 壬이 合하고 丁壬은 木으로 변화한다. 甲은 德으로 용(辰)을 통솔한다. (東壬子,至丁巳六數.故丁與壬合,丁壬化木.甲德統龍.)

　　南方은 戊子에서 癸巳에 이르면 6數(戊子 己丑 庚寅 辛卯 壬辰 癸巳)이다. 그러므로 戊와 癸는 合하고 戊癸는 火로 변화한다. 丙은 德으로 용(辰)을 통솔한다. (南戊子,至癸巳六數.故戊與癸合,戊癸化火.丙德統龍.)

西方은 庚子에서 乙巳에 이르면 6數(庚子 辛丑 壬寅 癸卯 甲辰 乙巳)이다. 그러므로 乙과 庚은 合하고 乙庚은 金으로 변화한다. 庚은 德으로 용(辰)을 통솔한다. (西庚子,至乙巳六數.故乙與庚合,乙庚化金.庚德統龍.)

　　中央은 甲子에서 己巳에 이르면 6數(甲子 乙丑 丙寅 丁卯 戊辰 己巳)이다. 그러므로 甲과 己는 合하고 甲己는 土로 변화한다. 戊는 德으로 용(辰)을 통솔한다. (中甲子,至己巳六數.故甲與己合.甲己化土.戊德統龍.)

北方은 丙子에서 辛巳에 이르면 6數(丙子 丁丑 戊寅 己卯 庚辰 辛巳)이다. 그러므로 丙과 辛은 合하고 丙辛은 水로 변화한다. 壬은 德으로 용(辰)을 통솔한다. (北丙子,至辛巳六數.故丙與辛合,丙辛化水.壬德統龍.)

甲己의 해(歲)에는 戊의 德으로 辰(龍)을 통솔하여 土로 변화를 맡고 [黃+今]天(금천)은 土氣가 된다.

乙庚의 해(歲)에는 庚의 德으로 辰(龍)을 통솔하여 金으로 변화를 맡고 素天(소천)은 金氣가 된다.

丙辛의 해(歲)에는 壬의 德으로 辰(龍)을 통솔하여 水로 변화를 맡고 玄天(현천)은 水氣가 된다.

壬丁의 해(歲)에는 甲의 德으로 辰(龍)을 통솔하여 木으로 변화를 맡고 蒼天(창천)은 木氣가 된다.

戊癸의 해(歲)에는 丙의 德으로 辰(龍)을 통솔하여 火로 변화를 맡고 丹天(단천)은 火氣기 된다.
(甲己之歲,戊德統龍,以土司化,[黃+今]天土氣.乙庚之歲,庚德統龍,以金司化,素天金氣,丙辛之歲,壬德統龍,以水司化,玄天水氣,丁壬之歲,甲德統龍,以木司化,蒼天木氣,戊癸之歲,丙德統龍,以火司化,丹天火氣. [黃+今]=누른 금字이다.)

龍을 통솔하는 天德은 상하에 臨하여 변화를 이룸으로 무리의 품격을 형통하게 만든다. 丙이 辛을 만나고 申子辰을 얻으면 분발하고, 乙이 庚을 만나고 巳酉丑을 얻으면 큰 소리가 울리고, 丁이 壬을 만나고 亥卯未를 얻으면 淸貴하고, 戊가 癸를 만나고 寅午戌을 얻으면 영화로우며, 甲이 己를 만나고 辰戌丑未를 얻으면 旺相한 것이다. 이에 五運에 따라 五宮으로 올바른 祠堂(사당)을 삼는다. 我가 母宮에 들어가면 福德이 되고, 子宮에 들어가면 洩氣되고, 鬼宮에 들어가면 刑傷이 되고, 妻宮에 들어가면 財帛(재백)이 된다. 자식은 도리어 凶煞을 制 剋할 수 있으니 殺氣는 制하는 것을 궁리해야한다. 이른바 五運의 造化는 無窮한 것으로 오직 生剋制化인 것이다. (統龍天德,上下臨御,以成變化,品彙成亨.故丙遇辛,得申子辰而奮發,乙遇庚,得巳酉丑而掀轟,丁遇壬,得亥卯未而淸貴,戊遇癸,得寅午戌而榮顯,甲遇己,得辰戌丑未而旺相.是以五運以五宮爲正廟,我入母宮爲福德,我入子宮爲漏泄,我入鬼宮爲刑傷,我入妻宮爲財帛,子反能剋制於凶煞,仍究煞氣制之.所以五運造化無窮,惟生剋制化.)

23. 논십간화기論十干化氣-中

삼거일람에서는, 甲己之年의 遁月(둔월)은 丙寅에서 일어나고 戊辰까지는 3數인데, 數가 3이 되면 변화하게 된다. 辰은 용이 되고 또한 변화할 수 있는 것이다. 그러므로 甲己, 乙庚, 丙辛, 丁壬, 戊癸는 그 소속된 天干을 따라서 그 氣를 얻는 것이다. 또 말하기를, 甲己 年의 머리(정월)는 丙으로 시작하며 丙은 火에 속하고, 火는 土를 生하므로 化土하는 것이다. 나머지도 이 例로서 추리하고, 그 설명도 앞의 법칙을 벗어나지 않는다. (三車以甲己年遁起,丙寅,至戊辰三數,數至三則變化,辰爲龍,亦能變化,故甲己乙庚丙辛丁壬戊癸,隨其所屬天干而得其氣.又曰,甲己丙作首,丙屬火,火生土,故化土.餘例推.其說不外前理.)

또 말하기를, 甲己 化土에서 둘이 있으면 化하고, 하나는 化할 수 없으므로 본래 자리의 성품으로 돌아오지만 소위 하나로는 생겨날 수 없으니, 만물이 생겨나려면 반드시 둘이 있어야 한다. 天干이 一陰一陽이라면 가령 부부가 배합하여 짝을 이루어 비로소 변화할 수 있으니 形을 이루지만 陰陽이 합하지 못한다면 어찌 변화할 수 있을 것인가? (又曰,甲己化土,有二則化,一不能化,仍還本位之性,所謂一不能生,生物必兩,此天干一陰一陽,如夫婦配合成偶,方能變化成形,陰陽不合,安得化機之宣哉.)

妬化하는 說이 있다. 예컨대 甲己가 乙을 보고, 乙庚이 辛을 보고, 丁壬이 丙을 보고, 戊癸가 壬을 보고, 丙辛이 丁을 보는 것은 所謂 合化함을 시샘하고 스스로 연모하여 그를 生하니 마침내 一家의 호응을 얻어 정성을 다해 연모하는데, 어찌 從化를 하겠는가? 그러므로 化象은 모름지기 한쪽으로 돌아와야 평온해진다. 가령 丁壬이 化木하는데 四柱중에 癸와 子를 모두 보게 되면 비록 강한 木을 이루더라도 참된 物을 이룰 수 없으니 이것은 化而不化(化이나 化하지 않음)인 것이다. (是以有妬化之說,如甲己見乙,乙庚見辛,丁壬見丙,戊癸見壬,丙辛見丁,所謂妬化自戀其生,遂成一家之好,愛戀親情,何能從化.故化象須歸一方穩,如丁壬化木,柱中見癸並子,雖强成木,不成眞物,是化而不化也.)

또 말하기를, 대체적으로 化氣는 다만 日干을 取하여 配合하는 神을 말한다. 혹은 年 月과 時 모두 사용할 수 있는데, 단 日辰이 時에서 旺氣를 얻는 것이 필요하다. 만약 月에서 旺氣를 얻지 못하더라도 다만 時上에서 旺氣를 얻는다면 역시 가능하지만, 아마 月에서 旺氣를 얻어도 時上에서 旺氣를 타지 못한다면 사용할 수 없다. 만일 月과 日時 모두 旺氣를 얻어야만 비로소 온전히 吉한 것이다. (又曰,大凡化氣,只取日干而言配合之神.或年月與時皆可用,但要日辰得旺氣于時.若不得月中旺氣,只時上旺氣亦可.倘得月中旺氣,而時上不乘旺氣,則不可用.若月與日時俱得旺氣,方爲全吉.)

甲己 化土는 辰 戌 丑 未月이 아니면 不化하고, 그 다음으로 午月 역시 化하는데 戊字(戊土)가 그 사이에 있으면 不化하니 일명 妬合이라 한다. 辰 戌 丑 未생인 사람의 四柱에 己亥가 있으면 臨官한 기를 받아 晩年이 吉하지 못하고, 官이 있으면 奪官(탈관)하고, 財가 있으면 奪財한다. 臨官의 氣를 받는 것은 長生에서 4번째 자리인데 天干이 主(주인, 주체)가 되며 雙으로 犯하면 應하지만 餘月(여월)은 應하지 않는다. 또 말하기를, 甲己의 化土에서 木의 官이 중요하며, 甲乙 寅卯 얻으면 官이 되고, 戊癸의 氣는 福이 되고, 日時에서 丁壬을 보는 것을 꺼린다. (甲己化土,非辰戌丑未月不化,其次午月亦化,有戊字間之,則不化,名曰妬合.凡辰戌丑未生人,柱有己亥,爲受氣臨官,至主晩年不吉,有官奪官,有財奪財.夫受氣臨官,長生第四位也,以干爲主,雙犯則應,餘月不應.又曰,甲己化土,切要木爲官,得甲乙寅卯爲官,戊癸氣爲福,忌見丁壬日時.)

乙庚의 化金은 巳 酉 丑月이 아니면 不化하고, 그 다음으로 7월 역시 化하는데 甲字(갑목의 글자)그 사이에 있으면 不化하니 일명 妬合이라 한다. 巳 酉 丑생의 사람은 柱중에 庚申이 있으면 일명 受氣臨官(수기임관)이라 하여 晩年이 아름답지 못하다. 또 말하길, 乙庚 化金에서 火의

官이 중요하므로 丙丁 巳午를 기뻐하며 甲己는 福이 되고, 日時에서 戊癸를 보는 것을 꺼린다. (乙庚化金,非巳酉丑月不化,其次七月亦化,有甲字間之則不化,名曰妬合.凡巳酉丑生人,柱有庚申,名曰受氣臨官,晚年不佳.又曰,乙庚化金,切要火爲官,故喜丙丁巳午,甲己爲福,忌見戊癸日時.)

丙辛 化水는 申 子 辰月이 아니면 不化하고, 그 다음으로 10월(亥) 역시 化하는데, 柱中에 丁字가 있으면 不化하니 일명 妬合이라 한다. 申子辰生이 癸亥를 보면 일명 受氣臨官(수기임관)이라 하여 역시 晚年이 아름답지 못하다. 또 말하기를, 丙辛化水는 土의 官 중요한데 辰戌丑未를 얻으면 官이 되고, 乙庚은 福이 되고, 日時에서 甲己를 보는 것을 꺼린나. (丙辛化水.非申子辰月不化,其次十月亦化,柱有丁字不化,名曰妬合.凡申子辰生人見癸亥,名曰受氣臨官,亦主晚年不佳.又曰,丙辛化水,切要土爲官,得辰戌丑未爲官,乙庚爲福,忌見甲己日時.)

丁壬 化木은 亥 卯 未月이 아니면 不化하고, 그 다음으로 正月(寅)에 역시 化하는데, 柱中에 丙字가 있으면 不化하니 일명 妬合이라 한다. 亥卯未生이 甲寅을 보면 일명 受氣臨官(수기임관)이라 하여 역시 晚年이 아름답지 못하다. 또 말하기를, 丁壬 化木은 庚辛 申酉의 官이 중요하며, 丙辛은 福이 되고, 日時에서 乙庚을 보는 것을 꺼린다. (丁壬化木,非亥卯未月不化,其次正月亦化,柱有丙字不化,名曰妬合.亥卯未生人見甲寅,名曰受氣臨官,晚年不佳.又曰,丁壬化木,切要庚辛申酉爲官,丙辛爲福,忌見乙庚日時.)

戊癸化火는 寅午 戌月이 아니면 不化하고 그 다음으로 4월(巳) 역시 化하는데 柱中에 己字가 있으면 不化하니 일명 妬合이라 한다. 寅午戌生이 丁巳를 보면 臨官한 氣를 받아 晚年이 아름답지 못하다. 또 말하기를, 戊癸 化火는 壬癸 亥子의 官이 중요하며 丁壬은 福이 되고 日時에서 丙辛을 보는 것을 꺼린다. (戊癸化火,非寅午戌月不化,其次四月亦化,柱有己字不化,名曰妬合.凡寅午戌生人見丁巳,爲受氣臨官,晚年不佳.又曰,戊癸化火,切要壬癸亥子爲官,丁壬爲福,忌見丙辛日時.)

23. 논십간화기論十干化氣-下

甲己 化土는 戊辰時를 좋아하고 四季月에 태어나면 그 土는 象을 이루는데, 柱中에서 生旺하며 有氣(유기)하여 上이 된다. 火를 보면 안 되는데 火를 보게 되면 虛해지고, 木氣를 보면 剋되어 무너진다. 이 甲己日은 丙丁時를 두려워하고 餘月(나머지 달)은 丙을 기뻐한다. (甲己化土,喜戊辰時,生四季月,其土成象,柱中生旺有氣爲上.不可見火,見火則虛,見木氣則剋壞.是甲己日怕丙丁時,餘月喜丙.)

乙庚 化金은 庚辰時를 좋아하고 申酉月에 태어나면 그 金은 象을 이룬다. 戊土의 相生을 기뻐하고, 甲己는 福이 되고, 死 敗地를 좋아하지 않으므로 申酉月에 乙 庚日이 있으면 子時나 寅時를 두려워한다. (乙庚化金,喜庚辰時,生申酉月,其金成象.喜戊土相生,甲己爲福.不喜死敗,故此月有乙

庚日,怕子寅時.)

丙辛 化水는 壬辰時를 좋아하고 亥子月에 태어나면 그 水는 象을 이룬다. 庚金이 相生하는 기운을 좋아하고, 乙 庚은 福이 되므로 亥子月에 丙辛日이 있으면 卯時나 巳時를 두려워한다. (丙辛化水,喜壬辰時,生亥子月,其水成象.愛庚字相生之氣,乙庚爲福.故此月有丙辛日,怕卯巳時.)

丁壬 化木은 갑진시를 좋아하고 寅卯月에 태어나면 그 木은 象을 이룬다. 丙辛은 福이 되어 좋아하므로 寅卯月에 丁壬日이 있으면 午時나 申時를 두려워한다. (丁壬化木,喜甲辰時,生寅卯月,其木成象.喜丙辛爲福.故此月有丁壬日,怕午申時.)

戊癸 化火는 丙辰時를 좋아하고 巳午月에 태어나면 그 火는 象을 이룬다. 甲木(갑의 글자)의 상생함을 기뻐하고, 정임은 복이 되고, 卯酉日時를 두려워하는데 만약 戊己土를 犯하면 火가 土를 본 것이니 어두워지고 밝지 않다. (戊癸化火,喜丙辰時,生巳午月,其火成象.愛甲字相生,丁壬爲福.怕卯酉日時,若犯戊己,是火見土,卽暗伏不明.)

또 말하기를, 丙寅,辛卯,丙辰,辛卯,庚申,乙酉,庚戌,乙酉,己亥,甲子,己丑,甲子,癸巳,戊午,癸未,戊午,戊子,癸丑,戊寅,癸丑,己酉,甲戌,己亥,甲戌,乙巳,庚辰,乙卯,庚辰,壬午,丁未,壬申,丁未 이상은 地支가 서로 연결된 同氣이기 때문에 바르게 化한다. (又曰,丙寅,辛卯,丙辰,辛卯,庚申,乙酉,庚戌,乙酉,己亥,甲子,己丑,甲子,癸巳,戊午,癸未,戊午,戊子,癸丑,戊寅,癸丑,己酉,甲戌,己亥,甲戌,乙巳,庚辰,乙卯,庚辰,壬午,丁未,壬申,丁未,以上地支相連,是同氣也.故爲正化.)

轉角 進化(전각진화)가 있는데, 干合하는 가운데 地支의 4角을 볼 경우에 서로 順하게 연결되는 것이다. 가령 甲辰이 己巳를 보는 종류인데 日과 時에서 그것을 보면 功名(공명)을 이루는데 어렵지 않은 것이다. (有轉角進化.干合中,見支辰四角相順連,如甲辰見己巳之類.日時遇之,成立功名不難.)

轉角 退化(전각 퇴화)가 있는데, 干合하는 가운데 地支의 4角을 볼 경우에 서로 거꾸로 연결되는 것이다. 가령 甲午가 己巳를 보는 종류인데 日과 時에서 그것을 보면 功名이 어긋나고 늦어 좋은 곳에서 물러남이 많고, 歲運에서 轉角 退化를 만날 경우도 역시 쉽게 무너진다. (有轉角退化.干合中,見支辰四角相反連,如甲午見己巳之類.日時遇之,功名差晚,到好處多退減,歲運達之亦歇滅.)

座下 自化(좌하자화)가 있는데, 壬午 丁亥, 戊子 甲午, 辛巳 癸巳로서 丁의 祿은 午에 있고 壬과 丁은 合하고, 壬의 祿은 亥에 있고 丁과 壬은 合하는 例이다. 壬午 丁亥가 福이 가장 두텁고, 戊子는 총명하고, 辛巳는 권모술수가 있으며, 甲午는 역시 좀 형통하게 되고, 癸巳는 貴하지만 酒色(주색)으로 인해 病이 있다. (有座下自化,乃壬午,丁亥,戊子,甲午,辛巳,癸巳,丁祿在午,壬與丁合,壬祿在亥,丁與壬合之例.壬午丁亥,爲福最深,戊子聰明,辛巳權謀,甲午亦作小亨,癸巳貴中有酒色之疾.)

* 축월횡간이화지상逐月橫看理化之象

正月節
丁壬化木,戊癸化火,乙庚化金,丙辛不化,甲己不化,寅午戌化火,亥卯未化木,申子辰不化,巳酉丑破相,辰戌丑未失地.

二月節
丁壬化木,戊癸化火,乙庚化金,丙辛水氣不化,甲己不化,寅午戌化火,亥卯未化木,申子辰不化,巳酉丑成形,辰戌丑未小失,

三月節
丁壬不化,戊癸化火,乙庚成形,丙辛化水,甲己暗秀,寅午戌化火,亥卯未不化,申子辰化水,巳酉丑成形,辰戌丑未成無信.

四月節
丁壬化木,戊癸化火,乙庚金秀,丙辛化水,甲己無位,寅午戌化火,亥卯未不化,申子辰成形,巳酉丑成器,辰戌丑未貧乏.

五月節
丁壬化木,戊癸發貴,乙庚無位,丙辛端正,甲己不化,寅午戌眞火,亥卯未失地,申子辰化客,巳酉丑辛苦,辰戌丑未身賤.

六月節
丁壬化木,戊癸不化,乙庚不化,丙辛不化,甲己不化,寅午戌不化,亥卯未不化,申子辰不化,巳酉丑化金,辰戌丑未化土.

七月節
丁壬化木,戊癸化水(火),乙庚化金,丙辛進秀學堂,甲己化土,寅午戌不化,亥卯未成形,申子辰大貴,巳酉丑武勇,辰戌丑未亦貴.

八月節
丁壬不化,戊癸衰薄,乙庚進秀,丙辛就妻,甲己不化,寅午戌破家,亥卯未無位,申子辰清,巳酉丑入化,辰戌丑未正位.

九月節

丁壬化火(木),戊癸化火,乙庚不化,丙辛不化,甲己化土,寅午戌化火,亥卯未不化,申子辰不化,巳酉丑不化,辰戌丑未正位.

十月節

丁壬化木,戊癸爲火,乙庚化金,丙辛化水,甲己化土,寅午戌不化,亥卯未成材,申子辰化水,巳酉丑破家,辰戌丑未不化.

十一月節

丁壬化木,戊癸化火,乙庚化金,丙辛化秀[水],甲己化土,寅午戌不化,亥卯未化木,申子辰化水,巳酉丑化金,辰戌丑未不化.

十二月節

丁壬不化,戊癸化火,乙庚化金,丙辛不化,甲己化土,寅午戌不化,亥卯未不化,申子辰不化,巳酉丑不化,辰戌丑未化土.

* 上文은 해석을 생략하기로 한다. 단, [ ]는 誤字같아 교정해 본 것임.

24. 논지원육합論支元六合-상

대저, 合은 화합하는 것으로 陰陽이 서로 화합하여 그 氣가 저절로 합하는 것이다. 子 寅 辰 午 申 戌의 여섯은 陽이 되고 丑 卯 巳 未 酉 亥의 여섯은 陰이 되니 이 一陰一陽이 화합하여 合하는 것을 말한다. 子는 丑을 合하고 寅은 亥를 合하는데 子는 亥, 寅은 丑을 合하지 않음은 무엇 때문인가? 만물이 만들어지는 중에 비록 陰陽이 합해지지만, 기운(氣運)의 수(數) 중에는 양기가 차지하는 것이 우선하기 때문이다. 子는 1陽이 되며 丑은 2陰이 되어 1,2로 3數를 이룬다. 寅은 3陽이 되고, 亥는 6陰이니, 3,6으로 9數를 이룬다. 卯는 4陽이 되고 戌은 5陰이니 4,5로 9數를 얻는다. 辰은 5陽이 되며 酉는 4陰이 되니 5,4로 9數를 얻는다. 巳는 6陽이 되며 申은 3陰이 되니 6,3으로 9數를 얻는다. 午는 1陰이 되며 未는 2陽이 되어 1,2로 3數를 얻는다. 子 丑, 午 未는 각각 3數를 얻으니, 3數는 萬物을 生하고, 나머지는 모두 9數를 얻은 것인데 陽數의 極인 것이다. (夫合者,和也,乃陰陽相和,其氣自合.子寅辰午申戌六者爲陽,丑卯巳未酉亥六者爲陰,是以一陰一陽和而謂之合.子合丑,寅合亥,卻不子合亥,寅合丑,夫何故.造物中雖是陰陽爲合,氣數中要占陽氣爲尊,子爲一陽,丑爲二陰,一二成三數,寅爲三陽,亥是六陰,三六成九數,卯爲四陽,戌是五陰,四五得九數,辰爲五陽,酉爲四陰,五四得九數,巳爲六陽,申爲三陰,六三得九數,午爲一陰,未爲二陽,一二得三數.子丑午未各得三者,三生萬物,餘皆得九者,乃陽數極也.)

일찍이 甲乙을 論할 때 어떻게 子와 丑이 合하는 것인가를 물었는데 모두가 그 연유를 알지 못하였다. 여러 서적을 두루 살펴보고 대운을 관찰해보니, 壬方과 亥方사이에서 日月이 12개의 별이 서로 만나는 것을 알았다. 달(月)이 朔에 모이면 이 위치에서 壁을 합하는 것을 會라 하고 낮아지면 集이라 하는데, 12月(달)의 별은 玄枵(현효) 星紀(성기)의 종류와 같이 있는 것이다. 1년 에 12번 만나는 태음과 태양이 坎離(수화)의 妙를 막아 흩어지게 하니 이 원리에 의해 만물이 생 겨나고 전개되니 합의 원리를 여기에서 찾아 볼 수 있다. 12月建은 丑인데 현호가 壬亥之間에 있고 현호는 子의 별이므로 이것이 소위 자축의 합이 되는 것이다. (甞問論甲乙者,如何子與丑合, 皆莫知其故,因徧覽群書,以觀大運,乃知壬亥之間,日月十二辰交會之所,凡月之會朔,合之壁於此位,謂 之會,劣,謂之集,十二月之辰,如玄枵星紀之類,與之同在焉.一歲十二會,太陰太陽隔液坎離之妙,此生萬 轉圖,而放會合得可見也.十二月建丑,是時亥(玄)枵同在壬亥之間,以玄枵在子之辰,此其所以爲子丑之 合.)

정월건은 인이고 이 시기에 추자는 임방과 해방의 사이에 있고, 추자는 亥의별에 있으니 寅亥 의 합이 되는 것이다. (正月建寅,是時娵訾在壬亥之間,以娵訾在亥之辰,此其所以爲寅亥之合.)

2월건은 묘이고 이 시기에 강누는 임방과 해방의 사이에 있고, 강누는 술이므로 묘와 술은 합 한다. (二月建卯,此時隆(降)婁在壬亥之間,隆(降)婁戌,故卯與戌合.)

3월건은 진이고 이 시기에 대량은 임방과 해방의 사이에 있고, 대량은 유이므로 진과 유는 합 한다. (三月建辰,此時大梁在壬亥之間,大梁酉,故辰與酉合.)

4월건은 사이고 이 시기에 실침은 임방과 해방의 사이에 있고, 실침은 신이므로 사와 신의 합 수이다. (四月建巳,是時實沈在壬亥之間,實沈申,此巳與申合之數.)

5월건은 오이고 이 시기에 순수는 임방과 해방의 사이에 있고, 순수는 미에 있다. (五月建午, 是時鶉首在壬亥之間,鶉首在未.)

6월건은 미이고 이 시기에 순화는 임방과 해방의 사이에 있고, 오와 미의 합수이다. (六月建未, 是時鶉火在壬亥之間,鶉火在午,此午與未合之數.)

7월건은 신이고 이 시기에 순미는 임방과 해방의 사이에 있고 순미는 사에 있으므로 사와 신 은 합이 된다. (七月建申,是時鶉尾在壬亥之間,鶉尾在巳,故巳與申合.)

8월건은 유이고 이 시기에 수성은 임방과 해방의 사이에 있고 수성은 진이므로 진과 유는 합 이 된다. (八月建酉,是時壽星在壬亥之間,壽星辰,故辰與酉合.)

9월건은 술이고 이 시기에 대화는 임방과 해방의 사이에 있고 대화는 묘이므로 묘와 술은 합이 된다. (九月建戌,是時大火在壬亥之間,大火卯,故卯與戌合,)

10월건은 해이고 이 시기에 석목은 임방과 해방의 사이에 있고 석목은 인이므로 인과 해는 합이 된다. (十月建亥,是時析木在壬亥之間,析木寅,故寅與亥合.)

11월건은 자이고 이 시기에 성기는 임방과 해방의 사이에 있고 성기는 축이므로 자와 축은 합이 된다. (十一月建子,是時星紀在壬亥之間,星紀丑,故子與丑合.)

12월건은 축이고 이 시기에 현효는 임방과 해방의 사이에 있어 일월이 회동하는 수를 얻으면 그 합하는 수를 사용하니, 일월이 육합으로 가득한 것이다. 인명에서 육합을 만나면 조화가 어찌 아름답지 않을 것인가? (十二月建丑,是時元(玄)枵在壬亥之間,得日月會同之數,則其相合之用,如日月彌漫六合矣.人命逢六合,造化豈不美哉.)

24. 논지원육합論支元六合-下

주례 춘관에 관한 것을 살펴보니 말하기를 태사는 그 주관하는 직무가 즐거움이니 이에 황종을 奏(연주)해, 대려를 歌(노래)하고, 운문을 舞(춤)추며 이에 천신에 제사하고, 황종은 子이고 대려는 丑으로 그 子 丑이 합하므로 天地의 和氣를 불러온다. 태주를 연주하고 응종을 노래하고 함지를 춤추며 地祇(지지)에 제사하고, 태주는 寅이고 응종은 亥이니 그 寅 亥의 합을 취한다. 이에 무역을 연주해 협종을 노래하고 대무를 춤춰 선조는 향사하고 무역은 戌이고 협종은 卯이니 그 卯 戌의 합을 취한다. 고선을 연주해 남려를 노래하고 대경을 춤추며 四望으로 제사하고 고선은 辰이고 남려는 酉로서 그 辰酉의 합을 취한다. 이칙을 연주해 중려를 노래하고 대호를 춤추며 선비를 향수하고, 이칙은 申이며 중려는 巳인데 대개 巳와 申은 합한다. 유빈을 연주해 임종을 노래하고 대하를 춤추며 山川에 제사하고, 유빈은 午이며 임종은 未인데 대개 午와 未가 합하는 것은 성왕 주공이 만들었고 율려의 상합을 취한 연후에 3재의 體가 格에 맞으니 그 이치가 精微하도다.   (觀周禮春官之屬,曰,太師,樂其所掌之職,乃奏黃鍾,歌大呂,舞雲門,以祭天神,黃鍾子,大呂丑,取其子丑之合,以召天地之和氣也.奏太簇,歌應鐘,舞咸池,以祀地祇,太簇寅,應鐘亥,取其寅亥之合,奏無射,歌夾鍾,舞大武,以享祖先,無射戌,夾鍾卯,取其卯戌之合,奏姑洗,歌南呂,舞大磬,以祀四望,姑洗辰,南呂酉,取其辰酉之合,奏夷則,歌仲呂,舞大濩,以享先妣,夷則申,仲呂巳,蓋巳與申合,奏蕤賓,歌林鍾,舞大夏,以祀山川,蕤賓午,林鍾未,蓋午與未合,成王周公之制作也.因取乎律呂相合,然後可格三才之體,其理微哉.)

광록에서 말하기를, 寅 午가 왕래하면 甲 己의 土氣가 있고, 子 巳가 왕래하면 戊 癸의 火氣가 있고, 巳 酉가 왕래하면 丙 辛의 水氣가 있고, 卯 申이 왕래하면 乙 庚의 金氣가 있고, 亥 午

가 왕래하면 丁 壬의 木氣가 있는데 모두가 祿위에 있고, 子 巳 午 亥도 역시 이르길, 격육합(隔六合)이라 한다. 대개 1양이 6양에 도달하거나 1음이 6음에 도달하게 되면 다시 天干納音을 얻어 교섭하니 더욱 길한 것이다. (廣錄云,寅午往來,有甲己土氣,子巳往來,有戊癸火氣,巳酉往來,有丙辛水氣,卯申往來,有乙庚金氣,亥午往來,有丁壬木氣,皆在祿上,子巳午亥,亦謂之隔六合,蓋一陽至六陽,一陰至六陰,更得天干納音,有交涉尤吉.)

무릇 合에는 合祿 合馬 合貴의 說이 있다. 낙녹자가 이르기를, 따르는 것이 없는데도 세우는 것이 있는 것은, 보이시 않는 形을 본다하는 것이다. 從無立有를 비유하면 甲生人은 寅으로 祿을 삼는데 寅을 보지 못하고 亥를 보면 合祿이라 하고, 寅生人은 申으로 馬(역마)를 삼는데 申을 보지 못하고 巳을 보면 合馬라 하고, 甲 戊 庚人은 丑 未로 貴를 삼는데 丑 未를 보지 못하고 子 午를 본다면 合貴라고 말했다. (夫合有合祿合馬,合貴之說.珞珠子云.是從無而立有,謂見不見之形也.從無立有,喩如甲生人,以寅爲祿,不見寅而見亥,謂之合祿,寅生人,以申爲馬,不見申而見巳,謂之合馬.甲戊庚人,以丑未爲貴,不見丑未而見子午,謂之合貴.)

經에서 이르길, 明合보다는 차라리 暗合이 낫고, 拱實보다는 오히려 拱虛이 낫다는 것은 이를 두고 하는 말이다. 천원변화서에서 이르길, 子가 丑을 合하면 福은 가볍지만 丑이 子를 合하면 福이 많고, 寅이 亥를 合하면 福이 청순하지만 亥가 寅을 合하면 福은 느슨하고, 戌이 卯를 合하면 福은 虛하지만 卯가 戌을 合하면 福이 후중하고, 辰이 酉를 合하면 福이 약하지만 酉가 辰을 合하면 크게 이롭고, 午가 未를 合하면 福은 느슨하지만 未가 午를 合하면 크게 이롭고, 巳가 申을 合하면 福이 느슨하지만 申이 巳를 合하면 官의 기운이 왕성하다. 예컨대 甲午 辛未는 단지 身만 왕성하고 命과 祿은 柔弱한 것이고, 乙未 壬午는 비록 祿이지만 軟弱하게 얻는 것이다. 또 말하기를, 남자는 絶과 合하는 것을 꺼리고, 여자는 貴人과 合하는 것을 꺼린다고 하였다. (經云,明合不如暗合,拱實不如拱虛.此之謂也.天元變化書云,子合丑福輕,丑合子福盛.寅合亥福清,亥合寅福慢,戌合卯福虛,卯合戌福厚,辰合酉福弱,酉合辰大利,午合未福慢,未合午大利,巳合申福慢,申合巳官氣盛.如甲午辛未,只是身旺,卻命祿弱,如乙未壬午,雖祿弱粗得.又曰,男子忌合絶,女人忌合貴.)

25. 논지원삼합論支元三合-上

曆家를 고찰해보면 申子辰의 初氣는 [물방울이 아래로 떨어지는 처음을 정함]1刻에서 함께 일어나고, 巳酉丑의 初氣는 26刻에서 함께 일어나고, 寅午戌의 初氣는 51刻에서 함께 일어나고, 亥卯未의 初氣는 76刻에서 전부 일어나는데, 모든 氣는 같은 刻에서 일어나니 이는 天地自然의 理致인 것이다. 그래서 3합이라고 하였다.[역주~하루를 100각으로 하여 나누는 것] (考曆家申子辰初之氣,俱起於漏下一刻,巳酉丑初之氣,俱起於二十六刻,寅午戌初之氣,俱起於五十一刻,亥卯未初之氣,俱起於七十六刻,氣皆起於同刻,是天地自然之理也.故謂之三合.)

或 三合으로 사람의 一身(일신)에 운용하게 되면, 精은 氣의 으뜸이 되며, 氣는 神의 근본이 되는데 精은 氣의 母가 되는 것이며, 神은 氣의 子(자식)가 되어 母子는 상호간에 相生하고, 精氣神이 온전하여 흩어지지 않는 合이 된다. 대개 地支에 속하는 것을 人元이라 하는 것이므로 三合으로 이를 論한다. 예컨대, 申子辰이라면 申은 子의 母가 되며, 辰은 子(水)의 子(자식)이 되고, 申은 水를 生하고, 子는 水가 旺盛하고, 辰은 水의 庫인데, 生하면 곧 낳게 되고 旺하면 곧 이루게 되고, 庫는 곧 거두어들이니, 生이 있고 成이 있고 收가 있으니 萬物 은 시작을 하면 마치게 되는 것이 자연의 이치이므로 申 子 辰은 水局이 되는 것이다. (或以三合者,如人一身之運用也.精乃氣之元,氣乃神之本,是以精爲氣之母,神爲氣之子,子母互相生,精氣神全而不散之爲合.蓋謂支屬人元,故以此論之.如申子辰,申乃子之母,辰乃子之子,申乃水生,子乃水旺.辰乃水庫,生卽産 ,旺卽成,庫卽收,有生有成,有收,萬物得始得終,乃自然之理,故申子辰爲水局.)

만약 3字중에 1字라도 빠지면 局을 이루지 못하게 되어 3合하는 化局으로 論할 수 없다. 대개 천지에 道와 理의 둘은 곧 化하는데 一陰一陽이라 한다. 3은 곧 化하니 3은 萬物을 생겨나게 하는 것이다. 巳酉丑, 寅午戌, 亥卯未가 모두 그러하다. 五行에서 土를 말하지 않는 것은 4行은 모두 土를 의지하여 局을 이루는데, 萬物은 모두가 土로 인해 감추고 돌아가는 것이다. 만약 辰 戌 丑 未가 완전하면 자연히 土 局으로 論한다. (若三字缺其一,則化不成局,不可以三合化局論.蓋天地間道理,兩則化,一陰一陽之謂也,三則化,三生萬物之謂也.巳酉丑,寅午戌,亥卯未皆然.五行不言土者,四行皆賴土成局,萬物皆歸藏於土故也.若辰戌丑未全,自作土局論.)

무릇, 命에 合이 있으면 局을 얻어야 아름답게 된다. 가령 丙丁生人 이라면 亥卯未를 보면 印星局이 되고, 巳酉丑은 財星局이 되고, 寅午戌火를 보면 本局이 되고, 申子辰水는 官星局이 되고, 辰戌丑未土는 傷官局이 된다. 또한 丙人이 巳酉丑을 보거나 丁人이 寅午戌을 보면 三會祿格이 되는데, 丙은 巳에서 祿이 되며, 丁은 午에서 祿이 되는데, 酉丑은 巳를 合하고 寅戌은 午를 合하기 때문이다. 낙녹자가 이르기를, 祿에는 三會가 있고, 또 하나를 얻어 셋으로 나누는 것은 예전의 선현들은 登載하지 않았다. 호중자가 이르기를, 하나를 얻어 셋으로 나누는 것은 月(달)에서 신선의 계수나무를 꺾는다고 한다.[장원급제를 비유한 말이다.] 나머지는 이 例를 모방하라. (凡命有合,要得局爲佳.假令丙丁生人,見亥卯未印,巳酉丑財爲得局,見寅午戌火爲本局,申子辰水爲官局,辰戌丑未土爲傷局.又如丙人見巳酉丑,丁人見寅午戌,爲三會祿格,謂丙以巳爲祿,丁以午爲祿,酉丑合巳,寅戌合午故也.珞珠子云,祿有三會.又云得一分三,前賢不載.壺中子云,得一分三,折月中之仙桂.此之謂也.餘倣此例.)

25. 논지원삼합론支元三合-下

무릇 6合 3合이 命에 들면 얼굴용모가 아름다우며 神氣가 안정되고 生地를 좋아하며 死地를 싫어하고, 심지가 강직하여 方便(방편)에 따라 일처리가 원만하며, 지혜롭고 총명하여 의사소통을 잘 한다. 가령, 相生이 슴한 경우는 많은 일을 일으키고 수행하며 더하여 福神이 왕래하면 福이 더욱 두텁고, 일생이 평탄하며 多藝多才(다예다재)하고 말은 온순하며 얼굴빛은 즐거우며 是非를 따지지 않으며 禍福을 감내하고 사람들을 긍휼히 여긴다. (凡六合三合入命,主人形容姿美,神氣安定,好生惡死,心地平直,周旋方便,聰慧疏通.如相生合者,舉事多遂,更有福神來往,則福愈厚,一生平易,多藝多才,言和貌悅,不較是非,福禍扶持,人多見憐.)

가령, 相剋이 슴한 경우는 일(직업, 하는 일)이 어려워 쉽게 바꾸고 계획하는 것이 많아 실행하면 손실이 많이 생기는데, 거듭 흉살을 겸한다면 뜻밖의 일이 연속되어 사나운 재앙에 놀라지만 심한 허물에 이르지는 않는다. (如相剋合者,難事而易悅,多是定計,動多招損,更有凶煞相兼,橫事勾連,驚暴之災,不致深咎.)

死絶이 합한 경우는, 사람이 행함은 있으나 완수하려는 뜻은 없고, 권위가 없고 정신(精神)이 속되게 천박하고, 기운이 궁색하여 포부가 낮아 소인을 좋아하고 군자는 멀리하여 배워도 천박하며 일생동안 생각보다 얻는 것이 적다. 建祿과 합한 경우는, 橫財(횡재)함이 많고 뜻밖의 名望(명망)으로 福을 받는다. 正印과 貴人이 슴한 경우는, 天恩인 貴人이 도와 福을 받는다. 食神과 슴한 경우는, 衣食(의식)이 풍부하고 식복이 두텁다. 元嗔(대모)와 슴한 경우는, 예절이 없으며 말은 맑으나 행동은 탁하고 賤한사람에게 후하고 君子(학식과 덕행 있는 사람)는 업신여긴다. [원진에] 咸池(도화)까지 더하면 간악하여 사통하고 더러운 행동을 탐하여 불량하다. 官符를 아우르면 형옥을 부르는[형무소 가는] 송사를 많이 일으키며 시비에 어두워 잘 이끌린다. 天空(천중살 즉 공망을 말함)을 아우르면 행동이 成實하지 못하며 賤人(불쌍한 사람을 비유함)에게 사기치고, 특히 부인은 슴중에 煞을 대동하는 것을 가장 꺼린다. 咸池(일명 도화살)는 음란한 행동으로 욕되게 하며 大耗는 반드시 음란하여 도주하게 되고, [함지와 대모가 있는 중에] 貴人과 祿馬가 있으면 賤한 것에서부터 貴함이 있다. (死絶合者,主人有爲,未嘗遂意,威武不重,精神俗陋,招人鄙薄,志卑氣窄,愛小人,惡君子,習下自賤,一生少得稱懷.與建祿合者,多橫財,意外名望之福.正印貴人合,得天恩貴人提攜之福.食神合,衣祿豐餘,飲食厚.元辰大耗合,無禮貌,言清行濁,厚於賤人,侮慢君子.咸池併,奸惡私通,不良貪汚之行,與官符併,多招形獄詞訟,旁牽暗昧是非,天空併,動無成實,賤人欺紿,婦人大忌合中帶煞,咸池玷行淫聲,大耗必致淫奔,中有貴祿者,自賤而貴也.)

대체적으로 吉神을 슴하면 吉하고, 凶神을 슴하면 凶한 것이다. 옥정오결에서 이르기를, 슴이란 것이 단지 三合 六合만 말하는 것이 아니니, 가령 酉字가 有力하거나 혹 많이 보면, 寅字 역시 딱들어 맞게 활용할 수 있으며, 또 巳宮을 보면 도리어 파괴되니 酉中의 辛과 寅中의 丙을 비로소 취한다. 무릇 또한 암간과 명간을 볼때, 합기상관(적합한 기운을 서로 관하는 것)을 취용하면, 이름하여 은혜와 원수를 구인하는 것이니, 또 견관(끌고 옭어 맴)득실을 이루고 또 고반인아(다른 사람과 나를 살핌)하게 되고, 전후를 호응하게되고, 또 부부유정하게 되고 행장(내력)이 동도(같은 내력의 사람)하게 된다. (大率合吉神則吉,合凶神則凶.玉井云,合者非只泥三合六合,如酉字有力,或多見,能用寅字亦切,又看巳宮卻被壞了,酉中辛,寅中丙方取,大凡亦看暗干與明干,合氣相關

取用,名爲勾引恩讐,又爲牽絡得失,又爲顧盼人我,又爲呼應前後,又爲夫婦有情,又爲行藏同道.)

26. 논장성화개論將星華蓋(二煞皆三合中取,故附於後)

　　將星은, 예컨대 장수가 가운데에 위치한 군대를 통제하는 것이므로 三合의 중앙에 위치하니 장성이라 하는 것이다. 華蓋는, 비유하자면 우산모양의 장식물과 같은 것인데, 하늘에 이 별이 있음에 그 형상이 우산과 같다. 항상 大帝(대제; 황제를 높여 부르는 말)의 좌석을 덮으므로 三合으로 庫에 머무르는 것을 華蓋라 한다. 洞玄經에서 이르기를, 장성의 위치는 中軍(중앙)이고 화개는 庫에서 나타나는 것이다. 무릇, 장성은 항상 吉神이 서로 도와주길 원하는데 貴煞이 더하여 臨하면 吉한 경사가 된다. (將星者,如將制中軍也,故以三合中位,謂之將星.華蓋者,喻如寶蓋,天有此星,其形如蓋,常覆乎大帝之座,故以三合底處得庫,謂之華蓋.洞玄經云,將星處乎中軍,華蓋張於庫上是也,凡將星常欲吉神相扶,貴煞加臨,乃爲吉慶.)

　　이우가에서 이르길, 장성이 만일 망신에 臨하면 나라의 棟梁(대들보)인 신하가 된다. 말하자면 吉이 도우면 貴한데 다시 挾貴(협귀)와 墓庫가 순수하고 雜되지 않으면 出將入相之格(나가면 장수요 들어오면 정승)인 것이다. 화개가 정인이면 夾庫하지 않아도 兩府之格(문무를 겸함)인 것이다. 단지 墓庫만 있고 正印이 아니라도 員郎(원랑; 벼슬의 품계)이상이며, 이미 墓도 없는데 또 정인도 아니고 화개만 된다면 보통의 祿인 것이다. 화개를 대동하고 祿이 驛馬(역마)면 명칭을 節印이라 하여 旌節(정절; 왕이 하사하는 깃발의 일종)로서 貴하게 된다. 만약 太歲 天干이 庫인데 庫를 같이하면 양쪽으로 福이 重하게 되어 大貴한다. (理愚歌云,將星若用亡神臨,爲國梁棟臣.言吉助之爲貴,更夾貴庫墓,純粹而不雜者,出將入相之格也,帶華蓋正印,而不夾庫,兩府之格也.只帶庫墓而不帶正印,員郎以上,既不帶墓,又不帶正印,止有華蓋,常調之祿也.帶華蓋而正建驛馬,名曰節印,主旌節之貴.若歲干庫同庫,爲兩重福,主大貴.)

　　또 말하기를, 무릇 인명에서 화개를 얻으면 고아와 과부가 많고, 설사 貴하더라도 고독함을 면할 수 없고 僧道나 예술을 하게 된다. 호중자는 華蓋는 藝術(예술)의 星이라 말하였다. 이우가에서 이르기를, 화개가 비록 吉하다 할지라도 또한 방해됨이 있고, 혹 서자이거나 고아나 과부가 된다. 塡房하여 대궐의 출입이 많아 데릴사위로 들어가거나 僧道가 되는 경우가 많다. 또 이르기를, 華蓋星辰은 형제가 적고, 天上의 유달리 고상한 歸宿地(귀숙지)이다. 태어난 이후에 만약 時와 胎에 [華蓋가]있다면 양자나 서자 출신이다. (又曰,凡人命得華蓋,多主孤寡,縱貴亦不免孤獨,作僧道藝術論.壺中子云,華蓋爲術藝星.理愚歌云,華蓋雖吉亦有妨,或爲孼(孼)子或孤孀.塡房入贅多闕口,爐鉗頂笠披緇黃.又云,華蓋星辰兄弟寡,天上孤高之宿也.生來若在時與胎,便是過房庶出者.[女+堂=孀])

　　임개가 이르기를, 印墓가 화개와 같으면 품격이 淸하고, 거듭 印이 臨하면 공경(정승반열)이 되는데, 만약 그 위치에서 空亡이나 破가 된다면 고적한 예술인이 된다. 또 이르기를, 화개가 거듭

중하면 기뻐하고 休한데 충파를 만나면 성품이 비록 총명하고 지혜로워도 동서로 돌아다니는 술객일 뿐이다. 만일 왕상지에 임한다면 삼공이 되고, 君子가 화개를 보면 복을 얻게 되고, 小人은 生處에서 懸針을 두려워한다. 또 말하기를, 時에 華蓋가 있으면 평생토록 이루는 일이 없고, 壬癸인은 더욱 그것[時에 華蓋가 있으면]을 꺼리며 노년에는 자식을 잃는다. 日에서 犯[화개를 보면]하면 妻를 剋하고, 女命이 時에서 [화개를] 만나면 일생토록 자식을 낳지 못한다. (林開云,印墓同華品格淸,重重臨印卽公卿,若還空破臨其位,便是幽閑藝術人.又云,華蓋重重喜,休逢破與衝,性雖頗聰慧,挾術走西東.若還臨旺相,定是作三公,君子値之應獲福,小人生處怕懸針.又曰,凡命時坐華蓋,主平生歇滅,壬癸人尤忌之,主老年喪子,日犯剋妻,女命時逢,一生不産.)

三命에서 이르기를, 화개는 金木을 두려워한다 하였고 호중자는 重金重蓋格이 있다고 하였는데, 가령 庚辰이 庚辰을 보며, 辛丑이 辛丑을 보는 것을 말하는데 그러나 兩金(두 금)을 만나고 重한 화개를 보고 다시 祿馬의 秀氣가 도와주어야 爵位를 받는다. 촉신경에 이르기를, 화개는 蔭庇(조상의 은덕)로 神이 맑게 되어 사람이 활발하여 神淸性靈[신은 맑고 성품은 신령스러워] 담백하고 욕심이 적어 일생동안 재물에 불리한데, 오직 夾貴와 병행하면 福이 되니 淸貴함이 특별하다. (三命云,華蓋怕金木,壺中子有重金重蓋格,如庚辰見庚辰,辛丑見辛丑,但逢兩金,重見華蓋,更有祿馬秀氣扶持,當代爵.燭神經云,華蓋爲庇蔭淸神,主人曠達,神淸性靈,恬淡寡慾,一生不利財物,惟與夾貴倂,則爲福,淸貴特達.)

27. 논함지論咸池

함지살은 반드시 천간 납음과 지지가 같은 종류라야 한다. 인오술은 묘를 함지로 논하는데 천간 납음은 행여 화에 속하지 않으면 안 되는 것이다. 이 살 또한 삼합으로 취한다. 그러므로 후에 부합하는 것이다. (按此煞須天干納音,與地同類方是,若只論寅午戌在卯,天干納音,或不屬火非是,此煞亦因三合而取,故附於後.)

회남자[한 고조(유방)의 손자인 유안을 지칭하기도 하고, 전한의 회남왕 유안이 휘하의 학자들에게 명하여 고금의 치란 천문 이학 등을 강론시켜 엮은 책으로 처음에는"회남홍렬"이라 불렸으며 전21권인 서적을 말한다.]가 말하기를, 태양은 扶桑[부상;中國의 전설에서, 동쪽 바다 속에 해가 뜨는 곳에 있다고 하는 나무]에서 뜨고 함지[咸池 :동쪽 양곡에서 돋은 해가 질 때 그곳으로 들어간다고 하는 서쪽의 큰 못]에서 지는 것이다. 그러므로 五行의 沐浴 地를 咸池라고 부른다. (淮南子曰,日出扶桑,入於咸池.故五行沐浴之地,名咸池.)

이것은 태양이 지는 것을 뜻한 것인데, 만물이 분명하지 않는(暗昧; 어두컴컴한 때, 미명)시기이다. 寅午戌은 卯, 巳酉丑은 午, 申子辰은 酉, 亥卯未는 子는 즉 長生에서 2번째 위치인 沐浴宮인 것이다. 일명 敗神이라 하고, 일명 桃花煞이라고 하는데 奸邪스럽고 음란하며 천박하다. (是取日入之義,萬物暗昧之時.寅午戌卯,巳酉丑午,申子辰酉,亥卯未子,卽長生第二位,沐浴之官(宮)是

也.一名敗神,一名桃花煞,其神主奸邪淫鄙.)

[咸池가] 가령 生旺하면 용모가 아름다우며 酒色을 즐기고, 재물로서 환락을 탐하여 家業을 破散(파산)하니 오직 음란함만 탐닉한다. 가령 死絶되면 실의에 빠져 자제하지 못하고 언행이 교활하여 사기를 치고, 도박을 즐기며 방탕하고, 은혜를 저버리고 신의를 잃으며, 사사로이 간음함이 지나치고, 行하지 않는 것이 없다. (如生旺,則美容儀,耽酒色,疏財好歡,破散家業,惟務貪淫.如死絶,落魄不檢,言行狡詐,遊蕩賭博,忘恩失信,私濫奸淫,靡所不爲.)

[咸池가] 元嗔(원진살)과 나란하며 다시 생왕하면, 강탈하여 妻를 삼음이 많다. 귀인과 건록이 아우르면, 기름, 소금, 술장사로 재물을 얻음이 많고, 혹은 부인이 부정한 재물로서 가업을 일으키고, 평생토록 수액인 폐결핵의 질병이 있고, 유업을 잃고 나쁜 재앙을 자주 만난다. 이 神이 命에 들면 破가 있어 이루기 어려우니 吉한 조짐이 아닌 것인데 부인은 그것을 더욱 꺼리는 것이다.(與元辰併,更臨生旺者,多得匪人爲妻.與貴人建祿併,多因油鹽酒貨得生,或因婦人暗昧之財起家,平生有水厄癆瘵之疾,累遭遺失暗昧之災.此神入命,有破無成,非爲吉兆,婦人尤忌之.)

심지가 말하기를, 咸池는 日時를 꺼린다. 또 말하기를, 咸池는 水에 해당되는 것을 두려워한다. 호중자가 이르기를 沐浴이 年에 임하면 伯夷가 수양산에서 굶어 죽는 것과 같다.[백이숙제의 故事; 백이와 숙제는 고죽군의 두 아들인데, 고죽군이 죽은 후에 서로 왕위를 사양하다가 마침내 주나라로 달아난다. 후에 주나라 무왕이 은나라 주왕을 치려할 때 형제가 말고삐를 잡고 말려도 듣지 않으므로 백이와 숙제는 주나라의 곡기 먹는 것을 부끄러워하여 수양산에 들어가 고사리로 연명하다가 굶어 죽었다.] 또 말하길, 沐浴地를 두면 裸形(나형)이라 하는데, 行年에서 沐浴을 보면 窮煞(궁살)이라 하고, 또 五行은 沐浴지을 가장 꺼린다고 한다. 자허국에서 이르기를, 풍류와 음란한 것을 함지라고 말하며, 아울러 함지가 작용하면 주색으로 인한 재화가 생기고, 형살과 더불어 神煞을 가중하면 血光(혈광)이 따르는데, 모든 서적에서는 함지를 보는 것은 吉한 煞이 아니라 하였고, 특히 日時에서 水의 命이 咸池를 만나는 경우는 더욱 凶한 것이라고 했다. (沈芝云,咸池忌日時.又云咸池怕水.壺中子云,沐浴臨年,伯夷有首陽之餓.又云,見生値沐浴,曰裸形,行年値沐浴,曰窮煞,又云五行最忌沐浴,紫虛局云,風流淫冶號咸池,併集來臨禍應期,酒色,相刑三二位,更加神煞血光隨,詳諸書,見咸池非吉煞,日時與水命遇之尤凶.)

28. 논육해論六害-上

晝夜 陰陽의 기운이 감응하는 것이 6合이고, 6合으로 말미암아 6害가 생기는데, 6害는 晝夜 陰陽의 기운을 꺼리기 때문에, 6害라는 것은 12地支를 능멸하여 싸우는 辰(지지)이다. (因晝夜陰陽之氣感而六合,因六合而生六害,因六害而忌晝夜陰陽之氣,六害者,十二支凌戰之辰也.)

子未가 서로 害하는 것은 旺土인 未가 旺水인 子를 害하는데 세력가들이 相害한다. 그러므로 子는 未를 보면 害가 된다. [참고~사고전서에는 亥子旺水로 기재] (子未相害者,謂未旺土,害子旺水,名勢家相害,故子見未則爲害.)

丑午가 서로 害하는 것은, 午는 旺火로서 丑 死金을 능멸하여 官 鬼들이 서로 害한다. 그러므로 丑이 午를 보고 午가 거듭 丑 天干의 眞鬼를 본다면 害가 더욱 심하게 된다. (丑午相害者,謂午以旺火,凌丑死金,名官鬼相害,故丑見午,而午更帶丑干之眞鬼,則爲害尤甚.)

寅巳가 서로 害하는 것은, 각각 臨官(건록)의 세력을 믿고 멋대로 할 수 있으니 서로 害하게 된다. 만약 天干이 往來하여 鬼가 있으면 더욱 심한데, 하물며 刑이 그 중에 있으면 더욱 불가한데 災와 福을 加減하지 못함을 말하는 것이다. (寅巳相害者,謂各恃臨官,擅能而進相害,若干神往來有鬼者尤甚,況刑在其中,尤不可不加減災福言之.)

卯 辰이 서로 害하는 것은, 卯는 旺木으로서 辰 死土를 능멸하는데 이는 작은 것이 큰 것을 능멸하여 서로 害한다. 그러므로 辰이 卯를 보고 卯가 거듭 辰 天干에 眞鬼를 보면 심한 害가 더욱 심하게 된다. (卯辰相害者,謂卯以旺木,凌辰死土,此以少凌長相害,故辰見卯,而卯更帶辰干眞鬼,則甚害尤甚.)

申亥가 서로 害하는 것은, 각각 임관의 세력을 믿고 미워하고 다투어 서로 害치게 된다. 그러므로 申이 亥를 보거나 亥가 申을 보면 똑같이 害치는데 거듭 納音이 相剋하는 것은 重한 것이다. (申亥相害者,謂各恃臨官,競嫉才能,爭進相害,故申見亥,亥見申,均爲害,更納音相剋者重.)

酉戌이 서로 害하는 것은, 戌은 死火로서 酉 旺金을 害치는데 이는 嫉妬(질투)하여 서로 해치게 된다. 그런데 酉人이 戌을 보면 凶하지만 戌人이 酉를 보면 災殃(재앙)이 없다. 만약 乙酉 人이 戊戌을 얻으면 乙이 眞金이 되고 戊가 眞火가 되어 害가 더욱 甚하게 된다. (酉戌相害者,謂戌以死火,害酉旺金,此嫉妬相害.故酉人見戌則凶,戌人見酉無災,若乙酉人得戊戌,乙爲眞金,戊爲眞火爲害尤甚.)

28. 논육해論六害-下

또 말하기를, 六은 六親 害는 損傷(손상)을 말하는데 犯하면 주로 육친에게 損剋(손해와 制剋)이 있으므로 六害라 한다. 子 未는 직상하여 뚫으려는 마음에 衝하고, 은혜로운 합이 맺어지지 못하고 원수의 근가[몸이]생겨나니 이에 害라고 말한다. 가령 子 生人은 午의 衝을 두려워하는데 未가 午를 合하고, 丑은 未의 衝을 두려워하는데 午가 未를 合하고, 寅은 申의 衝을 두려워하는데 巳가 申을 合하고, 卯는 酉의 衝을 두려워하는데 辰은 酉를 合하고, 申은 寅의 衝을 두려워하는데 亥가 寅을 合하고, 酉는 卯의 衝을 두려워하는데 戌이 卯를 合하므로 모두가 害가 되는 것이다. 평상인이 六害를 대동하고 재차 羊刃, 劫煞, 官符를 보면 재앙이 더욱 심하게 된다. (又云, 六, 六親, 害, 損也, 犯之主六親上有損剋, 故謂六害, 子未直上, 穿心與衝, 合恩未結, 而讐己生, 乃曰害, 如子生人畏午衝, 而未卻去合午, 丑畏未衝, 而午卻去合未, 寅畏申衝, 而巳合申, 卯畏酉衝, 而辰合酉, 申畏寅衝, 而亥合寅, 酉畏卯衝, 而戌合卯, 所以皆爲害也. 凡人帶此, 再見羊刃, 劫煞, 官符, 爲災尤甚.)

또 말하기를, 寅巳 亥申가 生旺하면 神은 정결하고 용모는 준수하나, 爭奪(쟁탈)을 좋아하고 과격하다. 死絶되면 계책은 많으나 성취하는 것은 많지 않고 타인이 맡은 일을 강제로 배우려고 꾸준히 추진하여 싫어하지 않는다. 貴格에 들면 지조를 지키고 권위를 우선한다. 賤格에 들면 거짓이 많고 지나치게 인색하며 탐하는 것을 좋아한다. (又曰, 寅巳亥申値生旺, 則主神潔貌俊, 好爭奪, 喜激作, 値死絶, 則多謀少成, 强學人做事, 兀兀趨進不厭, 入貴格, 則有操守, 先機權, 入賤格, 則多詐, 愛貪鄙吝.)

또 이르기를, 申亥를 거듭 얻으면 五岳(오악)은 당연히 傷殘(상잔)이 있고 寅巳를 거듭 얻으면, 四體(팔, 다리, 머리 몸뚱이,)가 다치는 것을 반드시 걱정한다. 卯辰 午丑이 가령 生旺하면 호승심이 있고 성냄이 많아 엄숙하고 굳건히 인내하지 않는다. 死絶되면 해독을 끼쳐 기울어 넘어지는 참상이 있게 된다. 貴格에 들면 大權을 잡아 형옥을 관장하는 수장이 된다. 賤格에 들면 의롭지 못한 것을 획책하고, 子未[六害]는 生旺死絶하는 모두가 六親骨肉(육친골육)에게 이롭지 못하다. 貴格에 들면 처첩을 빈번하게 얻음이 많고 賤格에 들면 고독하여 의지할 데가 없다. 酉 戌은 生旺하여 사물을 용납하지 않아 강포함이 많고, 死絶하면, 심히 사납고, 善함을 증오하고, 질투를 할 수 있다. 貴格에 들면 송사에 얽히어도 매우 아첨함이 많아 재난을 당하지 않는다. 賤格이면 잔인하게 해치며 음지에서 교활하고 성품이 간교하여 어질지 못하다. (又云, 申亥重得, 五岳當愼(直)傷殘, 寅巳兩關, 四體必憂廢棄, 卯辰午丑, 如生旺, 主好勝, 多怒, 嚴毅不忍, 死絶, 主毒害傷慘傾覆之事, 入貴格, 則主大權, 司刑典獄, 入賤格, 謀生於不義之地, 子未生旺死絶, 皆不利六親骨肉. 入貴格, 多妻妾之累, 入賤格, 孤獨無倚, 戌酉如生旺不容物, 多剛戾, 死絶, 酷狠, 憎善, 妬能, 入貴格, 羅枝無辜, 結搆入訟, 頗多奸佞, 入賤格, 殘害陰狡, 性佞不良.)

무릇 六害가 命에 들어오면 대체적으로 방해하고 고독하여 骨肉이 서로 떨어지고 재물에 담박(澹泊)한데[因緣이 별로 없는데] 여자의 명에서는 더욱 꺼린다. 겸하여 身 命의 宮에서 육해를 보면 어느 宮인지 구분하고 宮에 따라서 상세히 단정한다. 낙녹자가 이르기를, 六害는 命에 七傷之事(7가지 손상하는 일) 있는데, 금서결에서 말하길, 六害가 있는 사람은 日時上에 있는 것을 꺼리는데 노년에 殘疾(잔질)로 고생하면 누구에게 의지할 것이며 또 양인을 만나면 서로 침식되고 칼끝의 용맹함 또한 속이지 못하니 가히 명을 볼 때 육해를 犯하면 干支가 서로 손상하여 크게 꺼리는데 日時上에서 보면 가장 꺼리고 身과 命의 宮은 그 다음이다. 곧 이 貴格에서 貴는 스스로 貴하고, 害는 스스로 害치니 둘은 서로 가리지 못한다. (凡六害入命, 大率主妨害孤獨, 骨肉參商, 財帛澹泊. 女命尤忌, 兼起命宮看之, 落何宮分, 逐宮詳斷. 珞琭子云, 六害之徒, 命有七傷之事, 金書訣曰, 六害

之人忌日時,老年殘疾苦何依,又逢羊刃神相蝕,不中鋒虎亦欺,可見命犯六害,大忌干支相傷,日時上最緊,身命宮次之,便是貴格,貴自貴,害自害,兩不相掩.)

29. 논삼형論三刑-1

음부경에서 말하기를, 恩(은혜)은 害(손해)에서 생기며 害는 恩에서 생기고, 3刑은 3合에서 생겨나고 또한 6害가 6合의 뜻에서 생겨나는 것과 같은 것이다. 예건대 申子辰 三合에 寅卯辰 二位를 더하면 申은 寅을 刑하고, 子는 卯를 刑하며, 辰은 辰을 보면 自刑한다. 寅午戌에 巳午未를 더하면 寅은 巳를 刑하고, 午가 午를 보면 自刑하며, 戌은 未를 刑한다. 巳酉丑에 申酉戌을 더하면 巳는 申을 刑하며, 酉가 酉를 보면 自刑하고, 丑이 戌을 刑한다. 亥卯未에 亥子丑을 더하면 亥가 亥를 보면 自刑하고, 卯는 子를 刑하며, 未는 丑을 刑한다. 合하는 가운데 刑이 생겨나는 것이니 마치 夫婦가 서로 合하지만 刑傷하게 되는 것이다. 造化는 人事(세상의 일)에서 그 이치가 하나일 뿐인 것이다. [첨언~이치는 같다.] (陰符經曰,恩生於害,害生於恩,三刑生於二合,亦如六害生於六合之義.如申子辰三合,加寅卯辰三位,則申刑寅,子刑卯,辰見辰自刑.寅午戌加巳午未,則寅刑巳,午見午自刑,戌刑未.巳酉丑加申酉戌,則巳刑申,酉見酉自刑,丑刑戌.亥卯未加亥子丑,則亥見亥自刑,卯刑子,未刑丑.合中生刑,猶人夫婦相合,而反致刑傷.造化人事,其理一而已矣.)

* 3합 : 申子辰　寅午戌　巳酉丑　亥卯未
* 방국 : 寅卯辰　巳午未　申酉戌　亥子丑

經에서 이르기를, 金은 剛하고 火가 强하여 스스로 그 方位를 刑하니, 木(나뭇잎)은 떨어지면 근본으로 돌아가고 水(물)은 동쪽으로 흘러간다. 巳酉丑은 金에 위치하여 그 刑은 모두 西方에 있고, 寅午戌은 火에 위치하여 그 刑이 모두 南方에 있고, 金剛하고 火强한 것이니 스스로 그 方位를 刑하는 것이다. 亥卯未는 木에 자리하여 그 刑이 모두 北方에 있고, 亥는 木의 뿌리로서 말하자면 나무(木이)가 떨어지면 근본으로 돌아가는 것이다. 초목은 겨울이 되면 나뭇잎이 흔들리고 떨어져서 뿌리로 돌아가는 것을 일컫는다. 申子辰은 水에 위치하여 그 刑이 모두 東方에 있고, 辰은 水의 府(창고)인데 말하자면 水(물)는 동쪽으로 흘러간다는 것이다. 반드시 동쪽으로 흘러가서 되돌아오지 않는 것이다. 子卯가 첫 번째 刑이고, 寅巳申은 두 번째 刑이고, 丑戌未가 세 번째 刑인 것이다. (經云,金剛火强,自刑其方,木落歸本,水流趨東,故巳酉丑金位,其刑皆在西方,寅午戌火位,其刑皆在南方,是金剛火强,自刑其方也.亥卯未木位,其刑皆在北方,亥者木之根,言木落歸本者,草木至冬而搖落,歸根之謂也.申子辰水位,其刑皆在東方,辰者水之府,言水流趨東,必東流逝而不返也,子卯,一刑也.寅巳申,二刑也.丑戌未三刑也.)

혹시 말하기를, 三刑의 법에는 數를 근거로 하여 일으키기도 한다. 皇極中天에서 10은 煞數(죽는數, 極한數)가 되는데 數가 쌓여 10이 되면 그 數는 空하니 天道는 가득 차는 것을 싫어하여 가득차면 되돌아간다. 그래서 數로는 卯에서부터 순서대로 子에 이르고, 子에서 역순으로 卯에 이르면 10數인 極이 되어 無禮之刑(예의가 없는 刑)이 된다. 寅에서 역순으로 巳에 이르고, 巳에서 역순으로 申에 이르면 10數인 極이 되어 無恩之刑(은혜를 모르는 刑)이 된다. 丑에서 순서대로 戌에 이르고, 戌에서 순서대로 未에 이르면 10數인 極이 되어 恃勢之刑(세력을 믿고 날뛰는 刑)이 되는 것이다. (或曰,三刑之法,以數起之.皇極中天,十爲煞數,積數至十,則悉空其數,天道惡盈,滿則覆.故數自卯順至子,子逆至卯,極十數而爲無禮之刑,寅逆至巳,巳逆至申,極十數而爲無恩之刑,丑順至戌,戌順至未,極十數而爲恃勢之刑.)

일곱 번째는 곧 衝이고, 열 번째는 刑이고, 여섯 번째는 합이 되는 동일한 이치는 자연적인 것이다. 그런데 寅巳申은 어째서 無恩之刑이라 하는가? 대저, 寅中에는 甲 木이 있어 巳中에 戊 土를 刑하는데, 戊는 癸水와 서로 合하여 妻가 되고, 癸水는 甲 木의 母가 되며 戊 土는 癸水의 남편(夫)이 되니 [戊 土는] 甲의 父인데, 그 아버지를 내가 刑하는 것이니 은혜를 잊어버리는 것이 되어 無恩之刑이 되는 것이다. 巳中의 丙은 申中의 庚을 刑하고, 申中의 庚은 寅中의 甲을 刑하는 것이니, 이 같은 뜻에 准하면 된다. (七則衝,十則刑,六則合,一理之自然也.然寅巳申,何以謂之無恩.蓋寅中有甲木,刑巳中戊土,戊以癸水相合爲妻,則癸水者甲木之母也,戊土旣爲癸水之夫,乃甲之父也.彼父而我刑之,恩斯忘矣.巳中之丙,刑申中之庚,申中之庚,刑寅中之甲,准此同義.)

또 말하기를, 寅에서 生하는 火가 巳에서 生하는 金을 刑하고, 巳에서 寄生(기생)하는 土가 申에서 長生하는 水를 刑하며, 申中에 長生하는 水가 寅中에 長生하는 火를 刑한다. 자식을 돌보지 않고 요원하게 서로 制 剋하므로 無恩之刑이라 말한다. 생왕하면 사람은 처신이 신중하여 말이 없으며, 욕심은 적으나 情이 없어 의리를 잃고 은혜를 망각하는 경우가 많다. 死絶되면 겉으로 칭찬하나 등 뒤에선 헐뜯고 은혜를 잊고 의리를 잃는다. 貴格에 들면 잔인하여 慘殺(참살)을 좋아하고 功세우기를 좋아한다. 賤格이면 言行에 乖離(괴리)가 있으며 탐욕스럽고 인색하여 만족할 줄 모른다. 만약 부인이 얻는다면 출산할 때에 피를 흘려 胎兒를 잃는 재앙이 많다. 일생동안 骨肉은 이롭지 못하지만 성품은 대단히 올바르고 청렴하다. (又云,寅有生火,刑巳上生金,巳上寄生之土,刑申上長生之水,申中生水,刑寅中生火.不恤所生,遙相剋制,故曰無恩.生旺,主人持重少語,寡欲無情,多招失義忘恩之撓,死絶,則面譽背毀,忘恩失義.入貴格,則慘虐喜殺,好立功業.入賤格,則言行乖越,貪吝無厭.若婦人得之,多産血損胎之災,一生不利骨肉,性頗廉正.)

29. 論三刑論三刑-2

丑戌未는 어째서 恃勢(세력을 믿음)라 하는가? 대저, 丑中에는 旺水가 있으며 丑은 水中의 土이고, 戌中에는 墓에 火가 있으니 丑이 旺水를 믿고 戌의 墓庫에 있는 火를 刑한다. 戌은 六甲의 지존이 되며 未는 六癸의 비천함이 되니, 戌이 六甲의 지존을 믿고 六癸의 비천함을 刑한다. 未에는 旺土가 있어 세력을 믿고 丑中의 旺 水를 刑한다. (丑戌未,何以謂之恃勢.蓋丑中有旺水,丑乃水中之土,戌中有墓火,丑恃旺水,刑戌中之墓火.戌爲六甲之尊,未爲六癸之卑,戌恃六甲之尊,刑未六

癸之卑.未有旺土,復恃勢刑丑中之旺水.)

또 말하길, 未는 丁火의 勢力을 믿고 丑중의 金을 刑하며, 丑은 旺水의 勢力을 믿고 戌중의 火를 刑하고, 戌은 辛金의 勢力을 믿고 未중의 木을 刑하는 것이므로 恃勢(시세지형)이라 하는 것이다. 생왕하면 사람은 정신이 의기로우며 용맹하고 얼굴은 넓으며 눈썹은 굵고 성품은 곧으며 적극적인 사람이다. 死絶되면 형벌로 여위고 작아져 정신은 어긋나서 교활하며 시비에 천박하게 아첨하는데 災禍(재화)를 다행으로 바란다. 貴格에 들면 공적으로 올바르고 청렴하여 사람들이 두려워함이 많다. 賤格이면 犯法함이 많아 어두운 재앙을 책망한다. 부인이 丑戌未 三刑을 가지면 타인에게 피해를 끼치거나 고독하다. (又云,未恃丁火之勢,以刑丑中之金,丑恃旺水之勢,以刑戌中之火,戌恃辛金之勢,以刑未中之木,故曰恃勢.生旺,主人精神意氣雄豪,眉粗面闊,以直攻人.死絶,刑露瘦小,精神乖狡,是非賤佞,樂禍幸災.入貴格,則公清平正,人多畏懼.入賤格,則多犯刑責暗昧之災.婦人得之,妨害孤獨.)

子卯는 어째서 無禮(무례지형)라 하는가? 子는 水에 屬하고 卯는 木에 屬하니 水는 능히 木을 生할 수 있으니 子水는 母가 되고 卯木은 자식이 되는데 母子가 서로 刑하는 것이다. 또 卯는 해가 뜨는 門이고 子는 陽이 소생하는 곳으로 해가 卯에서 뜨니 子卯는 角立(서로 버티고 굴복하지 않음)하여 공경함과 겸손함이 없고 서로 돌보고 상생하지 않고 번갈아가며 서로 刑하고 해치기 때문에 無禮하다고 하는 것이다. (子卯何以謂之無禮.子屬水,卯屬木,水能生木,則子水爲母,卯木爲子,子母自相刑.又卯爲日門,子爲陽之所生,日出於卯,子卯角立,無欽卑之道,不恤所以相生,遞相刑害 , 故曰無禮.)

또 말하기를, 子는 癸水만 있어, 癸는 戊土가 夫星(남편 성)이 되지만, 卯에서 敗하므로 子는 卯를 刑하고, 卯에는 乙木만 있어 乙은 庚이 夫星이 되지만 子에서 死하므로 卯는 子를 刑한다. 따라서 子卯刑은 남편으로 인해 刑을 당하는데 여자가 子卯 刑을 만나면 더욱 좋지 못하다. 그래서 無禮하다고 하는 것이다. (又云,子中獨用癸水,癸用戊土爲夫星,而敗於卯,所以子刑卯.卯中獨用乙木,乙用庚金爲夫星,而死於子,所以卯刑子.此二家因夫見刑,女命見之尤爲不良,故曰無禮.)

生旺하면 사람이 엄숙한 위엄으로 얼굴에 따뜻한 기운이 없고, 氣는 강하고 성질이 포악하여 대체적으로 [타인을] 용납하지 않는다. 死絶되면 홀연히 거만하여 타인을 업신여기고 게으르며 매사 소홀하고 소견이 좁고 열등의식으로 타인을 모질게 대하고, 효도와 공경함이 별로 없으며 처와 자식을 해치니, 오나라와 월나라의 육친과 같다.[吳越同舟의 고사를 보면 두 나라는 원수임, 육친을 원수 대하듯 한다는 말] 貴格에 들면 병권을 많이 장악하지만 임금을 가까이서 모시기는 어려우니 [관직의]자리가 길지 못하다. 賤格이면 패륜하고 흉포하여 형벌과 재앙을 초래함이 많다. (生旺,主人威肅,面無和氣,氣强性暴,太察不容.死絶則侮慢忽略,狹劣刻剝,少孝弟,害妻子,吳越六親.入貴格,則多掌兵權,不利近侍.位居不久,入賤格則悖逆凶暴,多招刑禍.)

辰午 酉亥는 어째서 自刑이라 하는가? 寅申巳亥에서 寅巳申은 상호간에 刑이 있지만 그 중에 亥는 刑이 없고, 辰戌丑未에서 戌丑未는 상호간에 刑이 있지만 그 중에 辰은 刑이 없고, 子午卯酉에서 子卯는 상호간에 刑이 있지만 그 중에 午 酉는 刑이 없다. 그래서 이 辰 午 酉 亥는 自刑이라 하는 것이다. 대개 별도의 물건을 더하지 않으면 自라 하는 것이다. (辰午酉亥何以謂之自刑.謂寅申巳亥,有寅巳申互相刑,內有亥無刑,辰戌丑未,有戌丑未互相刑,內有辰無刑,子午卯酉,有子卯互相刑,內有午酉無刑.是以此四位謂之自刑.蓋無別物相加,乃曰自也.)

또 이르기를, 辰은 水의 墓로서 물이 넘칠 만큼 가득하고, 午는 火가 왕성하여 난폭해지면 불 사르고, 酉는 金의 자리로 剛하면 곧 이지러지고, 亥는 木을 生하지만, 旺盛하면 곧 썩게 된다. 각각 채워진 것이 盛하여 태과한 기운이라면 스스로 재앙을 부르므로 自라 하는 것이다. 生旺하면 고요하게 잠잠해도 속으로 毒하고, 용모는 연약하며 못났다. 死絶되면 심히 毒하나 언행이 가볍고, 淵漁(연어)를 살피듯이 사지관절과 수족에 재앙이 많다. 貴格에 들면 임기응변과 권모술수에 능하고, 賤格이면 완고하며 어리석고 근심이 많으며 뜻하지 않지만 스스로 해친다. 흉살을 대동하면 非命橫死(비명횡사)하고, 부인은 음탕함으로 흉사의 재난이 있다. (又云,辰者水之墓,滔則盈,午者火之旺,暴則焚,酉者金之位,剛則缺,亥者木之生,旺則朽.各稟已盛太過之氣,而自致禍,故曰自也.生旺則沈靜內毒,形容劣弱,死絶則深毒輕忽,察見淵漁,多肢節手足之災.入貴格則機變權謀.入賤格則多憂頑愚,不情自害.帶諸凶煞,非令終也.婦人主淫蕩凶折之災.)

29. 논삼형論三刑-3

이 刑에는 4가지의 명목이 있으나 다만 3刑이라 한다. 四衝 四極 四庫에서 취하고 그 중에 하나가 모자라면 올바르지 않으니 3者는 各自(제각각으로)가 산정하면 일정하지 않으니 마음을 다 해야한다. 그러므로 三刑이라 일컫는 것이다. (此刑有四等名目,而獨曰三刑者,取四衝四極四庫,各缺其一,則欹而不正,三者各自相推,不齊用心,故云三刑也.)

삼거일람에서 寅 巳 申은 恃勢(시세)라 하는데 3宮중에는 각각 長生 臨官(건록)의 세력이 있고, 丑 戌 未는 無恩(무은)이라 하는데 3위가 모두 土에 屬하며 比和(비화)는 형제가 되니 그 설명 역시 통용된다. 모든 刑을 본다고 凶으로 논해선 안 된다. 반드시 五行중에서 길신의 有無와 왕상, 관성, 인수, 귀인, 福德등 이 모든 길신이 상부상조하면 刑은 害가 되지 않고 오히려 필요하게 된다. 가령 길신들이 서로 돕지 않고 거듭하여 망신, 겁살, 천중살(공망), 양인 등 煞을 대동하면 惡으로써 惡을 구제하니 禍라고 말해선 안 된다. (三車一覽,以寅巳申爲恃勢,以三宮中各有長生臨官之勢,丑戌未爲無恩,以三位皆屬土,比和爲兄弟,其說亦通.凡見刑,不可便以凶論,須看五行中,有無吉辰,旺相,官星,印綬,貴神,德福等物,有此諸吉,相扶相助,刑不爲害而反爲用.如無諸吉相助,更帶亡劫,天中,羊刃等煞,以惡濟惡,禍不可言.)

또 말하기를, 3형은 金을 두려워한다. 귀곡유문에 말하기를, 君子는 刑이 아니면 분발하기 어려운데, 만일 刑이 있으면 벼슬길에서 입신양명함이 많고, 小人이 刑이 있으면 반드시 재앙이 되고 그렇지 않으면 관청에서 곤장을 맞는다.[첨언~격국이 청한 군자가 삼형이 있으면 권이 되나 격국이 탁한 소인이 삼형이 있으면 반드시 형벌을 받거나 화를 당한다.] 호중자가 말하기를, 八字에 格을 扶持(부지)하지 못하고 九命(三元, 四柱, 祿馬)에 刑이 있어 순수하지 못하다면 혹 마을의 무리이거나 시정잡배에 지나지 않으니 이를 자세히 말하면, 君子가 얻으면 吉하지만 小人이 얻으면 凶하다. 辰 午 酉 亥의 4글자가 전부 있고 吉神이 이를 압박하면 마땅히 貴하고 권세가 되고, 가장 혐의 하는 것은 辰이 辰을 보며, 午가 午를 보며, 酉가 酉를 보며, 亥가 亥를 보고 만일 거듭하여 악살과 서로 아우르면 가장 좋지 않게 된다.[점언~年 月 日 順으로 辰酉午, 酉辰午가 俱全하면 病身이 많다.] (又云,三刑怕金.鬼谷遺文曰,君子不刑定不發,若居仕路多騰達,小人到此必爲災,不然也被官鞭撻.壺中子云,八字無格以扶持,九命有刑而駁雜,或作閭巷之輩,或爲市井之徒,詳此論,可表君子得之吉,小人得之凶.辰午酉亥四字全,而得吉神壓之,當爲貴爲權,最嫌者,辰見辰,午見午,酉見酉,亥見亥,若更有惡煞相倂,最爲不良.)

"심지"가 말하기를, 自刑이 煞과 함께 있으면 좋지 못하고, 年 月이 刑하면 신체가 손상당하는데 형무소(獄)에서 초췌하게 죽지 않으면 刀劍에 머리가 잘려 죽는다. 또 말하길, 自刑이 되는 4글자 辰 午 酉 亥가 전부 있으면 중년에 失明(실명)한다. 또 말하길, 自刑은 火를 두려워하는데 만일 制하면 그렇지 않다고 논한다. (沈芝云,自刑帶煞不爲良,年月刑膚定見傷.不是獄中憔悴死,便因刀劍刃頭亡.又云,帶辰午酉亥全,中年失明.又云,自刑怕火,若中有制,未可便此以論.)

동현경에 말하기를, 酉酉는 그 太剛(태강)함을 싫어하는데 火로 그 刑을 制하면 어찌 근심이겠는가? 午午는 심히 暴烈함을 싫어하는데 水로 그 세력을 減하면 허물이 없고 木이 함께 生하면 세력은 멸한다.(辰이 辰을 보는 것을 말한다.) 水冷하여 흐르면 물이 넘쳐흐른다.(亥가 亥를 보는 것을 말한다.) 나무가 떨어지면 쇠약하기 때문이고 물이 흐르면 旺하지 않는 것이다. (洞玄經曰,酉酉惡其太剛,火殺其刑者何憂.午午惡其太暴,水減其勢者無咎,木並生而勢滅,言辰見辰也.水冷流而溢漲.言亥見亥也.木落由衰,水流非旺是也.則凶.)

무릇 命에 官星과 印綬가 있는데 모름지기 官印이 와서 刑하면 吉하게 되고, 만약 官印이 命에게 刑을 당하면 凶하다. 지미부에 이르기를, 官이 命을 刑하면 기쁘지만 命이 도리어 官을 刑해선 안 되며, 官印이 刑을 받으면 비록 貴하더라도 중요한 관리는 아니다. 일행선사가 이르기를, 甲子 己卯에는 一說(일설)이 있다 하였고, 정인봉지결에는 丙寅 辛巳도 또한 동일하니 三公의 祿位에 오른다. 甲子가 己卯를 보고, 丙寅이 辛巳를 보는 것은 官印이 命을 刑하여 吉하게 된다. (凡命有官星印綬者,須用官印來刑則吉,若官印被命刑,指迷賦云,官刑命喜,莫敎命返刑官,官印受刑,雖貴非戎卽吏.一行禪師云,甲子己卯有一說,正印鳳池訣,丙寅辛巳亦同然,三公祿位遷,甲子見己卯,丙寅見辛巳,是官印刑命爲吉.)

- 216 -

또 말하기를, 무릇 命에서 三刑을 갖추면 마땅히 刑이 들어오는 것과 들어오지 않는 것을 구분해야 한다. 年은 主가 되고 月 日 時는 客이 된다. 가령 주인이 객을 刑하면 刑이 들어와 貴하게 되고, 刑이 들어오지 못하면 즉 賤하다. 만약 객이 와서 주인을 刑한다면 마땅히 刑은 들어오지 않아야 비로소 貴格이 되고 刑이 들어오게 된다면 賤하게 된다. (又曰,凡命三刑全,須分刑得入,刑不得入.以年爲主,日月時爲客,如主刑客,刑得入爲貴,刑不入卽賤.若客來刑主,須是刑不入方爲貴格,刑得入者卽賤.)

가령 丑이 戌을 刑하면 丑이 어떠한지 戌이 어떠한지를 살펴봐봐 하는데, 가령 乙丑(해중金)이 庚戌(차천 金)을 刑하면 이것은 동류가 서로 刑하여 吉하지 못하다. [乙丑이] 丙戌(옥상 土) 壬戌(대해 水)을 刑하면 상생하는 것이 서로 刑하므로 刑으로 論하지 않는다. [乙丑이] 戊戌(평지 木) 甲戌(산두 火)은 상극하며 서로 刑하는데, 戊戌은 刑이 들어오는 것이고 甲戌은 刑이 들어오지 않는다. (假令丑刑戌,看是何丑何戌,如乙丑刑庚戌,是同類相刑,不吉.刑丙戌(刑*)壬戌,則相生相刑,不以刑論.戊戌甲戌,相剋相刑.戊戌刑得入,甲戌刑不入.)

다시, 禍福이 소생하는 지지가 어떠한가를 살펴봐야한다. 가령 戊戌(평지 木)이 福이 모이는 地支인데 乙丑이 와서 刑하게 되면 大吉하다. 만약 福이 모이는 地支에 刑이 들어오지 않으면 貴命으로 볼 수 없다. 나머지도 이에 准하여 추산하라. 經에서 이르기를, 무릇 命에 그 刑이 없음을 정하려면 먼저 태세를 논한다. 대개 人命을 말하면, 3刑이 보이는 것을 싫어하는데 만약 月日 時에서 刑이 있더라도 太歲가 관여하지 않으면 [刑을] 論하지 않는다. 그러므로 먼저 太歲를 論해야 한다. (更看禍福所生之地如何.如戊戌福聚之地,卻乙丑來刑,則大吉.若刑不入福聚之地,不爲貴命看,餘准此推.經云,凡命定其無刑,先論太歲.蓋言人命,惡見三刑,若日月時帶刑.而太歲不干預者不論,故曰先論太歲.)

또 말하기를, 煞로서 煞을 제압하니, 병사를 다스리는 소임을 맡는 것이 많다. 대개 太歲가 刑을 받으면 별도의 刑으로, 太歲를 刑하는 것을 制하는 것을 말한다. 가령 癸巳生人이 戊寅日을 얻고 庚申時일 경우는 癸巳가 戊寅에게 제압당하고 庚申(석류 목)木으로 戊寅(성두 토)토를 제한다. 근본은 刑이 있는데 刑이 없어지는 것이므로 煞로서 煞을 制한다고 한다. (又云,以煞止煞,多掌兵刑之任.蓋言太歲受刑,而別刑卻乃制刑太歲者.假令癸巳生人得戊寅日,卻得庚申時之類.蓋癸巳爲戊寅所制,得庚申木,卻制戊寅之土.本有刑而卻無刑,故曰以煞制煞.)

고가에 이르길, 三刑의 자리에 三奇를 대동하고[삼형과 삼기가 동주] 天乙(貴人)이 兼하여 日時에 있으면 刑은 貴人과 같이 天干에서 德을 만나니 관직은 극품이 되고 부족함이 없다고 하였다. 三刑을 볼 때 서로같이 보는 것이 중요한데, 거듭 三奇, 貴人(天乙), 天德(貴人)을 대동하면 吉하게 된다. (古歌云,三刑之位帶三奇,天乙兼得在日時.刑若等分干遇德,官居極品定無虧.可見三刑要相

等,更帶三奇,貴人,天德爲吉.)

옥정[오결]에 이르기를, 서로 刑하는 法은 거두고 저장하여 精華(정화)하는 것으로 刑이 아니면 不可하다. 用神을 숨기고 감추는 것은 刑이 아니면 不可하다. 財官의 기운이 견실한 것은 刑이 아니면 不可하다. 生 合하고 기운이 絶하는 것은 刑이 아니면 不可하다. 마땅히 가고 돌아오는 것은 刑이 아니면 不可하다. 혹 거짓과 진실은 刑이 아니면 不可하다. 羊人과 煞이 숨고 감추면 刑이 아니면 不可하다. 몹시 인색하여 滯留(체류)하는 것은 刑이 아니면 不可하다. 또 이르길, 刑害가 함께 太過하고 또한 地支에 있으면 刑은 그 刑의 害와 함께 바뀌고 거듭된 습권으로 뛰어 나지 못하며 뛰어나도 기이하지 못하다. (玉井云,相刑法,聚斂精華,非刑不可,閉藏用神,非刑不可,財官氣實,非刑不可,生合氣絶,非刑不可,宜往宜歸,非刑不可,或假或眞,非刑不可,刃煞伏藏,非刑不可,鄙吝滯留,非刑不可.又云,刑害之具或太過,又有支神,轉能刑其刑害之具,重者俗而不秀,秀而不奇.)

혹자가 말하길, 삼형은 刑上, 刑下 自刑을 말한다. 子刑은 卯이므로, 卯는 刑下가 되고 子는 刑上이 된다. 丑刑은 戌이므로 戌은 刑下가 되지만 아직 형상이 아니다. 寅刑은 巳이므로 巳는 刑下가 되고 申은 刑上이 된다. 이 설은 아주 좋다. (或曰,三刑,刑上,刑下,自刑也.如子刑卯,卯爲刑下,子爲刑上,丑刑戌,戌爲刑下,未爲刑上,寅刑巳,巳爲刑下,申爲刑上,此說更好.)

30. 논충격論衝擊

대면하여 상충하는 氣는 하나의 7煞을 말하는 것이다. (對面相衝之氣,謂之一七煞者是也.)

地支는 일곱 번째 자리가 衝이 되는데 오히려 天干에서 일곱 번째 자리는 煞의 뜻이 된다. 가령 子 午는 마주하여 衝이되는데 子에서 午에 이르면 7數(일곱 번째의 자리數)이며 甲은 庚을 만나면 煞이 되고 甲이 庚에 이르면 7數가 된다. 數에서 6은 합이며 7은 지나친 것이기 때문에 서로 충격하여 煞이 되는 것이다. 易을 관찰해보면 坤元은 6을 쓰는데 그 數에는 6은 있으나 7이 없는데 7은 곧 天地의 窮數(궁수)로서 陰陽이 지극한 기운이다. 今書(금서)에서 皀(本字 皁~검을 조)字는 7을 따르는데 이는 본래 뜻이다. 대개 色이 皀에 이르면 色은 지극한 것이어서 변하지 않는 것이다. 易에서 말하기를, 7일이 왕복하며 도망가지 않으니 7일이 得한 것이라고 하였다. (地支取七位爲沖,猶天干取七位爲煞之義.如子午對衝,子至午七數,甲逢庚爲煞,甲至庚七數.數中六則合,七則過,故相衝擊爲煞也.觀易坤元用六,其數有六無七,七乃天地之窮數,陰陽之極氣也.今書皀字從七,本此,蓋色至於皀,色之極矣,不可變矣,易曰,七日來復,勿逐,七日得是也.)

相衝은 12支 神이 서로 마주쳐 싸우는 것으로 대체로 凶이 된다. 그렇지만 福이 두터운 것도 있는데 衝하는 곳에서 相生하는 경우에는, 가령 辛巳(백랍 金)金이 癸亥(대해 水)水를 보는 종류 인데, 主는 명성과 인품이 널리 퍼지며 식견이 출중하여 科甲(장원급제)한다. 만일 衝하는 곳에서

相剋하는 경우에는 예를 들면 壬申(검봉 金)금이 庚寅(송백 木)木을 보는 종류로서 主人이 神은 맑으며 용모는 준수하고 기품도 범상하며 인품은 깨끗하고 항상 위를 쳐다보며 行한다. 만일 生旺하면 주인이 神(정신)은 剛하며 용모는 엄숙하고 담력이 장대하여 기개가 뛰어나지만 성패가 많다. 死絶되면 가난하고 초라하여 천박하고 용모도 용열한데 행동은 수치스럽고 흉한 일을 초래하여 요절하는 수가 많다. (相衝者, 十二支戰擊之神, 大槪爲凶. 然有爲福之甚者, 乃衝處相生, 如辛巳金見癸亥水之類, 主聲望播流, 高明出衆, 科甲崢嶸. 若衝處相剋, 如壬申金見庚寅木之類, 主人神淸貌俊, 襟韻脫俗, 軒昂灑落, 上視仰面而行. 若生旺, 主人神剛貌肅, 膽氣壯, 倜儻敢爲, 多成敗. 死絶, 則寒酸鄙薄, 形容乖劣, 動招凶辱, 多夭折.)

만약 辰戌丑未의 四庫에 소장된 10干의 財 官 印綬 등의 物은 충격하면 더욱 좋다. 만일 寅申巳亥가 완전하거나 子午卯酉가 모두 갖추면 오히려 大格을 이루어 충격으로 논하지 않는다. 만일 同類(동류)가 相衝할 경우라면, 甲子(해중 金)가 甲午(사중 金)를 보거나 己卯(성두 土)가 己酉(대역 土)를 보는 종류인데, 조업을 파함이 많고 평생 마음이 한가롭지 못하고 성질이 강직하여 결단력은 있는데, 가령 祿이 크고 명성도 소중하지만 끝내는 하나를 잃어버린다. (若戌丑辰未四庫所藏, 爲十干財官印綬等物, 尤喜沖激. 若寅申巳亥全, 子午卯酉全, 反成大格, 不以衝擊論. 若同類相沖, 如甲子見甲午, 己卯見己酉之類, 主多破祖業, 平生心不閑, 剛明有斷, 假令祿高名重, 終有一失.)

또 말하기를, 무릇 하나의 7煞을 만날 경우에, 吉命이면 衝發(충발)하고, 凶命이면 禍가 된다. 가령 禍가 모이는 地支에 다른 자리에서 충을 하면 禍가 파해지고 福을 이루고, 福이 모이는 地支에 다른 위치에서 衝을 만나면 福은 부서지고 禍를 이룬다. 만일 空亡을 범하고 아래 위치에서 衝을 하면 역시 禍는 파해지고 福을 이루는데 年 月 日 時가 이렇게 놓이면 반드시 食祿을 가진 사람이다. 만약 月이 日時를 衝하고 時가 年을 衝하면 이름이 仇讐煞(구수살, 원수살)이라 하여 사람이 은혜를 모르고 미워하며 싫어함이 많고, 혹 장기간 병들고, 혹 횡사하고, 劫煞 亡神을 동반하여 相衝하면 형벌을 받는다. 만약 死絶處라면 거동이 불편한 질병이 많다. 貴煞을 동반하고 入局하면 빼어난 기운으로 과거에 급제하여 명성을 얻어 臺諫(대간~사헌부, 사간원의 벼슬)을 얻더라도 끝내는 惡疾(악질~불치병)로 죽게 된다. 元嗔과 空亡을 동반하여 相衝하면 천박하지 않으면 貧寒(빈한)하다. 五行이 마르고 병들면 賤한데, 秀氣를 띠면 빈말(헛소리가)함이 있다. (又曰, 凡遇一七煞, 命吉則衝發, 命凶則爲禍. 如禍聚之地有他位來衝, 謂之破禍成福. 如福聚之地, 逢他位來衝, 則破福成禍. 如犯空亡, 有下位來衝, 亦爲破禍成福, 年月日時値此. 必作食祿之人. 若月衝日時, 時衝年, 名仇讐煞, 主與人無恩, 多得憎嫌, 或長病, 或暴卒, 帶劫煞亡神相衝, 主犯刑. 若在死絶處, 主廢病多疾. 帶貴煞入局, 有秀氣科名者, 多入臺諫, 終惡疾而死. 帶元辰空亡相衝, 不下賤則貧寒. 五行枯瘁則賤, 帶秀氣有虛聲.)

옥정(오결)에 이르기를, 相衝하는 法은 吉象은 내게 衝하여 오는 것이 마땅하고, 凶象은 내가 다른 것을 衝해야 한다. 가령 子午가 相衝하면 모름지기 用神이 내가 되고, 閑神은 다른 것이 되고 또한 用神이 有氣한 것인지 도와줌이 있는 것인지, 閑神은 有氣한 것인지, 도와줌이 있는가를 살펴봐야한다.　(玉井云,相衝法,吉象宜來衝我,凶象我欲衝他,如子午相衝,須取用神爲我,閑神爲他,又看用神有氣耶.有扶耶,閑神有氣耶,有扶耶.)

　심지가 말하기를, 破印　破財　破祿　破馬하면 나의 福이 적고 거듭 破合한 日時에 衝을 더하면 手足뿐 아니라 머리와 눈에 질병이 있다.

破印은 木人이 癸未를 동반하고, 內에 乙丑(해중 金)의 종류가 있는 것이다.

破財는 金人은 寅 卯로서 財를 삼는데 申酉의 종류를 보는 것이다.

破祿은 甲의 祿은 寅인데 申字의 송류를 보는 것이나.

破馬는 馬가 巳에 있는데 亥字의 종류를 보는 것이다.

破合은 干合이 되어 있는 地支를 破하는 것인데, 가령 甲午인이 己亥를 볼 때 巳字를 보면 破하고, 己亥가 子를 만나면 甲午 合이 破하는 종류인 것이다. (沈芝云,破印破財倂破祿,破馬少曾爲我福.更加破合日時衝,疾非手足卽頭目.破印者,如木人帶癸未,內有乙丑金之類.破財者,如金人以寅卯爲財,見申酉之類.破祿者,如甲祿在寅,見申字之類.破馬者,如馬在巳,見亥字之類.破合者,乃干合被支破,如甲午人見己亥,或見巳字卽破,己亥逢子,破甲午合之類.)

　詩에 이르기를, 상충하는 것이 저절로 상생으로 돌아오는데 帝座로 모여 온다면 刑함이 없다. 거듭 華蓋를 兼하여 權力인 煞을 얻으면 官이 淸함을 드러내니 병권을 거느린다. 또 말하기를, 相衝하여 서로를 제거하려면 長生이 필요하고, 臨官地와 旺地면 더욱 형통하고 貪狼(탐랑)과 武曲(무곡)이 만일 거듭 時에 煞로 臨한다면 官이 淸貴하여 병권을 장악하게 된다. (詩云,相沖還是自相生,集來帝座位無刑.更得華蓋兼權煞,爲官淸顯統雄兵.又云,相衝相去要長生,健旺之時祿更亨,貪(貪狼)武(武曲)若更臨時煞,爲官淸貴掌雄兵.)

　또 말하기를, 生旺한데 잇따라 吉神을 보고 거듭 하나의 7煞이 또 보필하면 곧바로 조정에 들어 군왕의 지혜를 돕고 병부를 통솔한다. 또 말하기를, 四衝地를 生하면 빈한하며 거듭 흉신을 두면 살필 필요가 없이 일종의 간사한 마음은 도적이 되고자하여 부모는 자식의 부끄러움으로 인해 한탄 하게 된다. 모든 시를 관찰하건대, 衝破를 보면 吉함도 있고 凶함도 있으니 대충 論하는 것은　不可하다. (又云,生旺連綿見吉神,更兼一七又爲鄰,看看直入朝堂裏,權領兵符助聖明.又云,四衝生處自貧寒,更值凶神不足看,一種邪心忻作賊,父嘗嗔恨子相瞞,觀諸詩.見衝破有吉有凶,不可槪論.)

卷2　終

三命通會 3卷 (삼명통회3권)

出處:武陵出版司 著者:萬民英 譯者:秀氣流行

1. 논십간록論十干祿

녹의 앞 이진은 금여이고, 사람이 녹을 얻으면 수레에 앉는 것에 비유될 수 있다. 그런데, 나중에 부가하기로 한다. (祿前二辰爲金轝,喻人得祿須坐車也.故附於後.)

녹은 관작의 녹이고, 마땅히 세력을 얻어 형통하는 것을 록이라 말하는 것이다. 十干十二支로 나누었을 때 甲乙은 寅卯와 배합하여 東方에 거하고, 丙丁은 巳午와 배합하여 南方에 居하고, 庚辛은 申酉와 배합하고 西方에 居하며, 壬癸는 亥子와 배합하여 北方에 거처한다. 十干은 支神을 祿으로 삼고, 祿은 旺함을 따라 행하므로, 甲의 祿은 寅, 乙의 祿은 卯, 庚의 祿은 申, 辛의 祿은 酉, 壬의 祿은 亥, 癸의 祿은 子, 丙의 祿은 巳, 丁의 祿은 午, 戊는 巳에 기생하고, 己는 午에 기생하니 巳午는 火가 旺한 곳으로 자식은 母를 따라 祿을 얻는 뜻인 것이다. 내부에는 辰戌丑未가 있고, 辰戌은 괴강이 되고, 명칭하기를 "변비악지"라 말하고, 祿元은 기생함이 없고, 丑未는 천을 귀인의 出入之門이고, 祿元은 회피하므로 4宮에 祿은 없는 것이다. 또 말하기를, 四季에 잡기가 있고 祿은 오로지 없으므로 취하지 않는 것이다. (祿,爵祿也,當得勢而享,乃謂之祿.自始分十干十二支時,便以甲乙配同寅卯,居東,丙丁配同巳午,居南,庚辛配同申酉,居酉,壬癸配同亥子,居北.十干就支神爲祿,謂祿隨旺行,所以甲祿寅,乙祿卯,庚祿申,辛祿酉,壬祿亥,癸祿子,丙祿巳,丁祿午,戊寄巳,己寄午,謂巳午乃火旺之鄉,子隨母得祿之義.內有辰戌丑未,辰戌爲魁罡,名曰邊鄙惡地,祿元不寄,丑未乃天乙貴人出入之門,祿元避之,所以四宮無祿.又曰四季有雜氣,爲祿不專,故不取.)

甲의 祿은 寅인데, 만일 甲이 丙寅을 보면 甲土가 능히 丙水를 剋하여 [養命의 근원] 즉 財物이 되니 福星祿이 된다. 戊寅은 火土가 相生하니 伏馬祿이 되어 함께 吉한 것이다. 庚寅은 破祿으로 半은 吉하고 反은 凶한 것이다. 壬寅은 正祿으로 절로空亡을 대동하니 반드시 僧道가 되는 것이다. 甲寅은 長生의 祿이라 말하니 大吉 한 것이다.
[첨언]:甲土 丙水라 하는 것은 眞五行을 말하는 것으로 甲己는 土이고, 丙辛은 水이다. (甲祿寅.如甲見丙寅,甲土剋丙水爲財,爲福星祿.戊寅火土相生,爲伏馬祿,俱吉.庚寅謂之破祿,半吉半凶.壬寅謂之正祿,帶截路空亡,必爲僧道.甲寅謂之長生祿,大吉.)

乙의 祿은 卯이다. 乙卯를 보면 喜神의 旺한 祿이니 주로 吉한 것이다. 丁卯는 절로空亡이 되니 主가 凶한 것이다. 己卯는 進神의 祿이고, 辛卯는 破祿이며 또 交神이 되어 半만 吉한 것이다. 癸卯는 太乙을 대동하나 死祿이니 비록 귀할지라도 끝내는 가난한 것이다. (乙祿卯.見乙卯,謂之喜神旺祿,主吉.丁卯爲截路空亡,主凶.己卯進神祿,辛卯破祿,又爲交神,半吉(半凶).癸卯帶太乙死祿,雖貴終貧.)

丙의 祿은 巳에 있고, 己巳를 보면 九天庫祿이라 주로 吉하다. 辛巳는 截路空亡이다. 癸巳는 복귀신祿이라 半吉半凶하다. 乙巳는 旺馬祿이고, 丁巳는 庫祿이라 함께 吉하다. (丙祿巳.見己巳,九天庫祿,主吉.辛巳,截路空亡.癸巳,伏貴神祿,半吉半凶.乙巳旺馬祿.丁巳庫祿,俱吉.)

丁의 祿은 午이고, 庚午를 보면 절로空亡이라 凶하다. 壬午는 德合祿이고, 甲午는 進神祿인데 함께 凶하다. 丙午는 喜神祿이며 羊刃과 교류하니 半吉 하다. 戊午는 양인이 伏하여 凶이 많은 것이다. (丁祿午.見庚午,截路空亡,凶.壬午爲德合祿,甲午爲進神祿,俱凶.丙午爲喜神祿,交羊刃半吉.戊午伏羊刃祿,多凶.)

戊의 祿은 巳이고, 己巳를 보면 구천庫祿이라 주가 길하다. 신사는 절로空亡이다. 계사는 귀신록이고 戊癸가 合化하고 관이 있어 위치가 높다. 을사는 역마와 동향의 록이고, 정사는 왕성한 고록이라 함께 다 길한 것이다.(역주: 절로공망은 가는 길에 물이 가로막혀 나아가기 어렵다.) (戊祿巳.見己巳,九天庫祿,主吉.辛巳截路空亡.癸巳貴神祿,戊癸化合,有官位重.乙巳驛馬同鄕祿.丁巳旺庫祿,俱吉.)

己의 祿은 午이고, 庚午를 보면 절로空亡이다. 임오는 死鬼祿이니 모두 흉하다. 갑오는 진신합록이라 현달하는 상이다. 丙午는 희신록이고, 戊午는 복신 양인록이라 凶하다. (己祿午.見庚午,截路空亡.壬午死鬼祿,俱凶.甲午進神合祿,顯達之象.丙午喜神祿.戊午,伏神羊刃祿,凶.)

庚의 祿은 申이고, 임신을 보면 대패록이 되며 절로공망이라 모두 흉하다. 병신은 대패록이라 성패가 많다. 무신은 복마록이라 건체함이 많고, 만약 복성귀가 놓이면 길하다. 庚申은 장생록이라 대길한 것이다. (庚祿申.見壬申,爲大敗祿.截路空亡祿,俱凶.丙申大敗祿,多成敗.戊申伏馬祿,多滯,若值福星貴吉.庚申長生祿,大吉.)

辛의 祿은 酉이고, 癸酉를 보면 복신록이라 水火가 서로 범하니 凶하다. 乙酉는 파록이라 성패가 있다. 정유는 공망귀신록이라 정은 목의 기를 받고, 신은 수의 목욕지라 주는 간음한 일이 있고, 희신에 놓이면 길하다. 기유는 진신록이고, 신유는 정록이라 모두 길하다. 술이 있고 6무년이면 양인이 서로 갉아먹으니, 소인은 피 흘리고 재물은 흩어지고, 부인은 난산이고, 군자는 눈이 충혈 되는 병환이고, 을묘 년은 대패한다. (辛祿酉.見癸酉,伏神祿,水火相犯,凶.乙酉破祿,成敗.丁酉空亡貴神祿,丁木受氣,辛水沐浴,主姦淫事,值喜神吉.己酉進神祿.辛酉正祿,俱吉.在戌六戊年,羊刃相蝕,小人血光散財,婦人産難,君子赤眼病患,乙卯年大敗.)

壬의 祿은 亥이고, 丁亥를 보면 귀신합록이고, 乙亥는 천덕록이고, 己亥는 왕록이며, 辛亥는 馬와 同鄕하는 록이 되어 대길하다. 癸亥는 대패록이라 가난하고 薄하다. (壬祿亥.見丁亥,貴神合祿,乙亥天德祿.己亥旺祿,辛亥同馬鄕祿,俱大吉.獨癸亥大敗祿,貧薄.)

癸의 祿은 子이고, 갑자를 보면 진신록이 되어 주는 등과하여 현달한다. 병자는 양인록이 교류하여 복성귀를 대동하여 권력을 가진다. 무자는 양인이 복장하여 합귀록이니 반길 하다. 경자는 인록이라 길하고, 임자는 정양인록이라 흉하다. (癸祿子.見甲子.進神祿.主登科進達.丙子交羊刃祿, 帶福星貴.有權.戊子伏羊刃.合貴祿.半吉.庚子印祿吉.壬子正羊刃祿.凶.)

生成 祿이 있으니, 갑을 인이 갑인이나 을묘를 얻는 종류인 것이다. 명위 록이 있는데, 갑인이 병인을 보는 종류이다. 진록이 있는데, 갑인이 병 혹은 사를 보거나, 을인이 기 혹은 오를 보는 종류인데 모두 귀격인 것이다. 진퇴 진록이 있으니 무진이 정사를 보거나, 무오가 정사를 보거나, 병진이 계사를 보거나, 병오가 계사를 본다거나, 계해가 갑자를 보거나, 계축이 갑자를 보거나, 임술이 계해를 본다거나, 임자가 계해를 보면 나아가면 즉 평이하고 물러나면 어려움이 있으니, 다시 복신을 대동하면 귀명을 짓게 되는 것이다. 거듭 중하게 보는 것은 두려운 것이다. 록치 회합이 있으니, 갑의 록은 寅인데 경술의 종류를 얻는 것이다. 식신대록이 있으니 가령 임의 식신은 갑인데 갑인을 얻는 것이며, 계의 식신은 을인데 을묘를 얻는 것이며, 무의 식신은 경인데 경신을 얻는 것이며, 기의 식신은 辛인데 신유를 얻는 다면 명주는 길한 것이다. 식신 합록이 있으니 갑은 병이 식신인데 병신, 병인을 얻음이고, 을은 정이 식신인데 정미, 정묘를 얻음이고, 경의 식신은 임인데 임진이나 임자를 얻음이고, 신의 식신은 계인데 계사나 계축을 얻는 것이니 8위가 모두 主는 길한 것이다. (有生成祿.甲乙人得甲寅乙卯之類.有名位祿.甲人見丙寅之類.有眞祿.乃甲人見丙或巳.乙人見己或午之類.皆爲貴格.有進退眞祿.戊辰見丁巳.戊午見丁巳.丙辰見癸巳.丙午見癸巳.癸亥見甲子.癸丑見甲子.壬戌見癸亥.壬子見癸亥.進則平易.退則艱難.更帶福神.可作貴命.怕重見. 有祿値會合.甲祿寅而得庚戌之類.有食神帶祿.如壬食甲而得甲寅.癸食乙而得乙卯.戊食庚而得庚申.己食辛而得辛酉.主吉.有食神合祿.甲食丙.得丙申.丙寅.乙食丁.得丁未.丁卯.庚食壬.得壬辰.壬子.辛食癸.得癸巳.癸丑.八位俱主吉.)

녹두재가 있으니, 인욕살이 되는데 甲人이 戊寅을 보고, 乙人이 己卯를 보는 종류인 것으로 명주는 富하고 명망이 있다. 녹두귀가 있으니 적구살이라 하는데 갑이 경인을 보고, 을이 신묘를 보는 종류인데 主는 구설, 형벌, 책망이 있게 되는 것이다. 순중록이 있으니 갑신이 경인을 보고, 무오가 정사를 보는 그런 종류인데 主는 청화한 요직을 가지게 된다. 천록貴神이 있는데, 가령 丁의 祿이 午에 있으니 午上에 丙을 얻고 丙의 貴함은 酉, 亥있어 辛酉, 辛亥를 얻으면 즉 辛의 貴는 다시 午를 보게 되는 것이니 入格하면 極品이 있게 된다. 간지합록이 있는 것인데, 가령 甲의 祿은 寅인데 갑인, 기해를 얻고, 을의 록은 묘인데 을묘 경술의 종류를 얻으면 主는 관직이 높게 된다. 호환귀록이 있으니 庚寅이 甲申을 日과 時에서 보는 그런 類인 것이다. 조원 록(朝元祿)이 있으니, 가령 寅人이 甲을 日, 時에서 보는 종류인데 혹 胎中에 모이면 더욱 귀한 것이다. 조원협합이 있으니, 계사가 무진 무오를 보고 兩 戊와 계가 합하고 사를 (拱)夾하는 것인데, 戊의 祿은 巳인 것이니 主는 봉작을 받는 것이다. 녹입록당이 있는데, 이우가에서 이르기를 祿이 祿堂에 든다면 모름지기 大拜(고관의 벼슬을 받음)한 것인데, 이허중이 甲인이 甲戌을 얻고 甲으로

歲干을 삼으면 즉 본래의 자리로서 戌에 이르면 祿堂이라고 말한 것이다. 신, 임은 양위가 있는데, 신은 신묘, 신축이 있고 임은 임인, 임자가 있고 오행의 극함이 없다면 諸位가 서로도와 발복함이 반드시 큰 것이다. (有祿頭財,爲絪縟煞,甲人見戊寅,乙人見己卯之類,主人富有聲望.有祿頭鬼,爲赤口煞,甲人見庚寅,乙人見辛卯之類,主口舌刑責.有旬中祿,甲申見庚寅,戊午見丁巳之類,主淸華要職.有天祿貴神,如丁人祿在午,遁至午上得丙字,而丙貴在酉亥,得辛酉,辛亥,則辛貴復見於午之類,入格極品.有干支合祿,如甲祿寅,得甲寅,己亥,乙祿卯,得乙卯,庚戌之類,主官職崇重. 有互換貴祿,庚寅見甲申日時之類.有朝元祿,如寅人見甲日時之類,或朝於胎中,尤貴.有朝元夾合,如癸巳見戊辰,戊午,兩戊與癸合夾巳,戊祿巳之類,主封爵.有祿入祿堂,理愚歌云,祿入祿堂須大拜,李虛中以甲人得甲戌,以甲爲歲干,則甲之本位遁至戌,謂之祿堂.辛壬有二位,辛有辛卯,辛丑,壬有壬寅,壬子,五行無剋,諸位相助,發福必大.)

古人이 이르기를, 祿前 2진은 背가 되고, 祿後 2辰은 向이 된다고 하였다. 沈芝는 建, 向, 近, 合의 4글자를 취하여 貴를 삼는다고 하였는데, 建은 向만 못하고, 近은 合만 못한 것인데, 4자 중에 2자만 얻어도 귀한 것이다. 가령 甲은 寅이 祿인데 寅으로 建을 삼고, 丑은 向이 되고 , 卯는 近이 되고, 亥는 合이 되는 것이니, 나머지는 이에 준하면 되는 것이다. 나머지 하나는 三合이나 六合의 上에서 刑이나 鬼를 보면 꺼리는데, 甲戌로서 말해보면 鬼가 丑上에 있으면 丑이 戌을 刑하기 때문에 두려운 것이고, 未에 있으면 戌이 未를 刑하기 때문에 꺼리지 않는 것이다. 乙酉로 말해보면 鬼가 巳上에 있으면 三合으로 相會하여 害가 되는 것이며, 辰에 있다면 六合으로 相親하기 때문에 減福되는 것이다. (古人云,祿前二辰爲背,祿後二辰爲向.沈芝取建向近合四字爲貴,建不如向,近不如合,四字中得兩字者爲貴.如甲祿寅,以寅爲建,丑爲向,卯爲近,亥爲合,餘准此.餘皆一位,忌三合六合上,見刑見鬼,以甲戌言,鬼在丑上則可畏,以丑刑戌,在未則不忌,以戌刑未.以乙酉言,鬼在巳上爲害,以三合相會,在辰則減福,以六合相親.)

무릇 建祿이라는 것은 主의 피부가 두텁고 氣가 實하며 체격은 청하지 못하나, 일생이 안일하여 재물이 풍족한 것이 생왕하면 당연하나, 그러나 사절되면 기는 탁하고 신은 오만하여 바쁘게 살아가나 인색하고 비루한 것이다. 원진과 함께하면 저포(도박)로 재물을 얻고 다시 이로 인해 패하게 된다. 관부와 어울리면 관문으로 인해 재물을 얻으나 혹 송사가도 많이 생기고, 겁살과 아우르면 천한재주로 소상인이 많고, 의롭지 못한 일로 횡재를 하기도 하고, 천중살(공망)과 함께하면 유실하여 파재가 많다. 록귀나 도식과 함께하면(同柱) 임대나 중매인으로 재물을 얻게 되나 죽을 때까지 오직 재물만 생각 하는 사람인 것이다. (夫建祿者,主人肌厚氣實,體格不淸,一生安逸,足財利,生旺自然,死絶則氣濁神慢,孳孳爲生,吝嗇猥鄙.與元辰並,因樗蒲得財,復因此敗.與官符並,因官門得財,或多爭訟. 與劫煞並,多賤技小商,不義橫財.與天中倂,多遺失破財.與祿鬼倒食倂,多因賒貸牙儈得財,至死不逾惟財是念之人.)

또 말하기를, 庫라는 것은 祿이 모이는 것인데, 예컨대 甲乙은 未에 있고 丙丁은 戌에 있고, 戊己, 壬癸는 辰에 있고, 庚辛은 丑에 있고, 가령 甲, 乙, 亥가 많은데 未를 얻으면 祿이 후중하여 풍족한 사람이다. 合이라는 것은 록이 얽히는 것인데, 가령 갑의 록은 인인데 해를 얻으면 明合이라 말하는 것이고, 인은 없는데 해를 얻으면 암합이라 말하는데, 비록 祿을 보지 않더라도 역시 록을 본 것이라 말할 수 있고, 主는 별안간 복이 올수 있는 것이다. 拱이라는 것은 록이 높은 것인데 예컨대 甲의 祿은 인에 거하는데 寅은 없고 丑, 卯가 兩 사이를 끼고 있어 拱하는 것인데 虛拱이라 말하고, 만약 甲人이 寅을 보고 또 丑, 卯가 兩 사이를 끼고 있으면 實拱이라 하는데, 그러나 實拱은 虛拱과 같지 않으니, 主는 대부귀하는 것이다.(역주: 실공은 塡實을 말한다.) (又曰庫者,祿之聚,如甲乙在未,丙丁在戌,戊己壬癸在辰,庚辛在丑.如甲乙亥多而得未,乃祿厚豐足之人. 合者,祿之橫,如甲祿寅而得亥,謂之明合,無寅得亥,謂之暗合,雖非見祿,亦曰見祿,多主儻來之福.拱者, 祿之尊,如甲祿居寅,不見寅而見丑卯在兩傍拱之,謂之虛拱,如甲人見寅,又見丑卯在兩傍,謂之實拱,然 拱實不若虛拱,主大富貴.)

또 인명은 록을 대동하면 혹 길하고 혹 흉하고 혹 귀하고 혹 천하기도 하는데 온전히 吉論이라고하지는 않는다. 천을묘지에서 이르길, 君이 록마귀인을 보지 못하여 의탁할 곳이 없다면, 오행의 선악을 고찰해야 하는데, 천원이 약하여도 재앙은 되지 않으며, 지기가 견고하다면 기쁨과 즐거움이 족할 것이다. 원수가에서 이르기를, 祿馬는 많은 說이 있는데 쇠하고 사하여 겸하여 패절 하는데, 만약 吉함은 없고 煞만 조력할 때는 조업을 파하고 용열하여 떠도는 것이 많게 되는 것이다. 먼저 오행을 논한 후에 록마를 살펴보는 것이 옳은 것이니 오행의 생왕됨이 중요하고 祿馬가 衰, 絶됨을 두려워한다. 사마계주가 말하기를, 록이 많고 마가 적으면 정신이 피로하고 祿이 적고 馬가 많으면 능히 감당할 수 있는 것이다. 동현경에서 말하기를, 갑의 인이 록인데 경과 임은 본래 록을 타지 않는데 흥하고 오를 때엔 無用이나 명을 보고 록을 볼 때는 간결함을 요하고 번잡함을 요하지 않은데, 중요한 것은 록의 간이 본주를 오히려 상하지 않고 효신을 범하지 않으면 가량한 것이 된다. (又人命帶祿,或吉或凶,或貴或賤,未可全靠,便爲吉論. 天乙妙旨云,君不見 祿馬貴人無准托,考究五行之善惡,天元羸弱未爲災,地氣堅牢足歡樂.　源髓歌云,祿馬更有多般說,自衰 自死兼敗絶,若無吉煞加助時,定知破祖多浮劣.　可見先論五行,後看祿馬,五行要生旺,祿馬怕衰絶.司馬 季主云,祿多馬少,使主神勞,祿少馬多,能操善負.洞玄經曰,甲以寅祿,庚壬本非駕祿,可以興騰,有時乎無 用,可見命之見祿,要簡不要繁,要祿干不返傷本主,不犯梟神,爲佳.)

또 말하기를, 무릇 명은 록을 대동하고 충을 범하는 것을 가장 두려워하는데 파 록을 말하는 것이다. 가령 갑의 록인 인이 신을 보거나, 을의 록인 묘가 유를 보면 기는 흩어지고 모이지 않으니 귀인은 삭탈관직을 당하고 중인(보통사람)은 의식이 부족한 것이다. 원수가에서 말하기를, 破印 破材와 破祿하여 馬가 破해지면 나의 복은 증가하지 않으니, 충을 혐의 하는 것이고, 공망이 가장 두려운데, 間祿이라 하는 것이다. 가령 甲辰의 旬中空亡은 寅 卯인데, 인은 갑의 록이 되는 것이다. 고인이 이르기를, 재물이 모였다가 흩어지는 것은 록이 공망에 거함이고, 태속이나 생겨날 때 만나는 것을 두려워하며, 빈천하여 종이 되거나 걸식함이 많고 자신이 방랑하여 동가 식서가숙 하는 것이다. 심지가 이르기를 祿人이 空亡인 것을 어떻게 아는가? 명예가 헛것이고 비웃음을 감내하여야 하니 공망을 혐의 하는 것이다. 대저 명이 입격하고 조화로워야 하는데 또 록만 오로지 말해선 안 되는 것이다. (右曰凡命帶祿,最怕犯衝,謂之破祿.如甲以寅祿見申,乙以卯祿見酉,則氣散不聚,貴人停職剝官,衆人衣祿不足.源髓歌云,破印破材幷破祿,破馬少曾爲我福,是嫌衝也.最怕落空,謂之間祿,如甲辰旬空寅卯,卻得寅爲甲之祿.古人云,資財聚散祿居空,胎裏生時怕遇逢,貧賤爲奴多乞食,飄飄身自從西東.沈芝云,祿人空亡何所知?虛名虛譽足堪嗟,是嫌空也.大抵命入格,合造化,亦不專在祿上.)

2. 논금여論金輿

輿라는 것은 값어치(수레)인 것이고, 金이라는 것은 귀하다는 뜻이다. 군자에 비유하면 관에 居하면 祿을 얻는 것인데, 모름지기 수레를 타고 앉아있는 것과 같은 것이다. 그러므로 금여는 항상 록 앞의 2辰에 거하는 것인데, 가령 갑자인(갑자일주)은 祿이 寅에 있으니 辰이 금여가 되는 것이다. 이 살은 祿命의 정기(찬란하게 꾸민 깃발)로서 3才(녹 명 신)로서 생살지권을 가지며, 사람의 성품은 유연하고 예모를 원하고 거동도 단정하고, 부인이 이 금여살을 만나게 되면 富하지 않으면 곧 貴하게 되고, 남자가 얻으면 처첩이 많고 음복으로 서로 도움을 가지게 되고 생日, 생時에 만나는 것이 아름다운 것이고, 골육(육친)은 평생 편안하고 현숙한 처첩을 얻고 자손 또한 번성하다. 예컨대 황족들이 이 살을 많이 가지고 있으며, 평범한 격이라도 그것(금여 살)이 얻는다면 身이 無氣한 중에 生함이 있으니 주로 데릴사위(처가살이)노릇을 하게 된다. 紫虛局에서 이르기를, 祿前 二辰을 금여라 부르고 이것을 가진 사람은 복이 특별히 뛰어나고, 총명하며 부귀를 많이 하여 일생이 맑고 태평하여 근심걱정이 없다. <팔자금서>에서 말하기를, 역마 앞의 2번째 자리에 거처하는 이것은 이름이 금여인데 그 가운데 있고, 이곳에서 생하고 아울러 운이 행하면 노경에 이르기까지 官은 저절로 통하는데, 이는 또 馬前 二辰으로 금여가 되는 것이다. 만약 人命에서 官貴가 있고 금여가 따른다면 주는 대귀한 것이다. 만약 금여로서 복과 귀를 보고 장성을 병행하면 묘한 것이다. (輿者,直也,金者,貴之義,[輿者,車也,金者,貴之義也]譬之君子,居官得祿,須坐車以載之.故金輿常居祿前二辰,如甲子人祿在寅,辰爲金輿是也.此煞乃祿命之旌旗,三才之節鉞,主人性柔貌愿,擧止溫剋,婦人逢之,不富即貴,男子得之,多妻妾陰福相扶持,生日生時遇之爲佳,骨肉平生安泰,得賢妻妾,子孫茂盛.如皇族多帶此煞,常格得之,身在無氣中生,主作贅.紫虛局云,祿前二辰號金輿,遇此之人福最殊.偏主聰明多富貴,一生淸泰亦無虞.八字金書云,驛馬前辰居二位,此名金輿在其中,生於此處幷行運,到老爲官轉自通,是又以馬前二辰爲金輿.若人命官貴夾擁,金輿引從,主大貴.若金輿見福貴,幷將星者妙.)

3. 논역마論驛馬

1.

역마의 후일진이 반안(攀鞍)이 되고, 바유하면 사람이 승마할 때 모름지기 안장을 하는 것이다.

그러므로 역마를 논할 때는 攀鞍이 중요한 것이다. (後一辰爲攀鞍,喩人乘馬須加鞍也.故論馬要攀鞍.)

소위 역마라는 것은 선천 삼합의 數인데, 선천數로는 寅7, 午9, 戌5이니 합하면 21數가 된다. 그러므로 子로부터 순행하여 申에 이르면 무릇 21에 있으니, 화국의 역마가 되는 것이다. 해, 묘, 미의 수는 4, 6, 8인데 합하면 18이 되니, 그러므로 자로부터 순행하여 사에 이르면 18로서 木局의 역마가 되는 것이다. 목화는 陽局이니 자의 일양인 순행을 따르는 것이다. 금수는 음국이니 두 번째 음이니 역행을 따르는 것인데, 신, 자, 진의 수는 7, 9, 5이니 합이 21인데, 그러므로 오로부터 역행하여 인에 이르면 21에 있으니 수국의 역마가 되는 것이다. 사, 유, 축의 수는 4, 6, 8이니 합이 18이므로 오로부터 역행하여 해에 이르면 18에 있으니 金局의 역마가 되는 것이다. 이 법으로 인하여 세워진 것이다. 혹은 馬로 전해 받은 기운을 대신하여 노력하는 공이 있는 것인데, 가령 병든 사람이 나아갈 수 없으므로 자식이 대신하여 나아가는 것이니, 그러므로 병처에서 자식을 보는 것이 역마가 되는 것이다. (所謂驛馬者,乃先天三合數也,先天寅七,午九,戌五,合數二十有一,故自子順至申,凡二十有一,而爲火局之驛馬.亥卯未之數,四六與八,合爲十八,故自子順至巳,凡十八,而爲木局之驛馬.木火,陽局也,從子一陽順行.金水,陰局也,從午二陰逆行,申子辰之數,七九與五,合爲二十有一,故自午逆至寅,凡二十有一,而爲水局之驛馬.巳酉丑之數,四六與八,合爲十八,故自午逆至亥,凡十有八,而爲金局之驛馬.此法之所由立也.或以馬有傳受之氣,有代勞之功,如人病不能赴,待子來接,故病處見子爲驛馬.)

또 말하기를, 역마는 오행에서 쓰임을 기다리는 氣로서 强名인 것인데, 陰陽으로 인한 것으로 氣는 순환해야 하는데, 오히려 오늘날에는 역참(우편)을 두어 명을 전하는 것이 되어 오면 맞고 가면 보내는 것으로서 氣가 감추면 驛과 같고 氣가 動하면 馬와 같은 것으로, 인오술은 火에 속하는데, 水는 그 중에 감추어서 申을 만나면 水를 생하여 활달한 것으로 연후에 양중에 음이 동하여 화하고, 신자진은 수에 속하는데 그 중에 화를 감추어서 인을 만나면 화를 생하여 융화한 후에 음중에 양이 동하여 생하는 것이고, 해묘미는 목에 속하는데 금이 그중에 감추어져서 사를 만나면 금을 생하여 풀무질하는 것으로 그런 후에 동하는 것은 정하고 거두어진 것은 흩어지며, 사유축은 금에 속하는데 木이 그 가운데 감추어져 해를 만나면 목을 생하여 영화로워지고, 연후에 거두어진 것은 흩어지고 굽은 것은 펴지니, 이로 말미암아 수화목금이 섞이어서(착종) 왕래하므로 動靜이 안팎으로 서로 감응하여, 상호간에 이용하여 나아갈 때는 함께 행하고 물러날 때는 함께 極한 것으로, 그러한 즉 고인들은 强名驛馬라고 한 것인데, 모두 이와 같은 例인 것이다. 이것은 특히 역마의 단면을 말한 것에 지나지 않으니, 진실로 삼면으로 돌아본다면 이치가 한 방편으로 돌아올 것이니, 반드시 寅午戌은 申, 申子辰은 寅이라고 고집해서는 안 되는 것이다. 대체적으로 水 가운데는 火는 상승하고, 火 가운데는 水는 하강하니 陰陽은 交泰하고 강유는 변화하여 소통하는 것이니 모두 馬의 종류인 것이다. (又曰驛馬者,五行有爲待用之氣,强名也,陰陽倚伏,氣令循環,猶今之置郵傳命,迎來送往,氣藏如驛,氣動如馬,寅午戌火屬也,水藏其中矣,遇申位生水以發越之,然後陽中陰動而化,申子辰水屬也,火藏其中矣,遇寅位生火以圓融之,然後陰中陽動而生,亥卯未木

屬也.金藏其中矣,遇巳位生金以橐籥之,然後動者靜而斂者散,巳酉丑金屬也,水[木]藏其中矣,遇亥位生木以敷榮之,然後斂者散而屈者伸,由是水火木金,錯綜往來,因時動靜,內外相感,互爲利用,進則與時偕行,退則與時偕極,然則古之强名驛馬者,皆此例也.是特擧其一隅而已,苟以三隅反,則理歸一揆,不必執寅午戌申,申子辰寅,然後爲馬.凡水中火騰,火中水降,陰陽交泰,剛柔變通,皆爲馬類.)

希尹은 말하기를, 고인들은 마땅히 행하면 다시 쉽게 변동하고 충분하게 왕래할 때는 오직 역마는 그러한 것이니, 화국은 신에 있고, 수국은 인에 있고, 금국은 해에 있고 목국은 사에 있는 것이다. 대개 오행의 기로는 마땅히 상반되는 곳에서 충격하기 시작히므로 회의 역마는 반드시 수가 장생하는 곳에 있고, 수의 역마는 반드시 화가 장생하는 곳에 있고, 목금역시 그러하니 이것이 역마의 뜻인 것이다. 서자평은 재로서 마를 삼았는데, 역시 고인의 뜻인 것이며, 극하는 곳을 취하여 역마라 부른 것이다. 촉신경에서 이르기를, 역마가 생왕하면 기운이 모여 준수하고, 시절에 따라서 변화하여, 평생 명성과 인망이 두텁고, 사절되면 성품은 용두사미(龍頭蛇尾)이고, 혹 시비가 많고, 일생동안 이루기 어렵고, 떠돌아다녀 안정되지 못한다. 녹마가 동향이면 복력이 넉넉한데, 살과 상충하고 아울러 혹 고신, 조객, 상문과 병행하면 이향지객이 되고 ,혹 승도가 되고, 혹 장사꾼이 된다. 도식과 녹귀가 있으면 일생이 인색하고 요행히 천함을 면하면 장사꾼정도고, 식신이 충과 병행하면 소리꾼인 사람이다. 행년에서 마를 만나고 병부(病符)와 동주하면 병이 나거나 놀라고, 관부와 동주하면 관재수로 두렵게 되고, 入宅을 하게 되면 구설수의 두려움이 있는 것인데 다만 세운의 길흉을 말한 것이다. (希尹曰,古人謂當行更易變動,奔衝往來之際,惟驛馬爲然,火局在申,水局在寅,金局在亥,木局在巳.蓋五行之氣,當其相反處,乃始衝激,故火馬必在水長生處,水馬必在火長生處,木金亦然,此其義也.徐子平以財爲馬,亦是因古人之義,取剋處而名之耳.燭神經云,驛馬生旺,主人氣韻凝峻,通變趨時,平生多聲望,死絶則爲性有頭無尾,或是或非,一生少成,漂泊不定.與祿同鄕,則福力優游,與煞相衝併,或孤神,弔客,喪門併者,離鄕背井之人,或爲僧道,或爲商賈.帶倒食祿鬼者,一生慳吝,機倖過賤,市廛態,與食神衝併者,聲譽人也.行年遇馬,與病符同,主病驚,與官符同,主官事驚恐,入宅舍,主口舌驚恐,但以歲中吉凶言之.)

2.

寅午戌 生人은 마는 신에 있고 5양간을 탄다. 甲申일을 보면 절로공일의 馬이고, 丙申은 대패마, 戊申은 복성복마라 하고, 庚申은 천관마를 만난 것이고(유호관), 壬申은 대패마 라고 한다.(다른 이름으로는 열마(劣馬)라 하고, 평생이 분주하고 재물이 없어진다. 가령 壬申, 甲申, 丙申, 戊申 4馬는 질병이 많고, 부침을 반복하고 시비를 초래한다.) 이상은 巳, 酉, 丑은 申年, 月, 日, 時에 발응(發應)한다. (寅午戌生人馬在申,而五陽干乘之.見甲申,截路空日馬,丙申大敗馬.戊申福星伏馬.庚申達天關馬,(有好官)壬申大敗馬.(又名劣馬,主平生奔走,財帛歇滅,如壬申,甲申,丙申,戊申四馬,多疾,再沉再起,招是招非)以上巳酉丑申年月日時發應.)

申子辰 생인은 馬는 寅에 있고, 5양간을 탄다. 甲寅을 보면 정록 문성마라 하고, 丙寅은 성마,

戊寅은 복마, 庚寅은 파록마, 壬寅은 절로마, 이상은 亥, 卯, 未는 寅年, 月, 日, 時에 발응(發應) 한다. (申子辰人,馬在寅,而五陽干乘之.見甲寅,正祿文星馬.丙寅福星馬.戊寅伏馬.庚寅破祿馬.壬寅截 路馬.以上亥卯未寅年月日時發應.)

사유축 생인은 마가 해에 있고, 5음간을 탄다. 을해를 보면 천덕마(다른 이름은 열마)라 하여 마중의 지지에서 천간을 생하여 몰락하여 이루는 것이 없고, 스스로 총명할 뿐이다.(또 이름은 絶 馬), 정해는 천을마(임관마 이다.), 기해는 왕록마(장생마 이다.) 신해는 정록마(또 병마), 계해는 대패마(또 임관마) 이상 申, 子, 辰은 亥年, 月, 日, 時에 발응(發應)한다. (巳酉丑人馬在亥,而五陰 干乘之.見乙亥,天德馬,(又名劣馬)以馬中支生干,主汨沒無成,徒自聰明(又名絶馬).丁亥天乙馬(是臨官 馬).己亥旺祿馬(是長生馬).辛亥正祿馬(又病馬).癸亥大敗馬(又臨官馬).以上申子辰亥年月日時發應.)

亥卯未人은 馬가 巳에 있고, 5陰干을 탄다. 乙巳를 보면 正祿馬라 하고.丁巳는 旺氣馬. 己巳는 구천록마고(九天 祿庫馬). 辛巳는 절로마(截路馬)(一云值貴人, 半吉). 癸巳는 천을복마(天乙伏馬) (一云值貴人, 大吉).이상 寅, 午, 戌은 巳年, 月, 日, 時에 발응(發應)한다. (亥卯未人馬在巳,而五陰 干乘之.見乙巳正祿馬.丁巳旺氣馬.己巳九天祿庫馬.辛巳截路馬(一云值貴人,半吉).癸巳天乙伏馬(一云 值貴人,大吉).以上寅午戌巳年月日時發應.)

무릇 사주에서 마를 대동하고, 만약 공망, 파패, 교퇴, 복신을 두지 않는다면 모름지기 영화롭 고 귀한 것이다. 록과 천을귀인이 동주하고 거듭 諸殺들과 서로 아우른다면 관직은 대권을 잡아 귀함이 대궐에 居하게 되고, 시에 있으면 上貴이고, 일은 中貴 이고, 월에 있으면 보통사람(서민) 이 된다. 庫馬는 소년에 좋고, 旺馬는 장년기에 좋고, 生馬는 노년기에 비로소 이루게 되고 관직 은 낮으나 오래 맡게 된다. 가령 목이라면 해는 생이고 묘는 왕이고 고는 미가 된다. 나머지는 이것에 따른다. (凡柱中帶馬,若不值空亡破敗,交退伏神,須榮貴.互祿共天乙貴神,同其馬位,更得諸煞 相並,官秉大權,貴居廊廟,時爲上貴,日爲中貴,月爲常庶.庫馬,主少年之喜,旺馬,資壯歲之榮,生馬老方 得遂,而官卑任遠矣,如木,生亥,旺卯,庫未.餘倣此.)

낙녹자가 말하기를, 생마가 있다고 해서 마가 반드시 있는 것은 아니며, 록을 배반한다고 반드 시 록이 없는 것은 아닌 것이다. (祿과 馬) 旺과 庫를 살펴봐야하는 것이지 背와 生은 가리지 않 는 것이다. 妙한 것은 時運의 변화에 있는 것이다. 또 말하기를, 역마란 삼명가운데 기쁘고 경사 스런 신을 일으켜 사용하는 것이다. 만약 사람이 그것을 본다면, 군자는 항상 영화로운 자리에 居하게 되고, 소인은 풍요롭고 넉넉한 삶을 살고, 대, 소운과 행년이 역마에 이르면 관직을 얻고 영전하는 기쁨이 있고, 소운이나 행년이 역마와 합한다면 관직을 옮겨 록을 얻게 된다. 가령 갑 자생인이 역마가 인에 잇는데 소운 및 세운이 해에 이르면 해와 인이 합하는 그런 종류인 것이 다. (珞珠子云,生馬未必有馬,背祿未必無祿.看其旺庫,不問背生.妙在消息盈虛也. 又曰,驛馬者,三命 中發用喜慶之神.若人遇之,君子常居榮位,小人主豐贍,大小運行年至此,主得官,及遷改之喜,小運及行 年合驛馬,並主遷官得祿,如甲子人驛馬在寅,小運及太歲至亥,亥與寅合之類是也.)

3.

또 12종의 馬가 있는데, 첫째는 관단(망아지를 말함)라는 것인데, 巳酉丑人이 壬, 亥를 얻는 것이며, 亥卯未人이 丙, 巳를 얻는 것이며, 申子辰人이 甲, 寅을 얻는 것이며, 寅午戌人이 戊, 申을 얻는 것이다. 둘째는 궐제(말발굽을 박는 말)라는 것인데, 사주에 비록 역마를 있더라도 생일에 공망을 두는 것을 말하는 것이다. 셋째는 절족(다리가 부러지는 말)이라는 것인데, 胎月이 역마이고 日, 時에 沐浴이 있는 것인데, 申子辰이 온전하면 寅을 보는 역마인데 세 사람이 一 馬(말)를 타서 다리가 부러지는 것을 말한 것이다. 亥卯未가 선부 있는네 역마를 보면 실령 관직이 있더라도 끝내는 하천하게 되는 것이다. 만약 一辰(三合 중 一位를 말함)이 있다면 소년시절이 비록 태평할지라도 나중에는 곤궁해 지는 것을 말한 것이다. 넷째는 무량(양식이 없는 말)이라는 것인데, 生日에 역마를 두고 역마위의 태세(年 天干을 말함)에 도식이 있음을 말하는데, 가령 甲子人이 壬寅日을 얻는 것으로 時에 거듭 空亡으로 떨어지게 되는 것을 말하는 것이다. (又馬有十二,一曰款段,謂巳酉丑人得壬亥,亥卯未人得丙巳,申子辰人得甲寅,寅午戌人得戊申.二曰躑蹄,謂四柱雖帶驛馬,而生日值空亡之神.三曰折足,謂胎月帶驛馬,而日時帶沐浴者是,申子辰全,見寅爲馬,是三人騎一馬,謂之折足.若亥卯未全見馬,縱有官貴,終成下賤.若一辰坐者,少年雖泰,後還窮.四曰無糧, 謂生日值馬,馬食太歲,如甲子人得壬寅日,而時更落在空亡者是.)

다섯 번째는 불출청구(마구간을 나오지 못했음을 말함)라는 것인데, 胎月에서 역마를 대동하고 귀인을 보지 못함과 녹당을 보지 못한 것이 도리어 공망에 들어가는 것을 말하는 것이다. 여섯 번째는 시풍(缺)이라는 것인데,<생략되었음> 일곱 번째는 추도(달리는 말)라는 것인데, 역마는 비록 있으나 祿이 공망에 있는 것을 말하는 것이다. 여덟 번째는 타시(시체를 실은 말)라는 것인데, 12역마 중에서 "타시"는 가장 흉한 역마인데 녹을 보면 곧 시체가 되는 것을 말하는 것이다. 甲子旬 中에 巳酉丑 生人은 역마가 亥에 있고, 乙丑人은 丁亥, 己巳人은 乙亥, 癸酉人은 癸亥가 역마가 된다. 乙丑人이 亥 馬를 얻으면 寅월, 日, 時를 꺼리고, 己巳人이 亥馬를 얻으면, 申月, 日, 時를 꺼리고, 癸酉人이 亥馬를 얻으면, 역시 寅月, 日, 時를 꺼리는데 이것들은 하나 같이 타시라고 말하는 것이다. 또 예컨대 亥卯未가 甲午 旬中에 있으며, 乙未人이 辛巳, 己亥人이 己巳, 癸卯人이 丁巳가 역마인 것이다. 乙未人이 巳馬를 얻으면, 寅月, 日, 時를 꺼리고, 己亥人이 巳馬를 얻으면, 申月, 日, 時를 꺼리고, 癸卯人이 巳馬를 얻으면, 역시 寅月, 日, 時,를 꺼리는데 모두가 타시인 것이다. 나머지도 旬에 준하여 이와 같이 보라. (五曰不出廳廄,謂胎月帶馬,不見貴,及不見祿堂,反入空亡者是.六曰嘶風(缺).七曰趨途,謂驛馬雖有,祿在空亡.八曰馱屍,十二驛馬,惟馱屍最凶,見祿即屍.甲子旬中,巳酉丑生人馬在亥,乙丑人丁亥,己巳人乙亥,癸酉人癸亥.乙丑人得亥馬,忌寅月日時,己巳人得亥馬,忌申月日時,癸酉人得亥馬,亦忌寅月日時,有一在此,名曰馱屍.亦如亥卯未是甲午旬中,乙未人辛巳,己亥人己巳,癸卯人丁巳.乙未人得巳馬,忌寅月日時,己亥人得巳馬,忌申月日時,癸卯人得巳馬,亦忌寅月日時,皆馱屍也.餘旬準此.)

여섯째, 우렁차게 울부짖는 말이 있다. 寅申人이 巳亥를 얻고, 巳亥人이 寅申을 얻는 것이 이

것이다. 일생동안 단지 허명만 있다. (六曰嘶風,寅申人得巳亥,巳亥人得寅申是也,一生只有虛名.) -
이 내용은 원문에 빠진 부분임.

　아홉 번째는 식추(여물 먹는 말)라는 것인데, 역마가 時를 극하는 것으로, 가령 역마가 金인데
生時에 木을 얻는 이와 같은 종류를 식추라 말하는 것이다. 열 번째는 승헌(벼슬아치가 수레에
올라타는 말)이라는 것인데, 태월과 생일에 녹마를 대동하는 것으로 가령 甲申人이 庚寅 甲寅時
를 얻고 庚寅 胎月인 것이다. 열한 번째는 승초(환관이 수레에 올라타는 말)라는 것인데, 천지가
합한 태세(년을 말함)를 보고 생월, 일, 시에서 귀인이 역마를 보는 것을 말하는 것이다. 가령 丁
亥人이, 四月, 壬寅日, 己酉時에 태어나면, 月에는 馬가 앉고 時의 酉가 貴人인 것이다. 열두 번
째는 무비(고삐가 없는 말)라는 것인데, (天乙)貴人이 空亡이고 祿이 絶地에 드는 것을 말하는 것
이다. 이상의 12역마는 소식(時運의 변화)을 뜻하는 것으로서 재앙과 복을 마땅히 살펴봐야하고,
관단馬은 평생 때를 만나지 못하고(평탄하지 못해 고생이 많음) 선택되어져 일을 하는 사람에 불
과하고, 무량馬는 하늘의 봉록이 없고, 불출청馬는(마구간을 나오지 못하여) 소임을 맡을 수 없
고, 절족馬는 잃어버림이 장구하고, 궐제馬는 반복해서 일어나야하고, 무비馬는 일생이 고독하며
가난하고, 식추馬는 관직이 육품이 가능하고, 시풍馬는 헛된 명성만 있을 뿐이고, 추도馬는 수고
롭게 고생하여야 녹을 구하고, 승초馬는 직책을 가지고, 승헌馬는 삼공 벼슬을 하고, 타시馬는
관직을 얻으면 곧 망한다. (九曰食菊,謂驛馬剋其時,假令驛馬屬金,生時得木,此類謂之食菊.十曰乘
軒,謂胎月生日帶祿馬,假令甲申人得庚寅,甲寅時,及庚寅胎月是.十一曰乘貂,謂有天地得合,見太歲,生
月日時,見貴人驛馬.假令丁亥生人,四月壬寅日,己酉時,月坐馬酉,係貴人是.十二曰無轡,謂貴神空亡,祿
在絶鄕者是.以上十二驛馬,當以意消息,災福自見,款段則平生坎坷,止作選人,無糧不食天俸,不出廏則
不歷任所,折足則永失,蹶蹄則復起,無轡則一生孤寒,食菊則官可六品,嘶風徒有虛聲,趨途謾勞求祿,乘
貂則帶職,乘軒則三公,馱屍則得官即亡.)

4.

　干支가 합이 되는 馬가 있는데, 예컨대 申, 子, 辰은 馬가 寅에 있는데 甲寅이 己亥와 합을 보
고, 丙寅은 辛亥를 보고 합하면 관직이 더욱 높아진다. 마두대검(馬頭帶劍)이 있는데, 驛馬위에
庚辛을 보거나 혹, 納音으로 金을 보게 되면 변방에까지 이름을 떨친다. 마취천정(하늘의 정원을
달리는 馬를 말함)이 있는데, 木人이 亥를 얻어 辛亥를 보며, 또 馬위의 天干이 得祿하여 만나는
것을 말하는데, 가령 六壬의 生人이 寅, 午, 戌의 자리에 居하고 申上으로 찾아서 戊의 天干을
얻으면 戊의 祿은 巳에 있으니 巳는 天庭이 맺어지니, 거듭 巳를 보게 되면 酉와 합을 얻게 되
어 관직이 極品에 이르게 되는 것이다. 馬의 後二辰에 있으면 구지마(九地馬)가 되는데 임금 측
근에서 직책을 맡는다. 天馬 貴神이 있는데, 太歲(年)에서 驛을 보지 않고 五虎遁을 찾아 馬上에
서 어떤 干인지 살펴보고 그 天干이 天乙을 보게 되면 天乙이 자리한 곳의 天干사이에서 다시
馬上에 貴人을 보는 것으로 貴함이 三品을 넘어선다. [참고: 甲子生은 寅을 보지 않아도 甲子旬
중에는 寅上에는 丙이오므로 四柱 중에서 丙을 보고 丙의 天乙貴人인 酉나 亥를 四柱 內에서 보
는 것과 병행하여 丁酉나 丁亥에 해당하면 天馬貴神이 되는 것이다.] (有干支合馬,如申子辰馬在

寅,甲寅見己亥合,丙寅見辛亥合,主官職崇重.   有馬頭帶劍,謂驛馬上見庚辛,或納音見金,主名振邊疆.
有馬驟天庭,謂木人得亥而見辛亥,又馬上干逢得祿,如六壬人生居寅午戌之位,於甲(申)上遁得戊干,戊
之祿在巳,巳係天庭,復見巳,得酉合之爲是,主官居極品.有馬後二辰,爲九地馬,主職近王廷.有天馬貴神,
乃歲中不見驛,五虎遁至馬上,看得何干,其干見天乙,而天乙所坐之干,卻復見貴於馬上是也,貴不下三
品.)

一木에 雙馬가 매여 있는 것이 있는데, 寅午戌이 많으면서 丙申을 보고, 申子辰이 많으면서
庚寅을 보고, 巳酉丑이 많으면서 己亥를 보고, 亥卯未가 많으면서 癸巳를 보는 것인데, 馬의 天
干에서 地支를 剋하면 놀라고 위험한 일이 많이 생긴다. 만약에 四馬가 時 혹은 年上에 모인다
면 봉작을 받는다. 또 역마 아래에서(가지고) 태어난 사람은, 月日時의 地支나 天干에서 御策을
얻고 더불어 身을 剋하면 貴하게 된다. 馬前 一辰이 御가 되고, 馬後 一辰은 策이 된다. 가령,
甲子金의 命이 正月 辛丑日 卯時生 이면, 子인 사람은 馬가 寅에 있고 寅은 甲의 祿이 되며 본
래의 命인 子와 生日 丑은 馬後의 策이 되고, 卯時는 馬前의 御가 되며, 또 馬가 丙寅(納音)火이
면 능히 甲子(納音)金을 剋하므로 貴하게 되는 것이다. (有一木繫雙馬,寅午戌多見丙申,申子辰多
見庚寅,巳酉丑多見己亥,亥卯未多見癸巳.馬上剋支,主多驚險.若遇四馬聚於時或年上,主封爵.又驛馬
下生人,月日時支干,得御策全併剋身者定貴.馬前一辰爲御,後一辰爲策.假令甲子金命,正月辛丑日卯時
生,以子人馬在寅逢祿,又本命子,與生日丑,在馬後爲策,卯時,在馬前爲御,又馬是丙寅火,能剋甲子金,故
主貴.)

驛이 있고 馬가 있는 사람은 제후의 반열에 들게 된다. 천간은 馬가 되며 지지는 驛이되고, 가
령 戊戌 人의 馬는 申에 있는데 庚申을 얻으면 干支는 모두 金에 속하는데 申에 이르면 임관이
되며, 戊戌의 干支는 모두 土에 속하며 申에 이르러 長生하게 되므로 本命은 역마의干支는 모두
有氣하게 되니 驛이 있고 馬가 있는 것이다. 또 가령, 壬午 人은 역마가 戊申에 있는데 戊土는
申에 臨하면 長生하고, 本命의 壬水는 申에 이르면 역시 長生하나, 午火는 申에 이르면 衰하게
되니 本命의 天干은 왕성하나 지지는 쇠하니, 이것은 馬는 있으나 驛은 없는 것이다. 또 예를 들
면 丁丑人의 역마는 辛亥에 있는데 金은 亥에 臨하면 病地가 되니 本命 丁火는 亥에 이르면 絶
이 되고, 丑土는 亥에 이르면 임관(建祿)이 되니, 本命은 天干이 衰하고 지지는 旺盛한 것으로서,
역마의 天干은 역시 衰한 것이니 이것은 驛은 있으나 馬는 없는 것이다. 혹시 寅午戌이 庚을 보
고 申이 없거나, 申을 보고 庚이 없는 종류들은, 馬는 있고 驛은 없고, 驛은 있고 馬는 없는 것
으로서 역시 상통하는 것이다. (有驛有馬者,主位至公侯.干爲馬,支爲驛,如戊戌人馬在申,而得庚申,
支干俱屬金,到申臨官,戊戌支干俱屬土,到申長生,本命及驛馬支干,皆爲有氣,是有驛有馬.又如壬午人,
驛馬在戊申,戊土臨申長生,本命壬水到申亦長生,午火到申爲衰鄉,本命干旺支衰,是有馬無驛.又如丁
丑人,驛馬在辛亥,金臨亥,爲病鄉,本命丁火到亥,爲絶,以丑土到亥爲臨官,本命干衰支旺,驛馬干亦衰,是
有驛無馬.或以寅午戌見庚無申,見申無庚之類,爲有馬無驛,有驛無馬亦通.)

馬가 身을 剋하는 것은 역마의 지지를 취하여 生月을 제압할 수 있고, 예컨대 寅午戌 人의 馬

는 申에 있으며 申은 金에 속하니 寅卯 木月을 제압할 수 있는 것이고, 가령 甲子 人이 辰戌丑 未 月에 生하는 것인데, 관록은 구하기 쉬우며 벼슬길은 막힘이 없고 소년기에 형통하여 관직을 맑게 드러내게 되는 것이다. 평상인이 만나면 적은 富를 이룰 것이다. 馬가 財庫에 있는데, 역마 가 剋하는 地支가 入墓하는 것을 취하는 것이니, 가령 馬는 申에 있고 申은 金에 속하니 金은 木을 剋하니 木은 未에 이르면 庫가 되는 예인 것이다. 主는 평생 사방을 여유롭게 지내며 널리 재물을 얻게 되는 것이다. (有馬剋身者,取驛馬之辰,能制生月,如寅午戌人馬在申,申屬金,能制寅卯 月木,假令甲子人在辰戌丑未月生是也,主官祿易求,仕宦無滯,少年亨快,爲官淸顯.常人遇之小富.有馬 財庫,取驛馬所剋之辰入墓,如馬在申,申屬金,金剋木,木至未爲庫之例.主平生遊歷四方,廣得資財.)

영령관마(英靈貫馬:영혼을 뚫는 馬)가 있는데, 五行의 참된 氣가 長生하고 역마를 만나게 되면 <절안부>즉 관직을 가지게 되는 것이다. 南方離明馬가 있는데, 未는 巳가 馬이고, 丑은 亥가 마 이고, 辰은 寅이 馬이고, 戌은 申이 馬이고, 辰戌丑未는 土의자리에 매여 있으니 生하는 곳에서 馬가 되니, 그러므로 辰戌丑未人은 午에서 날아오르니 남방이명의 馬가 되어 이것을 만나면 午 의 相衝함을 좋아하여 飛馬에 채찍을 보게 되는 것으로 格에 들면 貴한 것이다. (有英靈貫馬,乃 五行眞氣之長生下遇驛馬,主持節按部之使.有南方離明馬,謂未馬巳,丑馬亥,辰馬寅,戌馬申,辰戌丑未 係土之位,以生處爲馬,故辰戌丑未人飛在午,爲南方離明之馬,遇此者,愛於午相衝,爲飛馬見鞭策,入格 主貴.)

5.
역마에는 청탁이 있는데, 갑자는 병인을 얻으면 록마동향(록과 마가 동궁)이라 하고 또 병은 식 신이 되어 장생마를 탄 것이다. 정축이 정해를 얻으면 천을(귀인)과 천관이 되어 임관(건록)마를 탄 것이다. 만약 장생이나 임관마를 탄다면 혹 식신, 록, 귀인을 함께하니 일당백을 만난 것인데, 만약 병, 절, 공망인 마를 타고 거듭하여 파패, 교퇴, 복신, 두게 되면 만나지 않는 것만 못한 것 이고, 설령 관직을 가지더라도 탁하고 비천하여 좋지 못한 직책을 가지게 된다. (有驛馬淸濁,甲子 得丙寅,祿馬同鄕,又丙爲食神,乘長生馬.丁丑得丁亥,爲天乙天官,乘臨官馬.若乘長生臨官馬,或帶食祿 貴氣,則遇一當百.若乘病絶空亡馬,更値破敗,交退,伏神,則遇而不遇,縱爲官粗濁卑賤,非淸要之職.)

또 말하기를, 무릇 역마를 살펴볼 때는, 사전, 명위, 생왕, 병절, 타보, 함화, 및 도식이 호환되 어 같지 않아서 중간에 좋고 나쁨과 영화롭고 욕됨이 있으니 모르지기 세운의 채찍질하는 것을 자세히 살펴보아야 한다. 사전은 예컨대 신자진의 마는 인에 있는데, 인이 갑인을 만나고, 신이 경신을 만나고, 사는 정사를 만나고, 해가 계해를 만나는 것이다. 명위는 마에서 식신을 만나는 것인데, 가령 갑이 병을 보고, 을은 정을 보는 종류로서 마상에서 식신을 얻는 것이다. 사생은 신 사, 갑신, 기해 병인의 납음으로 저절로 생겨나는 것이다. 사병은 사절로서, 예를 들면 년의 납음 이 금인데 금은 인에서 절이 되는 것이다. 타보는 갑자가 무인을 보고 마두(馬上의 天干)에 天財 (재성을 말하지 않나 생각함)를 대동하고 혹 납음이 마를 극하는 것으로 재로 삼고 더하여 식신 의 종류인 것으로, 가령 甲寅 人이 병신을 보고, 갑신이 병인을 일시에서 보는 것이다. 함화는

納音으로 臨官(건록)인 馬를 만나는 것으로, 가령 경신 임자 무진 納音으로 모두 목인데, 인은 마로서 임관의 지지를 만나는 것이다. 또 生成馬나 名位馬는 앞에서 논한 祿馬同鄕과 같아 귀하게 되는 것이다. (又曰,凡看驛馬,有四專,名位,生旺,病絕,馱寶,啣花,及倒食互換不同,中間好惡榮辱,須於歲運鞭策細詳之.四專者,如申子辰馬在寅,寅逢甲寅,申遇庚申,巳逢丁巳,亥遇癸亥是也.名位者,乃馬中達食神,如甲見丙,乙見丁之類,馬上得食是也.四生者,辛巳,甲申,己亥,丙寅納音自生也.四病乃自死自絕,如年納音屬金,金絕在寅是也.馱寶者,乃甲子見戊寅,馬頭帶天財,或納音剋馬爲財,加食神之類,如甲寅人見丙申,甲申見丙寅日時是也.啣花者,乃納音臨官遇馬,如庚申壬子戊辰,納音皆木,遇寅馬臨官之地是也.又生成馬,名位馬,與前論祿同,主貴.)

무릇 사람이 마를 만날 때는 전왕을 기뻐하고 공망되고 박잡(섞이어 혼잡함)한 것을 싫어하니 현달하지 못하고 사절됨을 싫어하고 식신을 만나고 재를 보는 것을 좋아하고 유익한 것이다. 장사에는 타보마가 더욱 좋고 부녀자들은 함화마를 가장 두려워한다. 타보는 곧 부이고, 함화는 곧 음란함이고, 함화는 목인이 경인을 두어 꺼리는 것과 같은데, 을해가 을사를 보고, 정묘가 정사를 보고, 기미가 기사를 보면 더욱 심하고 남자는 음탕하며 여자는 사통함이 많은데, 운에서 만나는 것도 같이 단정하는 것이다. (凡人遇馬,喜專旺而嫌空亡駁雜爲不達,惡死絕而喜逢食見財爲有益.商賈多愛馱寶,婦女最怕啣花,馱寶則富,啣花則淫,啣花更忌木人值庚寅,乙亥見乙巳,丁卯見丁巳,己未見己巳,尤重,男多淫蕩,女多私情,運中遇者,同前斷.)

또 말하기를, 역마는 천간의 도식을 가장 두려워하는데, 예컨대 乙酉가 癸亥를 보면 역마가 되어, 오히려 나의 식신에게 피해를 입히기 때문에 을, 계가 같이 있으면 좋지 않은 것이다. 편책(말에게 채찍을 가하는 상태를 뜻함)으로 일으킬 때 서로 바뀌는 것을 살펴봐야하는데, 가령 진인의 마가 인에 있으나, 혹 태세에 신이 있어 인을 충동하면 곧 태세는 채찍을 가하는 것이 되고, 소운에 신이 있어도 즉 소운은 편책이 되어 주는 동함이 많은 것이다. 더하여 신과 인의 호환(생극의 여부)이 어떠한가를 살펴야하고, 가령 경신이 갑인을 만난다면 경신은 목에 속하고 인은 임관이고, 갑인은 수에 속하며 신은 곧 장생의 유이니 서로 화합하면 길한 것이고 상극하면 건체한 것이다. 가령 호환되어 무기하다면 쓸데없이 움직이거나 혹은 실의에 빠지고, 유기하면 재물을 얻는다. 사마가 조원하여 좋으면 영귀하고, 나쁘면 파가하고 업을 잃으며, 승도가 되어 유랑하기를 좋아하고, 소아와 노인은 마를 보면 불리한데, 소아는 3세 이상에서 12세 이전인데 , 혹 역마가 소운에서 만나서 대운을 충 하거나, 혹 임관한 마를 만나면 잘 놀라는 병과 전박하는 액이 있다. 50이상의 노인은 운과 태세에서 역마를 탄다면 기가 허약하고 요통과 관절통의 질환이 있고, 또 노인은 록을 만나고 (마를 탄다면) 토하는 종류의 병을 많이 얻게 된다. 소아가 그것을 본다고 해도 발병함이 많고, 대개 노소를 아울러 馬를 타는 것은 감당하기 어려운데, 대체적으로 역마는 오행에서 동요하는 신이기 때문인 것이다. (又曰,驛馬最怕干神倒食,如乙酉見癸亥爲驛馬,卻被反食於我,所謂乙癸不同科是也.鞭策發時看互換,如辰人馬在寅,或太歲在申衝動寅,即太歲爲鞭策,小運在申,即小運爲鞭策,多主動.更看申與寅互換如何,如庚申遇甲寅,庚申屬木,寅則臨官,甲寅屬水,申則長生之類,相和則吉,相剋則滯.如互換無氣,則空動或失意,有氣,即主財.四馬朝元,好則榮貴,惡則破家失業,

如爲僧道,好遊脚.小兒老人,不利見馬,小兒十二歲以前,三歲以上,或馬遇小運大運衝,或臨官馬遇,多主驚病顚撲之厄.老人五十以上,或運與太歲乘之,主氣虛腰痛脚痛之患,亦如老人祿遇病,多吐食之類.少者見之多發病,蓋老少並不堪乘馬,以馬在五行中爲動躍之神故也.)

4. 총론록마總論祿馬

祿은 양명의 근원이며 馬는 扶身(부신)하는 근본인데 祿 馬가 서로 보는 것이 가장 기쁘다. 예를 들면, 寅 午 戌의 馬는 申에 있고, 甲의 祿은 寅에 있으며 甲干이 寅上에서 나아가서 丙을 보고 甲上에서 나아가서 壬을 보면 丙으로 天祿을 삼고 壬은 天馬로 삼는다. 日時上에서 互換(호환)되어 보면 天祿天馬라 한다. (祿爲養命之源,馬是扶身之本,二者最喜相見.且如寅午戌馬在申,甲祿在寅,甲干寅上遁見丙,甲上遁見壬,則以丙爲天祿,壬爲天馬,在日時上交互見之,謂之天祿天馬.)

또 甲生人이 나아가서 戌에 이르면 甲戌로 드러나니 活祿이라 한다. 甲子生人이 나아가서 丙寅을 보면 活馬라 한다. 또한 寅 午 戌은 [馬가] 申에 있으며 時干에 庚을 얻고, 亥 卯 未는 巳에 있으며 時干에 丙을 얻고, 申 子 辰은 寅에 있으며 時干에 甲을 얻고, 巳 酉 丑은 亥에 있으며 時干에 壬을 얻음으로서 日支는 時干에서 구하고 時干은 日支에서 구함으로서, 서로 바꾸어 祿馬를 얻으니 祿馬交馳라 한다. (又甲人遁至戌,見甲戌,謂之活祿.甲子人遁見丙寅,謂之活馬.又如寅午戌在申,而時干得庚.亥卯未在巳,而時干得丙.申子辰在寅,而時干得甲,巳酉丑在亥,而時干得壬,以日支求時干,以時干求日支,互換得之,謂之祿馬交馳.)

또 가령 甲의 祿은 寅인데 申 子 辰의 馬 또한 寅에 있는데 甲子, 甲申, 甲辰生이 時에서 丙寅을 얻으면 帝座상에서 祿馬가 모인 것이 되니 祿馬同鄕이라 한다. 또 祿은 앞에 있으며 馬는 뒤에 있는데, 만일 辛巳人이 戌日時를 얻고 乙亥人이 辰日時를 얻으면 辛의 祿은 酉에 있으며 馬는 亥에 있고, 乙의 祿은 卯에 있으며 馬는 巳에 있으니 祿馬를 보지 않더라도 祿馬는 그 중에 암장된 것이니 夾祿夾馬라 한다. (又如甲祿在寅,申子辰馬亦在寅,卻是甲子,甲申,甲辰生,而時得丙寅,帝座上會祿馬,謂之祿馬同鄕.又如祿前馬後,如辛巳人得戌日時,乙亥人得辰日時,辛祿在酉,馬在亥,乙祿在卯,馬在巳,不見祿馬,而祿馬藏於其中,謂之夾祿夾馬.)

귀곡유문에서 말하기를, 時에 日祿이 놓이면 마땅히 靑雲(높은 지위나 벼슬)이 길을 얻어서 5馬가 달리는 것으로, 몸이 黃閣(가장 높은 행정기관)에 오른다 하였다. 낙녹자가 이르기를, 背祿逐馬(祿은 등지고 馬를 쫓는다.)하면 窮한 길이라 슬프며 두렵고, 祿馬同鄕하면 三台(地官符煞)와 八座(血刃煞)가 불침한다. 한조명서에는 孤(고아) 孀(청상과부) 祿 馬의 說이 있는데, 가령 甲子가 丙寅을 보거나 庚午가 壬申을 보면 이는 비록 祿馬同鄕이지만 甲子는 1陽 乙丑은 2陽 丙寅은 3陽인데 純陽으로 陰이 없는 것을 알지 못한다. 庚午는 1陰 辛未는 2陰 壬申은 3陰인데 純陰으로 陽이 없는 것이다. 이 둘은 고아나 청상과부라 하는데, 祿馬가 비록 동향일지라도 역시 불길하다. (鬼谷遺文曰,時居日祿,當得路於靑雲,五馬交馳,可致身於黃閣,珞琭子云,背祿逐馬,守窮途而悽惶,

祿馬同鄉,不三台而八座.韓王+造命書有孤孀祿馬之說,如甲子見丙寅,庚午見壬申,此雖祿馬同鄉,殊不知甲子乃一陽,乙丑二陽,丙寅三陽,純陽無陰也.庚午乃一陰,辛未二陰,壬申三陰,純陰無陽也.此二者謂之孤孀,祿馬,雖同鄉亦不吉.)

이우가에서 말하기를, 祿馬가 飛天하여 刑과 헀이 없으며 旺盛하여 生하면 모름지기 貴하게 된다. 임개가 말하기를, 馬가 長生에 臨하면 부유하면서 배우기를 좋아하고, 祿이 帝旺地이면 재물이 넉넉하다. 만일 刺死하고 流役하는 것은 현침을 대동하고 겁살이 온 것이다. 또 말하기를, 祿은 時에 臨하고 馬가 오지 않으면 이 사람은 단지 재물만 있고 일생동안 賢士(어진선비)와 대화조차 부끄러운 것이고, 死絶되면 문이 닫혀 열리지 않을 것이니 자세한 설명은 祿馬를 겸하여 보고 또 생왕한 기운을 타면 妙하게 된다. (理愚歌曰,祿馬飛天無刑헀,旺相中生須至貴.林開曰,馬在長生須富學,祿逢帝旺足錢財,若還刺死兼流役,是帶懸針劫煞來.又曰,祿若臨時馬不來,此人只是有錢財,一生恥話招賢士,死絶關門誓不開,詳諸說見祿馬兼有,又乘生旺爲妙.)

5. 논천을귀인論天乙貴人-1

天乙은 天上의 神으로 자미원에 있으며 창합문 밖에서 天乙은 太乙과 병렬하고 있고, [天乙은] 천황대제를 모시며 아래로는 三神과 어울리며 家는 己丑 斗牛(북두칠성과 견우성) 다음에 있고 己未 井鬼의 집에서 나아가서 玉衡(옥형~북두칠성의 5번째별)을 주관하며 하늘과 사람의 일을 견주어 헤아리니 부르기를 天乙 이라 하는 것이다. 그 神(天乙)이 가장 존귀하여 이르는 곳마다 모든 흉살이 숨고 피한다. (天乙者,乃天上之神,在紫微垣闓闔門外,與太乙並列,事天皇大帝,下遊三辰,家在己丑斗牛之次,出乎己未井鬼之舍,執玉衡,較量天人之事,名曰天乙也.其神最尊貴,所至之處,一切凶煞隱然而避.)

통현경에 이르기를, 先天의 坤方은 北方 子에 위치하여 있으니 陽貴는 先天의 坤方에서 일으키니 子上을 따라서 甲의 天干를 일으킨다. 甲의 德은 子에 있으며 甲과 己는 합하여 甲의 德을 취하지 않고 合하는 氣를 취하므로 [子는] 己가 貴人이 된다. 陽貴는 순행하므로 乙의 德은 丑에 있고 乙과 庚은 合하니 庚은 丑으로 陽貴를 삼는다. 丙의 德은 寅에 있고 丙과 辛은 合하니 辛은 [貴人이] 寅이 된다. 丁의 德은 卯에 있고 丁과 壬은 合하니 壬은 [貴人이] 卯가 된다. 辰은 天羅로 貴人이 臨하지 않으므로 戊는 辰을 건너뛰어서 德은 巳에 있고 戊와 癸가 合하니 癸는 [貴人이] 巳가 된다. 午와 子는 상충하니 天空이라 하는데 貴人은 홀로 상대가 없다. 그러므로 己의 德은 午를 건너뛰어서 未에 있고 己와 甲은 合하니 甲은 [貴人이] 未가 된다. 庚의 德은 申에 있고 庚과 乙은 合하니 乙은 [貴人이] 申이 된다. 辛의 德은 酉에 있고 辛과 丙은 合하니 丙은 [貴人이] 酉가 된다. 戌은 地網으로 貴人이 臨하지 않으니 따라서 壬은 戌을 건너뛰어서 德이 亥에 있고 壬과 丁은 合하니 丁은 [貴人이] 亥가 된다. 子는 선천에서 貴人이 일어나는 곳으로 귀인이 재차 임하지 않으므로 癸는 子를 건너뛰어서 德이 丑에 있고 癸와 戊는 합하니 戊는 [貴人이]丑이 된다. 이와 같이 甲 戊 庚은 [貴人이] 丑(牛:소) 未(羊:양)이고 6辛은 [貴人이] 午 寅(馬虎)을 만나는 것이 분명한 것이다. (通玄經云,先天坤在北方子位,陽貴起先天之坤,乃從子上起甲午(干),甲德在子,甲與己合,不取甲德而取合氣,故己爲貴人,陽貴順行,則乙德在丑,乙與庚合,庚以牛爲陽貴.丙德在寅,丙與辛合,辛以虎,丁德在卯,丁與壬合,壬以兎,辰乃天羅,貴人不臨,故戊跳辰,德在巳,戊與癸合,癸以蛇,午與子對衝,名爲天空,貴人有獨無對.故己德跳午在未,己與甲合,甲以羊.庚德在申,庚與乙合,乙以猴,辛德在酉,辛與丙合,丙以雞,戊乃地網,貴人不臨,故壬跳戌,德在亥,壬與丁合,丁以豬,子乃先天起貴之所,貴人不再臨,故癸跳子,德在丑,癸與戊合,戊以牛,如此則甲戊庚牛羊,六辛逢馬虎明矣.)

後天의 坤방은 西南방의 申에 위치하여 있으니, 陰貴는 後天의 坤방에서 일으키니 申상을 따라서 甲의 天干를 일으킨다. 甲의 德은 申에 있으며 甲과 己는 합하니 己는 [貴人이] 申(猴~원숭이)이 되고, 陰貴는 역행하므로 乙의 德은 未에 있고 乙과 庚은 합하니 庚은 未(羊~양)로 [陰貴를] 삼는다. 丙의 德은 午에 있고 丙과 辛은 합하니 辛은 [貴人이] 午(馬~말)가 된다. 丁의 德은 巳에 있고 丁과 壬은 합하니 壬은 [貴人이] 巳[蛇~뱀]가 된다. 辰은 天羅로서 貴人이 臨하지 않으므로 戊는 辰을 건너뛰어서 德은 卯에 있고 戊와 癸가 합하니 癸는 [貴人이] 卯(兎~토끼)가 된다. 寅과 申이 상충하니 天空이라 하는데 貴人은 홀로 상대가 없다. 그러므로 己의 德은 寅을 건너뛰어서 丑에 居하고 己와 甲이 합하니 甲은 [貴人이] 丑(牛~소)이 된다. 庚의 德은 子에 있고 庚과 乙이 합하니 乙은 [貴人이] 子(鼠~쥐)가 된다. 辛의 德은 亥에 있고 辛과 丙이 합하니 丙은 [貴人이] 亥(豬~돼지)가 된다. 戌은 地網으로 貴人이 臨하지 않으므로 壬은 戌을 건너뛰어서 德이 酉에 있고 壬과 丁은 합하니 丁은 [貴人이] 酉(雞~닭)가 된다. 申은 後天에 貴人을 일으키는 곳으로 귀인이 재차 臨하지는 않는다. 따라서 癸는 申을 건너뛰어서 德이 未에 있고 癸와 戊는 합하니 戊는 [貴人이] 未(羊~양)가 되는데, 이로서 유추하면 甲 戊 庚은 貴人이 丑 未에 있고, 先後天으로 陰陽을 일으키는 것이 분명한 것이다. 그런데 반드시 모두(陰陽)가 坤방에서 일으키는 것은 貴人의 집은 己丑에 있으며 己未에서 나오기 때문인데 선후천이 함께 土에 屬하는 것은 坤卦가 二五黃中의 합하는 氣이고 天干에 地支를 짝하여 德과 氣가 相合하니 자연적으로 이와 같이 나오는 것이다. 양귀음귀라 하는 것은, 동지는 양을 쓰고, 하지는 陰을 사용하는데 주야의 설은 아니며 이 학설을 근거로 하면 天乙은 十干의 秀氣인 것이지 天上의 별이 아닌 것이다. (後天坤在西南申位.陰貴起後天之坤,乃從申上起甲干.甲德在申,甲與己合,己以猴,陰貴逆行,則乙德在未,乙與庚合,庚以羊,丙德在午,丙與辛合,辛以馬.丁德在巳,丁與壬合,壬以蛇.辰乃天羅,貴人不臨,故戊跳辰,德在卯,戊與癸合,癸以兎.寅與申對衝,名曰天空,貴人有獨無對.故己德跳寅居丑,己與甲合,甲以牛.庚德在子,庚與乙合,乙以鼠.辛德在亥,辛與丙合,丙以豬.戊乃地網,貴人不臨,故壬跳戌,德在酉,壬與丁合,丁以雞.申乃後天起貴之處,貴人不再臨,故癸跳申,德在未,癸與戊合,戊以羊,以此推之,則甲戊庚貴人之居丑未,而於先後起陰陽者亦明矣.然必皆起坤者,貴人家在己丑,出乎己未,先後俱屬土,乃坤卦二五黃中之合氣,干之配支,德氣相合,出於自然如此,其曰陽貴陰貴,乃冬至用陽,夏至用陰,非晝夜之說,據此說,天乙是十干之秀氣,非天上之星也.)

5. 논천을귀인論天乙貴人-2

   내가 한 술사에게 들었는데 말하기를, 태양이 寅에서 떠오르면 뭇별들은 모두 지고, 태양이 申에서 지면 뭇별들이 모두 떠오른다. 그러므로 晝貴는 寅에서 일어나며 夜貴는 申에서 일어나는데, 數가 丑 未에 이르면 天乙의 집인 것이고, 十干이 天乙을 보면 貴人이 된다. 가령 甲의 祿은 寅인데, 寅에 寅을 더하여 순행하는 數가 丑에 이르면 즉 本家가 되는 것이므로 甲의 貴人은 丑에 있다. 乙의 祿은 卯인데, 卯에 寅을 더하여 數가 子에 이르면 丑을 만나는 것이므로 乙의 貴人은 子에 있다. (余聞一術者云,日出於寅,衆星皆落,日沉於申,衆星皆出.故晝貴起於寅,夜貴起於申,數至丑未,是天乙之家舍,十干見天乙爲貴.如甲祿寅,以寅加寅,順數至丑,卽爲本家,故甲貴在丑.乙祿卯,以卯加寅,數至子見丑.故乙貴在子.)

   丙의 祿은 巳인데, 巳에 寅을 더하여 數가 戌에 이르면 丑을 만나는데, 戌은 쇠약한 地支를 싫어하여 天乙이 臨하지 않으니 一位를 지나가므로 丙의 貴人은 亥에 있다. 丁의 祿은 午인데, 午에 寅을 더하여 數가 酉에 이르면 丑을 만나는 것이므로 丁의 貴人은 酉에 있다. 戊는 艮方의 위치에서 기생하므로 戊 土 역시 寅에서 일으키니 甲과 같다.(戊의 貴人이 丑에 있다는 말) 己는 坤 方의 자리에서 기생하는데 未에 寅을 더하여 數가 申에 이르면 丑을 만나는 것이므로 己의 貴人은 申에 있다. 庚의 祿은 申인데 申에 寅을 더하여 數가 未에 이르면 丑을 만나는 것이므로 庚의 貴人은 未에 있다. 辛의 祿은 酉인데 酉에 寅을 더하여 數가 午에 이르면 丑을 만나는 것이므로 辛의 貴人은 午에 있다. (丙祿巳,以巳加寅,數至戌見丑,戌爲惡弱之地,天乙不臨,則進一位,故丙貴在亥.丁祿午,以午加寅,數至酉見丑,故丁貴在酉.戊(戊)寄位於艮.故戊亦以寅起,與甲同.己寄位於坤,以未加寅,數至申見丑,故己貴在申.庚祿申,以申加寅,數至未見丑,故庚貴在未.辛祿酉,以酉加寅,數至午見丑,故辛貴在午.)

   壬의 祿은 亥인데 亥에 寅을 더하여 數가 辰에 이르면 丑을 만나고, 辰은 쇠약한 지지를 싫어하여 天乙이 臨하지 않으니 一位를 지나가므로 壬의 貴人은 巳에 있다. 癸의 祿은 子인데 子에 寅을 더하여 數가 卯에 이르면 丑을 만나는 것이므로 癸의 貴人 卯에 있다. 夜 貴는 申에서 일어나는데 寅의 법칙과 똑 같다. 未를 보는 것과 丑을 보는 것도 같은데, 貴를 구분하여 정하는 위치가 있으니 甲 戊 庚은 牛(丑), 羊(未)으로 노래하면 질펀하여 통하지 않는 것이다. 이 說은 天星論을 따르면 더욱 이치에 맞는데, 지금은 육임에서 선택한 모든 術에서 혹 陰陽을 나누고, 혹은 晝夜를 나누는데, 대체적으로 이 두 가지 학설을 근거로 삼는다. (壬祿亥,以亥加寅,數至辰見丑,辰爲惡弱之地,天乙不臨,則進一位,故壬貴在巳.癸祿子,以子加寅,數至卯見丑,故癸貴在卯.夜貴以申起,一如寅法,見未與見丑同,是貴分有定位,而甲戊庚牛羊之歌則泥而不通矣.此說就以天星論,尤爲有理,今六壬選擇諸術,或分陰陽,或分晝夜,蓋本此二說.)

   호중자가 말하기를, 貴人이 晝夜로 나누어 다스리는데 각자가 專權(전권)을 행사하여, 낮에 태어나면 낮의 貴人을 만나고, 밤에 태어나면 밤의 貴人을 만나야 힘을 얻는 것이 된다. 혹 子時 후로는 낮이라 하고 午時 후로는 밤이라 하고, 혹 해가 솟으면 낮이라 하고 혹 해가 지면 밤이라 하는데 이는 모두가 억측하는 말인데, 단지 寅 申으로 陰陽을 나누는 것만 못하고, 동지 후에는 陽 貴를 쓰고, 하지 후에는 陰 貴를 쓴다. 人命에서는 1陽이 생겨난 후에 陽 貴를 만나서 힘을 얻게 되고, 1陰이 생겨난 후에 陰 貴를 만나서 힘을 얻게 된다. (壺中子云,貴人分治晝夜,各自專權,以晝生遇晝貴,夜生遇夜貴爲得力.或以子後爲晝,午後爲夜.或以日出爲晝,日入爲夜,皆是臆說.不若只以寅申分陰陽,冬至後用陽貴,夏至後用陰貴.人命一陽生後,遇陽貴爲得力,一陰生後,遇陰貴爲得力.)

삼거일람에서는 甲은 陽木으로 少陽의 기운을 타며, 東方에서 生하여 巳에 이르러 쓰임을 마치는 것이다. 그러므로 물러나 未에 암장되어 貴人이 된다. 庚은 陽 金으로 少陰의 기운을 타며, 西方에서 生하여 亥에 이르러 쓰임을 마치는 것이다. 그러므로 물러나 丑에 암장되어 貴人이 된다. 戊는 陽土로서 中央에서 沖和(충화)하여 四時에 퍼지면 甲으로 인해 만물이 생겨나고 庚으로 인해 만물의 결실을 이루면 生成(생성)하는 이치를 마치는 것이다. 乙은 陰木이며 己는 陰土인데 2位가 無氣하여 잃어버린 종류라서 머무를 곳이 없다. 반드시 申 子를 기다린 후에 生旺한 水가 土를 慈養(자양)하고 充實(충실)하게 해선 不足(부족)함을 돕는다. 이 두 가지는 申子 보는 것을 기뻐하며 貴하게 된다. (三車一覽,則以甲陽木乘少陽之氣,生乎東方,至巳而用事畢矣,故退藏於未而爲貴.庚陽金乘少陰之氣,而生乎西,至亥而用事畢矣,故退藏於丑而爲貴.戊陽土,沖和中央,播於四時,甲因之萬物生.庚因之萬物成,則生成之理畢矣.乙乃陰木,己乃陰土,二位無氣,失類而無所居,必待申子,生旺水土,滋養充實,補助不足,此二者,喜見申子而爲貴.)

丙丁의 火는 마땅히 盛한 여름에는 酷毒(혹독)하여 만물을 해치니 성품은 酉에서 멈추고 亥에서 암장되므로 西北에서 기운을 가지런하게 이루고 화합한다. 이 두 가지는 酉亥 陰氣로 서 화합하여 貴가 된다. 壬癸의 水는 혹한의 겨울이 되면 그 성질이 엄숙해져 만물을 죽인다. 오직 卯에서 성질이 멈추며 巳에서 잠기고, 東南의 온화한 기운으로 화합하는 것이다. 이 두 가지는 巳 卯의 陽氣가 화합하여 貴人이 된다. 辛은 陰金인데 方을 지녔으나 스스로 化하지 못하니 모름지기 寅 午의 生旺한 火를 빌려 굳센 것을 다듬어 형체를 이루므로 貴하게 된다. (丙丁之火,當盛夏至酷而害萬物,性熄於酉,藏於亥,以西北成齊之氣而和,此二者,以酉亥陰氣和而爲貴.壬癸之水,至窮冬,則其性嚴而殺萬物,惟性熄於卯,潛於巳,以東南溫燠之氣而和,此二者,以巳卯陽氣和而爲貴.辛乃陰金,執方不能自化,須假寅午生旺之火,剋剛革而成形爲貴.)

5. 논천을귀인論天乙貴人-3

광록에 말하기를, 甲은 陽木이며 戊는 陽土이고 庚은 陽金인데 모두 土의 자리를 좋아한다. 未는 土의 바른 자리이며, 丑은 土를 안정시키는 땅이기 때문에 牛 羊이 貴하게 된다. 세분하면 甲은 未를 더욱 좋아하고 庚은 丑을 더욱 좋아하여 각각 그 庫로 돌아가는 것이다. 戊子 戊寅 戊

午는 丑을 좋아하고, 丑은 火 人의 胎 養인 곳이다. 戊辰 戊申 戊戌은 未를 좋아하고, 未는 木人의 庫이며 土人의 生旺한 자리이다. (廣錄云,甲陽木,戊陽土,庚陽金,皆喜土位.未者,土之正位.丑者, 土安靜之地,所以牛羊爲貴.細分之,甲尤喜未,庚尤喜丑,各歸其庫也,戊子,戊寅,戊午喜丑,丑者,火人胎養之鄕,戊辰,戊申,戊戌喜未,未者,木人之庫,土人生旺之位也.)

乙은 陰木이며 己는 陰土인데, 陰土는 生旺함을 기뻐하고 陰木은 陽水를 좋아한다. 그래서 鼠(쥐)와 猴(원숭이)가 貴하게 된다. 그런데 乙은 子를 더욱 좋아하고 子는 水의 旺盛한 곳으로 己는 申을 더욱 좋아하며 申은 坤의 바른 方位이다. (乙者陰木,己者陰土,陰土喜生旺,陰木愛陽水,所以鼠猴爲貴.然乙尤喜子,子者,水之旺鄕,己尤喜申,申者坤之正位.)

丙丁은 火에 속하고 火의 墓는 戌이며, 壬癸는 水에 속하고 水의 墓는 辰이다. 辰 戌은 魁剛(괴강)의 地支로 貴人이 臨하지 않는다. 그러므로 火의 貴人은 酉 亥에서 찾는다. 水의 貴人은 卯 巳에 되니 모두가 근본으로 돌아가 復命(복명)하는 곳이다. 六辛은 陰金이고 陽火는 生旺한 地支를 좋아하므로 馬 虎(午 寅)로서 貴人을 삼고, 다시 마땅히 納音이 互換되는 것을 찾아야한다. 모름지기 比和(비화)면 그 貴人이 福이 되는데, 만일 丙火가 酉를 얻으면 火가 死하는데 어떻게 귀함이 충분하겠는가! (丙丁屬火,火墓在戌,壬癸屬水,水墓在辰.辰戌魁罡之地,貴人不臨,故尋寄火貴於酉亥,寄水貴於卯巳,皆歸根復命之鄕.六辛陰金,喜陽火生旺之地,故以馬虎爲貴.更宜以納音互換推尋.須比和,則其貴爲福,若丙火得酉,火至此死,焉足貴哉.)

염동수가 말하기를, 天乙貴人을 論할 때는 반드시 五行의 喜 忌를 따라야 한다. 예컨대 甲人이 戊와 庚이 모두 있고 癸未와 乙丑을 얻어서 두 吉神을 만나 印星을 동반하는 것이 上格이 된다. 나아가서 丁丑과 辛未 둘을 보는 것은 그 다음이 된다. 三陽은 印星의 庫에 있는 것을 좋아한다. (閻東叟云,論天乙貴,須就五行喜忌,如甲人有戊有庚,得癸未,乙丑,遇二吉而帶印爲上,遁見丁丑,辛未者次之,乃三陽喜在印庫.)

乙人이 戊申(대역 토) 庚子(벽상 토)의 生旺한 土를 얻고, 己人이 甲申(천중 수) 丙子(간하 수)의 生旺한 水를 얻는 이것은 陰木과 陰土는 財旺한 것을 좋아하는 것이다. 丙丁이 丁酉 乙亥를 얻고, 壬癸가 乙卯와 癸巳를 얻는 이것은 水火가 死絶됨을 혐의하지 않는 것이다. 庚辛이 丙寅 丙午를 얻는 것은 陰金이 鬼를 이겨 혐의하지 않으니 이 둘을 얻으면 상격이 되고, 하나를 얻으면 그 다음이 된다. 자허국에는 이것의 貴人이 되어 廊廟(낭묘)에 들면 金紫貴(붉은 옷에 금박을 입은 귀인)를 만난다. (乙人得戊申,庚子生旺之土,己人得甲申,丙子生旺之水,此,陰木陰土喜於財旺.丙丁得丁酉,乙亥,壬癸得乙卯,癸巳.此水火不嫌死絶.庚辛得丙寅,丙午,此陰金不嫌鬼勝,得二爲上,得一次之.紫虛局以此爲貴人入廟,遇者主金紫貴.)

옥소보감에서는 또 五虎元遁(오호원둔)하여 貴人 본래의 자리위에서 遁干이 廊廟에 들고 공망과 혼잡함을 범하지 않으면 淸貴하게 된다. (玉霄寶鑑又以五虎元遁至貴人本位上,見所遁之干爲入

廟,不犯空亡駁雜,主清貴.)

팔자금서에 貴神을 논할 때는 또 우열을 나누니 즉 앞의 六十甲子 吉凶은 祿 馬와 더불어 돌아가는 것이 필요하니 交退, 伏神을 범하지 않으며 干支가 서로 합하여 吉하게 되고 月 日 時의 干支가 상합하는 것이 필요하다. (八字金書論貴神,又分優劣,卽前六十甲子吉凶,其歸要與祿馬同窠,不犯交退伏神,支干相合爲吉,緊要在月日時支干相合.)

임개는 論(논)하길 天乙이 相合할 경우, 가령 甲子가 己未를 보고 死絶, 衝波, 空亡이 없고 다시 福神이 도우면 지극히 貴하다. 만일 위의 꺼리는 것을 犯하면 정랑이 되고 또 어려움이 많고 복이 없다. 戊子가 己丑을 보면 이는 次 格이 되고 上에서 꺼리는 것을 범하지 않으면 兩制兩省이 되어 거듭 福을 도우니, 마땅히 양부가 되고 死絶이 있으면 감하여 원랑이 되고 衝破 空亡이 있으면 州나 縣의 관리일 뿐이고, 辛未가 庚寅을 보면 제 3등이 되어 上에서 꺼리는 것을 犯하지 않으면 정랑이나 경감이 되고, 福이 도우면 둘을 制하고 사절은 원랑이며, 衝破 空亡은 평생 어려움이 많고 州 縣의 낮은 관리일 뿐이다. (林開論天乙相合,如甲子見己未,無死絶衝破空亡,更有福神助,至貴.如犯上忌,可作正郎,又多難無福.戊子見己丑,此爲次格,不犯上忌,作兩制兩省,更有福助,當爲兩府,有死絶,減作員郎,有衝破空亡,州縣官而已,辛未見庚寅,爲第三等,不犯上忌,作正郎卿監,有福助,兩制,死絶員郎,衝破空亡,平生多難,州縣卑冗官耳.)

5. 논천을귀인論天乙貴人-4

염동수가 貴 合(귀인과 합하는 것)과 貴 食(귀인에 식신이 임한 것)을 논하였는데, 가령 甲이 己丑과 己未를 얻고, 戊가 癸丑 癸未를 얻고, 庚이 乙丑 乙未를 얻고, 乙이 庚子 庚申을 얻고, 己가 甲子 甲申을 얻고, 丙이 辛酉 辛亥를 얻고, 丁이 壬寅 壬辰을 얻는 이와 같은 종류는 貴가 合한 것이라 한다. 甲은 丙이 食神이며, 乙은 丁이 食神인데, 丙丁의 貴人은 酉 亥에 있고, 甲이 丙寅 丙辰을 얻으며, 乙이 丁酉 丁亥를 얻은 것이고, 庚은 壬이 食神이며, 辛은 癸가 食神인데, 壬癸의 貴人은 卯 巳에 있고, 庚이 壬申 壬戌을 얻고 辛이 癸卯 癸巳를 얻은 것인데, 이와 같은 종류는 貴人에 食神이 臨한 것이라 한다. 貴人과 合을 하면 관직이 높고 貴人이 食神에 임하면 祿이 많음을 뜻하는데, 2가지를 겸하면 관직은 높고 녹은 두텁다. (閻東叟論貴合貴食,如甲得己丑己未,戊得癸丑癸未,庚得乙丑乙未,乙得庚子庚申,己得甲子甲申,丙得辛酉辛亥,丁得壬寅壬辰,如此類謂之貴合.甲食丙,乙食丁,丙丁貴在酉亥,甲得丙寅丙辰,乙得丁酉丁亥.庚食壬,辛食癸,壬癸貴在卯巳,庚得壬申壬戌,辛得癸卯癸巳,如此類謂之貴食.有貴合,則官多稱意,有貴食,則祿多稱意,二者兼之,官高祿重.)

삼명제요에서 天乙의 貴神이 6合 上에 있는 경우는, 가령 甲 戊 庚이 子 午에 있으면 子는 丑을 合하고 午는 未를 合한다. 乙 己가 丑 巳에 있고, 丙 丁이 寅 辰에 있고, 壬 癸가 申 戌에 있고, 辛이 未 亥에 있는 경우는 모두가 큰 福이 되며 둘의 合 이상이면 더욱 貴하다. (三命提要以天乙在貴神六合上,如甲戊庚在子午,則子合丑,午合未.乙己在丑申(巳),丙丁在寅辰,壬癸在申戌,辛在未亥,皆主大福,遇兩合以上尤貴.[申 誤字, 巳 訂正])

보감에서는 天乙이 身을 도와서 貴人이 太歲를 끌어안는 경우는, 가령 壬寅 人이 甲寅日時를 얻고 壬의 貴人인 卯가 있고 甲 癸가 丑에 있으면 공협하는 寅을 끌어안는다. 丙申 人이 戊申을 얻는 경우도 이에 준하여 본다. 貴格에 들어도 별도로 刑 衝이 없으면 주로 一身(일신)에 病이 적으며 젊은 나이에 福이 형통한다. 보통의 格이 읻는다 해도 종신토록 刑獄의 재앙은 없다. (寶鑑有天乙扶身,取貴人夾擁太歲,如壬寅人,得甲寅日時,壬貴在卯,甲癸在丑,夾擁平寅,丙申人,得戊申準此.入貴格,別無刑衝,主一身少病,早年享福.常格得之,終身無刑獄之災.)

干夾貴神[간협귀신]이 있는 경우, 가령 甲 戊 庚人이 丑 未를 얻고, 日時 上에서 甲 戊 庚의 한글자라도 대동하면 주로 현달함이 남다르다. (有干夾貴神,如甲戊庚人得丑未,日時上卻帶甲戊庚一字,主顯異.)

<지남>에서는 夾貴(협귀~ 공협하는 귀인)가 六合을 만나는 경우, 가령 壬癸人이 辰을 보고 癸酉 合을 얻은 것과, 丙丁人이 戌을 보고 丁卯 合을 얻는 것은, 전후에 각각 天乙貴人이 있으며, 거듭 祿 馬가 身에 臨하면 크게 富貴하게 된다. (指南有夾貴逢六合,如壬癸人見辰而得癸酉合,丙丁人見戌而得丁卯合,取前後各有天乙貴,更祿馬臨身,主大富貴.)

자허국에 活祿貴人(활녹귀인)이 있는데, 貴人의 天干위에서 干支를 회전하여 다시 生時와 胎月을 따르는 것인데, 가령 甲이 寅 午를 만나고, 乙 辛이 丑未를 만나고 , 丙이 酉 亥를 만나고, 丁이 申 子를 만나고, 戊癸가 猴 鼠(申 子)를 만나고, 庚 壬이 兎 蛇(卯 巳)를 만나고, 己가 卯 巳를 日時에서 겸전하여 자리하면 대귀한다.

예컨대, 설상공의 사주가 이러한 것이다.
丙 辛 甲 戊
申 巳 子 戌
(紫虛局有活祿貴人,乃貴人干上轉干支,再就生時胎月,如甲逢寅午,乙辛丑未,丙酉亥,丁申子,戊癸猴鼠,庚壬兎蛇,己,卯,巳日時兼全坐之,主大貴,如薛相公,戊戌甲子辛巳丙申是也.)

福星貴人이 있는 경우, 예를 들면 채군모의 사주인데
庚 庚 癸 壬
辰 戌 卯 子
壬騎龍背(격)이며 또 貴人이 卯 巳에 있는데, 辰을 얻으니 福星이 貴人을 돕는 것이다. 貴人이 馬를 끼고 앞에 양인을 보아 권세가 대단하며 貴하게 된다. (有福星貴人,如蔡君謨,壬子癸卯庚戌

庚辰,壬騎龍背,又貴在卯巳,得辰,是福星扶貴人也.有貴人擁馬而前視刃,主權貴.)

　진희열이 이르기를, 天干은 天乙의 將이 되고, 地支는 貴人의 帥가 된다. 가령 丑 未 生人이 月 日 時에 甲 戊 庚을 얻으면 참으로 天乙을 만난 것인데, 甲子 人이 12월 태생이면 貴人을 만난 것이고, 己巳日 乙亥時는 兩天乙을 만난 것이니 貴人이 合한 命으로 보는 것이다. 만약 太歲 본래의 天干에 있는 4貴의 華蓋위에서 天乙을 만나는 것은 재상의 명이다. 만약 巳平位에서 兩天乙을 만나더라도 역시 淸華(청화)한 命을 따르게 된다. 만약 4忌에서 兩天乙을 만나면 항시 떳 떳한 관리이다. 무릇 貴人의 命은, 만일 丑 未 人이라면 甲 戊 庚에서 2자를 얻는 것이고, 子 申 人이 乙 己를 전부 얻는 것이고, 酉 亥 人이 丙 丁을 전부 얻는 종류인데 거듭하여 태세천간의 祿이 正官 正印인 것은 그 福이 倍가 된다. (陳希烈曰,干爲天乙之將,支爲貴人之帥,假如丑未生人, 月日時得甲戊庚,是遇正天乙,甲子人十二月生,是遇貴神,己巳日乙亥時,是遇兩天乙,合貴人之命觀之. 若在太歲本干,四貴華蓋上遇天乙者,宰輔之命也.若在巳平位遇兩天乙,亦爲侍從淸華之命.若四忌上遇 兩天乙,常調之官也,凡貴人命,若丑未人,甲戊庚中惟得兩字,子申人得乙己全,酉亥人得丙丁全之類,更 得太歲干祿爲正官正印者,其福加倍.)

5. 논천을귀인論天乙貴人-5

　심지는 말하기를, 무릇 태어난 月 日 時에서 天乙貴人을 만나고 4字가 서로 간에 온전하면 極 貴한다. 가령 酉 亥에 丙丁이 있는 종류이다.
魯公(노공)의 命造를 들어 설명하면,
丁 乙 丙 己
丑 酉 寅 亥
　4글자가 서로 간에 온전한 것인데, 나는 時에 忌神을 두지 않았기 때문에 재상이 된 것이라 하였다. 만약 酉月生이라면 己의 祿이 酉에 이르러 敗忌가 되니, 비록 4字가 온전할지라도 반드 시 大貴에 이르진 못한다. (沈芝云,凡生月日時,遇天乙貴人,相間四字全者爲極貴,如酉亥有丙丁之 類,說者擧魯公命,己亥丙寅乙酉丁丑,是相間四字全,予謂時不値忌神,所以至宰相.若酉月生,己祿到酉, 爲敗忌,雖四字全,必不至大貴.)

　고인들은 모두 貴人으로 福을 삼고 복력의 厚薄(후박~두텁고 얇음)함을 논하지 않았는데, 지금 은 각각 약속한 위치에 따라서 이를 구분한다. 가령 甲人이 丑을 만나거나, 庚人이 未를 만나면, 각각은 祿이 庫에 있는 것이고, 戊人이 丑 未를 만나면 土의 地支인 것이고, 己人이 申을 만나 면 生旺한 것과 同位인 것이다. 이상으로 4神이 生日 生時에서 이를 만나면 正官 正印을 대동하 여 上下가 合하니 바른 天乙의 本家인데, 天乙貴人이 合하는 것은 福力이 倍가 된다. (古人皆以 貴人主福,不言福力厚薄,今各隨位約而分之.如甲人遇丑,庚人遇未,各在祿庫,戊人遇丑未,是土支,己人 遇申,是與生旺同位.以上四神,生日生時遇之,帶正官正印,上下合,正天乙本家,天乙貴神合者,福力加

倍.)

乙人이 申 絶을 만나는 것을 꺼리지만, 오히려 暗合이 있고, 子 敗를 만나는 것을 꺼린다. 丙 丁은 亥 絶을 만나는 것을 꺼리지만 丁은 暗合을 하며 酉 死를 만나는 것을 꺼린다. 壬癸는 巳 絶을 보는 것을 꺼리지만 癸의 暗合이 있고 卯 死를 만나는 것을 꺼린다. 辛 人은 午 敗를 만나는 것을 꺼리며 寅 絶을 만나는 것을 꺼린다. 이상의 6貴人은 모두가 忌神과 같은 자리이지만 태어난 月 日 時에서 이를 만나면 2~3分의 福力을 얻게 된다. 만약 역마와 同位하여 正인 天乙 本家와 祿인 正官 正印을 대동하고 干合하여 돕는 것이 있으면 倍가 된다. 이에 十分하는 것을 근거하면, 貴人이 死絶되는 것을 꺼리지만 丙丁壬癸는 그렇지 않고 正 이 死絶로서 貴人이 되는 것이다. (乙人遇申絶忌,卻有暗合,遇子敗,忌,丙丁遇亥絶,忌,丁有暗合,遇酉死忌,壬癸遇巳絶忌,癸有暗合,遇卯死忌,辛人遇午敗忌,遇寅絶忌,以上六貴神,皆與忌神同位,生月日時遇之,可得二三分福力.若與驛馬同位,及帶正天乙本家祿正官正印,干合有輔助者加倍,據此分,是貴人忌死絶,而不思丙丁壬癸,正以死絶爲貴也.)

촉신경에서 말하기를, 天乙貴人이 生旺하면 생김새는 풍채가 좋고 의기당당하고 성품이 신령스럽고 총명하고, 사리에 의로움이 분명하여 잡술을 좋아하지 않으며 순수한 큰 그릇으로 자신은 도덕을 포용하므로 중인들이 공경하며 사랑한다. 死絶되면 自家撞着(자가당착)하는 마음을 지녀서 자기만 옳다하고 貴人가까이서 놀기만 좋아하고, 劫煞과 아우르면 생김새가 후덕하고 위엄이 있으며 꾀가 많다. 官符와 아우르면 해학적인 문장으로 高談雄辯(고담웅변~청산유수 같은 말)한다. 建祿과 나란하면 순수하고 참된 문장가로 널리 교류하며 구제하므로 君子같은 사람인 것이다. 만일 天中(공망)이거나, 혹 天中과 합하거나, 혹 天中과 연주(連珠)하면 마땅히 영윤(伶倫~중국 황제 때에 音律을 定한 사람)의 모습이 있어 노래하기를 좋아하는 예능인이다. (燭神經曰,天乙貴,遇生旺則形貌軒昂,性靈穎悟,理義分明,不喜雜術,純粹大器,身蘊道德,衆人欽愛.死絶則執拗自是,喜遊近貴.與劫煞併,則貌厚有威,多謀足計.與官符併,則文翰飄逸,高談雄辯.與建祿併,則文翰純實,濟惠廣遊,君子人也.若落天中,或與天中合,或與天中連珠,當有伶倫之態,好謳吟伎藝人也.)

또 말하기를, 天乙貴人은 三命에서 가장 吉한 神이다. 만약 사람이 만나면 영화롭고 공명이 일찍 오르며 관록으로 진출하기도 쉽다. 가령 三命이 모두 旺氣를 탄다면 마침내 장수 재상인 제후의 자리에 오른다. 大 小運과 行年에서 이를 만나면 관직은 승진하고 재물이 생기는데, 모든 것은 귀인이 臨함으로 모두가 吉한 조짐이 되는 것이다. (又曰,天乙貴,三命中最吉之神.若人遇之則榮,功名早達,官祿亦易進.如三命皆乘旺氣,終登將相公侯之位.大小運行年至此,亦主遷官進財,一切加臨至此,皆爲吉兆.)

무릇, 貴人이 臨하는 곳에는 대체로 生旺함을 좋아하며 衝破함이 없고 도리에 순응하여 空亡되지 않아야하고, 天干의 納音과 화합하고 거듭 祿 馬를 얻으며 晝夜가 배반하지 않아야 한다. 혹 年 時가 서로 교환되어 貴한데, 가령 甲午 人이 辛丑 時를 보고, 丙申이 己亥를 보는 종류와 같다. (凡貴人所臨之處,大槪喜生旺,無衝破,道理順,不落空亡,天干納音偕和,更得祿馬,而晝夜不背.或年時互換貴,如甲午人見辛丑時,丙申見己亥之類.)

혹 4天干이 아울러 一支위에 貴人을 보는데, 가령 丑 未 生이 甲 戊 庚의 종류를 얻는 것이다. 혹 4位의 天干이 貴人의 地支를 通해 모이면 五行은 貴人이 모이게 된다. 다시 天月二德을 보면 아름답게 된다. 이우가 말하기를, 귀인이 혹시 空亡속에 있고 祿 馬가 違背(위배)하는 것은 가치가 없다. (或四干併在一支上見貴,如丑未生而得甲戊庚之類.或四位天干,通聚貴地支,爲五行聚貴.更遇天月二德爲佳.理愚歌曰,貴人或落空亡裏,祿馬背違如不値.)

보감에서 이르기를, 貴人이 無氣하면, 비록 있더라도 없는 거와 같은 것이다. 임개가 이르기를, 貴人이 死絶되면 鄙吝煞(비린살)이 된다. 동현경에 이르기를, 貴人이 진노하면 凶이 찾아오고, 命중에서 貴人이 있다고 吉하다고 論하는 것은 옳지 못하니 마땅히 자세히 살피는 것이 필요하다. (寶鑒云,貴人無氣,雖有如無.林開云,貴人死絶,爲鄙吝煞.洞玄經云,貴人嗔則凶來可見,命中有貴,不可就爲吉論,要當細詳.)

6. 논삼귀論三奇-上

낙록자가 말하기를, 奇는 貴가 되는 것이다. 奇라는 것은 異(기이)한 것이다. 物은 貴함으로부터 奇異하게 된다 하였다. 乙 丙 丁은 貴人天干의 德에 地支를 배합한 오묘함에서 나오는데, 陽貴는 甲의 德인 子에서 일으키니, 乙의 德은 丑에 있고, 丙의 德은 寅에 있고, 丁의 德은 卯에 있으니 3天干은 서로 연결되어 간격이 없다. 陰貴는 甲의 德인 申에서 일으키니, 乙은 未에 있고, 丙은 午에 있고, 丁은 巳에 있으니 3天干이 서로 연결되어 간격이 없으며, 그 貴人을 따르는 것이 하늘에 있으므로 天上三奇라 하고, 10干은 유독 이와는 다른 것인데, 나머지는 혹 羅網사이에 있거나, 혹 天空사이에 있으며, 혹 重臨(거듭 임하다.)하지 못하고 또 서로 연관성이 없으니 奇하다는 것은 옳지 못하다. (珞珠子曰,奇爲貴也.奇者異也.謂物以貴爲奇也.乙丙丁,出於貴人干德配支之妙,陽貴甲德起子,則乙德在丑,丙德在寅,丁德在卯,三干相連而無間.陰貴甲德起申,乙在未,丙在午,丁在巳,三干相聯而無間,以其隨貴人在天,故曰天上三奇,十干惟此爲異,餘則或間羅網,或間天空,或不重臨,又不相聯,不可以爲奇.)

옥소보감에서 이르기를, 古人은 정월을 歲(해)의 시작으로 삼았는데, 乙에서 해가 솟아오르므로 乙로서 日의 奇를 삼았다. 老人星(남극노인성의 준말)을 보면 상서로운 것인데 丁의 위치에서 보이는 것이므로 丁으로 星의 奇를 삼는다. 달은 밤을 비추고 丙의 위치에 도달하여 천하를 밝히므로 丙으로 月의 奇를 삼는다. 만약 甲 戊 庚이 또한 天上三奇가 되더라도, 甲 戊 庚이 모두 丑 未에 臨하면 天乙貴人의 집은 28수 중 두, 우의 별자리에 위치에 있고, 28수중 정,귀의 별자리 위치에서 나와 先後天의 貴를 일으키니 3天干이 그곳에 臨하기에 적합하여 다른 天干과는 같지

- 245 -

않으니 그 이치가 또한 통한다. (玉霄寶鑒謂古人以正月爲歲之始,日出於乙,故以乙爲日奇.老人星見爲瑞,見於丁位,故以丁爲星奇.月照夜,到丙位而天下明,故以丙爲月奇.若甲戊庚,亦以爲天上三奇,以甲戊庚俱臨丑未,乃貴人家在斗牛之次,出乎井鬼之舍,先後天起貴,而三干適臨之,與別干不同,其理亦通.)

삼거일람에서는, 甲은 陽木의 우두머리이고, 戊는 陽土의 군주가 되고, 庚은 陽金의 精이 되니 地支에서는 이 3物에 있어 奇가 되니 地三奇라 하는데, 그 說이 심히 뚜렷하다. 태을경에서, 辛 壬 癸는 水의 奇가 되니 人間三奇라 하는데 그 說은 근거가 없고, 단 辛 壬 癸는 天干이 연결되어 三台(삼태)라 하여 또한 [辛 壬 癸] 얻기가 어렵다. (三車一覽以甲爲陽木之魁,戊爲陽土之君,庚爲陽金之精,地有此三物爲奇,謂之地三奇,其說太鑿.太乙經以辛壬癸爲水奇,謂之人間三奇,其說無據,但辛壬癸天干連珠,謂之三台,亦爲難得.)

자허국에서는 또 4奇의 설이 있다. 대저, 奇는 奇數이고 4는 偶인데 어찌 奇를 옳다 하겠는가? 三奇는 순서대로 나열됨이 필요한데 거꾸로 난잡한 것을 원치 않는다. 가령 乙 丙 丁, 甲 戊 庚처럼 천간이 연월일시 순서대로 나열되면 吉하게 된다. 광록에서는 또 乙人이 丙月 丁時면 乙이 丙丁에 生한 것이니 秀氣가 하강하여 보통이다. 만약 乙時 丙日 丁年이라면 秀氣가 上達(상달)하여 도리어 貴하게 되고, 유사한 것은 또 順逆을 論하지 않는다. 甲 戊 庚은 순서대로인 것은 貴하게 되고 거역하는 것은 福이 느리며 난잡한 것은 장수하지 못하고, 氣가 淸하면 貴하고, 氣가 혼탁하면 富하다. (紫虛局又有四奇之說.夫奇,奇數也,四則偶矣,謂之奇可乎.三奇要順布不欲倒亂,如乙丙丁,甲戊庚,天干年月日時,順布爲吉.廣錄又以乙人丙月丁時,是乙生丙丁,秀氣下降,主平常.若乙時丙日丁年,是秀氣上達反爲貴,似又不論順逆.甲戊庚卻以順者爲貴,逆者福慢,亂者不壽,氣淸則貴,氣濁則富.)

6. 논삼귀論三奇-下

經(이허중명서)에서 이르길, 五行에는 각각 奇儀(3奇와 6儀) 있으니 마땅히 順逆을 구분해야한다. 만약 日 月이 뒤집혀 잡란하면 順三奇를 얻어야 倒라 하지 않는다. 命에 三奇가 있으면 體와 地支를 얻는 것이 필요하며 때를 놓치지 않아야 하니, 가령 乙 丙 丁이 밤에 태어나고, 甲 戊 庚이 낮에 태어나면 體를 얻은 것이다. 乙 丙 丁이 柱중에 亥가 있으면 三光(삼광~해 달 별)은 의지하여 따를 곳이 있고, 甲 戊 庚은 柱중에 申이 있으면 三物이 의지할 곳이 있다. 혹 乙 丙 丁이 丑 寅 卯 未 午 巳를 얻거나 甲 戊 庚이 丑 未를 전부 얻으면 모두가 得地한 것이다. (經曰,五行各有奇儀,須分順逆.若日月倒亂,得順三奇,亦不謂倒.命有三奇,要得體得地,不欲失時.如乙丙丁夜生,甲戊庚晝生得體.乙丙丁柱有亥,則三光有所依附,甲戊庚柱有申,則三物有所憑藉.或乙丙丁得丑寅卯未午巳,甲戊庚得丑未全,皆爲得地.)

三奇가 재차 三合을 만난 경우는, 가령 乙 丙 丁이 金 木局을 얻거나, 甲 戊 庚이 水 火局을 얻은 것이다. 또 6儀를 만난 경우는, 甲子 旬에서 戊, 甲戌 旬에서 己, 甲申 旬에서 庚, 甲午 旬에서 辛, 甲辰 旬에서 壬, 甲寅 旬에서 癸를 만난 것인데 모두 다 吉한 것이다. (三奇再遇三合, 如乙丙丁得金木局, 甲戊庚得水火局. 又遇六儀, 甲子旬戊, 甲戌旬己, 甲申旬庚, 甲午旬辛, 甲辰旬壬, 甲寅旬癸, 俱吉.)

낙녹자가 말하기를, 重犯奇儀{奇儀를 거듭 犯}하면 온화함을 포용한 출중한 그릇이 된다. 둔갑에 대해 말하기를, 順布하면 三奇이고 逆布하면 六儀가 되는데, 가령 命이 甲子 甲申의 2句중에서 나와 甲 戊 庚을 만나는 이것이 重犯奇儀인 것이다. (珞珠子云, 重犯奇儀, 蘊藉抱出群之器. 遁甲曰, 順布三奇逆六儀. 如命出甲子甲申二旬, 而遇甲戊庚, 是重犯奇儀也.)

무릇, 命에서 三奇를 보면 정신은 異常(이상~매우 특별하다는 뜻)하며 襟懷(금회~마음속 깊이 품은 뜻)가 탁월하며, 호기심이 매우 크고 博學하며 다재다능하다. 天乙貴人을 동반하면 勳業超群(훈업초군~공적이 무리 속에서 뛰어남)한다. 天月二德을 동반하면 凶災不犯(흉재불범~흉한일이나 재앙이 침범하지 못함)한다. 六儀를 동반하면 재능과 지혜가 뛰어나게 된다. 三合을 동반하여 入局하면 국가의 주석(柱石)이 된다. 관부와 겁살을 동반하면 도량과 견식이 넓고 깊다. 生旺한 空亡을 동반하면 속세를 떠난 사람으로 富貴를 탐내지 않으며 권세와 무력에 굴복하지 않는다. 원진 함지, 충 파 천라지망이 있으면 소용없게 된다. 三奇를 論할 경우에는 太歲(년)에 없고 月日時에 있으면 고독하게 된다. (凡命遇三奇, 主人精神異常, 襟懷卓越, 好奇尚大, 博學多能. 帶天乙貴者, 勳業超群. 帶天月二德者, 凶災不犯. 帶六儀者, 才智出類. 帶三合入局者, 國家柱石, 帶官符劫煞者, 器識宏遠. 帶空亡生旺者, 脫塵離俗, 富貴不淫, 威武不屈. 値元辰咸池, 衝破天羅地網者, 爲無用. 論三奇, 太歲不帶, 而日月時帶著, 孤獨.)

詩에서 이르기를, 十干의 乙 丙 丁이 순서대로 있으면 神童(신동)으로서 급제하여 명성을 떨친다. 日時에 祿 馬의 公卿煞이 있으면 武를 버리고 文으로 바꾸어 군주를 보필한다. 또 말하기를, 십간의 甲 戊 庚이 순서대로이고 겸하여 장생을 얻으면 兩府[①한대(漢代)의 승상(丞相)과 어사(御史). ②송대(宋代)의 중서성(中書省)과 추밀원(樞密院)]에 이름을 떨친다. 그러나 만약 祿과 馬가 없으면 단지 재물만 축적하는 사람이다. (詩曰, 順十干神乙丙丁, 神童及第播聲名. 日時祿馬公卿煞, 換武除文佐聖明. 又曰, 順十干神甲戊庚, 兼得長生兩府名. 若然無祿兼無馬, 只是財中蓄積人.)

또 말하기를, 三奇는 重逢하여야 귀한 것이니 그때서야 비로소 영화와 壽福있는 사람이 된다. 다만 空亡 三奇는 있지만 貴人의 地支가 없으면 빈궁하고 하천하여 업신여김과 기만을 당한다. 또 말하기를, 乙 丙 丁, 甲 戊 庚이 局위에서 相生하여 거듭 生하면 이는 蓬萊三島(봉래삼도)의 客이 아니면 金殿玉階(금전옥계~ 황금으로 치장한 궁궐 계단)를 거닐게 된다. 또 말하길, 혁혁한 공적을 별채통로에 관직을 새기게 될 것이며, 이름난 신선은 辛 壬 癸에서 많이 배출되고 三奇로서 玉의 장부에 소식을 전하니 경박하게 속된 술사가 평가할 수 없다. 모든 詩를 종합하여 三奇를 관찰하여 흉흠를 보아야 하는 것이다. (又曰, 三奇須是重逢貴, 方是榮華福壽人. 只有空奇無貴地,

貧窮下賤被欺凌.又曰,乙丙丁,甲戊庚,上局相生生復生,不是蓬萊三島客,也應金殿玉階行.又曰,欲識品 廊官赫奕,名仙多誕癸壬辛,三奇玉藉傳消息,輕薄時師莫與評.合諸詩,觀三奇喜忌見矣.)

7. 논천월덕論天月德-上

대저, 德은 사물을 이롭게 하여 사람을 구제하며, 凶을 가리고 善을 이루는 것을 말하는 것이다. 天德은 周天하는 365度 25分半을 12宮으로 나누어 每宮마다 각각 30度를 차지하면 合이360度가 된다. 그 나머지 5度 25分半을 12宮의 자리에 산재시킨 것을 말한다. 甲 庚 丙 壬, 乙 辛 丁 癸, 乾 坤 艮 巽을 神藏殺沒(신장살몰)이라 하는데 每宮은 각각 44分를 얻게 된다. 그러므로 子 午 卯 酉중에는 甲 庚 丙 壬(子中有壬, 卯中有甲, 午中有丙, 酉中有庚)가 있고, 辰 戊 丑 未 중에는 乙 辛 丁 癸(丑中有癸, 辰中有乙, 未中有丁, 戊中有辛)가 있고, 寅 申 巳 亥중에는 乾 坤 艮 巽(寅中有艮, 巳中有巽, 申中有坤, 亥中有乾)이 있는데 [神藏殺沒] 이 12宮의 자리에서 능히 凶을 돌려서 善을 만드니 天德이라 말하는 것이다. (夫德者,利物濟人,掩凶作善之謂也.天德者,謂周天有三百六十五度二十五分半,除十二宮分野,每宮各占三十度,共計三百六十度,外有五度二十五分半,散在十二位宮,甲庚丙壬,乙辛丁癸,乾坤艮巽,謂之神藏煞沒,每宮各得四十四分,所以子午卯酉中有甲庚丙壬,子中有壬,卯中有甲,午中有丙,酉中有庚,辰戊丑未中有乙辛丁癸,丑中有癸,辰中有乙,未中有丁,戊中有辛,寅申巳亥中有乾坤艮巽,寅中有艮,巳中有巽,申中有坤,亥中有乾,此十二位宮,能回凶作善,乃曰天德也..)

月德은 三合이 비치는 방향으로서 日月이 會合하는 辰(신)이다. 申 子 辰은 酉에 모여 庚에서 나와서 壬의 울타리로 들어가며, 亥 卯 未는 午에 모여 丙에서 나와서 甲의 울타리로 들어가며, 寅 午 戌은 卯에 모여 甲에서 나와 丙의 울타리로 들어가며, 巳 酉 丑은 子에 모여 壬에서 나와서 庚의 울타리로 들어가므로 壬 甲 丙 庚을 月德이라 하고, 辰 未 戌 丑 4月은 天德과 月德은 같은 것이다. 대체로 日이 비추고 月이 臨하는 宮인데, 무릇 하늘이 빛나면 땅의 煞들이 모두 제복되므로 가히 凶을 돌려서 吉을 만든다. (月德者,乃三合所照之方,日月會合之辰,申子辰會酉出庚,入垣於壬.亥卯未會干出,丙,入垣於甲.寅午戌會卯出,甲,入垣於丙,巳酉丑會子出,壬,入垣於庚,故壬甲丙庚謂之月德,而辰未戌丑四月天德亦同屬焉.蓋日月照臨之宮,凡天曜地煞,盡可制服,故可回凶作吉.)

호중자가 말하기를, 天德은 陽의 德으로, 정월은 乾卦의 1辰 앞에서 일으켜 亥에서 순행하니 正月은 亥, 2月은 子, 3月은 丑, 4月은 寅, 5月은 卯, 6月은 辰, 7月은 巳, 8月은 午, 9月은 未, 10月은 申, 11月은 酉, 12月 戌이다. 月德은 陰의 德으로, 정월은 坤卦의 1辰 후에서 일으켜 未에서 순행하니, 정월은 未, 2月은 申, 3月은 酉, 4월은 戌, 5月은 亥, 6月은 子, 7月은 丑, 8月은 寅, 9月은 卯, 10月은 辰, 11月은 巳, 12월은 午이다. 五星論에서의 天月德은 본래 나중에 나온 說로써, 이전에는 天月德貴人을 干支로 나누었다. 염동수가 말하기를, 貴人이 자리하면 모든 殺들이 제압당하여 엎드려 숨으니 二德이 있으면 모든 凶들이 사라진다. (壺中子云,天德陽之德,正

月起自乾卦之前一辰,亥上順行,乃正月亥,二月子,三月丑,四月寅,五月卯,六月辰,七月巳,八月午,九月未,十月申,十一月酉,十二月戌,月德,陰之德,正月起自坤卦之後一辰,未上順行,乃正月未,二月申,三月酉,四月戌,五月亥,六月子,七月丑,八月寅,九月卯,十月辰,十一月巳,十二月午.五星論天月德,本後說,而以前爲天月德貴人,干支之分也.閤東叟云,貴神在位,諸煞伏藏,二德扶持,衆凶解散.)

무릇, 命中에 凶殺을 동반하여도 이 二德이 도와주면 凶은 甚하지 아니한데, 德은 마땅히 日에서 보아야하며, 時에서 衝 刑 破 剋을 犯하지 않아야 비로소 吉한 것이다. 대체로 二德을 얻으면 一生이 안일하고 刑을 범하지 않으며 도둑을 만나지 않고, 설사 凶禍를 만날지라도 저절로 사라진다.   (凡命中帶凶煞,得此二德扶化,凶不爲甚,須要日上見,時上不犯剋衝刑破方吉.凡人得之,一生安逸,不犯刑,不逢盜,縱遇凶禍,自然消散.)

三奇와 天乙貴人이 함께하면 더욱 吉한 경사가 된다. 혹 財 官 印綬 食神이 변화를 하여 德이 된다면 福은 倍가 될 것이다. 貴格에 들면 장원급제(科甲 登科)하여 임금의 총애와 신임을 얻고, 혹 조상의 蔭德(음덕)을 입어도 역시 현달한다. (與三奇天乙貴同倂,尤爲吉慶.或財官印綬食神變德,各隨所變,更加一倍之福.入貴格,主登科甲,得君寵任,或承祖蔭,亦得顯達.)

賤格에 들면 一身은 따뜻하고 배부르며 福과 壽는 양전하고, 설령 蹇滯함이 있더라도 곤궁함을 잘 견디고 분수를 지킨다면 君子의 풍모는 잃지 않을 것이다. (入賤格,一身溫飽,福壽兩全,縱有蹇滯,亦能守分固窮,不失爲君子.女命得之,多爲貴人之妻.)

삼명령에 이르기를, 天德은 五行福德의 辰(신)인데, 만약 사람이 天德을 만난다면 台輔(태보~관직의 이름)의 지위에 오르며, 거듭 月德이 兼하면 더욱 좋으니 설령 凶殺이 있더라도 淸顯(청현)하다. 자평부에서 이르기를, 印綬가 天德을 함께 얻으면 官의 형벌이 침입하지 않고, 늙을 때까지 재앙이 없으니 이는 天德이 月德보다 좋다는 것이다. (三命鈴云,天德者,五行福德之辰,若人遇之,主登台輔之位,更有月德倂者尤好,縱有凶煞,亦主淸顯.子平賦云,印綬得同天德,官刑不犯,至老無殃.是天德勝月德也.)

7. 논천월덕論天月德-下

대통력을 고찰하면 天月德의 合이 있는데 이는 五行에서 서로 약속된 辰(신)이다. 月德의 合은 예컨대, 正月에 丙과 辛은 合하고, 2月에 甲과 己는 合하고, 3月에 壬과 丁은 合하고, 4月에 庚과 乙은 合하니 나머지는 이것을 대조해서보라. 天德의 合은 正月에 丁과 壬은 合하고, 2月에 坤과 巽은 合하며, 3月에 壬과 丁은 合하며, 4月에는 辛과 丙은 合하니 나머지도 이것을 대조하여 보라. (考大統曆有天月德合,乃五行相契之辰.月德合,如正月丙與辛合,二月甲與己合,三月壬與丁合,四月庚與乙合,餘照此.天德合,如正月丁與壬合,二月坤與巽合,三月壬與丁合,四月辛與丙合,餘照

此.)

月空이 있는데, 가령 寅 午 戌月에 壬, 亥 卯 未月에 庚, 申 子 辰月에 丙, 巳 酉 丑 月에 甲이 月空이 된다. 月厭(월염)이 있는데, 가령 正月에는 戌, 2月은 酉, 3月은 申, 4月은 未, 5月은 午, 6月은 巳, 7月은 辰, 8月은 卯, 9月은 寅, 10月은 丑, 11月은 子, 12月은 亥가 月厭이 된다. 月煞(월살)이 있는데 寅 午 戌月에 丑, 亥 卯 未月에는 戌, 申 子 辰 月에 未, 巳 酉 丑月에는 辰이 月煞이 된다. (有月空,如寅午戌月壬,亥卯未月庚,申子辰月丙,巳酉丑月甲.有月厭,正月戌,二月酉,三月申,四月未,五月午,六月巳,七月辰,八月卯,九月寅,十月丑,十一月子,十二月亥.有月煞,寅午戌月丑,亥卯未月戌,申子辰月未,巳酉丑月辰.)

歲干德(태세 천간)이 있는데, 甲 己에는 甲에, 乙 庚은 庚, 丙 辛은 丙, 丁 壬은 壬, 戊 癸는 戊에 歲干에 德이 있으니 역시 甲 庚 丙 壬을 干德으로 취하고, 月干德도 歲干德과 마찬가지다. 天赦日(천사일)이 있는데, 春에는 戊寅, 夏에는 甲午, 秋에는 戊申, 冬에는 甲子가 天赦日이 되며, 사계절에 專氣하여 萬物을 生育하고, 허물을 용서하며 지나간 罪를 사면한다. 만일 人命에 月德 德秀 月合 月空이 한곳으로 모이게 되면 四大吉時가 되는데, 다시 天赦日을 만나면 더욱 妙하게 된다. (有歲干德,甲己甲,乙庚庚,丙辛丙,丁壬壬,戊癸寄戊,亦取甲庚丙壬爲干德,月干德與歲干德同.有天赦日,春戊寅,夏甲午,秋戊申,冬甲子,乃天四時專氣,生育萬物,宥罪赦過.如人命聚一月德秀合空,及四大吉時,生更遇天赦日尤妙.)

이 밖에 또 天喜神이 있는데, 春은 戌, 夏는 丑, 秋는 辰, 冬은 未가 天喜神으로 만나게 되면 즐거움이 있다. 旌德煞(정덕살)이 있는데, 가령 寅 午 戌에 丙의 日時, 亥 卯 未에 甲의 日時, 申 子 辰에 壬의 日時, 巳 酉 丑에 庚의 日時가 旌德煞이 된다. (此外又有天喜神,春戌,夏丑,秋辰,冬未,遇者主歡欣.有旌德煞,如寅午戌,丙日時,亥卯未,甲日時,申子辰,壬日時,巳酉丑,庚日時.)

旌鉞煞(정월살)이 있는데, 가령 寅 午 戌에 寅時, 亥 卯 未에 亥時, 申 子 辰에 申時, 巳 酉 丑에 巳時가 旌鉞煞이고, 또한 寅午戌이 辛을 보거나, 亥卯未가 己를 보거나, 申子辰이 丁을 보거나, 巳酉丑이 乙을 보는 것 역시 旌德이라 일컫는다. 經에 이르기를, 1神이 旌德이면 5대가 빈궁하지 않으며, 旌鉞煞(정월살)을 포함하면, 三公재상에 이르고, 德과 鉞이 모이면 貴하지 않으면 富하게 된다. (有旌鉞煞,如寅午戌,寅時,亥卯未亥時,甲子辰申時,巳酉丑巳時.又寅午戌見辛,亥卯未見己,申子辰見丁,巳酉丑見乙,亦謂之旌德.經云,一神主旌德,五世不貧窮.內有旌鉞煞,將相及三公.德鉞相會,不貴卽富.)

또 한 종류의 정월살이 있는데, 寅 卯 辰 人이 癸酉를 보고, 巳 午 未 人이 癸卯를 보고, 申 酉 戌 人이 戊子를 보고, 亥 子 丑 人이 戊午를 보는 것인데, 四時에서 오로지 주륙(誅戮)하는 神이니, 평민은 徒配(도배;형벌에 가한 후에 귀양을 보냄)당하고, 본래의 命을 剋하여 惡死한다. (又有一種旌鉞煞,寅卯辰人見癸酉,巳午未人見癸卯,申酉戌人見戊子,亥子丑人見戊午,乃四時專主誅戮

之神,庶人主徒配,剋本命,主惡死.)

또 한 종류인 삼공살이 있는데, 寅午戌 人이 壬子, 巳酉丑 人이 丙午, 申子辰 人이 乙卯, 亥卯
未 人이 辛酉가 있으면 三公殺이 된다. 三公殺은 四方의 전일한 氣에 坐하여, 生年을 剋하면 五
行의 독기(毒氣)가 되어 평민이 이를 犯하면 비명횡사한다. 만약 旌鉞이 三公殺과 同位하면 특이
한 貴가 있다. 오늘날 運命을 논하는 자는, 月德은 논하지만 제반 神殺은 論하지 않는데, 이는
편견에서 비롯한 것이다. (又有一種三公煞,寅午戌人壬子,巳酉丑人丙午,申子辰人乙卯,亥卯未人辛
酉.乃坐四方專氣,來剋生年,爲五行毒氣,庶人犯之,主非橫惡死.若旌鉞更與三公煞會同一位,主殊貴.今
之談命者,論月德而諸煞不論,自是偏見,因並及之.)

8. 논태극귀論太極貴(一名科名星)

太極은 太初이며 始(시초, 처음, 시작)이니, 物이 처음으로 이루어져 太가 되고 極은 成(이루어
지다.)한 것이니 收(거두어들이다.)하여 되돌아가는 것을 極이라 한다. 처음부터 끝까지 서로 도우
며 造化하니 太極貴人이라 말하는 것이다. (太極者,太初也,始也,物造於初爲太,極成也,收也,有所歸
曰極.造化始終相保,乃曰太極貴也.)

甲乙木이 먼저 이루어지는 것은 子坎方水의 도움으로 生한 후에 午離方火에서 불살라져 死하
여 마친다. 丙丁火가 먼저 震宮에서 나옴을 기뻐하는데 卯이고, 후에 兌方에서 감추는 것을 기뻐
하는데 酉이다. (甲乙木先造乎子,坎水助而生,後終乎午,離火焚而死.丙丁火先喜出乎震,卯也,後喜藏
乎兌,酉也.)

庚辛金은 寅을 얻어야 艮方에서 金을 生하고, 亥를 보는 것은 金의 사당으로 乾方이다. 壬癸
水는 먼저 申에서 장생하고 후에 巳에서 거두어들인다. 經에서 이르기를, 땅은 동남으로 빠져있
어 4瀆(동남서북의 4도랑)모두가 巽位(동남쪽)로 흐르니, 모든 것은 처음과 끝이 있다는 뜻이다.
戊己는 土인데 申에서 장생함을 기뻐하고 辰 戌 丑 未는 正庫가 된다. (庚辛金得寅,乃金生乎艮,
見亥乃金廟乎乾.壬癸水先得申而生,後得巳而納.經曰,地陷東南,四瀆俱流巽位,皆有始有終之意.戊己
土也,喜生乎申,得辰戌丑未爲正庫.)

이우가에서 이르길, 4庫가 온전한 때에는 貴하게 되어 반상의 윗자리에 올라 권세를 좌지우지
하게 된다. 人命에서 格에 들고 거듭 福氣와 貴人이 돕는다면 어찌 아름답지 않겠는가? (理愚歌
云,四庫全時爲至貴,位班上列據權衡.人命入格,更有福氣貴神扶,豈不爲美.)

문창귀인이 있는데, 甲人은 蛇口이고 乙은 豬頭이며, 丙은 狗 丁은 龍 戊는 猴를 향하고, 己는 午
庚은 寅 辛은 未가 문창귀인이고, 6壬은 卯位이고 癸는 牛를 만난 것이다.(12지 동물배속을 참조)

- 251 -

(有文昌貴,甲人蛇口乙猪頭,丙狗丁龍戊向猴,己午庚寅辛未貴,六壬卯位癸逢牛.)

문예귀인이 있는데, 예컨대 甲子 人이 壬戌이나 丙寅을 만나고 祿의 전후가 같은 神이라 반드시 보통사람을 공경대부로 만들고, 천성이 총명하여 명예를 드날려 부귀영화하며 사업이 一新하다. (有文譽貴,如甲子人見壬戌丙寅,祿前祿後一般神,必作公卿冠世人,立性天聰名譽播,富貴榮華事業新.)

문성귀인이 있는데, 甲馬(午火) 乙巳(蛇) 丙戌에 酉台丁巳 亥申을 구하고, 庚은 戌을 만나고 戌(狗)은 寅(虎)을 만나니 十位에서는 문성귀인이 癸와 잘 어울린다. (有文星貴,甲馬乙蛇丙戌猴,酉台丁己亥辛求,庚達戌狗逢虎,十位文星癸兔遊.)

천인귀인이 있는데, 甲子는 寅 가운데 있으니 乙이 亥를 만난 것과 같다. 丁酉戊申의 자리에 있고 丙戌己는 羊宮(未土)이다. 庚辛은 馬(午火)巳를 만나니 癸卯는 龍(辰土)와 어울린다. 이것을 천인귀인이라 부르는데 영달하고 황제로 봉해진다. (有天印貴,甲子在寅中,乙逢亥亦同,丁酉戊申位,丙戌己羊宮,庚辛馬蛇足,癸卯與壬龍,此號天印貴,榮達受皇封.)

9. 논학당사관論學堂詞館-1

대저, 학당은 사람이 독서하는 학교 같은 곳이고, 사관은 지금의 한림원과 같으니 사관이라 하며 학업에만 정진하여 문장이 출중한 것이다. 長生이 學堂의 正位인데, 가령 金의 命에서 辛巳를 볼 경우에 金의 長生은 巳에 있으며 辛巳의 納音 또한 金에 속하는 이것이다. 臨官(임관=건록)은 사관의 正位인데, 가령 金의 命에서 壬申을 볼 경우에 金의 임관은 申에 있으며 壬申의 納音 또한 金에 속하는 이것이다. 나머지도 이렇게 유추하라. (夫學堂者,如人讀書之在學堂,詞館者,如今官翰林謂之詞館,取其學業精專,文章出類.長生乃學堂之正位,如金命見辛巳,金長生在巳,辛巳納音又屬金是也.臨官乃詞館正位,如金命見壬申,金臨官在申,壬申納音又屬金是也.餘以類推.)

호중자가 이르기를, 문성(귀인)이 命에 들면 반고와 사마천의 재주 없음을 비웃는 정도에 비유된다. [이 허중 주석]에 이르길, 乙亥 丁巳가 문성이 되는데 木火가 長生 臨官하는 의미이다. 木火가 重한 것은 청홍의 불꽃을 일으키니 문장이 뛰어난 象이다. 혹 納音으로 논하면 火를 포함한 것과 포함하지 않는 것인데 오직 乙亥(산두 火)만 이를 얻고, 土를 포함한 것과 포함하지 않은 것인데 오직 丁巳(사중 土)만 이를 얻으나 그렇지 않을 것이라 생각한다. (壺中子云,文星入命,笑班馬之無才,註云,乙亥丁巳爲文星,是取木火長生臨官之義,重木火者,發焰紅綠,文章之象也.或以納音論,火包而不包,惟乙亥得之,土包而不包,惟丁巳得之,恐未然.)

[참고]
* 반고(班固 AD32 ~ 92: 자는 맹견(孟堅)이며, 부풍(扶風) 안릉[安陵 = 현 섬서(陝西) 함양현(咸陽縣)] 사람으로 동한 초년의 문학가이다. 주요한 저서로 『한서(漢書)』가 있다. 반고의 아버지인 반표(班彪) 또한 유명한 학자로서 『사기후전(史記後傳)』 65편을 썼는데, 『사기(史記)』 이후의 서한 역사를 쓴 것이다.
* 사마천[司馬遷 BC 145 ~ BC 86? 중국 전한(前漢)시대의 사기를 기록한 歷史學者]

　염동수가 말하기를, 年月日時에 甲乙丙丁이 4位로 나누어져 서로 연결하여 끊임이 않으면 靑赤(木火로서 文明之象)은 문장이 된다. 가령 甲寅 乙亥, 丙申 丁酉, 甲子 丙寅, 甲寅 丙寅의 종류인데 문체가 특출하다. (閻東叟謂,年月日時有甲乙丙丁分處四位,相連不斷,靑赤爲文章,如甲寅乙亥,丁酉丙申,甲子丙寅,甲寅丙寅之類,主文彩異衆.)

　옥소보감에서는 木 金 火가 온전함으로써 赤과 白은 문장을 이룬다고 한다. 가령 丙寅(노중화)가 己亥(평지 木) 辛巳(백랍 金)를 보는 것인데, 이 셋은 모두(丙寅, 己亥, 辛巳) 長生의 地支에 앉으니 문체가 빼어나며 뛰어나다. 申 子 辰전부로써 丙을 볼 경우, 예를 들면 丙子 人이 丙申 月, 丙辰 日, 丙申 時라면 丙은 眞水가 되고, 申 子 辰은 水의 정위로 간지가 온전히 이를 보는 것이니, 金이 있으면 貴하고, 金이 없더라도 또한 학문은 바다처럼 깊다고 한다. (玉霄寶鑑則以木金火全,赤白成章.如丙寅見己亥辛巳,取丙寅火己亥木辛巳金,皆坐長生之地,主詞翰秀穎,又以申子辰全見丙,如丙子人,丙寅(申)月,丙辰日,丙申時,丙爲眞水,申子辰,水之正位,干支全見之,有金則貴,無金亦主學海淵深.)

[참고]
又以申子辰全見丙 , 如丙子人丙寅月丙辰日丙申時....원문오류, 丙子年은 庚寅月이므로 丙寅은 丙申의 오기인듯, 사고전서에도 丙寅으로 기재되어 있으나, 명백한 오기임.

　귀곡요결에서는 또 말하기를, 戊己가 거듭 重한 兩位에서 旺하고 祿元을 겸하는 경우, 가령 戊子人이 戊午를 보거나, 戊戌, 己亥, 己酉를 보면 문장이 찬란하다고 한다. (鬼谷要訣又云,戊己重重兩位帶旺,兼元祿,如戊子人見戊午,戊戌,己亥,己酉,主文章燦爛.)

　諸家의 학설에서는 학당이 會祿한 경우가 있는데, 金은 巳에서 長生하고 申에서 臨官하는데 甲乙人이 이를 얻는 것이다. 水土는 申에서 長生하고 亥에서 臨官하는데, 丙丁 壬癸 人이 이를 얻는 것이다. 木은 亥에서 長生하고 寅에서 임관하는데 戊己人이 이를 얻는 것이다. 火는 寅에서 長生하고 巳에서 臨官하는데 庚辛 人이 이를 얻는 것이다. 또 官貴學堂이라 하는 것은, 官貴가 長生의 자리에서 학당이 되고, 官貴가 臨官의 자리에서 사관이 되는 것이다. (諸家說有學堂會祿,如金長生巳,臨官申,甲乙人得之.水土長生申,臨官亥,丙丁壬癸人得之.木長生亥,臨官寅,戊己人得之.火

長生寅,臨官巳,庚辛人得之.又名官貴學堂,以官貴長生之位爲學堂,官貴臨官之位爲詞館也.)

학당에 식신이 모인 경우, 가령 甲은 丙이 식신인데 丙寅을 얻고, 乙은 丁이 식신인데 丁巳를 얻고, 丙은 戊가 식신인데 戊申의 종류를 얻는 것이다. 官印이 역마를 겸하면 福이 두텁고, 祿, 貴人, 三奇, 天月德을 만나면 그 氣가 淸하다. 그러나 刑 衝 剋 破가 있으면 그 氣가 濁하다. 淸하면 과거에 급제하여 명성이 높고 크며 두터우면 관직이 영화롭고 현달하지만, 탁하면 福祿이 적으며 관직은 비천하다. (有學堂會食,如甲食丙得丙寅.乙食丁得丁巳.丙食戊得戊申之類.兼官印驛馬,其福厚.遇祿貴奇德,其氣淸.値刑剋衝破,其氣濁.淸則科名巍峨,厚則官爵榮顯,濁則福祿微薄,官職卑賤.)

生處(생처)에서 [納音으로] 剋을 만나는 경우는, 가령 甲乙 人이 辛亥(차천 金), 丙丁 人이 壬寅(금박 金), 戊己 人이 甲申(천중 水), 庚辛 人이 丁巳(사중 土)를 만나는 경우는 官星學堂이라 말하며 科甲으로 등과하여 임금을 모시게 된다. (有生處見剋,如甲乙人辛亥,丁丙人壬寅,戊己人甲申,庚辛人丁巳,謂之官星學堂.主登科甲,入侍從.)

納音으로 제왕의 자리에 있으며 천을귀인을 만나는 경우, 가령 己酉 人이 丙子 庚子의 日時를 얻거나, 壬午 人이 辛卯의 日時를 얻는 종류인데 學堂會貴(학당회기)라 하여 청수한 귀인이 된다. (有納音見帝旺之位,而達天乙貴處其上,如己酉人得丙子庚子日時,壬午人得辛卯日時之類,謂之學堂會貴,主淸貴.)

9. 논학당사관論學堂詞館-2

무릇, 학당 사관은 절대로 空亡 및 衝破를 범하지 않아야 하고, 干支의 納音이 剋을 당하지 않아야 비로소 쓰임을 얻게 된다. 축승경에 이르기를, 甲辰 丙寅은 참된 학당이 아닌데, 혹 조상의 음덕으로 부자가 되더라도 관직은 비천하고, 독서와 학문을 하더라도 헛되이 허명에 불과하다. 이 말은 학당은 空亡이 되는 것을 두려워한다는 것이다. 삼거일람에서 이르길, 학당이 無氣하면 다만 훈장(접장)하기에 유리하다. 이 말은 학당이 旺氣를 타는 것이 중요하다는 것이다. 凡學堂詞館,切不要犯空亡及衝破,支干納音不要見剋,方爲得用.祝勝經云,甲辰丙寅,學堂不眞,或止富蔭,官職卑貧,讀書修學,空有虛名.此言學堂怕落空也.三車云,學堂無氣,惟利師儒.此言學堂要乘旺也.

이우가에 이르기를, 학당이 거듭 역마가 된다면 지위는 극에 달하고 공훈은 높아 천하를 압도한다. 이 말은 학당에 역마가 있는 것이 필요하다는 것이다. 또 말하기를, 月이 祿馬와 동주하여 참된 學堂 詞館이라면 文章家(문장가)이고, 만나는 가운데 만날 사람이 모이지 않는다는 것은, 衝剋을 만나지 않아야 福祿이 창성하다. 또 말하기를, 문성이 모이는 사람은 상서로워 훌륭한 명성으로 영웅이 되고, 태어나 眞學堂을 만나지 못한다면 재주와 학문이 어찌 뛰어나겠는가? 이 말은 학당이 衝破되어 剋을 당하는 것이 두렵다는 것이다. 그런데 人命에서 入格 하고 조화롭다면 역시 학당 사관이 없어도 있는 것과 같다. (理愚歌云,學堂如更朝驛馬,位極勳高壓天下.此言學堂要有馬也.又云,生來祿馬眞學堂,若同詞館主文章.遇中不遇人誰會,不遇衝剋福祿昌.又云,文星聚處人中瑞,聲華獨冠英雄輩,降生不遇眞學堂,才學豈能爲拔萃.此言學堂怕衝破受剋也.況人命入格,合造化,又不在學堂詞館而得.)

자평선생께서 학당에 대해 말씀하시기를, 天地간에 陰陽의 淸秀한 氣運으로 五行이 長生하는 神인데, 곧 甲이 亥를 보고, 乙이 午를 보는 등등의 例이다. 또한 月과 時에서 일위(一位)가 長生을 보는 것이 곧 학당인데 모두 다 갖출 필요는 없고 천을귀인이면 좋다. 가령 丁日이 酉時또는 酉月의 종류인데, 독서하는 사람이 이를 만나면 총명하고 지혜가 뛰어나 문장에 능하여 高科(고등고시의 합격)하고, 다시 得地함을 引用(인용)하여 제압하는 神이 없으며 더불어 德秀를 만나면 세상의 선비가운데 뛰어난데, 命에서의 財帛 印綬 食神은 서로 表裏(표리)하게 된다. (子平云,學堂者,天地陰陽淸秀之氣,五行長生之神,乃甲見亥,乙見午等例.或月時一位見者卽是,不必兼全,更帶天乙貴,如丁日酉時或酉月之類,讀書人遇之,主聰明智巧,高科文翰,更引用得地,無剋壓之神,及逢德秀,冠世儒業,與命中財帛印食相爲表裏.)

경에서 이르길, 生氣가 학당이고 文章으로 富貴한다. 또 이르길, 학당은 전적으로 관성이 필요한 것이 아니고, 文章은 전적으로 印綬가 필요한 것은 아니다. 古人은 長生으로 學堂으로 하여 生氣를 취하여 학문의 뜻을 취했다. 전적으로 日干만 論할 필요는 없으나 다만 柱中에 寅 申 巳 亥가 있어야 학문을 하게 된다. (經云,生氣學堂,冠世文章富貴,又云,學堂不必專論官星,文章不必專論印綬.古人以長生學堂,取生氣就學之義,不必專論日干,但柱中帶寅申巳亥,便爲有學.)

이 4宮(寅申巳亥)은 天地간에 淸한 기운이 모이고 그 중에 4역마와 4겁살이 있는데, 모두가 발생하려는 뜻이다. 子 午 卯 酉는 4敗地가 되어 그 氣가 濁하고, 辰 戌 丑 未는 4庫가 되어 그 氣가 혼잡하다. 또 월영이 寅申巳亥가 되면 춥지도 덥지도 않으며 바람의 기운은 자연히 청아하며 온화하니 대체로 年 月을 점령하는 것이 가장 유력하다. (此四宮聚天地間至淸之氣,其中有四驛馬,四劫煞,皆是生發之意,子午卯酉爲四敗,其氣濁,辰戌丑未爲四庫,其氣雜.且如月候到寅申巳亥,便不寒不熱,風氣自然淸雅溫和.凡占年月者,最有力.)

日干이 長生地를 얻으면 오히려 月令에 [長生이] 있는 것은 좋아하지 않는다. 가령 月令에서 長生地를 보면 運이 順行하여 沐浴(浴敗)地를 지나가게 된다. 만일 八字에 學堂을 동반하지 않아도 5~7세가 되면 대체로 日干은 長生의 運을 지나가니 역시 학문을 한다. 비록 박식한 학자는 아니라서 온전하진 않지만 무식하지는 않다. (日干自得長生,卻不喜在月令.如月令見之,運順行,便交沐浴,如八字不帶學堂,到五七歲,卻交日干長生運,亦有文學.雖非通儒,卻未至全不識字.)

만약 팔자에서 [學堂을] 만나지 않더라도, 5~7세에 敗浴地나 死地의 2運이 지나가는 것을 가장 꺼리는데, 설사 엄한 스승이 있더라도 가르쳐서 교화하기 어렵다. 命에서 2양상의 學堂을 가지면 刑 剋하여 괴멸되는 것을 함께 두려워하는데, 다만 刑 衝 破損하면 글공부는 이루지 못하고 [學堂을] 거듭 만난다면 비록 하나의 衝은 방해되지 않지만 끝내는 순수하지 못하다. (若八字不見, 最忌五七歲交敗死二運, 縱有嚴師, 也難訓化. 命帶二樣學堂, 俱怕自刑剋壞, 但有刑衝破損, 讀書便不成, 重見雖不妨一衝, 終不純粹.)

9. 논학당사관論學堂詞館-3

또 이르길, 사람의 命에서 충분하게 재물이 많은 것은 좋지 않는데, 재물은 혼탁한 物이니 한 번만 보아도 탐내게 하여 사람의 심성을 나쁘게 만든다. 柱중에 만약 먼저 관성이 있으면 품성을 억눌러서 편중되므로 성정은 옛 법을 지니게 되어 변하지 않는다. 만약 財가 盛하고 관성이 없으면 혼탁(渾濁)하여 깨끗하지 못하니 설령 富貴하더라도 愚鈍(우둔)하다. 又曰, 人命不喜十分財盛, 財是厚濁之物, 一見便要貪好, 喪人心志. 柱中若先有官星, 以抑稟氣之偏, 亦性情執古, 不能通變. 若財盛而無官星, 便渾濁不清, 縱富貴亦愚.

고가에 이르길, 오행의 장생지가 학당이 되는데 음양의 순역을 자세히 살펴야 하고 왕성하면 학문으로 貴하나 만일 극과 제압을 당하면 좋지 못하다. 註(이허중 명서)에서 말하기를, 학당에 鬼를 동반하면 剋되어 제압당한다. 무릇 과거에 급제한 命에는 오행이 순수하고 깨끗하여 학당과 역마가 金水상에서 생왕하고 삼기와 화개의 종류가 日時가운데 모여 있고 혹 刑衝하며 生旺하고, 水火가 相生하고, 福神이 時에 모이고, 天元이 다투지 않는 것은 모두 다 명예가 깨끗하고 지위가 높게 된다. (古歌云, 五行生處爲學堂, 陰陽順逆要推詳, 引旺有倚文學貴, 如逢剋壓不爲良, 註云, 學堂上帶鬼爲剋壓. 凡有科名命, 自是五行精粹, 學堂驛馬生旺於金水之上, 三奇華蓋類萃於日時之中, 或刑衝生旺, 水火相生, 福神聚時, 天元不戰, 皆主清譽巍科.)

또 이르기를, 甲辰 旬의 12位는 魁星이라 하는데, [甲辰] 旬중에서 甲辰 丁未 庚戌 癸丑의 4位가 해당되고, 甲木은 東方에서 旺하고, 丁火는 南方에서 旺하고, 庚金은 西方에서 旺하고, 癸水는 北方에서 旺하니 方을 쫓아서 旺氣가 되고 辰戌丑未의 위에 더함으로써 眞魁星이 된다. 무릇, 人命에서는 甲辰에서 癸丑의 1旬에 이르기까지 日時상에 공존하면 급제하지 않을 수 없고, 2~3位라면 반드시 급제할 것이다. (又曰, 甲辰一旬十二位, 謂之魁星, 一旬中又取出甲辰, 丁未, 庚戌, 癸丑四位, 以甲木旺於東方, 丁火旺於南方, 庚金旺於西方, 癸水旺於北方, 取逐方旺氣, 加於辰戌丑未之上, 以爲眞魁星. 凡人命, 甲辰至癸丑一旬, 俱在日時上, 無不及第, 兩三位者, 必中前名.)

또 말하기를, 丁亥 辛卯 庚戌이 魁星이 되는데, 日時에서 만나는 것은 占解省 殿魁됨이 많고, 또 四柱내에서 干合을 양쪽에서 보는 것을 歲首星(세수성)이라 한다. 子年에 태어난 사람의 月建이 子月이면 歲窠(세과)라 하는데, 학식이 풍부하고 과거에 급제하여 이름을 높이 드날린다. 또

寅 申 巳 亥의 4位는 본년에서 遁起(둔기)하는 것을 좋아하여 魁星이 되는데, 가령 癸巳 人은 寅
상을 따라서 甲寅 丁巳 戊申 癸亥로 遁起하고, 또 丁卯 人이면 寅상을 따라서 壬寅 乙巳 戊申
辛亥로 遁起하는 것이다. 나머지는 이와 같은 例에 의거한다. (又云, 丁亥辛卯庚戌爲魁星, 日時遇
者多占解省殿魁, 又四柱內兩見干合, 謂之歲首星, 子生人在子, 以命建之月, 謂之歲窠, 主詞學豐贍, 科名
顯赫. 又寅申巳亥四位, 大愛本年遁起四位爲魁星, 如癸巳人, 從寅上遁起甲寅, 丁巳, 庚申, 癸亥. 又如丁卯
人, 從寅上遁起壬寅, 乙巳, 戊申, 辛亥是也. 餘准此例.)

무릇, 命에서 金土가 秀氣를 타거나, 金木이 秀氣를 타거나, 木火가 秀氣를 타거나, 水木이 秀
氣를 타면 모두 과거에 급제하여 명성을 얻는데, 秀氣라는 것은 월영중의 빼어난 氣인 것이다.
대체적으로 干支가 有氣한 것은 월영의 秀氣를 탄 것인데, 모두가 급제하는 命이다. (凡命, 金土
乘秀氣, 金木乘秀氣, 火木乘秀氣, 水木乘秀氣, 皆主科名, 秀氣者, 月令中秀氣也. 大凡支干有氣, 乘月令秀
氣, 皆主及第之命.)

고가에서 말하기를, 일왕제강, 화명목수, 금백수청, 토금중첩, 수화기제, 병정遞호, 천을 근묘,
금수상함은 과거에 급제할 命인 것이다. 또한 木이 春節에 태어나 食傷을 보거나, 財印은 둘 다
가볍고 官煞이 重하거나, 煞은 重하고 身은 輕한데 印綬를 보거나, 魁星이 관살이 분명하여 기특
한 것 또한 登科할 命이고 及第하는 年(해)이다. (古歌曰, 日旺提綱, 火明木秀, 金白水淸, 重疊土金,
旣濟水火, 遞互丙丁, 根苗天乙, 相涵金水是也. 又木春生逢食傷, 財印兩輕官煞重, 煞重身輕逢印綬, 魁星
官煞分明奇, 亦登科之命, 及第之年也.)

호중자가 이르기를, 驛馬를 兼한 財와 合을 하면, 진나라 조정에 문서를 받고 나아가 관직과
祿을 받는 3級의 浪으로 등용된다. 註[이허중 주석]에서 이르길, 행년의 역마는 역마를 生하는 것
을 만나면 衝하고 합하지 않는다. 또 천간의 財와 文星의 종류를 보면 그 사람은 반드시 發達하
지만 合하면 필히 발달하지 못한다. 관과 록을 보면 반드시 이루지만 관과 록을 보지 못하면 발
달함을 멈출 뿐이다. (壺中子云, 馬兼財合, 秦廷獻一鶚之書, 官共祿迎, 禹門透三級之浪. 註云, 行年驛
馬, 與見生驛馬, 衝而不合, 又見天財文星之類, 其人必發, 合則必不發也. 遇官與祿, 則須成, 不遇官與祿, 止
發而已.)

또 이르길, 그 해에 등용되는 사람은 대략적으로 太歲와 月建이 서로 화합해야 福이 되고, 나
머지 甲 戊 庚, 乙 丙 丁의 종류는 모두 정해진 것은 아니다. 단지 행년태세와 月建을 참작하여
추리해야한다. 또 이르길, 모름지기 대운이 官의 자리에 있어야 하고, 또 太歲는 正印을 띠거나
(정인 이거나), 혹 天乙(귀인)이거나, 혹 本家의 祿이면 급제하는 年(해)인 것이다. (又云, 凡擧人于
當年, 大要太歲與月建, 相和作福, 其餘甲戊庚, 乙丙丁之類皆不定. 只以行年太歲與本生月建, 參而推之.
又云, 須是大運在官位. 又太歲帶正印, 或正天乙, 或本家祿, 是及第之年也.)

10. 논정인論正印-上

正印은 오행의 正庫인데 金命은 乙丑, 木命은 癸未, 火命은 甲戌, 水와 土의 命은 壬辰 丙辰을 보는 것이다. 언담에서 말하기를, 正印이 長生을 만나면 반드시 玉堂(옥당)에 절을 하게 된다. (난대)묘선에서 이르길, 五行이 入垣(입원)하면 官은 五府에 거주한다. 본가의 正印이 있으면 貴하게 된다. 本과 主에서 모두 덕을 만나면 上이 되고, 帝座(제좌=時柱)에서는 [正印을 보면] 中이 되고, 胎月에서 [正印을 보면] 下가 된다. [정인을 보게 되면] 사람이 중후하여 몸집이 우람하고 공명이 뚜렷하다. 本家의 正印을 얻은 사람이 또 貴格을 얻어 정인을 돕는다면 더욱 妙하다. (正印者,乃五行之正庫,金命見乙丑,木癸未,火甲戌,水土壬辰,丙辰是也.言談云,生逢正印,必拜玉堂.妙選云,五行入垣,官居五府.可見得本家正印爲貴.本主同德爲上,帝座爲中,胎月爲下.主人重厚魁梧,功名昭著.本家印又得貴格扶之更妙.)

만약 木이 水印을 얻거나 火가 木印을 얻으면 타인의 권력과 외부에서 財도 얻음이 많다. 만일 身主가 印을 剋하거나 혹 身이 印을 剋하면 쇠퇴한 후에 부흥한다. 만약 水人이 火印을 얻거나, 火人이 水印을 띠고 다음에 본가의 印인데, 그런데 本主는 旺氣가 있어야 비로소 길하다. 만일 破剋하였는데 별도로 복신이 구조함이 없거나 혹 공망이면 단지 깨끗하고 한가한 승도가 될 뿐이며, 이루지 못할 사람이다. 만약 五行에 淸氣가 있으면 絕世高人(절세고인)이고, 煞이 있으면 빈천하다. (若木得水印,火得木印,多兼他權外財.若身剋印,或印剋身,廢而復興.若水人得火印,火人帶浮水印,次於本家印,然須本主有旺氣方吉.若剋破,別無福救助,或空亡,只作淸閒僧道,無成擧人.若五行有淸氣,則絕世高人.有煞則貧賤.)

귀인협인이 있는데, 가령 丙丁火의 命은 甲戌이 正印인데 오히려 酉亥를 얻으면 戌을 夾하니 酉亥는 丙丁의 貴人이 된다. 壬癸水의 命은 壬辰이 正印인데 오히려 卯巳를 얻으면 辰을 공협하니 卯巳는 壬癸의 貴人이 된다. 화개인이 있는데, 가령 亥卯未가 癸未를 얻는 類型(유형)이다. (有貴人夾印,如丙丁火命以甲戌爲正印,卻得酉亥夾之,酉亥乃丙丁貴人.壬癸水命以壬辰爲正印,卻得卯巳夾之,卯巳乃壬癸貴人.有華蓋印,如亥卯未得癸未之類.)

문장인이 있는데, 가령 戊寅(성두 土)이 癸未(양류 木)를 보거나, 辛巳(백랍 金)가 甲戌(산두 火)을 보거나, 庚申(석류 木)이 乙丑(해중 金)을 보거나, 癸亥(대해 水)가 丙辰(사중 土)을 보거나, 乙亥(산두 火)가 壬辰(장류 水)을 보면 納音은 身을 剋하는데, [身의] 天干이 [正印의 천간을] 制한다. 戊午가 癸未를 얻거나, 庚子가 乙丑을 얻거나, 丁酉가 壬辰얻거나, 己卯가 甲戌을 얻거나, 辛酉가 丙辰을 얻으면 천간은 [合하여] 制하고, 地支가 合하는 종류이다. (有文章印,如戊寅見癸未,辛巳見甲戌,庚申見乙丑,癸亥見丙辰,乙亥見壬辰,乃納音剋身,干神有制.戊午得癸未,庚子得乙丑,丁酉得壬辰,己卯得甲戌,辛酉得丙辰,干神制,支神合之類.)

모든 正印은 墓庫(묘고)를 보아야 하는데, 만약 生旺함을 돕거나 祿馬와 貴人을 서로 교환하고 아울러 서로 合하는 것은 貴한 命이 된다. 가장 꺼리는 것이 刑 衝 破 害와 三合이나 六合에서 鬼(살)를 보는 것인데, 가령 甲戌 日이 癸酉 時를 얻으면 기운이 감소한다. 水命인 사람이, 本家 의 印을 얻으면 無益하고, 木印을 얻으면 氣를 손상하고, 土印을 얻으면 干支가 교섭하는 것은 官印이라 하고, 교섭하지 않는 것은 鬼印이라 한다. (諸印要逢庫墓, 若生旺扶助, 互換祿馬貴人, 倂 相合者, 至貴之命. 最忌刑衝破害, 三合六合上見鬼, 如甲戌日得癸酉時則減力. 水命人得本家印無益. 得木 印損氣, 得土印, 支干有交涉者, 名官印, 無交涉者, 名鬼印.)

10. 논정인論正印-下

丙 戊 甲 癸
辰 午 寅 未

年과 時에서 印을 보는 것이 있는데, 이를 봉황함인이라 한다. 예를 들면 우상서의 命과 같은 것이다. (有年時見印, 名鳳凰唧印, 如虞尙書癸未, 甲寅, 戊午, 丙辰是也.)

또 복취인이 있는데, 예컨대 年 月 日 時 胎의 5位가 모두 無氣하고 衰敗하여 正印 偏印을 얻 어 함께 印上이나 혹 庫地나 혹 旺地에 있으면, 비록 煞이 있을지라도 制를 당하는 것인데 이를 福聚印이라 한다. (又有福聚印, 如年月日時胎, 五位俱無氣, 衰敗, 得正印偏印, 俱在此印上, 或庫或旺, 雖 有煞神, 至是受制, 此之謂福聚印.)

화취인이 있는데, 예컨대 癸巳 人이 壬辰 印을 동반하면 水를 많이 보고 辰에서 墓가 되니 癸 巳가 煞에게 制를 당한다. 巳가 命이되는데 巳火는 [水를] 많이 보면 本命에서 病이 되니 이를 禍聚印이라 한다. (有禍聚印, 如癸巳人帶壬辰印, 柱多逢水, 俱墓於辰, 則癸巳受煞, 以巳爲命, 巳火遇多, 則本命病, 此之謂禍聚印.)

福은 破하고 禍를 만드는 印이 있는데, 예컨대 水人이 水印을 얻어도 혹 月 日 時 胎에서 土 가 많으면 本家의 印은 鬼가 盛함을 보는데 이를 破福成禍라고 한다. (有破福成禍印, 如水人得水 印, 或月日時胎多帶土來, 本家印見鬼盛, 是謂破福成禍.)

煞을 동반한 印이 있는데, 印중에서 貴煞을 보는 것으로 가령 壬子가 壬辰 丙辰을 보면 子는 辰에 도달하면 華蓋라 하여 壬人이 辰을 보면 貴가 된다. 만약 印중에서 도리어 本命을 剋하면 福神의 왕래가 없고(돌아오지 않고) 煞을 대동하여 凶한 것이다. (有帶煞印, 印中見貴煞, 如壬子見 壬辰丙辰, 子至辰謂之華蓋, 壬人見辰爲貴. 若印中反剋本命, 無福神往還, 名帶煞, 主凶.)

空亡에 임한 印이 있는데, 印은 空亡이고 地支에는 6合이 없으며 官貴를 보면 卑賤하여 이루 지 못하는 것이다. (有臨空印, 乃印落空亡, 支無六合見官貴, 至賤而無成也.)

自刑하는 印이 있는데, 가령 庚戌 (차천 金)人이 乙丑을 동반하여 金人이 金印을 보면 진실로 좋지만, 丑戌이 相刑하여 金이 金을 刑하니 이 같은 것은 없는 것보다 못한데, 비록 조금의 福이 있을지라도 결국에는 賤하게 된다. (有自刑印,如庚戌人帶乙丑,金人見金印固好,丑戌相刑,以金刑金,此類不如無.雖有少福,亦終賤.餘准此推.)

대체로 印을 論하면 眞 五行과 納音이 같은 기운을 거듭 얻으면 더욱 妙하다. 그렇지만 편안하고 부사함은 석으며 六親에게 불리하고 사식 두기가 어렵나. (凡論印,更得眞五行與納音同氣,尤妙.但主少安逸,不利六親,難爲子息.)

11. 논덕수論德秀

대저, 德은 근본적으로 生旺한 달(月)을 덕이라 하고, 秀는 天地의 中和한 기운에 합하는 것으로 五行이 변화하여 이루어진 것이다. (夫德者,本月生旺之德,秀者,合天地中和之氣,五行變化而成者也.)

또 말하기를, 德은 陰陽의 凶함을 解消하는 神이고, 秀는 天地의 청수한 기운으로 四時(사계절)에서 왕성한 神이다. 그러므로 寅 午 戌月은 丙丁이 德이 되고, 戊癸가 秀가 된다. 申 子 辰月은 壬癸 戊己가 德이 되고, 丙辛 甲己는 秀가 된다. 巳 酉 丑月은 庚辛이 德이 되(又曰,德者,陰陽解凶之神,秀者,天地淸秀之氣,四時當旺之神.故寅午戌月,丙丁爲德,戊癸爲秀.申子辰月,壬癸戊己爲德,丙辛甲己爲秀.巳酉丑月,庚辛爲德,乙庚爲秀.亥卯未月,甲乙爲德,丁壬爲秀.)고, 乙庚이 秀가 된다. 亥 卯 未月은 甲乙이 德이 되고, 丁壬이 秀가 된다.

대개 人命에 이 같은 德秀를 得하고 衝 破 剋 壓하는 것이 없으면 타고난 성품이 총명하고 온화한 기운을 가진다. 만약 學堂을 만나고 거듭 財官을 대동하면 貴하게 된다. 衝 剋하면 기운을 감한다. (凡人命中得此德秀,無破衝剋壓者,賦性聰明,溫厚和氣.若遇學堂,更帶財官,主貴.衝剋減力.)

12. 논겁살망신論劫煞亡神

劫은 奪(빼앗다 빼앗기다)인데, 외부로부터 빼앗기는 것을 劫이라 한다. 亡은 失(잃다)인데, 내부로부터 잃어버리는 것을 亡이라 한다. 劫(煞)은 五行의 絕處에 있으며 亡은 五行의 臨官地에 있는데 모두가 寅 申 巳 亥에 속한다. (劫者奪也,自外奪之之謂劫.亡者失也,自內失之之謂亡.劫在五行絕處,亡在五行臨官,俱屬寅申巳亥.)

水가 絶하는 곳은 巳인데 申 子 辰은 巳에서 劫煞이 되고, 巳중 戊土가 水를 겁탈하는 것이다. (水絶在巳,申子辰以巳爲劫煞,巳中戊土劫水也.)

火가 絶하는 곳은 亥인데 寅 午 戌은 亥에서 劫煞이 되고, 亥중 壬水가 火를 겁탈하는 것이다. (火絶在亥,寅午戌以亥爲劫煞,亥中壬水劫火也.)

金이 絶하는 곳은 寅인데 巳 酉 丑은 寅에서 劫煞이 되고, 寅중 丙火가 金를 겁탈하는 것이다. (金絶在寅,巳酉丑以寅爲劫煞,寅中丙火劫金也.)

木이 絶하는 곳은 申인데 亥 卯 未는 申에서 劫煞이 되고, 申중 庚金이 木을 겁탈하는 것이다. (木絶在申,亥卯未以申爲劫煞,申中庚金劫木也.)

고가에 이르기를, 겁살은 재앙을 감당하기 어려우며 다만 名利를 찾아 분주할 뿐이고, 필히 祖業이 亡하는 것을 방비해야하니, 妻子와 어찌 오래토록 함께 하겠는가?(처자와 오래토록 해로하기 어렵다는 말) 또 이르기를, 4位에서 生地인 劫煞을 만나거나 (運에서) 온다면 마땅히 조정에서 학업을 하는 선비의 으뜸이 된다. 만약 官貴를 겸하여 時상에 있으면 강직한 이름이 어사대에 기록된다.   (古歌云,劫煞爲災不可當,徒然奔走名利場,須防祖業消亡盡,妻子如何得久長.又云,四位逢生劫又來,當朝振業逞儒魁,若兼官貴在時上,梗直名標御史台.)

또 말하기를, 겁살이 관성을 포함(동주)하거나 만나게 되면 병권을 잡아 군주의 지혜를 돕는다. 노하지 않아도 위엄으로 사람들이 우러러 존경하고, 이를테면 하나라가 찬란한 영화처럼 모두 다 편안하고 영화롭게 된다. 또 말하기를, 劫煞은 원래 신살의 우두머리인데, 身宮과 命主에 겁살이 와서는 안 된다. 만약 괴국을 이루면 마땅히 사망하고, 煞曜(파군살=겁살)이 임하면 반드시 의심하지 마라. 이와 같이 劫煞이 머무는 별이 없으면 三合보다 더 자세히 추론하라. 天般에 劫煞을 더하여 흉성이 미치면, 목숨이 바람 앞에 등불처럼 오래지 않아 꺼진다. (又云,劫神包裹遇官星,主執兵權助聖明,不怒而威人仰慕,須令華夏悉安榮.又云,劫煞原來是煞魁,身宮命主不須來,若爲魁局應當死,煞曜臨之不必猜.若是無星居此位,更於三合細推排,天盤加得凶星到,命似風燈不久摧.)

水生木인 경우 申子辰은 亥가 亡神이 되는 것은, 亥중의 甲木이 水를 洩하기 때문이다. (水生木,申子辰以亥爲亡神,亥中甲木洩水也.)

火生土인 경우 寅午戌은 巳가 亡神이 되는 것은, 巳중의 戊土가 火를 洩하기 때문이다. (火生土,寅午戌以巳爲亡神,巳中戊土洩火也.)

金生水인 경우 巳酉丑은 申이 亡神이 되는 것은, 申중의 壬水가 金을 洩하기 때문이다. (金生水,巳酉丑以申爲亡神,申中壬水洩金也.)

木生火인 경우 亥卯未는 寅이 亡神이 되는 것은, 寅중의 丙火가 木을 洩하기 때문이다. (木生火,亥卯未以寅爲亡神,寅中丙火泄木也.)

고가에 이르기를, 망신 칠살은 화가 가볍지 않는데 어떤 일에 관계함에 있어 하나도 이룰 수 없고, 자식을 尅하며 妻를 刑하여 祖業(조업)이 없고, 벼슬을 가진 사람은 오히려 虛名을 두려워한다. 또 이르길, 命宮에 만약 亡神을 두게 되면 반드시 長生인 貴人을 만나야하고, 日時에서 다시 大地合을 兼하면 자신의 몸을 돌보지 않고 임금의 신하가 된다. 또 말하기를, 七煞은 亡神이라하는데, 亡神은 禍患(화환)이 가벼운 법이 없다. 身命에 만일 亡神이 머문다면 궁핍하며 평생토록 마음대로 되지 않는다. 흉성과 악살이 임하면 죽음이 살얼음을 밟는 것처럼 위태하다. 삼합은 다시 잘 살펴야하는데 [망신]煞이 拱夾한다면 필히 行하기 어렵다. (古歌云,亡神七煞禍非輕,用盡機關一不成,尅子刑妻無祖業,仕人猶恐有虛名.又云,命宮若也値亡神,須是長生遇貴人,時日更兼天地合,匪躬蹇蹇作王臣.又云,皆言七煞是亡神,莫道亡神禍患輕,身命若還居此地,貧窮蹇滯過平生.凶星惡曜如臨到,大限渾如履薄冰,三合更須明審察,煞來夾拱必難行.)

13. 겁살일십육반(일명대살)劫煞一十六般(一名大煞)-上

劫煞이 吉할 경우에는 총명하며 지혜롭고 민첩하여, 재능과 지혜가 다른 사람을 능가하여 일을 行함에 막힘이 없으며 모든 것을 포용하고, 식견이 높아 [일처리가] 신속하고, 武德(무인의 덕목)으로 횡재를 하는데, 즉 生旺되고 貴煞이 建祿과 병행하기 때문인 것이다. (吉則聰慧敏捷,才智過人,事不留行,胸羅萬象,高明爽迅,武德橫財,卽生旺與貴煞建祿倂也.)

劫煞이 凶할 경우에는 어둡고 혼탁하여 간사스러우며 사치를 좋아하고 [타인을] 해치려는 성질이 많으며, 고질병과 형벌을 받으며, 兵器(병기)에 의해 상처를 입고, 집요하고 사나워 [남의 것을] 탐하여 無情하게 빼앗는데, 즉 死絶과 惡煞이 병행하기 때문인 것이다. 만일 元辰과 空亡이 있으면 도둑이 되고, 金神인 庚 辛이 함께하면 조각하는 것을 좋아하고, 空亡과 金 火가 함께하면 匠人(장인) 도살인 중개인 수렵 대바구니 만드는 사람이 된다. 만약 劫煞이 身을 尅하는데 거듭 金神 羊刃이 대동하여 함께 尅하면 車馬가 전복되는 사고를 당하고, 生時에 劫煞이 있으면 자손이 어리석게 된다. (凶則昏濁邪侈,毒害性重,宿疾刑徒,兵刃折傷,執拗內狼,貪奪無情,卽死絶與惡煞倂也.若元辰空亡爲盜,金神庚辛倂,好刊刻彫鏃,空亡金火倂,爲打鐵屠儈捕獵籠養之人.若劫煞尅身,更帶金神羊刃同尅.主車馬顚覆之災,生時得之,子孫愚薄.)

1. 겁살취보는 내가 他를 극하는 것이다. 一名 경주겁살이라 하는데, 歲가 劫煞을 尅할 정도의 힘이 있어 日主와 화해(和諧)하는 것인데 富裕하다. (劫煞聚寶(我尅他也.)一名瓊珠劫煞,歲尅劫有力,與日主和諧者,主富裕.)

2. 겁살의권은 (臨官空亡. 空亡准十日夜推. 臨官准十日辰折) 一名 관상겁살이라 하는데, 사람이 의관을 사치스럽게 입고 귀인같이 행세하는데, 하물며 日辰이 生旺하겠는가? (劫煞宜權(臨官空亡,空亡准十日夜推,臨官准十日辰折)一名冠裳劫煞,爲人衣冠齊楚,光顯貴人,況生旺日辰乎.)

3. 겁살가모는 一名 기강겁살이라 하는데, 主는 強하고 殺은 약하고, 일간은 타주에 貴人이 있으면 행동과 용모가 단정하며 항상 예의가 바르다. (劫煞嘉謨[身不剋於殺,殺卻不得其位]一名紀綱劫煞,主强煞弱,日有他位之貴者,動容不忘.中禮安常.)

4. 겁살주호는 一名 정기겁살이라 하는데, 劫煞에 貴人이 同柱하여 日柱를 돕는 것이다. 대체로 어려운 일이 변하여 쉽게 이루고 사람들에게 공경과 추앙을 받으며 福의 기운이 특별하다. (劫煞奏號[貴人同到]一名旌旗劫煞,劫坐貴人,貢助日主者.凡事變難成易,人自欽仰,福氣異常.)

5. 겁살정서는 一名 면류겁살이라 하는데, 劫煞이 長生의 자리에 있고, 日柱에 있어서 財 官 등의 祿이 되는 것으로 貴하다. 劫煞呈瑞[眞長生位]一名冕旒劫煞,劫煞在長生位,有日主之財官等祿,主貴.

6. 겁살위림은 一名 염매겁살이라 하는데, 時에 劫煞이 있으며 歲君의 干支와 時의 干支와 서로 바뀌어 貴人을 만나고 더하여 日柱와 有情하면 名利가 혁혁하게 드러난다. (劫煞爲霖[羅文貴人]一名鹽梅劫煞,時帶此劫煞,與歲君干支互換見貴,更日辰有情,名利顯赫.)

13. 겁살일십육반(일명대살)劫煞一十六般(一名大煞)-下

7. 겁살생상은 一名 고당겁살이라 하는데, 時에 劫煞이 있으며 生旺하여 年을 돕는 것이다. 두개의 天干이 衝破하여 하나로 중한 것이 가장 吉하다. 年과 時가 干合하고 地支에 煞이 있으면 가정이 파괴되고 직업이 불안한데 거듭하여 日家(?)와 情이 없으면 마땅히 그러하다. (劫煞生上(下生其上),一名庫堂劫煞,時帶此煞,自家生旺助年者.一重最吉,仍喜兩頭衝破.年時干合,支下帶煞,主破家蕩業,更與日家不情,宜然.)

8. 겁살유쟁은 一名 투쟁겁살이라 하는데, 劫煞을 制하지 못하거나 부리지 못하면 도살업, 중개업, 무당, 의업을 하게 된다. 劫煞을 制하거나 부릴 수 있으면 福과 壽가 길며 貴格이 된다. 또 일진의 길흉 여부를 살펴보고 많고 적음을 단정한다. (劫煞類爭(火人火類煞),一名鬪爭劫煞,無制無馭,則爲屠沽巫醫.有制有馭,則爲福壽貴格.又看日辰吉凶何如.增減斷.)

9. 겁살조의는 一名 제해겁살이라 하는데, 歲運에서 煞을 生하면 다만 母는 子를 生한다. 만약에

孤身殺과 刑殺이 병행한다면 집안에 喪을 당하고 자식을 剋하게 되며, 혹 아녀자에게 피해가 생기거나 재물이 소모된다. 아울러 日柱를 剋洩하면 의심할 여지가 없다. (劫煞造意(我去生他),一名提孩劫煞,歲去生煞,猶母生子.若孤刑來倂,主喪家剋子.或被兒女耗財,兼剋竊日主無疑.)

10. 겁살비량은 一名 탐완겁살이라 하는데, 부정한 재물을 취하므로 인해 자신이 害를 입으며, 혹은 탐욕적이고 인색하여 재앙을 만나는 등의 事가생기며 日支에 凶殺이 있으면 반드시 그러하니 貴氣를 바라게 된다. (劫煞非良(煞來剋我),一名貪玩劫煞,主非義取財,因財害己.或貪悋遭禍等事,爲日辰凶煞者必然,爲貴氣者庶幾.)

11. 겁살훼분은(파택살은 歲를 剋함) 一名 예상겁살이라 하는데, 破宅(겁살)煞이 歲를 剋한다면, 홀로 집 없이 살아가진 않으나 솥에 먼지가 날릴 정도로 아주 가난하다. 그리고 亡神과 剋 竊(7殺과 식상)이 겸하면 구원할 수 없다. (劫煞毀焚[破宅煞剋歲],一名翳桑劫煞,此兼領破宅之神來剋歲,不獨無屋可居,貧當甑釜生塵.更兼亡神剋竊者無救.)

12. 겁살감욕은 一名 풍류겁살이라 하는데, 日 時에 劫煞이 있어 합을 하면, 單合雙合하여 不降不剋하니 劫煞을 군주가 감당하지 못하면 풍류겁살로서, 주색으로 파가하여 염치를 알지 못하니 평생 술을 마시며 소리를 즐긴다. (劫煞酖慾[合起我弱他强],一名風流劫煞,日時犯有合,單合雙合,不降不剋,日辰竟無好意思相援者,主酒色破家,不知廉恥,生平酖飮嗜音.)

13. 겁살경영은(煞이 死絶地에 만나고 내가 去한 것이 他를 生하며 또 합하여 일으키면)一名 관현겁살이라 하는데, 교태와 아름다운자태로 春風花柳이다. 일주는 살아갈 방편으로 日辰이 絶하지 않는 것은 福神이 돕지 않기 때문이다. (劫煞輕盈[煞逢死絶,我去生他,又合起],一名管絃劫煞,主嬌態美姿,春風花柳.日爲活計,以日辰不絶,福神無援故也.)

14. 겁살당중(煞이 雙來하여 歲를 剋함)은 一名 천뢰겁살이라 하는데, 설령 貴할지라도 요절하고, 혹 군사들은 타향에서 죽거나 그렇지 않으면 도적이 된다. 日主를 納音이 剋洩시키며 거듭하여 空亡이나 絶地가 되면 의심할 것이 없다. (劫煞黨衆[煞雙來剋歲],一名天牢劫煞,縱貴亦夭,或軍旅亡於他鄕,否則爲盜,干音或又剋竊日辰,更入空絶者無疑.)

15. 겁살폭려(劫煞과 亡神殺이 모두 있고 羊刃을 극하고 거듭 중하게 합해 오면)는 一名 도쟁겁살이라 하는데 흉포하게 사망한다. 納音이 日主를 剋 洩시키면 결코 면하기 어렵다. (劫煞暴厲[亡劫雙全,又剋羊刃,重重來合],一名刀鎗劫煞,主凶暴惡死.干音剋竊日主,決難免.)

16. 겁살공한(孤寡殺이 함께하는 경우)은 一名 연하겁살이라 하는데, 劫煞이 있고 孤寡(고과살), 刑(형살), 隔(격각살)이 있는데 4위내에서 2개를 犯하고 겸하여 死絶地의 氣가 日柱를 剋洩하면 중이 아니면 도인이다. 水火의 象으로 구분을 할 경우, 水多면 道(도인)이고, 火多면 僧(중)이다.

만약 보통사람이면 외로움이 심한데 貴氣가 도우길 바란다. (劫煞空閑(孤寡同到),一名煙霞劫煞,此煞與孤寡刑隔,四位內犯二者,兼死絶之氣,剋竊日主,非僧則道,以水火象分之,水多爲道,火多爲僧,若是俗人,孤寒之甚,貴氣交加者庶幾.)

14. 망신십육반[일명관부,일명대살]-上
亡神十六般[一名官符,一名七煞]

亡神이 吉한 경우는, 엄준하여 위엄이 있으며, 모략에 밝아 사물을 보는 것이 신과 같아 일에 임하여 거짓이 없으며, 병사를 부림에는 꾀가 많고, 전쟁에서는 항상 승리하며, 言事에는 조리와 절도가 있어 장년에는 크게 쓰이게 되니 이는 곧 生旺하고 貴煞이 병행하기 때문인 것이다. (吉則峻屬有威,謀略算計見事如神,事不露機,兵行詭計,始終爭勝,言事折辯,壯年進用,卽生旺與貴煞併也.)

亡神이 凶한 경우는, 성품이 비좁고 조급하여 안하무인격으로 시비를 분별하지 못하며, 酒色을 즐기고, 官訟事가 생기며, 氣血이 탁하여 등창이 나고, 겸손함이 없어 권세와 아랫사람을 잃고, 병사도 다스리기 어려운 것이니 이는 곧 死絶되고 惡殺이 병행하기 때문이다. (凶則褊躁性窄,顚詐狂妄,浮蕩是非,酒色風流,官府獄訟,疽癰氣血,氣不謙下,失勢失下,兵刑責難,卽死絶與惡煞併也.)

만약 貴人 建祿이 병행하면, 붓과 벼루를 좋아하여 文章에 능수능란하니 공직으로 집안을 일으키며 관리의 승차에 관여하고 혹은 胥徒(서도=?)이기도 하다. 아울러 火가 身을 剋하면 無氣하여 말은 더듬고 허리와 발에 질병이 많다. (若貴人建祿併,專弄筆硯,撰飾文詐,因公起家,干涉官利,或爲胥徒.併火剋身,則語吃無氣,多腰足疾.)

1. 亡神富藏은 一名 망신귀역이라 하는데, 歲에서 煞을 剋하는 것인데, 곧 亡神殺이 歲의 剋을 받는 것이다. 이는 내가 煞에 승리하여 煞의 항복을 받는 것이다. 혹 日主에 財官의 貴氣가 되거나, 혹 日主가 生助를 받으면 크게 富貴한다. (亡神富藏,一名亡神貴驛,此乃歲去剋煞,亡神受歲之剋.我勝於彼,方是受降.或爲日主財官貴氣,或來生助日主,主大富貴.)

2. 亡神長生은 一名 규옥망신이라 하는데, 亡神이 長生 位에 있고 겸하여 日辰에 별도로 貴祿이 있는 것이다. 早年에 發하여 높은 자리에 오른다. (亡神長生,一名珪玉亡神,神在長生位,兼帶日辰別位貴祿,飛騰早發.)

3. 亡神臨官은 一名 헌면망신이라 하는데, 亡神이 臨官의 자리에 들어있어 단지 空亡이 되면 반대로 吉하다. 納音이 日主를 生하면 비록 면류관을 쓰고 軺軒(초헌)에 올라 貴하더라도 2~3개면 酒色을 탐함이 있다. (亡神臨官,一名軒冕亡神,亡神入臨官位,卻落空亡,反吉,干音又能生日,雖主乘軒戴冕之貴,亦有二三分酒色.)

4. 망신난여는 一名 정내망신이라 하는데, 亡神이 時에 臨하는데 다만 年時가 互換하여 貴人을 왕래하여 보고, 納音이 日主를 도와 貴한 것이다. (亡神鸞興,一名鼎鼐亡神,臨時座,卻見年時互換貴人來往,干神助日主者貴.)

5. 망신자여는 一名 규구망신이라 하는데, 煞이 弱地에 居하고 歲가 强宮에 들면, 비록 歲가 煞을 剋하지 못하더라도 煞은 오히려 得地를 못하였으니 항복할 것이다. 별도로 日辰이 貴氣가 있으면 어실고 겸손하고 조신하며 공명정대하고 부지런하여 食祿이 있는 사람이다. (亡神自如,一名規矩亡神,煞居弱地,歲入强宮,雖不剋煞,煞卻不得其位,其煞來降.另有日辰貴氣者,主賢能謙謹,中正公勤,食祿之人.)

6. 망신생본은 一名 부모망신이라 하는데, 亡神이 歲를 生하고 아울러 生旺한데 마땅히 하나에 그쳐야한다. 만약 日辰이 財官등의 貴에 속하면 정신이 풍성하다. (亡神生本,一名父母亡神,亡神生歲兼生旺,只宜一重.若有財官等貴係屬日辰者,主精神富聚.)

14. 망신십육반亡神十六般-中

7. 망신의문은 一名 나기망신이라 하는데, 貴人이 日時에 있어 亡神을 보는데, 干支가 日을 파괴하지 않으면, 福과 영화가 있다. (亡神義門,一名羅綺亡神,貴人同到日時,見此煞,干支不壞日者,有福榮華.)

8. 망신금리는 一名 아녀망신이라 하는데, 歲가 亡神을 生하고, 고신 격각 겁살을 보면 凶하다. 祿과 貴人이 있으면 吉하며, 한 곳에 중복되면 妙함이 있다. 또 日辰(일진)과 서로 統함과 더불어 吉凶을 추리한다. (亡神錦里,一名兒女亡神,歲去生他,遇孤隔劫煞則凶.帶祿貴則吉,一重爲妙.又與日辰相統,兼推吉凶.)

9. 망신미항은 一名 정력망신이라 하는데, 이는 곧 歲와 煞의 氣가 같은 것이다. 가령 木人이 木의 亡神殺을 보고도 끝내 相剋과 亡神殺을 항복시키지 못하면, 日干은 亡神을 감당하지 못한다. 만약 貴氣가 부족하면 도살 중개인 무당 의사 화가(丹靑) 등이 될 것이다. (亡神未降,一名停力亡神,此乃歲與煞同氣,如木人見木煞,竟無相剋相降,日無統攝.若欠貴氣,只是屠行牙儈,巫醫丹靑之類.)

10. 망신망작은 一名 노략망신이라 하는데, 亡神殺이 도리어 歲를 剋하고, 日干을 洩氣시키는 것이다. 이치에 어긋나는 재물을 취하고 말투는 안하무인이니, 巫(무당) 醫(의료) 藝術(예능)을 한다. (談天說地) 과장이 심한 사람이다. (亡神妄作,一名擄掠亡神,此煞下反剋歲,竊日之氣.主非理取財,語言狂妄,乃巫醫藝術,談天說地之人.)

11. 망신소택은 一名 구학망신이라 하는데, 亡神은 破宅殺(파택살)과 같은 것이니, 歲를 尅 洩시키며 日干과 無情한 경우이다. 게책을 꾀하는 것은 졸렬하고 窮하므로 거지로 살다가 죽어서는 관(棺)도 없게 된다. (亡神嘯宅, 一名溝壑亡神, 亡神若爲破宅煞, 兼尅竊歲, 與日無情. 主謀拙計窮, 爲生乞丐, 死無棺槨.)

12. 망신무군은 一名 고악망신이라 하는데, 亡神이 尅을 당하지 않아야 항복하지 않는데 오리려 合을 하여 일어난다. 요군총리(鬧群叢裏)하니 화주(花酒)로 입신(立身)한다. 만일 日主에 貴氣가 없더라도 윗글에 따른다. (亡神舞群, 一名鼓樂亡神, 其煞不降不尅, 卻有合起之神. 主鬧群叢裏, 花酒立身. 若無日家貴氣, 准上.)

13. 망신박악은 一名 분혈망신이라 하는데, 亡神과 劫煞이 함께 갖추고 年과 時가 干合을 하며, 納音이 歲를 尅하면, 반드시 형벌을 당하든가 그렇지 않으면 악질이 있다. 日辰을 尅洩하면 貴氣는 정연하지 않는다. (亡神薄惡, 一名噴血亡神, 亡劫俱全, 年時干合, 音尅其歲, 必主遭刑, 不然惡病. 尅竊日辰, 無貴氣者定驗.)

14. 망신미익은 一名 화류망신이라 하는데, 亡神이 홀로 와서 습을 하여 살기가 강한데 我身은 오히려 유약하여 노래를 부르며 花酒로 세월을 보낸다. 거듭하여 日家에 凶殺이 있으면 衣食이 고생스러우며 약물중독으로 요절한다. (亡神迷溺, 一名花柳亡神, 此神單來合, 煞氣剛, 我卻柔弱, 定主歌謳, 花酒度日. 更引日家凶煞, 衣食艱難, 亡於癆夭.)

15. 망신괴장은 一名 가쇄망신이라 하는데, 亡神이 日時에 같이 重하고 또 合을 한 것으로 반드시 얼굴에 칼자국이나 문신이 있고 저급한 사람과 어울리는데, 日主를 尅洩하면 한층 더 重하다. (亡神乖張, 一名枷鎖亡神, 亡神日時有兩重, 又帶合, 必是刺面彫靑, 徙配胥吏, 尅竊日主者愈重.)

14. 망신십육반亡神十六般-下

참된 亡神 劫煞이 있다. 寅午戌人은 癸巳 癸亥보는 것이고, 巳酉丑人은 丙申 丙寅을 보는 것이고, 申子辰人은 丁亥 丁巳를 보는 것이고, 亥卯未人은 壬寅 壬申을 보는 것으로 오직 凶하다. (有眞亡劫, 寅午戌人見癸巳癸亥, 巳酉丑人見丙申丙寅, 申子辰人見丁亥丁巳, 亥卯未人見壬寅壬申, 獨者主凶.)

劫頭見財가 있다. 가령 寅午戌人이 甲日干에 己亥의 예, 巳酉丑人이 乙日干에 戊寅의 例 등인데, 이는 劫煞위의 天干이 財가 되기에 大富를 축적한다. 呑(탄함살)과 同柱하면 돌보지 않기에 참혹하게 物을 해친다. 劫煞과 呑(탄함살)이 重하면 도리어 빈한하게 된다. (有劫頭見財, 如寅午戌

人甲干己亥之例,巳酉丑人乙干戊寅之例,是劫煞上見干財,主蓄積大富.吞倂不顧,慘毒害物,遇兩重者反主貧寒.)

劫頭見鬼가 있다. 가령 申子辰人이 甲干에 辛巳의 예, 亥卯未人이 乙干에 庚申의 例 등인데, 이는 劫殺이 官鬼를 보는 것으로 무관(無官)이다. 설사 [官鬼가] 있더라도 결국 그만둘 것이고, 시종(侍從~임금을 모시는 관직명)을 하기가 어렵고, 평민들은 겁살이 많으면 평생토록 聚散한다. (有劫頭見鬼.如申子辰人甲干辛巳之例,亥卯未人乙干庚申之例,是劫煞見官鬼,主無官,縱有,須因事罷, 難得人侍從,庶人多被劫,平生聚散.)

劫煞相合이 있다. 가령 甲寅이 己亥를 두고[甲己], 丙寅이 辛亥를 두며[丙辛], 戊寅이 癸亥를 두고[戊癸], 庚寅이 乙亥를 두며[庚乙], 壬寅이 丁亥를 두고[壬丁], 甲申이 己巳를 두며[甲己], 丙申이 辛巳를 두고[丙辛], 戊申이 癸巳를 두며[戊癸], 庚申이 乙巳를 두고[庚乙], 壬申이 丁巳를 두면[壬丁] 천간의 위치가 日上에 있으면 旌旗煞(정기살)이라 하고, 時上에 있으면 英雄煞(영웅살)이라 일컫는데 주로 武職(무직)이다. (有劫煞相合.如甲寅値己亥,丙寅値辛亥,戊寅値癸亥,庚寅値乙亥,壬寅値丁亥,甲申値己巳,丙申値辛巳,戊申値癸巳,庚申値乙巳,壬申値丁巳,干位在日上,謂之旌旗煞,在時上,謂之英雄煞,主武.)

分劫과 聚劫이 있다. 分劫은 가령 甲子人이 己巳日 己巳時를 얻으면 子는 兩巳에 하나의 劫煞에 해당되는데 兩巳가 [劫煞을] 나누어 받으므로, 도리어 災殃이 가볍게 된다. 聚劫은 가령 甲子人이 丙子月 己巳時를 얻으면, 子는 둘로 重한데 劫煞인 하나의 巳에 모이는 것인데 하나의 巳가 홀로 [劫煞을]받으니, 도리어 害가 重하게 된다. (有分劫聚劫,分劫.如甲子人得己巳月己巳時,是子一劫寄於兩巳,而兩巳分受,爲災反輕.聚劫,如甲子人得丙子月己巳時,是子兩重會劫一巳,而一巳獨受,致害反重.)

또 말하기를, 劫殺은 煞의 主요, 生氣는 生의 主인데, 만약 生氣가 兩重하고 劫煞이 一重하면 生氣는 劫煞로부터 强해지고, 劫煞이 兩重하고 生氣가 一重하면 劫煞은 生으로부터 强해진다. 生氣가 많으면 生氣를 쫓는다는 말이고, 劫煞이 많으면 劫煞을 쫓는다는 말인데 간략하게 논하는 것은 옳지 않다. 四柱에서 生을 만나는데 交互(교호)하여 生을 보면 태간장수의 職에 오를 것이니 망신도 준하여 추리한다. 대체로 두(亡神 劫殺)煞이 온전하면 身이 煞을 剋해야 하며 煞이 身을 剋하는 것은 원하지 않는다. 日煞은 妻를 剋하고 婦는 夫를 剋하며 時煞은 자식을 剋한다. (又曰劫煞主煞,生氣主生.若有生氣兩重,而劫煞一重.則是生氣强於劫,劫煞兩重,而生氣一重,則是劫强於生.生氣多者從生氣言,劫煞多者從劫煞言,不可槪論,四柱逢生,交互見之,主作台諫將帥之職,亡神准推.大抵二煞全要以身剋煞,不要以煞剋身,日煞剋妻,婦剋夫,時煞剋子.)

이밖에도 천살 지살 세살 형살이 있는데, 천살은 겁살의 앞 二辰(2신)에 있고, 지살은 겁살의 앞 五辰(5신)에 있으니 [천살과 지살]辰 戌 丑 未에 해당한다. (此外有天煞,地煞,歲煞,刑煞.天煞在

劫煞前二辰,地煞在劫煞前五辰,是辰戌丑未也.)

세살(歲煞)은 겁살의 앞 三辰(3신~3번째 神)에 있으며 또한 [歲煞은] 寅 申 巳 亥에 해당한다. 형살은 겁살의 앞 七辰(7신)에 있으며 [刑煞은] 將星과 같은 자리인 子 午 卯 酉에 해당하는 것이다. 이상 4개의 煞은 모두가 권세를 지녔는데 身을 훼(剋)하지 않으면 재앙은 되지 않으나 身을 훼(剋)한다면 재앙이 重하게 된다. (歲煞在劫煞前三辰,亦是寅申巳亥也.刑煞在劫煞前七辰,與將星同位, 是子午卯酉也.以上四煞,俱主有權,不剋身,不爲災,剋身則爲災重.)

망신과 겁살은 동일한데 金 土면 武臣(무신)이 되고 [망신과 겁살이]水 木이면 文臣(문신)이 되며, 文臣이 土金의 煞이 있게 되면 兵權을 가진다. (與亡劫同,帶金土爲武臣,水木爲文臣,文臣帶土金爲煞者,亦主兵權.)

15. 논양인論羊刃-上

삼거[일람]에 이르기를, 羊은 剛을 말하는 것이고, 刃은 宰割(1.착취하다. 2.유린하다. 3.잘라내다.)의 뜻을 취한 것이다. 祿이 過하면 刃이 생기고, 功을 이루면 물러남이 마땅한데 물러나지 않으면 지나치게 그 분수를 뛰어넘어 羊之在刃(양지재인)같이 손상한다는 말이다. 그러므로 양인은 항상 祿 앞의 日辰(일진)에 있는 것이다. (三車云,羊言剛也,刃者取宰割之義.祿過則刃生,功成當退不退,則過越其分,如羊之在刃,言有傷也.故羊刃常居祿前一辰.)

희윤이 말하기를, 음양만물의 이치는 모두가 極盛한 것을 싫어한다. 그 極한 곳에서의, 火는 焦滅(초멸)하고 水는 湧竭(용갈)하며 金은 折缺(절결)하고 土는 崩裂(붕열~터져 갈라짐)하며 木은 摧折(최절~부러뜨려짐, 꺾임)한다. 그러므로 이미 이루었으면 極하지 않으니 福이 되고, 極한 것은 도리어 凶한 것이다. (希尹曰,陰陽萬物之理,皆惡極盛.當其極處,火則焦滅,水則湧竭,金則折缺,土則崩裂,木則摧折,故旣成而未極則爲福,已極則將反而爲凶.)

극성한 地支는 十干중에서 正處(정처~올바른 곳)인 것이다. 卯는 甲의 正位로서 陽木의 極이 되고, 辰은 乙의 正位로서 陰木의 極이 되며, 午는 丙의 正位로서 陽火의 極이 되고, 未는 丁의 正位로서 陰火의 極이되며, 酉는 庚의 正位로서 陽金의 極이 되고, 戌는 辛의 正位로서 陰金의 極이 되며, 子는 壬의 正位로서 陽水의 極이 되고, 丑은 癸의 正位로서 陰水의 極이 된다. 그 極한 곳에서 氣는 강렬하고 사나워서 불화하기 때문에 祿 앞의 日辰(일진)이 羊刃이 되고, 對沖하는 것은 飛刃이 된다. 이미 이룬 것은 極하지 않으니 온유하고 화창한 것이므로 羊刃의 後(뒤)日辰(일진)이 祿이 되는 것이다. (極盛之地,十干中正處是也.卯者,甲之正位,爲陽木之極,辰者,乙之正位,爲陰木之極,午者,丙之正位,爲陽火之極,未者,丁之正位,爲陰火之極,酉者,庚之正位,爲陽金之極,戌者,辛之正位,爲陰金之極,子者,壬之正位,爲陽水之極,丑者,癸之正位,爲陰水之極.當其極處,其氣剛

烈,暴戾不和,所以祿前一辰爲羊刃,對衝爲飛刃.旣盛而未極,則溫柔和暢,故刃後一辰爲祿也.)

호중자가 이르길, 사람은 祿이 있으면 반드시 羊刃으로 보호하여야 한다는 뜻인 것이다. 일행 [선사]명서에서 이르길, 羊刃이 거듭 重하고 또 祿을 보면 富貴가 金玉(귀중한 것)으로 넉넉하게 된다. 동현경에 이르길, 官印이 서로 도우면 福의 바탕인데, 羊刃이 祿을 동반하고 거듭 관인으로 도운다면 더욱 吉하게 된다. 만일 오로지 羊刃뿐이라면 눈은 돌출하고 성질이 급하며 흉포하여 物을 해치니 악당들과 가까이 지내는데, 生旺하면 차츰 좋아지나 死絶되면 더욱 나쁘다. 오행의 敗[복지]가 羊刃을 만나면 瘰癧(나력~ 임파선의 종장)의 근심이 많고 혹 염병(장질부사와 같은 돌림병)은 金羊刃의 재앙인데 貴賤을 論하지 않으며, 쓸데없이 잡다한 수고로움은 많지만 작게나마 安逸(편안하고 여유로움)하다. (壺中子云,凡人有祿,必賜刃以衛之,此其義也.一行命書云,羊刃重重又見祿,富貴饒金玉.洞玄經云,官印相助福相資.是羊刃帶祿,更有官印相資,尤作吉論.如專羊刃,主眼露性急,凶暴害物,親近惡黨,生旺稍可,死絶尤甚.在五行敗者逢之,多患瘰癧,或瘟瘴金刃之災,不論貴賤,多冗雜勞迫,少得安逸.)

태을경에서 이르길, 六甲의 生人이 乙卯 丁卯를 만나면 眞羊刃(참된 羊刃)이 된다. 만약 [양인을] 거듭 범하면 殘疾이 있고 관록은 물러나거나 잃게 되어 늘그막에 [재물이]흩어진다. 그렇지만 나머지 卯는 치우친 양인이라 가볍다. (太乙經云,六甲生人,逢乙卯丁卯,爲眞羊刃.若重犯,主殘疾,官祿失退,則散在晚年.餘卯爲偏刃,則輕.)

광신집에는 인두재(양인 두상에 재성이 있음)가 있는데, 가령 甲人이 己卯의 類(종류들)를 보면 銷鎔煞(소용살)이라 한다. 재백(財帛)이 사라지고 평민은 屠沽(백정)등의 일을 함으로서 혹, 도적을 당하여 목숨을 잃기도 한다. 인두귀(양인 두상에 七煞이 있는 것)가 있는데, 가령 甲人이 辛卯의 類를 보면 持刃煞(지인 살)이라 하는데, 끝이 좋지 않으니 비록 貴格에 들더라도 역시 예측하지 못한다.[貴格에 들더라도 貴함을 장담할 수 없다는 말 같음] 甲乙 人이 지인살을 만나면 더욱 그러한데 뇌막염으로 곱사로 삶을 마침이 많다. (廣信集有刃頭財,如甲人見己卯之類,謂之銷鎔煞.主財帛歇滅,常人以屠沽刀鋸等事爲業,或因被盜而致命者.有刃頭鬼,如甲人見辛卯之類,謂之持刃煞,主人不令終,雖入貴格,亦不可測.甲乙人見之尤緊.多腦疽發背而終.)

15. 논양인論羊刃-下

금서명결에는 羊刃의 侵蝕함이 있는데, 가령 甲寅은 虎 兎이고 甲戌은 狗 兎의 종류들이 침식하게 되면 年 月은 옳지만 日 時는 위태롭다. 만약 兩重을 만나고 거듭 空亡이 되면 설령 침식하지 않더라도 유배지에서 늙으니 끝이 좋지 않다. (金書命訣有羊刃相蝕,如甲寅虎兎,甲戌狗兎之類,見所蝕,年月稍可,日時至危.若見兩重,更値空亡,設非相蝕,亦犯流配至老,主不善終.)

침지원수에는 朝元羊刃이 있는데, 가령 卯年日時에 甲의 글자가 있는 종류인데 凶한 것이다. 만일 일간의 時上에 양인이 있으면 질병의 흔적을 남기거나 그렇지 않으면 곧 자식이 재앙을 받게 되고 그리고 자식이 적다. (沈芝源髓有朝元羊刃,如卯年日時有甲字之類,主凶.若日干在時上作刃,主痕疾,不然,卽子息帶災,亦主子少.)

時干은 日支에서 羊刃이 된다면 妻는 惡死하고 품성이 어질지 못하거나 그렇지 않으면 군인이거나 혹은 질병의 흔적이 가진다. 年干은 時支에서 羊刃이 되면 부모가 惡死함이 많고, 다시 天煞이 上에 있으면 틀림없이 그렇게 된다. (時干就日支作刃,主妻惡死,稟性不良,不然,是軍人,或帶痕疾.年干臨時支作刃,多主父母惡死,更天煞在上,決定無疑.)

만약 胎가 羊刃인데 다시 年을 刑한다면 좋지 못하고 혹은 부모가 惡死하거나 陰地의 사람으로 도둑이 된다. 年干은 日支에서 羊刃이 되면, 부모는 惡死하는데 나머지도 연월일시를 분별하여 추리한다. (若胎中羊刃,更帶刑年,主出不善,或父母惡死,及賊陰人.年干就日支作刃,主父母惡死,餘照年月日時分位推之.)

故詩에서 이르기를, 時는 양인을 감추고 胎에 들고 日刃이 혹 時上에 오며 그리고 干支가 서로 刑 剋하면 妻가 임신하고 출산하는데 재난을 당한다. 부인의 命이 만일 이와 같으면 용단하건대 틀림없이 출산하면 위험하고 羊刃을 刑하면 禍가 가장 중하게 된다. (故詩云,或時藏刃入於胎,日刃或朝時上來,更若支干相刑剋,妻身妊産定應災.婦人之命若此,敢斷須憂生産危,是相刑羊刃,爲禍最重.)

그리고 連珠刃(연주인~연결된 양인)은, 庚戌辛酉, 戊午己未, 丙午丁未, 甲辰乙卯, 壬子癸丑인데 모두가 凶象이다. 金은 꽉 차고 木은 성기(듬성듬성)니 女命에서 이(연주인)를 犯하면 남편을 剋하며 자식을 해치니 貞潔(정결)치 못하다. (又連珠刃,如庚戌辛酉,戊午己未,丙午丁未,甲辰乙卯,壬子癸丑,皆凶象也.金緊木慢,女命犯之,定剋夫害子,不貞潔.)

이우가에 이르기를, 倒懸羊刃(도현양인)이 동행하면 형태가 골진 것을 채울 수 없다. 또 말하길, 비인도과(飛刃倒戈)는 끝내 어그러지게 되니 소인이 이것을 얻으면 재앙이 된다. 절로공망(空亡截路)과 함께 만나면 身이 속세(塵埃)를 벗어나 편안함을 얻는다. 또 말하기를, 羊刃이 다시 倒戈를 겸하면 반드시 無頭之鬼(머리가 없는 귀신)가 되고, 양인이 모든 악살을 대동하면 더욱 흉한 것이다. [貴人頭上에 帶刀箭 또한 無頭之鬼] (理愚歌云,倒懸羊刃又同行,形骸不免塡溝壑.又云,飛刃倒戈終見乖,小人得此便爲災.空亡截路同相見,此身安得出塵埃.又云,羊刃更兼倒戈,必作無頭之鬼.是羊刃帶諸惡煞尤凶.)

옥소보감에는 남비징청격(攬轡澄清格)이 있는데, 貴人이 馬를 타고 앞에 羊刃이 보이면 오히려 마두대검(馬頭帶劍- 馬上에 羊刃)의 뜻하는 것이다. 가령 庚午人이 乙酉 또는 己酉日時 얻고 甲

申이 있으면 入格이 된다. (玉霄寶鑑有攬轡澄清格,謂貴人乘馬而前視羊刃,猶馬頭帶劍之義.假令庚午人得乙酉,或己酉日時,帶甲申爲入格.)

午의 馬는 申에 있고 庚의 祿은 申에 있으며, 乙己의 貴人은 申에 있고 庚의 羊刃은 酉에 있다. 乙己의 貴人은 甲申을 타고 역마가 되며 그리고 앞에 양인을 보는 것이므로 남비징청(攬轡澄清)이라고 한다. 이 格은 청엄지관(清嚴之官-청렴하고 엄격한 관리)이 많다. 만약 거듭하여 吉類이 있으면 가혹한 관리 많아 간악한 도둑을 제도할 수 있다. (午馬在申,庚祿在申,乙己貴在申,庚羊刃在酉,卻乙巳(己)貴人乘甲申,爲驛馬,而前視羊刃,故曰攬轡澄清.此格多爲清嚴之官.若更有吉類,多爲酷吏,能制奸宄.)

자평에서는 甲 丙 戊 庚 壬의 5陽干은 刃이 있지만, 乙 丁 己 辛 癸의 5陰干은 刃이 없으며 오직 傷官을 보면 羊刃의 禍와 같으니, 이는 陰陽의 陽을 가리키며 牛羊(소와 양)의 羊(양)은 아니다. 그 뜻은 나중에 論하는 陽刃格에서 소개한다. (子平以甲丙戊庚壬五陽干有刃,乙丁己辛癸五陰干無刃,惟見傷官,與羊刃同禍,是指陰陽之陽,非牛羊之羊.其義見後論陽刃格中.)

16. 논공망論空亡-1

空은 實을 대칭하고 亡은 有를 대칭(相對,對立)하는 말이다. 신백경에서 이르길, 空亡은 보통 많은데 十干이 空하여 도달하지 못한 것을 보게 된다. 동현경에서 이르기를, 遁하여 窮하면 亡이 생기는 것이므로 甲旬이 다하는 곳으로서 空亡이라 말한다. 대부분 자리는 있으나 祿이 없음을 空이라 하고, 地支는 있으나 天干이 없음을 亡이라 말한다. 가령 甲子旬이 遁(진행하여, 달리다.)하여 酉에 이르면 10干이 충족하는데 따라서 戌 亥는 없게 된다. 나머지 다섯干의 例를 보아도 이것이 空亡이 된다. 그러나 空도 實(실제)로 있고 亡도 存(존재)가 있으니 따라서 일률적으로 凶하다고 論하지는 않는다. (空對實,亡對有言.神白經云,空亡空亡幾多般,十干不到作空看.洞玄經云,遁窮而亡生,故以甲旬盡處曰空亡,蓋有是位而無祿曰空,有支而無干曰亡.如甲子旬遁至酉而十干足,所以無戌亥,餘五干例見,是爲空亡.然空而有實,亡而有存,所以未可便爲凶論.)

낙녹자가 空亡에 대해 말하기를, 5陽은 하나의 陽만 사용하고 5陰은 하나의 陰을 사용한다. 가령 甲子 丙寅 戊辰 庚午 壬申이라면 戌은 사용하고 亥는 사용하지 않는다. 乙丑 丁卯 己巳 辛未 癸酉라면 亥는 사용하고 戌은 사용하지 않는다. 陽은 陽年으로 구분하고 陰은 陰年으로 구분한다. 또 설명하기를, 甲子에서 戊辰까지는 戌로서 공망을 삼고, 己巳에서 癸酉까지를 亥로서 공망을 삼아 上下5년씩 나눈다. 중간에 또 甲子에서 戊辰까지는 壬戌을 만나면 [공망이] 重하고 戊戌을 만나면 가볍게 된다. 己巳에서 癸酉까지는 癸亥를 보면 重하고 乙亥를 보면 輕하게 된다. 만일 甲子生이 甲戌時라면 이는 時上에서 바르게 보니 차이가 가볍다. 만일 己巳生이 癸亥時라면 時上에서 內을 犯하니 가장 重하다. (珞錄子論空亡云,五陽令用一陽,五陰令用一陰.假如甲子丙寅戊

辰庚午壬申,則用戌不用亥.乙丑丁卯己巳辛未癸酉,則用亥不用戌.陽分陽年,陰分陰年.又說甲子至戊辰,以戌爲空亡.己巳至癸酉,以亥爲空亡,分上下五年.中間又分甲子至戊辰,見壬戌爲重,見戊戌之類爲輕.己巳至癸酉,見癸亥爲重,見乙亥之類爲輕.如甲子生甲戌時,此時上正見,差輕.如己巳生癸亥時,亦時上內犯,最重.)

지미부에서 이르기를, 祿이 공망에 들게 되면 반드시 前後(앞과 뒤)의 신(辰)을 나누고 음양을 구분하여 경중을 밝혀야한다. 팔자금서에 이르기를, 甲寅 旬은 壬 癸가 공망이 된다. 甲辰 旬은 甲 乙, 甲申 旬은 丙 丁, 甲戌 旬은 庚 辛이 되는 地支 2位로 天干을 論하는데 혹 十惡大敗(십악대패)라고도 일컫는다. 이 날에 태어난 사람은 주로 빈천한다. 그런데 人命에서 空亡을 보아도 格에 符合(부합)됨이 많다. (指迷賦云,祿入空亡,必分前後之辰,所以表陰陽之分,明輕重之等也.八字金書云,甲寅旬,壬癸落空亡.甲辰旬甲乙,甲申旬丙丁,甲戌旬庚辛.以地支二位而論天干,或謂十惡大敗.犯此日生者,主貧賤.然人命見空亡而合格者多.)

동현경에서 말하기를, 연못이 맑아야 어리석은 기운이 없다.(공망이 많으면 연정격이라 한다.) 圓機(원기)하여야 자립하여 일가를 이룬다.(祿 馬 官 貴상에서 공망을 만나면 구류격이 된다.) 문장력과 시문이 뛰어나 이름이 난다.(학당이 공망 된다.) 성품이 담백하고 맑다.(死絶되어 공망을 보는 것) 美質(아름다운 형태)을 사랑한다.(귀인이 많은데 공망을 보면 좋은 것이다.)공명이 좋은 것(화개가 많은데 공망을 보면 좋다.(여유로우며 담백하여 피해가 없으며, 화려한 무늬를 새기는 공이 있는 것(旺相休囚한데 吉神이 있고 공망을 보는 것) 超人의 재주로 과단함을 가진 것[神煞이 공망이 되면 비록 超人(능력이 뛰어난 사람) 일지라도 福이 없다.] 이 모두가 吉한 곳이 있다. (洞玄經云,淵淨而倥侗無氣,空亡多,謂之淵淨格,圓機而自立一家,祿馬貴官,上見空亡,爲九流格.辭有章而賈名,學堂見空亡,性無爲而湛如,自死自絶見空亡,美質可愛,貴人多,見空亡則可愛,功名可珍,華蓋多,見空亡則可珍,優游恬淡無累,雕鏤華藻有功,休囚旺相,有吉神而見空亡.拘越人之才,挾敢斷之果,神煞暗指空亡,雖超人無福.詳此,亦有吉處.)

무릇, 이 煞을 가지고 生旺하면 기품이 관대하고 행동은 허명이 분명하며 비만하고 장대하여 뜻밖의 무심한 福이 많고, 死絶되면 일생동안 성패가 많아 떠돌아다니는데, 단 我神이 有氣한 地支에 있으면 禍가 되지 않는다. (凡帶此煞,生旺則氣度寬大,動昭虛名,長大肥滿,多意外無心之福,死絶則一生成敗漂泊,但在我有氣之地,則不能爲禍.)

[공망은] 干支가 서로 合되는 것을 크게 꺼리는데, 小人(도량이 좁고 간사한 사람)이 이와 같이 合하면 간사하며 타인을 기만하고 [행동하지 못하는 것이 없다.] 멋대로 행동한다. 만약 내가 剋하는 것이 공망이 된다면 하늘에서 재앙을 받는[天中煞=공망]것을 말하니 도리어 특별한 福이 된다. 예를 들면 戊午(天上火)火人이 甲子(해중 금)金을 보는 종류이다. (大忌支干與干中相合,是謂小人得位,則奸詐譎詭,靡所不爲.若爲我所剋,是謂天中受殃,反爲特達之福.如戊午火人,見甲子金之類.)

그 神(공망살)의 성질은 無常(무상~순환반복하고 끊임없어 변화함)한데, 官府와 더불어 있으면 문체가 뛰어나고, 劫煞과 아울러 있으면 용맹스럽고, 亡神과 아울러 있으면 낚시찌가 회오리바람을 만난 것과 같고 (요동친다), 大耗(원진살)와 아울러 있으면 송골매가 부딪혀 뒤집어진 것과 같고, 建祿과 아울러 있으면 자신이 파산하고, 咸池(도화살)와 六害살과 아울러 있다면 흉포하여 사망함이 많다. 오직 貴人(天乙) 華蓋 三奇 學堂이 아울러 있으면 매우 총명하며 속세를 벗어난 선비이다. (其神性無常,與官符併則佞媚多文,與劫煞併,則狡勇.與亡神併,則飄蓬,與大耗併,顚倒鶻突.與建祿併,一身破散.與咸池六害併,多兇暴卒.惟夾貴華蓋三奇學堂併者,大聰明,脫俗之士.)

16. 논공망論空亡-2

대저, 空亡은 太歲를 말하지 않고, 生日에 순중공망(旬中空亡)을 보면 지극히 좋지 않다. 만약 太歲와 日이 互換공망이 되면 좋지 않다. 실제로 空이 되면 실지 空을 비추지만, 空에서 空이 되면 실제로 비쳐지는 곳이 없게 된다. 그러므로 互換공망은 재앙이 심하다. 가령 甲子年 壬戌日이면 甲子의 올바른 空亡은 壬戌에 있는데, 壬戌은 甲寅 旬이고, 甲寅 旬中에서 空亡은 다시 子가 있으니, 主는 一生동안 재물이 흩어져 줄어들게 되고 家宅이 大破한다. 나머지는 이것을 모방하면 된다. (夫空亡不言太歲,見生日旬中空亡極緊.若太歲與日互換空亡,更不佳.以實爲空,則實可映空.以空爲空,無所映實.故帶互換空亡者災深.假令甲子年壬戌日,甲子之正空亡在壬戌,其壬戌乃甲寅旬,甲寅旬中空復在子,主一生財物耗散,大破家宅.餘仿此.)

만약 日時가 互換(서로 교환)하면 時은 급박하고 日은 느린 것이다. 만약 日이 공망인데 時가 刑衝破害하거나, 時가 공망인데 日이 刑衝破害하면 主는 福은 있더라도 인생이 순탄하지는 못한 것이다. 또 말하기를, 天中煞(공망)은 모두 凶하다고만 할 수는 없다. 가령 사주에 惡神 惡煞이 있어 재앙이 모인 地支는 모두 空亡으로 풀게 되니, 空亡이 있을 경우에는 合이 되는 것은 마땅하지 않는데, 合이 되면 空亡이 되지 않기 때문이다.[坎坷~인생이 순탄치 못함] (若日時互換,時緊日慢.若日犯而時卻刑害衝破.時犯而日卻刑害衝破,亦主有福,未免坎坷.又云,天中一煞不可全以凶言,如柱有惡神惡煞,禍聚之地,全要空亡解之,有空亡不宜見合,合則不能空矣.)

만약 祿馬 財官은 福이 모이는 氣이지만 空亡은 모인 기운을 흩어지게 하여 두렵고, 공망은 오히려 合을 보면 좋은데, 合을 하면 空亡이 안되기 때문이다. 만일 衝이 없고 合도 없고 刑이 없으면 眞空亡이라고 한다. 四孟지의 해악이 심하면 단지 작은 재능으로 지닌 술수를 부리는 사람이 된다. (若祿馬財官,福聚之氣,全怕空亡散之,有空亡卻喜見合,合則不能空矣.若無衝無合無刑,謂眞空亡.四孟太毒,只作小伎巧術人.)

또 甲子 旬은 水土(戌 亥), 甲戌 旬은 金(申 酉), 甲申 旬(午 未)은 火土, 甲午 旬(辰 巳)은 火土, 甲辰(寅 卯) 旬은 木, 甲寅 旬(子 丑)의 水土는 眞공망이 된다. 또 말하기를, 울려야 소리가

나고 가운데가 빈 것이 않은 것이 없다.[속이 비어야 소리가 난다는 말] 大人의 命은 마음을 비우는 덕이 중요하다. 空亡이 旺하면 사용함이 있으니, 소리가 큰 것은 그릇이 큰 것에서 應한다. 月 日 時의 3位 모두가 空亡이 되면 害롭지 않으며 大貴人이 된다. 만일 2자리가 공망이면 비록 벼슬은 하겠지만 크게 되지는 않는다. (又甲子旬水土,甲戌旬金,甲申旬火土,甲午旬火土,甲辰旬木, 甲寅旬水土,爲眞空亡.又云,響之有聲,莫非虛中也.是以大人之命,要有虛中之德.空亡自旺有用,乃大聲 大應之器.月日時三位俱空亡者,不害爲大貴人.若値兩位,雖有官,不大.)

또 말하길, 命에서 空亡이 時上에 있으면 성품이 삐뚤어짐이 많아 벼슬이 높아도 헛되고, 거듭하여 [時上에서]華蓋를 만나게 되면 자식이 적고, 日上에 있으면 서출(庶出)이 많고 혹 처첩들과 이별을 하거나 배필을 만나더라도 波瀾(파란)이 많다. (又云,凡命値空亡,時上見,多拗性,爲事高而 虛,更遇華蓋,決主少子.日上見多庶出,或妻妾間離,遇偶合,則多浪蕩.)

古歌에 이르기를, 胎月에서 공망을 만나는 것이 두려우며, 時에서 空을 만나면 혼몽(昏蒙~사리에 어두워 어리석다.)하니 보통 10중에 9는 東西로 떠도는 것을 면하지 못한다.(이것은 胎中에서 空亡보는 것을 꺼린다는 것이다.) (古歌云,胎裏生逢怕遇空,遇空時節自昏蒙,饒君十步有九計,不免飄 飄西復東.是胎中忌見空也.)

또 이르기를, 建祿이 空亡이 되면 虛名(허명)으로 평생 공부를 하여도 늙을 때까지 이루지 못한다. 만일 祿馬 貴人이 와서 구원한다면, 설사 벼슬을 얻게 되더라도 다시 멈추게 된다. (이것이 建祿은 空亡이 되는 것을 꺼린다는 것이다.) (又云,建祿臨空虛有名,平生向學老無成,若逢馬貴來相 救,縱得官時又復停.是建祿忌見空也.)

또 말하기를, 甲寅 戊午 및 庚申이 丑上에서 天中煞(공망)이 되면 가장 어질지 못하게 된다. 본래는 태어나면 당연히 祿을 받는데 5鬼를 만나면서 衰貧하게 된다. 甲寅(대계水)水가 辛丑(벽 상土)土를 보면 鬼가 와서 命을 剋하게 된다. 戊午(천상火)가 丁丑(간하水)를 보거나 庚申(석류木) 이 乙丑(해중金)을 보는 경우는 같은데, 이것은 空亡이 命을 剋하는 것을 꺼린다는 것이다. (又 云,甲寅戊午及庚申,丑上天中最不仁,本分生來當受祿,因達五鬼遂衰貧.以甲寅水見辛丑土,爲鬼來剋 命.戊午見丁丑,庚申見乙丑同,是空亡忌剋命也.)

또 이르기를, 六旬의 마지막 둘을 天中煞이라 하는데, 長生을 合하여 旺하면 凶하지 않다. 더하여 祿을 刑 衝하면 관직이 오르고 지위가 높아진다. 예컨대, 巳酉丑人이 丁丑 月 癸未 日 戊 午 時라면 午 未가 空亡인데 戊癸 合火하여 旺함이 午에 있으니 도리어 貴格이 되니, 이것은 火 가 虛하여도 불꽃이 있다는 것이다. (又云,六旬後兩號天中,見合長生旺不凶,加臨衝剋兼刑祿,官職 升騰位更隆.如巳酉丑人,丁丑月癸未日戊午時,午未空亡,而戊癸之火旺在午,反爲貴格,是火虛有焰也.)

例) 命造
戊 癸 丁 己

午 未 丑 丑

또 이르기를, 印綬 星中에서 空亡을 보고 순서대로 墓庫에 臨하면 福은 더욱 중한데, 만일 貴人이 歸元(본래의 자리)하여 되돌아가더라도 煞을 대동한다면 모름지기 직장에서 봉급을 받는다.
例) 命造
壬 丙 癸 甲
辰 子 酉 午

예컨대, 上記 命造는 時가 비록 空亡이지만 오히려 癸酉와 六合(辰酉)이 되고, 그리고 墓 庫가 貴人을 夾(합이 된다는 말)하니 그래서 格에 드는데, 이것은 水가 空亡이면 흐른다는 것이다. [夾~丙의 貴人은 酉인데 辰酉가 합이 된다는 말] (又云,印綬之星中見空,順臨墓庫福重重,若還夾貴歸元位,帶煞須爲給事中,如甲午,癸酉,丙子,壬辰,時雖空,卻與癸酉作六合,又墓庫夾貴,所以入格,是水空則流也.)

16. 논공망論空亡-3

경에서 이르기를, 金이 空亡되면 소리가 울리고, 火가 空亡되면 밝으며, 水가 空亡되면 맑으며, 木이 空亡되면 부러지고, 土가 空亡되면 붕괴되는 이것을 이르는 말이다. 또 말하기를, 人命에 空亡이 있으면 원래 좋지 않지만, 만약 運에서 刑 衝을 한다면 오히려[空亡이 吉한 역할] 煞을 虛하게 만든다. 선비가 그것[공망이 있는데 형 충을 만나는 것]을 만나면 명성이 올라 칭송된다.

例-1)命造
甲 乙 丁 甲   癸 壬 辛 庚 己 戊
申 亥 丑 申   未 午 巳 辰 卯 寅
壬午運으로 行하여 (當路)정권을 잡았다.

例-2)命造
丁 乙 乙 乙   己 庚 辛 壬 癸 甲
亥 丑 酉 未   卯 辰 巳 午 未 申

辛巳運으로 行하여 (監司)지방관리가 되어 명성을 크게 떨쳤다.
만약 壬寅이 空亡이었다면 壬申의 同類가 壬寅을 衝하여 動하지 않았을 것이니 가장 나빴을 것이다.   (經云,金空則響,火空則明,水空則淸,木空則折,土空則崩.此之謂也.又曰,人命空亡本不好,若運衝刑,反爲虛煞,士人遇之,飛聲走譽.如甲申,丁丑,乙亥,甲申,行壬午運,作當路,乙未乙酉乙丑丁亥,行辛巳運,作監司,大振聲望.若壬寅爲空亡,壬申同類衝之則不動,此爲最毒.)

절로공망(截路空亡)이 있는데, 사람이 가야할 바른길에 있어, 물을 만나서 앞으로 나아가지 못하니 뜻을 이룰 수 없으므로 절로(截路)라고 하는데, 다만 日로써 時를 취하여 본다. 가령 甲己 日은 12時중에 진행하여(遁) 申 酉상에서 壬癸를 만나는 것이므로 甲己는 申 酉를 보는 것이고, 乙庚은 午未를 보고, 丙辛은 辰 巳를 보고, 丁壬은 寅 卯를 보고, 戊癸는 戌 亥를 보는 것인데, 이것은 12時상에서 모두가 壬癸를 만나서 水(물)이 되기 때문인 것이다. 절로공망은 비단 命에서 불길할 뿐만 아니라 출입(出入), 구재(求財), 교역(交易), 상관(上官), 혼인 등 모든 일에 불길하게 된다.[譯註- 여하를 막론하고 時의 天干이 壬癸가 되면 절로공망이 성립한다.] (有截路空亡,正如人在途,遇水不能前進,不可以濟,故曰截路,只以日取時見之.如甲己日,遁十二時中,申酉上見壬癸,故甲己見申酉,乙庚見午未,丙辛見辰巳,丁壬見寅卯,戊癸見戌亥,此二時上,俱遇壬癸爲水故也.此空亡,非但命見不吉,凡出入,求財,交易,上官,嫁娶,百事皆忌.)

사대공망(四大空亡)이 있는데, 六甲 中에 甲辰 甲戌 2旬에서는 金木水火土가 모두 있는데 甲子 甲午 旬내에서는 다만 水가 없고, 甲寅 甲申 旬에서는 단지 金이 없으니, 이 4旬은 五行이 온전치 못한 것이다. 가령 甲子 甲午 旬에 태어난 사람이 水를 보고, 甲寅 甲申 旬에 태어난 사람이 金을 보면 사대공망을 범한 것이라 한다. 만일 마땅히 태어난 해(年)에 범하지 않아도 行運에서 水金 處가 된다면 역시 [사대공망을] 犯한 것이라 한다. 만약 사대공망 이 있으면 일생동안 蹇滯하며, 富貴貧賤을 不問하고도 요절한다. 거듭하여 3곳에서 만나면 순식간이 그렇게 된다. 호중자가 말하기를, 안회가 요절한 것은 단지 사대공망으로 인한 것이다. 바르게 사대공망을 말한 것이다.[사대공망은 납음오행, 안회는 공자의 제자] (有四大空亡,六甲中,甲辰甲戌二旬,金木水火土全,內甲子甲午旬獨無水,甲寅甲申旬獨無金,此四旬者,五行不全.如甲子甲午旬生人見水,甲寅甲申旬生見金,謂之正犯.如當生年中不犯,行運至水金處,亦謂之犯.若帶得,主一生蹇滯,不問貧賤富貴,皆夭折.三處重遇,瞬息爲期.壺中子云,顔回夭折,只因四大空亡.正謂此也.)

동미경에는 오귀 공망(五鬼空亡)이 있는데, 甲己 人이 巳 午를 보고, 乙庚 人이 寅 卯를 보며, 丙辛 人은 子 丑을 보며, 丁壬 人은 戌 亥를 보고, 戊癸 人은 申 酉를 보는 것인데, 이곳에 도달하면 주로 가난하게 된다. (洞微經有五鬼空亡,甲己人見巳午,乙庚寅卯,丙辛子丑,丁壬戌亥,戊癸申酉,限至斯鄕,主貧.)

극해 공망(剋害空亡)이 있는데, 甲乙 人이 午를 보고, 丙丁 人이 申을 보고, 戊己 人이 巳를 보고, 庚辛 人이 寅을 보고, 壬癸 人이 酉 丑을 보는 것인데, 주로 처와 자식을 剋害한다. (有剋害空亡,甲乙人見午,丙丁申,戊己巳,庚辛寅,壬癸酉丑,主剋害妻子.)

파조 공망(破祖空亡)이 있는데, 甲乙 丙丁은 위와 같고, 戊 己 人이 戌을 보고, 庚辛 人이 子를 보고, 壬癸 人이 寅을 보는 것인데, 파조공망을 만나게 되면 주로 祖業을 破하는데 반드시 아울러 論해야 한다. (有破祖空亡,甲乙丙丁同上,戊己人見戌,庚辛子,壬癸寅,遇者主破祖業,須幷論之.)

[보충:사주는 논함에 있어 반드시 하나의 例로서 논해서는 절대 불가하다.] (有破祖空亡,甲乙丙丁同上,戊己人見戌,庚辛子,壬癸寅,遇者主破祖業,須倂論之.)

17. 논원진-毛頭星에 속하며 일명 대모라 한다.
(論元辰(屬毛頭星,一名大耗)

원진은 헤어져 서로 마음이 맞지 않음을 말한다. 陽이 앞이고 陰이 뒤라면 굽히는 것이 있는데 굽힌다면 일을 펼칠 수 없고, 陰이 앞이고 陽이 뒤라면 곧아서 뜻대로 되지 않고 일이 사나워져 다스리지 못하여 함께 일하기가 어려운 것이므로 元辰(元嗔-원진)이라고 말한다. (元辰者,別而不合之名.陽前陰後,則有所屈,屈則於事無所伸,陰前陽後,則直而不遂,於事暴而不治,難與同事,故謂之元辰.)

元辰은, 陽男陰女는 衝하는 1位 앞의 地支이고, 陰男陽女는 衝하는 1位 후의 地支이다. 가령 甲子생 남자는 甲午와 衝이 되니 즉 乙未가 정元辰이고, 乙丑생 남자는 乙未와 衝이 되니 즉 甲午가 정元辰이다. 나머지 午 未의 천간은 반元辰이 된다. 그렇기 때문에 凶한 것은 당연히 衝하는 기운의 地支인데, 왼쪽을 치면 風煞은 우측에 있고, 우측을 치면 風煞이 좌측에 있다. 그러므로 陰陽의 男女는 衝하는 앞과 衝하는 뒤를 取하는 것이 같지 않다. (是以陽男陰女,在衝前一位支辰,陰男陽女,在衝後一位支辰.假如甲子生男,與甲午對衝,卽乙未爲正,乙丑生男,與乙未對衝,卽甲午爲正.餘干午未半之.所以爲凶者,當氣衝之地,左鼓則風煞在右,右鼓則風煞在左,故陰陽男女,取衝前衝後不同.)

만약 歲運에 元辰이 임하게 되면 사물에 바람이부는 것처럼 요동치며 뒤집혀서 편안함을 얻지 못한다. 內的으로 질병이 있지 않으면 반드시 外的으로 어려움이 있게 된다. 비록 富貴가 높고 권세가 흥성(興盛)할지라도 大運에서 元嗔을 만난다면 10年동안 두렵다. 조정에서는 竄逐(찬축~먼 곳에 쫓겨남)되고 집에 머물러도 반드시 재앙을 근심한다. 설령 吉神의 도움이 있을지라도 禍福이 교차됨을 면할 수 없고, 먼저 吉하고 나중에 凶함을 더욱 꺼리는데 왕성한 後라서 나아가고자 해도 나아가지 못하는 때이므로 禍를 피할 수 없다. (若歲運臨之,如物當風,動搖顚倒,不得寧息.不有內疾,必有外難.雖富貴崇高,勢位炎盛,大運逢之,十年可畏.立朝定當竄逐,居家必罹凶咎,縱有吉神扶持,不免禍福倚伏,尤忌先吉後凶,發旺之後,欲出未出之際,禍不可逃.)

人命에서 元嗔을 만나면 얼굴모양이 추하며 안면에는 광대뼈가 있고 코는 낮고 입은 크고 눈은 각지고 머리는 볼록하며 엉덩이도 큰데, 손과 다리는 단단하여 강하고 음성은 심히 탁하다. 生旺하면 도량은 넓으나 곤경에 처하며 시비를 가리지 못하고 선량한사람을 분별하지 못하며 돌연히 뒤집어진다. 死絕되면·용열하여 가난하고 초라하며, 용모는 천박하고 언어가 혼탁하고, 부끄러움과 수치를 알지 못하고, 때를 만나지 못하여 破 敗하고, 음식은 탐하며 色을 즐기고, 하류인 생에 익숙하다. (人命遇之,主形貌陋朴,面有顴骨,鼻低口大,眼生威角,腦凸臀高,手脚强硬,聲音沉濁. 生旺則落魄大度,不別是非,不分良善,顚倒鶻突.死絶則寒酸薄劣,形貌猥下,語言渾濁,不識羞辱,破敗坎 坷,貪飮好情,甘習下流.)

官府(망신살)와 함께 있으면 죄가 없어도 구속당함이 많고, 겁살을 대동하면 예법을 지키지 않 으니 행동이 위태로워 치욕을 당하고, 천박하여 수치스러움을 모른다. 부인이 원진을 얻으면 음 성이 웅장하며 성품은 혼탁한데, 姦淫私通(간음사통)하고 賤하여 鬼魅(귀매~도깨비, 모진귀신, 두 억시니)에게 의지하여 예법을 따르지 않으니 일생동안 재앙이 많고, 비록 자식을 낳더라도 고집 불통으로 不孝한다. 꾀 많은 쥐가 양의 뿔을 두려워한다.[子 未 相穿] 남녀를 구분하지 않아 믿음 이 부족한 것이다. (與官符倂,多招無辜之撓,帶劫煞則不循細行,動招危辱,窮賤無恥.婦人得之,聲雄性 濁,姦淫私通,奴賤鬼魅爲憑,不遵禮法,一生多災,雖生子,拗而不孝.常術鼠忌羊頭歌.未分男女,不足憑 也.)

낙녹자는 元辰을 두려워하라고 하였고, 임개는 원진은 악살이라 재앙이 심히 중하다 하였다. 互換하여 만나면 더욱 不吉하고, 홀연히 合을 만나면 吉하다고 論한다. 동현경에서 이르길, 元嗔 이 합을 만나면 크게 형통하는 것이다. (珞珠子以宣父畏其元辰,林開以元辰惡煞,爲災甚重.有互換 遇者,尤爲不吉,忽然遇合,又以吉論.洞玄經云,元辰遇合而大亨是也.)

광신집에서 취한 巫汲參政(무급참정) 命造이다.
例)命造
甲 己 甲 己
戌 巳 申 卯

滕康樞密(등강추밀) 명조이다.
例)命造
壬 乙 壬 乙
午 丑 午 丑
2命은 어찌 元嗔이 침범하지 않겠는가?
이길보가 말하기를, 대체로 貴命은 모름지기 살을 만나야하는데 즉 군왕에게 갑자기 천거된다. 임개는 한쪽으로 치우친 견해인 것이다.
(廣信集取巫汲參政,己卯,甲申,己巳,甲戌,滕康樞密,乙丑,壬午,乙丑,壬午,二命豈不犯元辰.李吉甫曰, 大凡貴命須逢煞,卽得君主橫升拔,林開一偏之見也.)

서자평선생께서 말씀하시기를, 命中에서 으뜸으로 害로운 神(辰)이 있는데, 가령 甲이 申 庚을 보거나 乙이 酉 辛을 만나는 종류인데, 사람이 태어난 歲(年) 月 日 時에서 원래 七煞이 있으면 자신에게 해로운 神(辰)이 되는데, 歲運에서 다시 [元嗔을]만나면 元辰을 범한 것이라 하여 害가 더욱 심하고, 原局에 없으면 가볍다. 그런데 원진살은 망신 겁살 양인 공망과 같은 종류인데 낙 녹자소식부를 살펴본 나의 견해이다. 설심부에서 말하길, 元辰은 水(물)로 가는 神煞의 명칭을 지 칭한다. 이는 古人(옛사람)의 說인 것이다. (徐子平云,元辰者,命中元有所害之辰,如甲見申庚,乙見 酉辛之類,人生歲月日時,原有七煞,己爲所害之辰,歲運復遇,謂之犯元辰,爲害尤重,元無則輕.然元辰一 煞,與亡劫羊刃空亡同類.觀珞琭子消息賦自見.雪心賦云,元辰水去,亦指神煞之名.是古人之說是也.)

18. 논암금적살(금선택가이월취,위지홍살일,범백개흉,출행우기)
論暗金的煞(今選擇家以月取,謂之紅煞日,凡百皆凶,出行尤忌)

이 3개의 煞은 先天數의 4衝이다. 무릇 子 午의 數는 각각 9이고, 卯 酉는 각각 6이니 총 30 이 된다. 子부터 순행하여 30번째에 이르러 巳를 만나는데, 이것이 四仲之正煞이 된다. 寅 申은 각각 7이고, 巳 亥는 각각 4이니 총22가 되며, 子부터 순행하여 22번째가 이르러 酉를 만나는데, 이것이 四孟之正煞이 된다. 辰 戌은 각각 5이고, 丑 未는 각각 8이니 총26이 되며, 子부터 순행 하여 26번째가 이르러 丑을 만나는데, (此三煞,乃先天數之四衝也.夫子午之數各九,卯酉各六,總爲 三十.自子順行,極三十而見巳,是爲四仲之正煞.寅申各七,巳亥各四,總二十有二,自子順行,極二十二而 見酉,是爲四孟之正煞.辰戌各五,丑未各八,總二十有六,自子順行,極二十六數而見丑,是爲四季之正煞. 是起於數者然也.)이것이 四季之正煞이 된다. 暗金的煞은 數로부터 시작되는 것이다.

무릇, 神 煞은 모두가 數에서 비롯하는데 祿 馬도 같다. 암금적살은 하나의 煞인데 3개의 이름 이 있다. 첫째가 음신(呻吟) 둘째가 파쇄(破碎) 셋째가 백의(白衣)이다. 子 午 卯 酉는 巳이고, 寅 申 巳 亥는 酉이고, 辰 戌 丑 未는 丑이다. 巳는 金의 長生地이지만 巳중에 임관(건록)하는 火가 金氣를 剋하니 장초, 형옥, 신음의 재앙이 있으므로 呻吟이라 말한다. 酉는 金의 旺地이니 만물 이 肅殺하는 때인데 辛金이 도움이 있으면 만물은 破碎되지 않을 수 없고 지리멸렬하는 재앙이 있으므로 破碎라고 말한다. 丑은 金의 墓庫이니 四季에 머무르며 鬼門(귀문)이 자리하여 방해(妨 害-해를 끼침), 상복(喪服), 곡읍(哭泣-소리 내어 슬피 욺)의 일이므로 白衣라고 말한다. (凡神煞 皆起於數,與祿馬同類.此一煞而有三名.一曰呻吟,二曰破碎,三曰白衣.子午卯酉在巳,寅申巳亥在酉,辰 戌丑未在丑.巳者,金生之地,巳中臨官之火,金氣臨剋,主杖楚刑獄呻吟之災,故曰呻吟.酉者金旺之地,煞 物當時,又有辛金相助,萬物當之,無不破碎,主支離流血之災,故曰破碎.丑乃金之庫墓,居四季而臨鬼門, 主妨害喪服哭泣之事,故曰白衣.)

五行중에서 오로지 金만이 肅殺(숙살)할 수 있으므로 總名(총명, 총칭)하여 暗金的煞이라 한다. 암금적살이 生旺하면 사람이 관대하고 큰 그릇으로 결단력이 있는데, 용모는 청수하며 우뚝하고, 그런데 만약 요절하거나 刑 傷을 당하지 않는다면 반드시 문둥병(나병)이나 중풍을 앓게 된다. (五行中,惟金能煞物,故總名曰暗金的煞也.其神生旺,主人寬量大器,決斷有爲,形容清峻,若不夭喪刑傷,

須有癩病癱瘓.)

[암금적살이] 死絶되면 참혹한 害를 당해 참고 견디고, 용모는 홍백색이며, 교언영색(巧言令色-환심을 얻기 위해 교모하게 말을 꾸며 아첨하는 일)하고, 소리장도(笑裏藏刀-웃음 속에 비수를 감춘다.)한다. 官府와 아울러 있으면 뜻밖에 官災(관재수)가 생기고, 겁살과 아울러 있으면 非命橫死(비명횡사)할 수 있다. 백호살, 양인과 아울러 있으면 혈류상잔(流血傷殘)한다. 貴人, 建祿과 아울러 있으면 조금은 완화된다. 오행이 왕상하고 길신이 도와주어 貴格이 되면 害가 없다. 賤格이 되면 재차 一切(일체)의 凶神을 두게 되어 더욱 凶해진다. (死絶則慘害剋毒,形容紅白,巧言令色,笑裏藏刀.與官符併,則橫來官災,與劫煞併,則橫來死喪.與白虎羊刃併,則流血傷殘.與貴人建祿併,則稍慢.五行旺相,吉神相救,入貴格則無害.入賤格,再值一切凶神,則愈凶.)

또 말하기를, 金의 長生 地는 주로 큰바람으로 중풍(손과 다리에 마비가 오는 증상)의 질환이고, 金 旺地는 수고독약(水蠱毒藥)의 病이고, 金의 墓庫地는 剋 子하여 惡 死할 근심이 있다. 만일 3刑과 德 貴를 동반하면 주로 병권을 가진 고관(高官)이 된다. 대저 암금적살은 不吉한데, 人命에서 이를 만나면 진실로 마땅하지 않는데, 세운에서 이를 만나면 주로 상복을 입고 슬피 울고, 도적이 침입하여 시끄러우며, 구설수로 破耗(파모)한다. (又曰,金生處,主大風癱瘓之疾,金旺處,主水蠱毒藥之病,金墓處,主剋子惡死之憂.若帶三刑德貴,主有高官,持兵權.大抵此煞不吉,人命逢之,固所不宜,歲逢之,亦主孝服哭聲,盜賊侵擾,口舌破耗.)

소아가 이것을 犯하면, 湯火(탕화~끓는 물과 뜨거운 불)의 厄이 있거나, 그렇지 않으면 흉터자국으로 얼룩진 파탄의 象이 있다. 經에서 이르기를, 謬戾(유려~이지러지고 어긋나다.)가 刑 害보다 과하지 않고, 때에 따라 吉하며, 어긋나도 衝破보다 심하지는 않으니, 반드시 모두 凶한 것은 아니다. 이것을 말한 것이다. (小兒犯此,湯火之厄,不然,身有痕疤破綻之象.經云,謬戾無過於刑害.有時而吉,乖違莫甚於衝破,未必皆.此之謂也.)

[일명 백호살인데, 나의 견해는, 신자진 모두가 있는데 午방을 만나는 것이고, 백호와 재살은 조금 다르다.]

19. 논재살(論災煞[一名白虎煞,余見申子辰全,遇午方是,白虎與災煞,微不同.])

災煞은 그 성질이 용맹하고 항상 겁살의 앞에 居하여, 장성을 衝 破하니 災煞이라고 일컫는다. 예컨대,
申 子 辰의 將星은 子인데 오히려 午가 가서 子를 衝한다.
寅 午 戌의 將星은 午인데 오히려 子가 가서 午를 衝한다.
巳 酉 丑의 將星은 酉인데 오히려 卯가 가서 酉를 衝한다.

亥 卯 未의 將星은 卯인데 오히려 酉가 가서 卯를 衝한다. 이것이 재살이다.
(災煞者,其性勇猛,常居劫煞之前,衝破將星,謂之災煞.如申子辰將星在子,午却去衝子.寅午戌在午,子却
去衝.巳酉丑在酉,卯却去衝,亥卯未在卯,酉却去衝.是災煞也.)

신백은 말하기를, 강물에 별빛이 비추면 허공의 안개 낀 날이 두렵고, 庚辛 여름애벌레는 요동
치고, 木은 잠자는 닭을 끌지 않는다. 사주에서 災煞을 더하여 보면 福은 적고 禍는 연이어지는
데, 주로 血光橫死(혈광횡사- 피를 뿌리며 비명횡사함)한다. 水火가 있으면 焚溺(분닉-불탐과 물
에 빠짐)을 방비하고, 金木은 杖刃이고, 土는 墜落瘟疫(추락, 온역-돌림병)이고, [災煞이] 身을 극
하면 大凶하다. (神白云,類水逢星照,虛空怕日煙,庚辛夏蝎戰,木不引雞眠.四柱交加見,福少禍連綿,此
煞主血光橫死.在水火防焚溺,金木,杖刃,土,墜落瘟疫,剋身大凶.)

만약 福神이 돕는다면 무직의 권력이 대부분이다. 그리고 만일 劫煞의 종류들이라면, 관성 인
수의 生旺한 곳을 보아야 아름답게 된다. 신백경에 말하기를, 재살은 剋하는 것이 두려우나, 生
處는 오히려 상서로움이 된다. 바르게 이것을 말한 것이다. (若有福神相助,多是武權.亦如劫煞之
類,要見官星印綬生旺處爲佳.神白經云,災煞畏乎剋,生處却爲祥.正謂此也.)

20. 논육위論六危

危(위태롭다.)는, 어려운 일을 당하는 것이다. 항상 馬의 1辰(地支) 앞에 있고, 劫煞의 2辰 뒤에
있는데, 死而不生하니 厄(액)이라고 말한다.
申 子 辰은 水局이며 水의 死宮은 卯이고,
寅 午 戌은 火局이며 火의 死宮은 酉이고,
亥 卯 未는 木局이며 木의 死宮은 午이고,
巳 酉 丑은 金局이며 金의 死宮은 子인데 그러므로 厄이 된다.
[보충:三合의 死宮이 厄이다.]

만약 救護(구호~도우고 보호함)하거나 扶持(부지~도와줌)하거나 生旺함을 만나고 겸하여 貴氣
가 도운다면 吉하지만, 필경에는 일생동안 건체(蹇滯~하는 일이 막혀 머뭇거림)하게 된다. 호중자
가 말하기를, 六危는 剝官之煞(官職의 옷을 벗게 하는 煞)이 되어 李 廣은 제후에 封해지지 않았
던 것이다. (危者,遭乎難者也,常居馬前一辰,劫後二辰,死而不生,謂之厄.申子辰水局,水死在卯,寅午
戌火局,火死在酉,亥卯未木局,木死在午,巳酉丑金局,金死在子,所以爲厄.若有救護,有扶持,逢生旺,兼
貴氣相助則吉,究竟一生蹇滯.壺中子云,六危爲剝官之煞,李廣不封侯是也.)

21. 논구교論勾絞

일명 조아살 (一名爪牙煞)

勾는 견련(牽連~서로 끌어당겨 연관 지음)의 뜻이며, 絞는 기반(羈絆)의 이름이다. 두 煞은 언제나 서로 衝하는 관계인데 다만 劫煞 亡神과 같다. 陽男陰女는 命 앞의 3辰(3번째 地支)가 勾이고, 命 뒤의 3辰이 絞가 된다. 陰男陽女는 命 앞의 3辰이 絞가 되고, 命 뒤의 3辰이 勾가 된다. 가령, 甲子의 陽命人이라면 卯는 勾이고 酉는 絞이며, 乙丑의 陰命人이라면 辰은 絞이고 戌은 勾가 되는 例이다. (勾者,牽連之義,絞者,羈絆之名,二煞嘗相對衝,亦猶亡劫.陽男陰女,命前三辰爲勾,命後三辰爲絞,陰男陽女,命前三辰爲絞,命後三辰爲勾.假令甲子陽命人,卯爲勾,酉爲絞,乙丑陰命人,辰爲絞,戌爲勾之例.)

古歌에 이르기를, 조아살은 命의 3辰(3번째 地支)인데, 金神 羊刃이 臨하는 것을 크게 꺼리며, 煞이 身을 剋하여 구하지 않으면 필히 蛇(뱀)나 虎(범)에게 상해를 입게 된다. 조아살은 金神과 白虎煞이 아우르는 것을 크게 꺼리며 凶한 것이다. 牛(소) 馬(말) 犬(개)의 짐승 등에게 역시 상해를 입으니 오직 虎(범)狼(이리)뿐만 아닌 것이다. 身을 剋하지 않으면 福과 同宮하는 것은 不用한다. (古歌云,爪牙煞去命三辰,大忌金神羊刃臨,夾煞剋身無福救,必遭蛇虎傷其身.此煞大忌金神白虎倂則凶.牛馬犬畜等傷亦是,不獨虎狼也.不剋身,與福同宮者不用.)

대저, 命에서 구교살(조아살) 만나고, 身이 만약 煞을 剋한다면 심중에 計巧가 많아 형법의 임무를 관장하거나 혹 장수가 되어 오로지 誅戮(주륙~죄를 물어 참형함)을 담당한다. 煞이 만약 身을 剋한다면 명대로 살지 못하고 마친다. 소인이 조아살을 만나면 뜻밖의(갑작스런) 災禍(재화)가 아니며 行年에서 爪牙煞이 되면 口舌數와 刑罰과 옥살이등의 일이 생긴다. 또 말하길, 2자리에 전부 있으면 災殃이 중하고 1자리에 있으면 [災殃이]가볍다. 또 말하기를, 鬼가 있으면 재앙이 중하고 鬼가 없으면 재앙이 가볍다. (大抵此煞,凡命遇之,身若剋煞,多心路計巧,主掌刑法之任,或爲將帥,專地誅戮.煞若剋身,主非命而終.小人逢之,非橫災禍,行年至此,亦主口舌刑獄等事.又云,值兩位全者災重,一位者輕.又云,有鬼則災重,無鬼則災輕.)

22. 논고진과숙論孤辰寡宿-上

선현께서 말씀하시길, 늙어서 남편(夫)이 없는 것을 寡라 말하며, 어려서 아버지(父)가 없는 것을 孤라 말하는 이것이 그 뜻이다. 辰은 星辰(별)이라고 하며, 宿은 星宿(성수~별자리)라 하니 그 (辰, 宿)神을 가리키는 것이다. 人命에서 이 星辰(별)을 犯하면 孤寡(고과)와 같은 것이다. 가령 亥 子 丑方 3位에서 1辰(1 地支) 전진하여 寅을 보면 孤가 되고, 1辰(1 地支) 후퇴하여 戌을 보면 寡가 된다. 또 過角(과각~지나면)하면 孤가 되며, 退角(퇴각~물러남)하면 寡가 된다. 나머지 3方은 모두 이를 따라서 추리하라. [이 고신과숙은] 陰陽이 원망하고 한탄한다는 뜻이다. (先賢有

云,老而無夫曰寡,幼而無父曰孤,此其義也.辰,謂星辰,宿,謂星宿,指其神也.人命犯此星辰,則孤寡如是.如亥子丑逐方三位,進前一辰,見寅爲孤,退後一辰,見戌爲寡.又過角爲孤,退角爲寡.其餘三方,皆依此推.乃陰陽惆悵之義也.)

대저, 寅은 봄의 시작이고, 辰은 봄의 끝이 되며, 巳는 여름의 시작이고, 未는 여름의 끝이 되며, 申은 가을의 시작이고, 戌은 가을의 끝이 되며, 亥는 겨울의 시작이고, 丑은 겨울의 끝이 되는데, 모두가 陰陽이 분리되는 地支로서 사계절에서 한 계절이 없어지고 새로운 계절이 대신하는 것이다. (夫寅爲春始,辰爲春末,巳爲夏始,未爲夏末,申爲秋始,戌爲秋末,亥爲冬始,丑爲冬末,皆陰陽支離之神,四時代謝之方.)

삼거(일람)에서 말하기를, 天地間의 萬物 중에서 我(나)를 生하는 것이 母(어머니)가 되고, 我(나)를 剋하는 것은 夫(남편, 지아비)가 되며, 我(내)가 剋하는 것이 妻가 된다. 亥 子 丑은 北方 水의 자리에 속하며 水는 金으로 母를 삼는데, 金은 寅에서 絶하니 母가 絶하는 것이다. [水는] 火를 妻로 삼는데, 火의 墓는 戌이 되니 妻의 墓인 것이다. 申 酉 戌은 西方 金의 자리에 속하며 金은 火로서 夫(남편)를 삼는데, 火의 絶은 亥에 있고, 木으로 妻를 삼는데, 木의 墓는 未에 있다. 巳 午 未는 南方 火의 자리이며, 火는 木으로 母를 삼는데, 木의 絶은 申에 있고, 水로서 夫(남편)를 삼고, 水의 墓는 辰에 있다. 寅 卯 辰은 東方의 木의 자리이며, 木은 水로서 母를 삼는데, 水의 絶은 巳에 있고, 金으로 夫를 삼으며, 金의 墓는 丑에 있다. 母의 絶地로 孤辰을 삼고, 夫와 妻의 墓地로 寡宿으로 삼으니, 그 뜻이 더욱 적절하다. (三車云,造物中以生我者爲母,剋我者爲夫,我剋者爲妻.亥子丑屬北方水位,水用金爲母,金絶於寅,是母絶也.用火爲妻,火墓爲戌,是妻墓也.申酉戌屬西方金位,金用火爲夫,火絶在亥,用木爲妻,木墓在未,巳午未南方火位,火用木爲母,木絶在申,用水爲夫,水墓在辰.寅卯辰屬東方木位,木用水爲母,水絶在巳,用金爲夫,金墓在丑.是取母絶爲孤辰,夫墓妻墓爲寡宿,其義尤切.)

낙녹자가 이르기를, 骨肉이 도중에 分離(분리)되는 것은 孤辰 寡宿이 오히려 隔 角에서 싫어한다.[첨언~고진 과숙이 隔角이 되면 육친이 이별한다는 말 같음.] 옥문집에서 말하기를, 寅 申 巳 亥는 角이 되고 辰 戌 丑 未는 隔이 된다. 나아가는 것은 陽이 되어 父에게 불리하며, 물러나는 것은 陰이 되어 母에게 불리하다. 또 말하기를, 陽 宮에 있으면 父를 방해하며, 陰 宮에 있으면 母를 방해한다. 예를 들면 寅 卯 辰人은 巳를 보면 孤가 되고 丑을 보면 寡가 되며, 寅 辰은 陽의 자리가 되고 丑 巳는 陰의 자리가 되니, 男女가 출생한 命에서 고진과숙을 보면 비록 여자아이를 친히 낳더라도 和順(화순)하지 못함이 많다. (珞琭子云,骨肉中道分離,孤寡猶嫌於隔角.玉門集云,寅申巳亥爲角,辰戌丑未爲隔.進者爲陽不利父,退者爲陰不利母.又云,在陽宮妨父,在陰宮妨母.如寅卯辰人,巳爲孤,丑爲寡,寅辰爲陽之位,丑巳爲陰之位.男女生命見之,雖親生兒女,多不和順.)

왕씨가 말하기를, 男命이 妻의 絶地에서 生하고 孤辰을 만나면 평생토록 배우자와 결혼하기 어렵고, 女命이 夫가 絶하는 자리에서 生하고 寡宿을 만나면 여러 번 시집가도 해로할 수 없다.

가령 辛丑 人이 庚寅을 얻으면 寅은 丑의 孤辰이고 丑은 寅의 寡宿이 되니 寅丑은 서로 간에 고진 과숙의 격각이 된다. 이를테면, 丑 寅은 艮卦에 있는데 乾 坤 艮 巽을 隔하고 4維의 角인 것이다. (王氏云,男命生於妻絶之中而逢孤辰,平生難於婚偶,女命生於夫絶之位而遇寡宿,屢嫁不能偕老. 如辛丑人得庚寅,寅爲丑孤辰,丑爲寅寡宿,寅丑互爲孤獨(寡宿)隔角.言丑寅中有艮卦,隔乾坤艮巽,四維之角也.)

22. 논고진과숙論孤辰寡宿-下

촉신경에서 이르기를, 人命이 孤辰 과숙을 犯하면 얼굴이 가냘프고 광대뼈가 나오며, 안면에는 和氣(화기~ 따스하고 온화한 기색)가 없고 육친에게 不利하다. 生旺하면 약간은 낮지만 死絶되면 더욱 심하다. 역마와 함께하면 타향에서 방탕하고, 空亡과 함께하면 어린 시절에 의지할 곳이 없고, 喪門(상문) 弔客(조객)과 아우르면(함께하면) 父母가 연달아 사망한다. 일생동안 여러 번의 喪과 거듭 禍를 당하고, 골육이 고독하며, 가족 없이 홀로 가난하여 不利하다. 貴格이 되면 데릴사위가 된다. 賤格이 되면 떠돌이 생활을 면할 수 없다.[贅婿-췌서, 데릴사위] (燭神經云,凡人命犯孤寡,主形孤骨露,面無和氣.不利六親.生旺稍可,死絶尤甚.驛馬幷,放蕩他鄕.空亡幷,幼小無倚,喪弔幷,父母相繼而亡.一生多逢重喪疊禍,骨肉伶仃,單寒不利.入貴格,贅婿婦家.入賤格,移流未免.)

귀곡(자)유문에서 이르기를, 運에서는 고신 과숙을 말하지 않는데, 가령 亥가 寅 戌을 얻거나, 寅이 丑 巳를 얻거나 혹 干支가 서로모여 貴人을 감싼다면, 비록 고신 과숙을 犯하더라도 고신 과숙으로 논하지 않는다.[包裹~ 물건을 꾸리고 감싸는 일] (鬼谷遺文云,運屬不言孤寡,如亥得寅戌,寅得丑巳,或支干朝會,包裹貴人,雖犯孤寡,不以孤寡論.)

광록에서 이르기를, 井欄(정란)이 衝하여 기우는 것이 고진 과숙이다. 다시 天干에서 倒食을 대동하면 井欄倒食(정란도식)이라 말한다. 만일 巳 午 未 人이 또다시 여름(巳 午 未) 3개월 중에 태어나면 양쪽에서 중복으로 고신 과숙을 대동한 것이어서 妻를 剋하고 자식을 해치며, 육친이 적고, 재물이 모이지 않으며, 여자를 낳음이 많은데 거듭하여 모든 凶煞을 동반하면 命대로 삶을 마치기 어렵다. (廣錄云,井欄斜衝,是孤辰寡宿.更天干帶倒食,謂之井欄倒食.若巳午未人,再生夏三月,是帶兩重孤寡,主剋妻害子,少六親,不聚財,多生女,更帶諸凶煞,主不令終.)

낙녹자가 말하기를, 陰을 관찰하므로 陽의 禍를 살피는데, 歲星(세성=세운)은 孤辰을 犯하지 않아야하고, 陽으로부터 陰의 재앙을 살펴보고, 歲 運(年)의 天干은 과숙을 만나는 것을 꺼린다. 대개 小運 太歲는 고진 과숙을 범해서는 안 되며, 陽은 孤辰이 중하며 陰은 과숙이 중하다고 말했다. (珞琭子云,憑陰察其陽禍,歲星莫犯於孤辰,恃陽鑑以陰災,天年忌逢於寡宿.蓋言小運太歲,不可犯之,陽以孤辰爲重,陰以寡宿爲重.)

형화상이 말하기를, 子 午 卯 酉에는 死氣가 있고, 辰 戌 丑 未는 4墓庫인데, 人命에서 혹 이를 지니면 孤中孤(외로운 가운데 더욱 외롭다.)이다. 항상 寅 卯 辰은 午에 머물고, 巳 午 未는 酉에 있고, 申 酉 戌이 子를 만나고, 亥 子 丑은 卯에 臨하는 이것이 고진 隔角이고, 辰 戌 丑 未도 역시 그러하고(같다), 寅 申 巳 亥는 天地의 角이 되고, 오늘날 이 4位(寅申巳亥)의 隔을 고진이라 하고, 혹 寅日 丑時, 巳日 辰時, 亥日 戌時는 惆悵煞(추창살)이라 부르며, 아무리 애석하게 여기고 탄식해도 부족한 것이니, 비록 富貴할지라도 역시 그러하다. 君子는 잘못을 질책을 받고, 庶人(평민, 서민)은 형벌을 받게 되니, 오직 고진 과숙뿐 만은 아닌 것이다. (瑩和尙云,子午卯酉有死氣,辰戌丑未四墓之鄕,人或値之,孤中孤也.常以寅卯辰居午,巳午未在酉,申酉戌逢子,亥子丑臨卯,此是孤辰隔角,辰戌丑未亦然,以寅申巳亥爲天地之角,今隔此四位,故曰孤辰,或以寅日丑時,巳日辰時,申日未時,亥日戌時,名惆悵煞,主咨嗟不足,雖富貴亦然.君子玷責,庶人刑徒,不獨孤寡已也.)

만약 子日 戌時, 丑日 卯時, 辰日 午時, 未日 酉時는 서로 바꾸어 보더라도, 군자는 큰 종기가 생기게 되고, 庶人(서민, 평민)은 血光死(피를 뿌리며 죽는다.)한다. 日時에 있으면 처와 자식을 剋하여 손상하며, 胎 年에 있으면 父母를 剋하고 손상하니 혈광살이라 부른다. (若子日戌時,丑日卯時,辰日午時,未日酉時,互換看之,君子主癰疽致命,庶人血光致死,日時損剋妻子,胎年損剋父母,名血光煞.)

침지는 또 말하길, 子人이 亥를 보거나, 亥人이 子를 보고, 丑人이 戌을 보거나, 戌人이 丑을 보고, 寅人이 酉를 보거나, 酉人이 寅을 보고, 卯人이 申을 보거나, 申人이 卯를 보고, 辰人이 未를 보거나, 未人이 辰을 보고, 巳人이 午를 보거나, 午人이 巳를 보면, 각각의 양위는 다음의 數로 구성하는데, 日時에 나타나면 고진 과숙이 되어 어려서 육친을 잃고, 年 時에 犯(만나다, 있다)할 경우는, 만약 입양아(양아들)가 아니면 반드시 父母를 剋하는데, 이는 또 [고진 과숙을 설명하는] 하나의 說이다. (沈芝又以子人見亥,亥人見子,丑人見戌,戌人見丑,寅人見酉,酉人見寅,卯人見申,申人見卯,辰人見未,未人見辰,巳人見午,午人見巳,各兩位依次數之,日時遇著,定主孤寡,少失六親,年時犯,若不過房,必剋父母,此又一說.)

23. 논천라지망論天羅地網

羅網의 說은 그 뜻이 심히 분명하다. 그런데 어째서 戌 亥는 天羅(천라)가 되며 辰 巳가 地網(지망)이 되는가? 대저 하늘은 西北으로 기울어져 있으며 戌 亥는 6陰의 끝자락인 것이다. 땅은 동남으로 가라앉아 움푹하며 辰 巳는 6陽의 끝자락인 것이다. 陰陽이 終極(종극~끝)에는 명암이 분명하지 않는데, 예를 들면 사람이 羅網(나망~펼쳐놓은 그물)에 있는 그런 뜻이다. (羅網之說,其義甚明.然何以戌亥爲天羅,辰巳爲地網?蓋天傾西北,戌亥者,六陰之終也.地陷東南,辰巳者,六陽之終也.陰陽終極,則暗昧不明,如人之在羅網,此其義也.)

호중자가 말하기를, 龍 蛇(용과 뱀)가 混雜(혼잡)하면 辰生이 불리하고, 豬 犬(돼지와 개)이 侵
淩(침능~침입하여 달려들다.)하면, 다만 亥 字를 싫어한다. 龍은 辰이고 蛇는 巳인데, 辰人이 巳
를 얻거나 巳人이 辰을 얻는 경우는 모두 龍蛇混雜(용사혼잡)이라 한다. 男命은 무방하지만 女命
은 破婚하여 자식을 해치고, 薄命(박명~命이 짧음)하며 病을 안고 산다. 辰人인 巳를 얻으면 重
하며, 巳人이 辰을 얻으면 輕하다. 용이 뱀의 동굴에서 生하면 退라하고, 뱀이 용의 동굴에서 生
하면 進이라 한다. 豬(돼지)는 亥이며, 犬(개)는 戌이고, 戌人이 亥를 얻거나, 亥人이 戌을 얻는
경우는 모두 豬犬侵淩(저견침능)이라 한다. 女命은 무방하지만 男命은 머뭇거려 막히고 틀어져
어긋나며, 祖業을 방해하고 妻를 剋한다. 戌人이 亥를 얻으면 가볍고, 亥人이 戌을 얻으면 重하
다. 개가 돼지의 무리에게 들어가면 進이라 하고, 돼지가 개의 무리에게 들어가면 傷이라 한다.
[요약~남명은 天羅가 나쁘고, 여명은 地網이 나쁘다.] (壺中子云,龍蛇混雜,偏不利於辰生,豬犬侵
淩,但獨嫌於亥字.龍爲辰,蛇爲巳,辰人得巳,巳人得辰,皆曰龍蛇混雜.男命則不妨,惟女命破婚害子,薄命
抱疾.辰人得巳,重,巳人得辰,輕.謂龍生蛇穴者,退,蛇生龍穴者,進.豬爲亥,犬爲戌,戌人得亥,亥人得戌,
皆曰豬犬侵淩.女命則不妨,惟男命則迍滯齟齬,妨祖剋妻.戌人得亥輕,亥人得戌重.謂犬入豬群則進,豬
入犬群則傷.)

諸書들 역시 이르길, 용사혼잡은 婦女(부녀자)를 늘 방해하니 환난으로 위태롭게 하며, 저견침
릉은 매사에 장부를 근심스럽게 하여 재난이 있다. 즉 남자는 천라를 두려워하고 여자는 지망을
두려워한다. 그리고 또 구분하면 火 命에는 천라가 있고, 水土 命에는 지망이 있지만, 나머지 金
木의 두 命은 천라지망을 논하지 않는다. (諸書亦云,龍蛇混雜,常防婦女憂危,豬犬侵淩,每慮丈夫厄
難.是男怕天羅,女怕地網.中間又分火命人有天羅,水土命人有地網,餘金木二命無之.)

人命에 이것이[火 命의 천라가 있고, 水土 命의 지망이 있는 것] 있으면 주로 蹇滯(건체~막혀
서 주저함)함이 많은데 다시 惡 煞을 더하고 五行이 無氣하면 반드시 흉측한 죽음을 맞게 된다.
行運에서 이것이 되어도 역시 이와 같다. 가령 戌年 戌月의 초하루에 태어난 사람은 1년간 천라
를 犯한 것이고, 15일에 태어난 사람은 15년간 천라를 犯한 것이다. 만약 生時에 다시 戌이 있
으면 늘어나서 30년이 천라가 된다. 혹, 戌年 亥月 戌日 亥時 이면 서로 번갈아 천라를 만나니
重犯(중범)한 것이라 하여 재앙이 그치질 않는다. 지망은 천라의(上說) 說과 같다. (人命帶此,多主
蹇滯,更加惡煞相併,五行無氣,必主惡死.行運至此,亦如之.假令戌年戌月,初一日生者,犯一年天羅,十五
日生者,犯十五年天羅.若更生時是戌,增成三十年天羅.或戌年亥月,或亥時戌日,交互見之,謂之重犯,則
災不能歇.地網如上說.)

24. 논십악대패論十惡大敗

十惡은 비유컨대, 律法에서 사람이 10가지의 악학 중죄를 犯하여 사면 받지 못함이다. 대패는
비유하면, 병법에서 적과 교전하여 대패하므로 한명도 살아서 돌아오지 못하니, 지극히 흉한 것

이다. 六甲 旬중에서 10日은 祿이 공망에 든다. 甲辰 乙巳로 예를 들면, 甲은 寅이 祿이고 乙은 卯가 祿인데, 甲辰 旬은 寅 卯가 공망이 된다. 壬申은 壬은 亥가 祿인데 甲子 旬에서 亥가 공망이 된다. 나머지 丙申 丁亥 庚辰 戊戌 癸亥 辛巳 乙丑등의 日도 같으니 모두 이것을 모방하면 된다. 命에서 [십악대패를] 犯한 것은 日上에서 만나는 것이다. 그 나머지(다른 柱를 말함)는 論하지 않는다. 하지만 십악대패를 犯했어도 반드시 모두가 凶한 것은 아니다. 만약 柱내에서 길신의 도움이 있어 貴氣가 서로 돕는다면 마땅히 길한 命으로 論한다. (十惡者,譬律法中人,犯十惡重罪,在所不赦.大敗者,譬兵法中與敵交戰,大敗,無一生還,喩極凶也.六甲旬中,十個日值祿入空亡,如甲辰,乙巳,甲以寅爲祿,乙以卯爲祿,甲辰旬以寅卯爲空亡.壬申者,壬以亥爲祿,甲子旬以亥爲空亡.餘如丙申丁亥庚辰戊戌癸亥辛巳乙丑等日,皆倣此.命中犯者,當以日上見之爲是,其餘不論.況犯者未必皆凶,若內有吉神相扶,貴氣相輔,當爲吉論.)

원백경에 말하길, 십악은 10개의 辰(신) 오는 것인데, 年에 煞이 있을 경우에 구분하여 사용해야한다.

庚戌年 見 甲辰日
辛亥年 見 乙巳日
壬寅年 見 丙申日
癸巳年 見 丁亥日
甲辰年 見 戊戌日
乙未年 見 乙丑日
甲戌年 見 庚辰日
乙亥年 見 辛巳日
丙寅年 見 壬申日

丁巳年 見 癸亥日인데, [10일은 祿이 空亡이며] 年의 干支가 日의 干支를 衝하는 것인데, 祿이 없으니 꺼리게 되고 나머지는 모두 무방하다. (元白經曰,十惡都來十個辰,逐年有煞用區分.如庚戌年見甲辰日,辛亥年見乙巳日,壬寅年見丙申日,癸巳年見丁亥日,甲辰年見戊戌日,乙未年見乙丑日,甲戌年見庚辰日,乙亥年見辛巳日,丙寅年見壬申日,丁巳年見癸亥日,蓋以年支干衝日支干,無祿爲忌,餘悉無妨.)

석교현황經에서는 또,
甲己年은 戊辰月 戊戌日, 壬申月 癸亥日, 乙亥月 丙申日, 丙子月 丁亥日.
乙庚年은 辛巳月 壬申日, 甲戌月 乙巳日.
丙辛年은 壬辰月 辛巳日, 戊戌月 庚辰日, 己亥月 甲辰日.
戊癸年은 己未月 己丑日.

丁壬年은 없다. 가령 人命에서 甲己年 3월,7월,10월,11월생이면 이 4일(戊戌日, 癸亥日, 丙申日, 丁亥日)이 [十惡大敗를] 만나게 되고, 또 분별하여, 甲子旬中에 태어나면 壬申日, 甲辰旬中에 태어나면 乙巳日을 만나는데 日上에 있어야 비로소 십악대패인 것이다. 그 說이 더욱 적당하다. (釋敎玄黃經又以甲己年,戊辰月,戊戌日,壬申月,癸亥日,乙亥月丙申日,丙子月丁亥日,乙庚年,辛巳月壬申日,甲戌月乙巳日,丙辛年,壬辰月辛巳日,戊戌月庚辰日,己亥月甲辰日,戊癸年,己未月己丑日,丁壬年無,如人命甲己年三月,七月,(十月),十一月生,恰遇此四日,又分別甲子旬生,恰遇壬申,甲辰旬生,恰遇乙巳,在日上見方是,其說尤的.) [원문에 10월이 누락 된 것 같음]

四廢日이 있는데, 三曆會同에는 또 辛酉 癸亥 乙卯 丁未의 四廢를 더 했고, 사폐일은 囚하고 死하여 無用(쓸모가 없음)하게 되는 것이다. 무릇, 命에서 사폐일을 동반하면(있으면) 作事不成(작사불성~일을 행함에 이루지 못함)이요 有始無終(유시무종~시작은 있으나 끝이 없다.)이다. (有四廢日,春庚申,夏壬子,秋甲寅,冬丙午,三曆會同又添辛酉癸亥乙卯丁未廢者,囚死無用之爲也.凡命帶此,作事不成,有始無終.)

천지전일이 있는데, 춘절에 乙卯 辛卯, 하절에 丙午 戊午, 추절에 辛酉 癸酉, 동절에 壬子 丙子인데, 干支의 納音이 4계절에서 모두 專旺(전왕)한 것을 말하는 것이다. 무릇 命에 이 날(천지전일)이고 四季(4계, 춘하추동)에 생하면, 다시 本命이 旺하게 되어 成功(뜻을 이룸)한 후에도 물러나지 않아, 物이 過하면 損하니 주로 요절한다. (有天地轉日,春乙卯辛卯,夏丙午戊午,秋辛酉癸酉,冬壬子丙子,乃干支納音,俱專旺於四時之謂也.凡命值此日,生於四季,更本命又到此旺,成功不退,物過則損,主夭折.)

현미부에 이르기를, 한신(유방을 도와 漢나라를 세운 개국공신으로 후에 ,토사구팽 당함)이 죽임을 당한 것은 다만 天地轉煞(천지전살)에 傷했기 때문이다. (玄微賦云,韓信被誅,只傷天地轉煞是也.如顔子,己丑辛未丙午戊子,夏生見丙午,加以本命又到此旺,雖亞聖,造化太極,至庚申年壽止.又一命,丙戌丁酉辛酉乙未,秋生而遇辛酉,雖本命是土,[丑]壬申年,庚戌月壽止.) [丑字를 壬字로 정정])

예) 顔子(안회)命造를 보면,
戊 丙 辛 己
子 午 未 丑
하절에 生하여 丙午를 만나니 가일층 본명이 旺하게 되니, 비록 亞聖(아성)이었을지라도, 조화가 심히 極하였기에 庚申年에 壽를 마쳤다.

예) 또 다른 命造
乙 辛 丁 丙
未 酉 酉 戌
추절에 생하여 辛酉를 만났는데, 비록 本命이 土命이지만 壬申年 庚戌月에 壽를 마쳤다.

대저, 조화에서는 중화가 가장 좋으며 태과불급은 모두 吉하지 않고, 위에 4일은 太過한 것이고, 死 囚를 만나면 不及한 것이고, 天地轉日은 過하게 健旺함을 만난 것으로 太過한 것이 되니 中和가 아닌 것이다. 만일 四柱중에 不及한 것은 生扶하고 太過한 것은 抑制하는 것이 있으면 이것으로 論해서는 안 된다. (大抵造化最喜中和,太過不及,皆不爲吉,上四日爲過,遇死囚謂之不及,天地轉日,乃過遇健旺,謂之太過,非中和也.若柱中不及有生扶,太過有制抑,不在此論.)

25. 논간재자난범신살論干支諸字雜犯神煞

古人(옛사람)이 글자를 만들 때에 각각의 뜻을 취하였는데, 神 字의 訓(훈~한자의 새김)은 木이 自斃(자폐:스스로 죽다.)하고, 水 土는 巳에서 絶한다. 따라서 氾(범)字의 訓(훈~한자의 새김)은 說文(설문~文字의 成立과 본래의 뜻을 설명함)에서는 窮瀆(궁독)이라 하고, 圮(비)字의 訓은 岸圮(안비~언덕이 무너지다.)가 되니, 도리어 火는 戌에서 쇠약해지므로 威(위)는 滅(멸)이 된다. 金은 丑에서 쇠약해지므로 鈕(뉴)는 鍵閉(건폐~자물쇠로 잠그다.)가 되고, 草核(초핵~초목의 핵)은 亥가 되며, 목의 뿌리는 艮에서 비롯하고, 金이 十을 합하면 針(침)이 되고, 白이 十을 합하면 皁(조)가 되며, 水가 十을 합하면 汁(즙)의 종류가 되는데, 이것이 옳지 않다고 말하겠는가? 따라서 甲 乙의 十干과 子 丑의 十二支를 만들 때에 반드시 깊은 뜻이 있으니, 시험 삼아 글자의 형태로서 말한 것이다. (古人製字,各有取義,神字之訓,爲木自斃,水土絶於巳.故氾字之訓,說文以爲窮瀆,圮字之訓爲岸圮,及覆火衰於戌,故威爲滅.金衰於丑,故鈕爲鍵閉,草核爲亥,木根於艮,金遇十爲針,白遇十爲皁,水遇十爲汁之類,是可以不論乎.故甲乙十干,子丑十二支,古人製字,必有深義,試以字形言之.)

甲 丙 丁 壬 辰의 글자는 "평두살"이라 하는데, 만일 3~4개의 글자를 만나고 空亡이 있으면 僧 道가 된다. 命書에 말하기를, 人命에서 甲 乙 丙 丁을 犯한 것을 一路無間(일로무간)이라 하여 주로 남에게 해를 끼치니, 남자는 아내를 剋하고, 여자는 남편을 剋한다. (甲丙丁壬辰字,謂之平頭煞,若見三四,帶空亡者,定爲僧道.命書云,人命犯甲乙丙丁,一路無間,主陷害,男剋妻,女剋夫.)

甲 癸 未 申 酉는 破字(파자)에 속하는데, 甲 癸 酉는 필히 눈에 손상이 있으며, 未 申은 심장과 배에 病을 근심하며 다시 時에 惡煞(해악한 神을)을 보고 天干이 制 剋을 당하면 반드시 그렇다. 甲 辛 卯 午 申은 현침에 속하는데, 五行이 無氣하고 德 神이 없으면 군인이 된다. (甲癸未申酉屬破字,甲癸酉必損眼,未申患心腹疾,更看時入害鄉,干神受制者,不虛.甲辛卯午申屬懸針,五行元無氣,不值德神,定是軍人.)

삼명찬국에 이르기를, 甲 辛이 3~4개면 현침이라 하여 안질(眼疾)이 있고 험한 厄을 많이 당하며, 煞이 있으면 형벌을 받아 유배를 가며, 군인이 되어 얼굴에 상처가 많다. 戊 庚 戌은 杖刑(장형~오형의 하나로 곤장으로 볼기를 치던 형벌)에 속하며, 鋒刃倒戈(봉인도과~날카로운 병장기로 반란을 일으키거나, 적군으로 배반하는 일)하고, 만약 羊刃을 좀먹는 神 이 있으면 법을 어겨 유배를 가거나 惡死한다. (三命纂局云,甲辛三四號懸針,眼疾還多嶮厄臨,被刑帶煞須徙配,多是爲軍刺面人.戊庚戌屬杖刑,鋒刃倒戈.若帶羊刃蝕神,定犯徙流惡死.)

乙 己 丑 巳는 闕字 곡각살에 속하는데, 이 煞이 많으면 반드시 언청이 귀머거리이거나 四肢(사지)가 온전치 못하며, 만약 德(귀인 천덕 월덕) 合이 없고 오행이 無氣하면 穀帛(곡백~곡식과 비단)이 부족하여 門前乞食(문전걸식)한다. (乙己丑巳屬闕字曲脚煞,犯多者必有闕唇穿耳,肢體不全.若無德合,五行無氣,穀帛不充,寄食他門.)

命書에서 말하기를, 人命에 己巳 乙巳 丁巳 日을 만나면 주로 조강지처를 剋한다. 이구만이 말하기를, 巳 酉 丑 三合이 온전하고 天干에 己가 있으면 입술과 이(齒)가 온전치 못한 질병으로 일생동안 입술로 미움을 초래한다. 四柱에 己巳가 있으면 曲脚煞이라 하는데 많으면 양자를 기르거나, 그렇지 않으면 養子(양자)로 간다. (命書云,己巳乙巳丁巳,人命日遇,主剋頭妻.李九萬云,凡巳酉丑三合全,天干帶己字者,主唇齒不全之疾,一生招人唇吻.四柱有己巳者,名曲脚煞.帶多,主養他人爲子,不然養於他人爲子.)

丙 壬 寅 酉는 聾啞 字인데, 만약 많으면 胎中에 害를 받고, 時가 日에게 좀먹으면(剋 制당하면) 필히 농아이고, 또 酉日 戌時 生이면 역시 농아가 되는 근심이 있으며, 頭面(머리와 얼굴)에 악창이 있는 이것은 時가 日을 破하기 때문이다. (丙壬寅酉,爲聾啞字.若犯多者,及胎中受害,時蝕於日,必患聾啞,又酉日戌時生,亦主此患,及頭面惡瘡,此是時破日也.)

歌에서 말하기를, 평두는 반드시 僧 道가 되고, 파자는 끝내는 失明(실명)하고, 현침살이 있으면 안면(顔面)에 자상(刺傷)이 있고, 유배를 가는 경우는 杖刑과 함께함이 많으며, 가난하여 굶주려서 불행함은 空亡이나 이지러질 경우이고, 생김새는 반드시(100퍼센트) 알지는 못하지만 그러나 농아字가 되는 것은 空亡 無氣한 경우이며, 만약 곡각이 심히 많으면 부자지간에 모름지기 두 性이 된다. (歌曰,平頭必是爲僧道,破字終須失眼明,帶煞懸針須刺面,徙流多是杖刑倂,饑貧不幸逢空缺,相貌兼知不十成,惟是相遭聾啞字,空亡無氣定來精,若還曲脚多多帶,父子須敎兩性生.)

또 壬癸 人이 酉 字를 얻거나, 酉 人이 壬癸 字를 얻으면 水는 酉를 따라서 酒(술)이 되는데, 吉한 경우는 술로 인해 가업을 이루지만, 凶할 경우엔 破家(파가)하거나 혹은 술이 취해서 사망한다. 乙 字는 披頭(피두~머리를 풀어 헤치다.)가 되는데, 만약 여러 개 있으면 큰무당 또는 광대이며, 천을 천덕과 함께하면 고관이 된다. (又壬癸人得酉字,或酉人得壬癸字,水從酉爲酒,遇吉,因酒成家,凶則破家,或醉死.乙字爲披頭.若重見者,或師巫,或娼優,倂天乙天德,爲高官.)

丙 戊 두 천간이 만약 寅 卯 上에 있으면 仇讐晦氣라 하는데, 타인을 비방하여 원성을 초래하여 다툼이 많다. 乙 己 癸의 3천간이 온전하면 사지(四肢)나 눈에 상처입지 않으면 중년이 후에

형벌을 당한다. 甲 乙 庚의 3천간이 온전하면 주로 失明하거나, 소년시절에 종기가 있거나 눈을 다친다. 乙 癸의 2천간이 동시에 丑을 보는 것은 불가하며, 富貴하나 壽命은 짧다. 丁 辛의 2천 간은 동시에 巳를 보는 것은 不可한데 주로 父母를 損傷한다. (丙戊二干若在寅卯上,名仇讐晦氣, 主招謗怨,多與人競.乙己癸三干全,非四肢眼目破傷,則中年後犯刑.甲乙庚三干全,主失明,或少年斑瘡 損眼.乙癸二干,不可同見,丑字,主富貴少壽.丁辛二干不可同見巳字,主傷父母.)

經에서 말하기를, 乙 癸의 天干이 함께하면 잠시도 보전하기 어렵다. 丁 辛의 두 천간은 父母 가 손상함이 많다. 丙 辛의 두 천간은 巳를 보는 것이 不美하다. 丁 壬의 두 천간은 午 申을 보는 것이 不可하며, 類應이라 하는데 평생 멈추고 망한다. 乙 辛의 두 천간이 未를 보는 것은 不 可하다. 庚 壬 두 天干이 戌을 보는 것은 不可한데 反傷이 말하며 富貴하는 가운데 일찍 요절하 며, 소인은 죄를 지어 형벌을 받아 참형되는 재앙이 있다. (經云,乙癸同干,寸陰難保.丁辛二干,父 母多傷.丙辛二干,不可見巳.丁壬二干,不可見午申,名曰類應,主平生歇滅.乙辛二干,不可同未.庚壬二干 不可同戌,名曰反傷,主富貴中夭壽,小人刑戮之災.)

經에서 말하기를, 乙 辛이 未를 만나면 天牢(천뢰)인데, 4位가 同宮이면 禍患을 만난다. 庚 壬 이 戌을 보면 형벌을 받아 유배가며, 재앙이 닥쳐오는 것을 피할 수 없다. (經云,乙辛逢未是天牢, 四位同宮禍患遭.庚壬遇戌須徒配,災咎來時不可逃.)

26. 총론제신살總論諸神煞-1

신살은 옛날부터 120종이 있는데, 그 학설을 깊이 연구하여보니 여러 갈래인데 조화를 올바르 게 알지 못할까 두려운 것이다. 羊刃(양인) 空亡(공망) 劫煞(겁살) 災煞(재살) 大煞(대살) 元辰(원 진) 勾絞(구교) 咸池(함지) 破碎(파쇄) 羅網(나망) 衝擊(충격) 天空(천공) 懸針(현침) 平頭(평두) 倒 戈(도과)등의 煞은 命에서 중요하여 이미 앞에서 論하였으니 제외하고, 그래서 모든 星家(천문을 살피는 사람)들이 고찰하고 경험한 이치가 있으니 다시 아래(첨언~원서에서는 좌측(左)이지만 글 을 쓰는 여기서는 아래(下)라고 표기함)에 설명하기로 한다. (神煞古有百二十名,其說穿鑿支離,造 化恐不如是.除羊刃空亡劫煞災煞大煞元辰勾絞咸池破碎羅網衝擊天空懸針平頭倒戈等煞,命中切要 者,已備論於前矣,玆以諸星家考驗有理,復備敍于左.)

1, 자액살, 이 煞은 五行이 도리어 얽매이는 곳을 취하는데, 가령
戌人 巳, 巳人 戌
辰人 亥, 亥人 辰
寅人 未, 未人 寅
卯人 申, 申人 卯
午人 丑, 丑人 午

子人 酉, 酉人 子가 자액살이다. 相尅하는 것을 크게 꺼리며, 天元이 墓인데 거듭 천중 관부 대모(원진)가 있는 것은 凶하다. (自縊煞,此煞取五行反繫處,如戌人巳,巳人戌,辰人亥,亥人辰,寅人未,未人寅,卯人申,申人卯,午人丑,丑人午,子人酉,酉人子是也.大忌相尅,天元是墓,更有天中,官符,大耗者,定凶.)

2, 수익살, 이 煞은 丙子 癸未 癸丑을 취한 上에 咸池 金神 羊刃을 함께 한 것이다. 대개 丙子의 納音은 水이고, 또 子는 水旺한 地支이고, 未는 井宿(정수~28수의 22번째 별자리)가 居하고, 丑은 3河로 나누어지며 다시 納音이 身을 尅하면 결코 [水溺煞]을 면할 수 없다. 古歌에 이르기를, 겁살이 身을 尅하는 경우 顚墜(전추~굴러 떨어짐)라 하는데, 金神 羊刃이 같은 자리에서 막는다. 자액살이 가장 凶神인데, 戌巳 辰亥 아울러 寅未 子酉도 凶煞이 되는 一例이며 卯申 丑未도 전자와 같다. 공망과 겸하여 墓鬼 官符 大耗(원진)을 크게 꺼리니 반드시 피해야 한다. 丙子 癸未와 아울러 癸丑은 咸池(함지) 金煞(금살) 羊刃(양인)을 두려워하는데 만일 오행이 다시 身을 尅하여 온다면 들보(천장의 두 기둥을 가로지르는 나무)에 목을 매달거나 물에 빠져 사망한다.[요약~자살 아니면 물에 溺死] (水溺煞,此煞取丙子癸未癸丑,上帶咸池,金神羊刃.蓋丙子納音水,又子爲水旺之地,未爲井宿之居,丑爲三河之分,更納音尅身,決不可免.古歌云,劫煞尅身名顚墜,金神羊刃防同位.要知自縊最凶神,戌巳辰亥併寅未,子酉一例爲凶煞,卯申丑未依前是.大忌空亡兼墓鬼,官符大耗仍須避.丙子癸未併癸丑,咸池金煞羊刃畏.五行更若來尅身,一死懸梁一溺水.)

3, 괘검살, 이 煞은 四柱에 巳 酉 丑 申이 완전하거나 巳 酉 丑이 重(거듭)하게 있는 것인데, 여기에 다시 官符 元辰 白虎 金神등이 犯하고 五行이 本命을 刑 尅하면 凶暴(흉포)하게 殺人을 하거나 혹은 반대로 살해를 당한다. 詩에서 말하기를, 巳 酉 丑 申의 金氣가 완전하여 從革局이 많음을 掛劍(괘검)이라 한다. 元(원진) 亡(망신) 金(금신) 虎(백호)가 아울러 身을 尅한다면 설령 살인하지 않더라도 어찌 살해당함을 免하겠는가? (挂劍煞,此煞取巳酉丑申四柱純全者是,或重帶巳酉丑亦是,更犯官符元辰白虎金神等類,五行刑尅本命者,主凶暴殺人,或反爲人所殺.詩曰,巳酉丑申金氣全,從革局多名掛劍.元亡金虎併尅身,縱不殺人身豈免.)

4, 천화살, 이 煞은 寅 午 戌이 온전하고 天干에 丙 丁이 있으며 5位에 모두 水가 없어야 하는 것인데 水가 있으면 [천화살이]아니다. 만약 年運이 火氣가 生旺한 곳에 이르면 마땅히 火災(화재)를 예방해야한다. 詩에 이르기를, 寅 午 戌이 온전하면 天火라 부르는데, 丙 丁을 보지 않아도 天火가 되는데, 5位에 일점의 水가 없고 [火가]生旺한 年이 되면 火災(화재)의 厄이 있다. (天火煞,此煞取寅午戌全,而天干有丙丁,五位中全不見水者是,有水則非.若年運至火氣生旺處,當防火災.詩曰,寅午戌全號天火,不見丙丁猶自可,五位都無一水神,生旺臨年災厄火.)

나(만육오)의 命에는 寅 午 戌이 모두 있으며 月干에는 癸가 있는데, 戊午 行運에서 戊癸가 合火하였으며 甲戌年 甲戌月에 마침내 火災를 만났다.(육오선사가 기록함.) (余命寅午戌全,月干有癸,行戊午運,戊癸化火,甲戌年甲戌月,遂遭火災.[育吾自記])

5, 천도살, 이 煞은 子日 午時와 午日 子時를 제외한 나머지로서,

丑日 亥時, 亥日 丑時
寅日 戌時, 戌日 寅時
卯日 酉時, 酉日 卯時
辰日 申時, 申日 辰時

巳日 未時, 未日 巳時 두 자리의 數를 쫓아서 순서대로 천도살이 된다. 君子가 천도살이 있으면 腸風(장풍~결핵성의 치질이 원인으로 똥을 눌 때에 피가 나오는 병)이나 脚氣(각기)의 기이한 질병이며, 小人은 신체사지가 잘린다. 重하게 犯하면[천도살이 여럿이면] 귀양을 간다. (天屠煞,此煞除子日午時,午日子時外,自餘丑日亥時,亥日丑時,寅日戌時,戌日寅時,卯日酉時,酉日卯時,辰日申時,申日辰時,巳日未時,未日巳時,依次逐兩位數之.君子犯者,主異疾腸風脚氣,小人折損肢體.重犯者主徙配.)

6, 천형살, 이 煞의 구성은,

子 丑 人이 乙時[목극토]
寅 人이 庚時[금극목]
卯 辰 人이 辛 時[금극목]
巳 人이 壬時[수극화]
午 未 人이 癸時[수극화]
申 人이 丙時[화극금]
酉 戌 人이 丁時[화극금]
亥 人이 戊時[토극수]이며, 時에서 本命을 刑 剋하기 때문인데, [천형살을] 범하면 형벌을 당하고 질병이 있다. (天刑煞,此煞取子丑人乙時,寅人庚時,卯辰人辛時,巳人壬時,午未人癸時,申人丙時,酉戌人丁時,亥人戊時,取時刑剋本命,犯者遭刑有疾.)

7, 正七二八은 子 寅 方이며, 三九四十 辰 午가 마땅하고, 五 十一 申 六十二이루는데, 반드시 뇌성 같은 소리인 호랑이에 물려 죽는다. 또 이르기를, 正七은 아래의 子를 더하고, 二八은 寅方에 있으며, 三九는 辰상에 居하고, 四十은 午位에 傷하고, 五十一은 申位에, 六十二는 方을 이룬다. 正月은 子에서 일으키고, 순행하여 6개의 陽位이다. 뇌정살이 人命에 만날 경우에는 만일 祿이나 貴人의 吉星이 뇌정살을 制伏하면 吉하고, 행운에서 도우면 法官(법관)이 되어 雷霆(뇌정)을

장악하며 조칙(詔勅)을 내리는 사람이 되고, 혹은 成佛하는 祖宗이 된다. 만약 양인(羊刃) 적살 (的煞) 비렴(飛廉)등이 모인 命은 반드시 凶하니, 하늘이 진노하여 우레에 손상하거나 (虎食)호랑 이 밥이 되고, 하늘의 벌을 받아 염병에 걸리거나 혹 溺死(익사)하거나 교도소에서 사망한다. (雷 霆煞,正七二八子寅方,三九四十辰午當,五十一申六(十)二戌,必主雷轟虎咬亡.又云,正七下加子,二八在 寅方,三九居辰上,四十午位傷,五十一申位,六十二戌方.正月起子,順行六陽位.此煞人命遇之,如逢祿貴 吉星臨壓則吉,好行陰騭,爲法官,掌雷霆,行符勅水之人,或成佛作祖之輩.如遇羊刃,的煞,飛廉等會命限, 必凶,主墮於天嗔,雷傷虎啖,天譴瘟疾,或溺水,囹圄死.)

8, 탄함살, 豬(亥) 犬(戌) 羊(未)은 虎(寅)를 보면 반드시 傷하며, 猴(申)와 蛇(巳)가 서로 만나면 나무에 목을 매달아 사망한다. 犬(戌)이 雞子(酉)를 보면 유배를 당하고, 兎(卯)가 蛇(巳)를 따르 면 고향을 멀리 떠나 노래한다. 鼠(子)가 犬(戌)을 만나면 틀림없이 惡 死하며, 馬(午)과 牛(丑)가 虎(寅)을 보면 서로 손상된다. 토끼(卯)와 원숭이(申)가 개(戌)를 보면 회피하기 어렵고, 龍(辰)이 龍(辰)을 보면 水(물)의 재앙이 있다. 무릇 人命의 日 時에 탄함살이 있으면 三合은 재앙이 되니 자세하게 알아야한다.(年支를 위주로 본다.) (呑陷煞,豬犬羊逢虎必傷,猴蛇相會樹頭亡.犬逢雞子遭 徙配,兎趕蛇歌走遠鄉.鼠見犬來須惡死,馬牛遇虎定相戕.兎猴逢犬難廻避,龍來龍上水中殃.凡人若值臨 時日,三合爲災仔細詳.[以年支爲主])

9, 관부살은 태세 앞 5辰(신)이 되며, 日時에서 관부살을 만나면 평생토록 관재(官災)가 많고, 거 듭하여 羊刃과 함께하면 형벌을 받는 命이 된다. 만약 관부가 천중에 해당하면 邪誕不實(사탄부 실~간악하여 실속이 없음)함이 많고, 망어살이라 부른다. (官符煞,取太歲前五辰是,日時遇之.平生 多官災,更併羊刃,乃刑徒之命.若官符落天中,多邪誕不實,名妄語煞.)

10, 병부살은 태세 後 1辰(신)이 되며, 犯하면 질병이 많은데, 年運에서 만나도 역시 같다. (病符 煞,取太歲後一辰是,犯者多疾病.行年遇之亦然.)

11, 사부살은 병부살과 衝이 되는 것인데, 月 日 時에 사부살이 있고 貴人이 구원함이 없으면 凶 惡하여 요절한다. (死符煞,取病符對衝是,月時日犯之,無貴神解救,凶惡短折.)

26. 총론제신살總論諸神煞-3

12, 상조(상문과 조객)煞은 일명 횡궐살이라 하는데, 命 앞의 2辰(신)이 喪門이며, 命 後의 2辰 (신)이 弔客이 되고, 혹 태세가 凶한데 더불어 대운과 소운에 喪弔煞이 臨하면 반드시 禍가 미친 다. 古 詩에 이르기를, 오관 6死 12病 3喪 11弔가 임한다. 12宮으로 태세를 노래한 것을 보면 단지 命에서 犯하면 불길하지 않지만 流年(年運)에서 [犯하면] 더욱 凶하다. 만약 月의 羊刃이 凶殺을 돕는다면 臨時(임시~얼마 동안)적으로는 횡궐이다. 古 歌에서 말하길, 횡궐살은 아는 사람

이 적은데 月祿이 凶神이며 또 時가 凶神이면 설령 吉星이 중첩할지라도 형벌과 육시를 당하지 않으면 위태롭게 된다.(상문은 곧 地厭, 조객은 곧 天狗) (喪弔煞, 一名橫關煞.取命前二辰爲喪門, 命後二辰爲弔客,其或太歲凶.幷臨大小運限,必主禍.古詩云,五官六死十二病,三喪十一弔來臨.可見此十二宮一太歲歌,不惟命犯不吉,流年尤凶.若月有羊刃來佐凶煞,臨時則橫關也.古歌云,橫關一惡煞少人知,月祿凶神又及時,縱有吉星重疊至,不遭刑戮也傾危.[喪門卽地厭,弔客卽天狗.])

13, 택묘살은 命 앞의 5辰(신)이 宅이며, 命後의 5辰(신)이 墓가 되는데, 택묘살은 歲에서 劫煞 등인 것을 두려워하고 本命의 宅을 破하여 呻吟(신음)한다. (宅墓煞,命前五辰爲宅,命後五辰爲墓,怕宅墓受歲劫等煞,來破本命之宅,主呻吟.)

14, 일형살은 생일위의 數 甲이 본래 日干에 머무르는 것이다. 陽干은 順數(순수~순서대로 숫자), 陰干은 逆數(역수~거스르는 숫자)이다. 만약 命宮에 [일형살이] 있으면 極刑(극형)을 받고 三合이면 유배를 가며, 對宮이면 客死한다. (日刑煞,以本生日上數甲至本日干住.陽干順數,陰干逆數.若在命宮,主極刑,三合主徒配,對宮主外死.)

15, 유혈살은 本命 生月의 子에서 시작하여 順數(순수)한 年柱에 머문다. 만약 命宮 三合 對宮에 있으면 주로 종창이 생기고, 서민(보통사람)은 유배를 가며, 부인은 산액이 있다. (流血煞,以本生月起子,順數至本年住.若在命宮三合對宮,主癰疽,庶人徒配,婦人產厄.)

16, 검봉살은,
甲子旬人의 劍은 辰이며 鋒은 戌이고
甲午旬의 劍은 戌이며 鋒은 辰이고
甲寅旬의 劍은 午이며 鋒은 申이고
甲申旬의 劍은 子이며 鋒은 寅이고
甲辰旬의 劍은 申이며 鋒은 午이고
甲戌旬의 劍은 寅이며 鋒은 子이다. 각각의 宮에 따라서 단정하는데, 가령 7宮이 [검봉살]이면 妻子를 손상하며, 4宮이 [검봉살]이면 田宅(전택~논밭과 집)에 손해가 있다. (劍鋒煞,甲子旬人劍辰鋒戌,甲午旬劍戌鋒辰,甲寅旬劍午鋒申,甲申旬劍子鋒寅,甲辰旬劍申鋒午,甲戌旬劍寅鋒子.隨在各宮斷,如第七宮損妻子,第四宮損田宅.)

17, 극봉살은 正月의 甲에서 시작하여, 2月은 乙, 3月은 戊, 4月은 丙, 5月은 丁, 6月은 己, 7月은 庚, 8月은 辛, 9月은 戊, 10月은 壬, 11月은 癸, 12月은 己인데, 月支의 왕성한 기운을 따르는 天干이다. 日과 時에 [극봉살이]있거나 두 곳에 있으면 凶한데, 다시 현침살을 만나면 배우자를 해치게 된다. (戟鋒煞,正月起甲,二月乙,三月戊,四月丙,五月丁,六月己,七月庚,八月辛,九月戊,十月壬,十一月癸,十二月己,逐月旺干,加臨日時,帶兩重者凶,更與懸針相見,主決配傷殘.)

18, 부침살(혈도살과 같다.)은 戌위에서 시작하여 子까지 역행하며 生年에 이르는데, 年宮의 數를 헤아려 어떤 宮에 있는가를 봐야한다. 재백궁에 있으면 串錢(천전~돈 꾸러미)이라 하여 富를 축적한다. 나머지 모든 궁은 凶하다. 甲 乙 己 庚 壬人이 [부침살이] 있으면 조금 가볍고, 丙 丁 戊 辛 癸人이 [부침살이] 있으면 重하다. 寅 午 戌 申 未年중에 [부침살이]있으면 주로 水厄(수액)이 많다. 각각의 宮을 구분하여 재앙을 論하는데, 가령 田宅宮에 있으면 조업을 破한다. 나머지 宮도 類推(유추)하면 된다. (浮沉煞[血刀同],從戌上起子逆行,至本生年住,卻從年宮數,看在何宮.只在財帛宮,名串錢,主富蓄.餘皆凶.甲乙己庚壬人犯之稍輕,丙丁戊辛癸人犯之重.在寅午戌申未年中,此煞多主水厄.仍各隨宮分論災,如在田宅,則主破祖.餘宮類推.)

19, 파살, 이 煞은 卯와 午, 丑과 辰, 子와 酉, 未와 戌은 모두 서로 破한다. 오직 寅 申 巳 亥는 원래 오히려 三合을 破하므로 取하지 않는다. 破煞이 있으면 소년시절에 가로막는 재앙으로 財産(재산)이 소진하여 흩어지며, 兼하여 신체가 손상되는 재앙이 있다. (破煞,此煞卯與午,丑與辰,子與酉,未與戌,皆相破.惟寅申巳亥,原破卻三合,故不取,犯者主少年災滯,財産耗散,兼身有折傷之災.)

26. 총론제신살總論諸神煞-4

20, 반본살은 五行에 貴氣가 없으며 下剋上(하극상~아래가 위를 극함)이 생긴다. 歌에서 말하기를, 五行이 死絶하게 되면 格에서는 福을 가로막음과 같아서 마음대로 안 되며, 다시 日時에서 年柱를 剋하는 것을 꺼리니 官貴가 전혀 없음을 마땅히 알 수 있다. 예를 들면, 甲子(海中金)金의 命에서 戊午日을 얻고 또 胎 月 日 時에 寅 巳가 많은 것이다. 반본살이 있으면 혹 富하거나 貴해도 旺한 기운이 父母나 웃어른(尊長)을 쉽게 剋 傷하여 고립무원(孤立無援)하게 된다. (返本煞,五行無貴氣,下剋上爲返.歌曰,五行死絶併來時,有格如閑福不隨,更忌日時剋年主,定無官貴切須知.如甲子金命,得戊午日,又胎月日時多帶寅巳,犯者定主孤立,或富或貴,一旺便剋傷父母尊長.)

21, 음양살은 여자는 陰에 속하여 陽을 기뻐하니, 命에서 戊午의 旺火를 얻어 正陽으로 삼는다. 남자는 陽에 속하여 陰을 기뻐하니, 命에서 丙子의 旺水를 얻어 正陰으로 삼는다. 이는 陰陽이 和暢(화창)한 것이므로 남자가 丙子를 얻으면 평생토록 美 婦人(미부인)을 많이 얻으며, 여자는 戊午를 얻으면 평생토록 미남자를 많이 만난다. 日상에서 이를 만나면 남자는 아름다운 妻를 얻으며, 여자는 미남자인 夫를 얻는다. 元嗔 咸池가 同宮하는 것을 크게 꺼리니 [원진 함지가 동궁하면]남녀를 불문하여 모두 음란하다. 가령 남자가 戊午를 얻으면 부인을 사랑함이 많으며 여자가 丙子를 얻으면 남자에게 내조를 잘한다. 그리고 貴賤의 有無와 영고성쇠(消息)를 살펴야한다. (陰陽煞,女屬陰而喜陽,命得戊午旺火爲正陽.男屬陽而喜陰,命得丙子旺水爲正陰.是陰陽和暢,故男得丙子,平生多得美婦人,女得戊午,平生多逢美男子.日上遇之,男得美妻,女得美夫.大忌元辰咸池同宮,不論男女,皆淫.如男得戊午,多婦人相愛,女得丙子,多男子挑誘.更看有無貴賤消息.)

22, 음욕방해살. 호중자가 이르길, 老醉秦樓十二(노취진루십이), 直緣重犯八專(직연중범팔전), 少亡楚甸八干(소망초전팔간), 應是疊逢九醜(응시첩봉구추)하였다. 8專은 甲寅 乙卯 己未 丁未 庚申 辛酉 戊戌 癸丑인데, 日상에 [8專이]있으면 부정한 妻를 얻고, 時상에 있으면 부정한 자식이 된다. 여자가 [8專을] 犯하면 근친을 구분하지 못하고 많이 범하면 한층 더 그러하다. 九醜(구추)는 壬子壬午, 戊子戊午, 己酉己卯, 乙酉乙卯, 辛酉辛卯인데, 부인이 [구추를] 犯하면 주로 산액이 있으며, 남자가 犯하면 죽기 전까지 醜함이 많다. (淫欲妨害煞,壺中子云,老醉秦樓十二,直緣重犯八專,少亡楚甸八干,應是疊逢九醜.蓋言八專爲淫欲之煞,九醜爲妨害之辰.八專乃甲寅乙卯己未丁未庚申辛酉戊戌癸丑是也.日上有不正之妻,時上有不正之子.女人犯者,不擇親疏,犯多者尤緊.九醜乃壬子壬午,戊子戊午,己酉己卯,乙酉乙卯,辛酉辛卯,是也.婦人犯者主産厄,男犯多醜不令終.)

23, 고란과곡煞. 古歌에 말하기를, 木 火가 蛇(巳)를 만나는 것은 심히 상서롭지 못하며[吉兆가 아니라는 뜻], 金이 豬(亥~돼지)를 보면 어찌 사납게 날뛰지 않겠는가? 土가 猴(申~원숭이)를 木이 虎(寅:범)와 함께 어찌 夫가 존재 하겠는가? 時에 孤鸞이 마주하면 한바탕 춤출 것이다. [고란과곡煞은]乙巳 丁巳 辛亥 戊申 甲寅 그리고 丙午 戊午 壬子일 등인데, 남자는 妻를 剋하고, 여자는 남편을 剋한다. (孤鸞寡鵠煞,古歌曰,木火逢蛇大不祥,金豬何必強猖狂,土猴木虎夫何在,時對孤鸞舞一場.乃乙巳丁巳辛亥戊申甲寅,又丙午戊午壬子等日.男剋妻,女剋夫.)

24, 음양차착煞은, 丙子 丁丑 戊寅 辛卯 壬辰 癸巳, 丙午 丁未 戊申 辛酉 壬戌 癸亥의 12일이다. 여자가 이 煞을 만나면 公姑寡合(공연히 시집에서 독수공방함)하며, 동서(同婿) 부족하며, 시가(媤家)가 몰락한다. 남자가 이 煞을 만나면 주로 外家가 몰락하며 처가 또한 몰락한다. 음차양착煞은 남녀를 불문하고 月 日 時에 2중 혹은 3중으로 犯하면 지극히 重하다. 그런데 日에서 犯하면 더욱 重하여 外家의 힘을 얻지 못한다. 설사 처와 재물이 있을지라도 겉만 화려할 뿐, 나중에는 妻家와 원수가 된다. (陰陽差錯煞,乃丙子丁丑戊寅辛卯壬辰癸巳丙午丁未戊申辛酉壬戌癸亥十二日也.女子逢之,公姑寡合,妯娌不足,夫家冷退,男子逢之,主退外家,亦與妻家是非寡合.其煞不論男女,月日時兩重或三重犯之,極重,只日家犯之尤重,主不得外家力,縱有妻財,亦成虛花,久後仍與妻家爲仇,不相往來.)

25, 임관우겁(임관 즉 건록이 겁재가 되는 경우)은 도화煞이라 하여 주로 酒色을 좋아한다. (臨官遇劫,名桃花煞.主好酒色.)

26, 반음우효(반음이 효신 즉 편인이 되는 경우)는 단수煞이라 하는데, 주로 妻子(처와 자식)를 손상한다. (返吟遇梟,名短壽煞,主傷妻子.)

27, 도화 홍염煞은,
亥 卯 未는 子
巳 酉 丑은 午

寅 午 戌은 卯

申 子 辰은 酉가 있으면 도화살이 된다.

甲午 乙 申 丙寅 丁未 戊辰 己 辰 庚戌 辛酉 壬子 癸 申이 홍염살인데 여명에서 가장 꺼린다.
(桃花紅豔煞,亥卯未在子,巳酉丑在午,寅午戌在卯,申子辰在酉,爲桃花煞.甲午乙申丙寅丁未戊辰己辰,
庚戌,辛酉,壬子癸申爲紅豔煞.女命最忌之.)

26. 총론제신살總論諸神煞-5

　이상으로 모든 煞은 대체적으로 身을 剋한다는 말인데, 凶殺의 納音이 생년태세의 納音을 剋
하는 것을 말한다. 臨身은 凶殺이 太歲納音(태세 납음)의 本位인 것을 말함이다. 太歲納音이 身
이 되는 경우, 만일 身이 剋을 당하거나 死地 浴敗地 絶地에 臨하게 되면 불측의 재앙을 당한다.
만약 身이 有氣(유기)한 곳에 있을지라도 剋을 당하면 재앙이 重하고 身에 臨하면 [재앙이]輕하
다. 단지 太歲의 納音이 煞을 剋하면 吉하게 된다. 가령 人命에서 이미 貴格에 들었다면 煞을
동반하는 것이 긴요하고, 福神이 煞을 돕는다면 권력의 칼자루가 되고, 福神이 煞을 돕지 않으며
그리고 煞氣가 승왕(乘旺)하여 서로 왕래하면 本主를 刑 剋하여 賤하거나 惡 死하게 된다. (以上
諸煞,凡言剋身,謂凶煞下納音,剋生年太歲納音,臨身,謂凶煞帶太歲納音於本位也.太歲納音爲身,若身
被剋,被臨於死敗絶位,便遭不測之災.若但在身有氣處,被剋災重,被臨則輕.惟太歲納音剋煞則吉.如人
命已入貴格,緊要處帶煞,有福神助之,則名爲權柄,無福神助之,又煞氣乘旺,遞互往還,或刑剋本主,下賤
惡死.)

　또 말하길, 일체의 福神이 머무는 곳은 生旺하길 원하는데, 生旺하여야 영화롭고 貴하게 된다.
일체의 煞神이 머무는 곳은 死絶되길 원하는데, 死絶하여야 선종(善終)하게 된다. 또 말하길, 대
체적으로 福神은 旺氣를 얻길 원하고 敗하는 것을 꺼린다. 대체로 凶神은 衰氣를 얻어야 하고
돕는 것을 꺼린다. (又云,一切福神所居之位,則欲生旺,生旺則榮貴.一切煞神所居之位,則欲死絶,死絶
則善終.又云,凡福神欲令得旺氣,忌有敗之者.凡凶神欲令得衰氣,忌有助之者.)

　또 말하길, 相衝 相破 三合 六合이 命중에 있으면, 오행이 서로 어떠한 것을 얻느냐에 따라서
禍중에 福이 생겨나고 福중에 禍가 생겨난다. 가령 死絶한 것이 다시 生하거나, 空亡이 破하거
나, 相剋한 것이 서로 이룬다면 禍중에 福이 생겨나고 이와 반대인 경우라면 福중에 禍가 생겨난
다. (又云,相衝相破,三合六合,命中有之,卽求五行相得何如.或禍中生福,福中生禍.如死絶復生,空亡受
破,相剋相成,則禍中生福,反此,則福中生禍.)

　命書에서 말하기를, 도로의 賤한 관리도 어찌 역마와 반안(반원)이 없을 것이며, 시정잡배(市井
博徒=市井雜輩) 역시 三奇(삼기)와 夾貴(협귀)가 있다고 하였다. 자평선생께서 말씀하시길, 君子
의 格에도 七煞과 羊刃을 犯하며, 小人의 命에서도 正印 官星이 있으니, 이것으로 인하여 神煞

의 吉凶을 단정하는 것은 不可하며 輕重을 견주고 잘 헤아려서 通變함이 중요한 것이다. (命書云,道途賤吏,豈無驛馬攀轅,市井博徒,亦有三奇夾貴.子平云,君子格中,也犯七煞陽刃,小人命內,亦有正印官星,由是觀之,吉凶神煞,不可拘定,輕重較量,要在通變.)

대저, 凶殺이 干神에 머무는 것은 眞鬼를 동반하여 마땅치 않은데 本身을 剋傷하니 비록 官星을 보더라도 오히려 변하여 鬼(鬼煞,귀살)가 되니 眞鬼라는 것은 災禍(재화)가 분명한 것이다. (大抵凶煞所居干神,不宜帶眞鬼,剋傷本身,雖見官星,尚變爲鬼,況是眞鬼.其爲災禍明矣.)

27. 인신사해사궁호환신살寅申巳亥四宮互換神煞-1

당년에 벼슬길에 올라 문업은 비록 구하였지만 祿을 구하지 못한 것은 生死와 榮枯(흥망성쇠)가 수많은 형상으로 煞局의 고저(高低)에 있기 때문이다. (當年同榜拜丹墀,文業雖齊祿不齊,生死榮枯千百樣,爲緣煞局有高低.)

煞局은 12궁에 모두 속해 있으며 寅 申 巳 亥가 최고인데 亡神 劫煞 貴人 長生 祿 馬가 함께 자리하기 때문이다. 人命에서 吉神을 많이 보면 吉하고, 凶殺을 많이 보면 凶하다. (煞局,十二宮中皆有之,寅申巳亥爲最,以亡神劫煞貴人長生祿馬同位故也.人命逢吉神多則吉,凶煞多則凶.)

"煞中包煞"하여야 비로소 貴하게 되며, 煞은 年干에 있지 않고 日時에 있어야 하는데 貴를 띠고 自生하여야 비로소 길한 것이니 "力停爭戰"은 마땅하지 않다. (煞中包煞方爲貴,不在年干在日時,帶貴自生方是吉,力停爭戰又非宜.)

살중포살은 長生이 貴를 동반하여 煞이 變하여 生이 되고, 吉하지 않은 것은 煞이 [生으로] 변하지 않는 것이며 하나의 煞이 2宮을 점령한 것은 아닌 것이다. [煞은] 生年의 干頭(천간)와 納音에 있으면 안 되며 단지 日時에서만 煞을 보아야하고, 煞이 저절로 長生하여야 비로소 吉하게 되는 것이다. (煞中包煞,是長生帶貴,則變煞爲生,無吉則煞無變,非一煞占二宮也.不在生年干頭,及生年納音,全在日時見煞,煞自長生,方可作吉.)

예) 命造
辛 辛 壬 庚～～胎:癸酉
卯 巳 午 子

子 午 卯 酉가 있고 사두개구(蛇頭開口～ 巳의 두상이 열리고)하며 4位가 온전하고 巳는 破碎에 해당하며, 子 人은 劫煞이 巳 에 있는데, 辛巳에서 煞이 모이는 門戶가 되니 金이 저절로 長生한다. (如一命,庚子壬午辛巳辛卯,癸酉胎,子午卯酉,蛇頭開口,四位全,破碎在巳,子人劫煞在巳,是門位煞聚於辛巳,金自長生.)

예) 命造

壬 己 乙 乙

申 未 酉 巳

　壬申은 亡神이 되며 貴가 모여 있고, 自旺하여 권세가 되므로 大貴하였다. (又一命,乙巳乙酉己未壬申,是壬申爲亡神聚貴,又自旺爲權,故皆大貴.)

　역정(力停)은 戊午 丙子의 類와 같이 두 편이 모두 旺하여 각자가 주인이 되어 상대(相對)가 서로를 剋하면 戰이라 하고 勝자가 없는 것을 爭이라 한다. 따라서 임개가 말하기를, 역정쟁전은 적은 것으로 많은 것을 대적할 수 없으며, 항복을 받아야 福을 얻는다는 것인데, 이를 두고 하는 말이다. (力停.如戊午丙子之類,兩邊皆旺,各自爲主,相對相剋謂之戰.不勝者爭.故林開曰,力停爭戰,寡不敵衆,受降者得福,此之謂也.)

　自生 自旺 自臨官(건록)은 영령한 기가 분산하니 완전하지 못하여, 약한 것이 있고 하나의 강한 것이 있어야 비로소 福이 된다. 主客(주객~손님과 주인)이 서로 바뀌면 권력이 나누어지기 때문이다. (自生自旺自臨官,分散英靈氣不完,因弱一强方是福,迭爲賓主便分權.)

　四柱중에는 단지 一位의 長生이 專旺해야 비로소 精神을 수렴할 수 있다. 만약 年 月이 生旺하고 日時 또한 生旺하면 英靈(영령)한 氣運이 분산되어 반대로 貴하지 않게 된다. (四柱中,只要一位長生專旺,方可聚斂精神.若年月生旺,日時又生旺,謂之分散英靈,反主不貴.)

　아래의 例 명조를 보고 참조하라.

예) 命造

己 丙 戊 癸

亥 子 午 亥

　4位가 각자 生旺하여 주객이 서로 바뀌게 되니 心性에는 비록 교묘한 책략이 있었지만 일개 術士일 뿐이다. (如癸亥戊午丙子己亥,四位各自生旺,迭爲賓主,心性雖巧,只一術士.)

예) 命造

辛 庚 壬 壬

巳 辰 寅 寅

　納音으로 3位가 金인데, 時에서 長生이 되어 聚斂精神(취감정신~수렴되는 정신)이 되니 貴하게 되었다. (如一命,壬寅壬寅庚辰辛巳,納音三位金,同長生於時,是聚斂精神,乃爲貴.)

命을 말할 때는 먼저 煞局을 가려내야하며 星辰(성신)은 宮星(궁성)을 살펴보는 것이 중요하고, 强弱으로 능히 분별하여 禍福(화복)을 추단하면 어찌 신령스럽지 않겠는가? (談命先須挑煞局,星辰要看主宮星,兩般强弱能分別,禍福何愁斷不靈.)

煞局은 많지 않으나 백 개이며 亡神 劫煞은 모두 禍가 되는데, 만약 祿 貴人을 보고 長生이 되면 도리어 煞이 權이 되어 명성을 떨친다. (煞局不多元百個,亡神劫煞皆爲禍,若逢祿貴及長生,反煞爲權聲譽播.)

가령 祿 貴人이 없으면 간사하고 완고하며 바쁘지도 않고 급하지 않으며 機關(기관)을 충족하고, 다시 三刑을 동반하면 僧 道가 되며 骨肉간에 마음이 傷殘(상잔) 화합하기 어렵다. (如無祿貴時奸頑,不忙不急足機關,更帶三刑作僧道,難和骨肉心傷殘.)

長生에서 甲申과 己亥가 함께하고 辛巳가 丙寅을 보고 감내하여 사막에서도 위세를 떨쳐 肝膽(간담)을 破하고 조정의 큰 그릇이다. (長生甲申並己亥,辛巳宜堪見丙寅,沙漠揚威(奸)肝膽破,調羹鼎鼐廟堂人.)

寅 申 巳 亥는 長生을 기뻐하고 胎元이 [長生지가] 되면 가장 영화로워서 四方에 四馬人의 명성을 높이고 紫衣(자의)를 드리우고 化粧(화장)을 하여 임금이 머무는 경성에 거처한다. (寅申巳亥喜長生,胎元湊足最爲榮,四方四馬人聲價,紅紫拖朱居帝京.)

甲申 己亥 辛巳 丙寅의 4位는 眞 長生이며 망신 겁살이고 다시 祿 馬 貴人이 함께 하면 반드시 沙漠(사막)에서도 위세를 떨치게 된다.

<아래 명조를 참조하라.>

예) 명조
甲 乙 乙 乙
申 酉 酉 酉

李 侍郎의 명조인데, 4水가 모두 申에서 장생하고 3개의 貴人이 또한 申에 모이며 [甲申 乙酉(천중 水)가] 저절로 장생을 얻고 그리고 같은 旬中에 있으므로 大貴하였다. (甲申己亥辛巳丙寅四位,爲眞長生,如是亡劫,更帶祿馬貴人同到,必主揚威沙漠.如李侍郎,乙酉乙酉乙酉甲申,四水皆生於申,三貴又聚於申,自得長生,又在旬內故大貴.)

神煞이 主와 화합하여 兩者가 長生하면 부귀영화가 대단하다. 만일 貴人과 合을 겸한다면 대궐에 들어가게 된다.(벼슬을 한다.) (煞神和主兩長生,富貴榮華莫與京.若有貴人兼帶合,定知金殿玉階行.)

神煞이 장생하고 年頭의 納音이 또 신살을 따르고 동시에 日時에서 장생하면 眞 長生이라 하며, 또 生處逢生이라고도 한다. 가령 壬寅이 辛巳를 보고, 乙酉가 甲申을 보는 類인데 主는 반드시 大貴한다. (神煞自得長生,年頭納音,又隨神煞,同長生在於日時,謂之眞長生,又謂之生處逢生,如壬寅見辛巳,乙酉見甲申之類,必主大貴.)

무릇 權이 있으려면 모름지기 煞을 동반하여야 하고, 權星은 煞을 쓸 때에 서로 도와야 하며 五行에 權 煞이 없어 선한데, 權 星의 命을 얻으면 고독하다. (凡是有權須帶煞,權星須用煞相扶,五行俱善無權煞,卽得權星命又孤.)

천지만물은 양자가 온전할 수 없으므로 神煞이 주권하면 刑 剋을 면하지 못하고 고독함이 많다. (造物不能兩全,所以神煞主權,又不免刑剋多孤.)

망신이 한 자리는 기밀(機密)한 성품이고, 망신이 두 자리는 척추가 부러지고, 망신이 세 자리는 살아도 산 것이 아니며, 감옥(형무소)살지 않는다면 끝내는 惡疾에 걸려 죽는다. (一座亡神性機密,兩座亡神須決脊,三座亡神生不生,狴犴不亡終惡疾.)

망신이 劫煞에 해당하면 重하여 太過한 것이다.

예) 명조
己 辛 丁 壬
亥 亥 未 子
망신이 두 자리로 重하여 유배되어 가난하게 살았다. (亡神重於劫煞,以太過也.如壬子丁未辛亥己亥,兩重亡神,決配貧薄.)

하나의 중한 겁살은 福을 배태(胚胎~일어날 징조)하지만, 겁살이 이중이면 재물을 도적질하여 형벌을 받고, 겁살이 삼중이면 흉악하고 욕심이 많은 악질로서 살아도 산 것이 아니어서 악한 命으로 추리한다. (一重劫煞福胚胎,兩重刑法盜資財,三重凶狠人頑惡,生不生兮命惡推.)

겁살이 하나인데 만약 貴人이 있고 生旺하면 발달하며 설사 [煞이] 자신을 剋하여도 害가 되지 않는다. 만약 삼중으로 死絶하여 無氣하면 반드시 도적이 되어 惡 死한다. 가령,

예) 명조
戊 乙 丁 辛

寅 未 酉 丑

官司를 犯하였으나(관아를 건드렸으나) 후에 大發하였다.

예) 명조

壬 丁 戊 辛

寅 亥 戌 丑

독서하여 급제를 하고 벼슬이 바뀌고 祿이 따른 것은, 丁亥가 貴人(寅)과 合하여 일어나기 때문인 것이다. (劫一重,若帶貴或自生旺,主發達,縱剋我亦無害.若二重死絕無氣,必是賊徒,主惡死.如辛丑丁酉乙未戊寅,犯官司,後大發.如辛丑戊戌丁亥壬寅,讀書及第,改官就祿,丁亥合起貴人故也.)

煞이 있어야 비로소 煞 財를 얻을 수 있으며, 내가 他를 극할 때에 福을 받는 것이고, 煞이 항복을 하여야 재물이 되는데, 반드시 祿 馬 貴人이 올 필요는 없다. (有煞方能始煞財,我剋他時是福媒,煞自受降財自至,不須祿馬貴人來.)

人命에 亡神 劫煞의 두 煞이 있어야 비로소 煞 財로 사용할 수 있고, 대체적으로 내가 가서 煞을 剋하면 吉하게 되지만, 煞이 와서 나를 剋하면 禍가 된다. 만일 甲子(해중 金)가 己巳(대림 木)를 보면 福이 되지만 乙巳(복등 火)를 보면 가난하게 된다는 類인 것이다. (人命有亡劫二煞,始能煞財,大要我去剋煞爲吉,煞來剋我爲禍.若甲子見己巳福,見乙巳貧之類是也.)

27. 인신사해사궁호환신살寅申巳亥四宮互換神煞-3

貴人은 煞을 能히 제압하지만 亡神과 劫煞이 많으면 가난함에는 변함이 없으며 衰하고 竊氣(절기=盜氣)되면 貴를 바라긴 어려우며, 煞은 凶하고 貴는 善하지만 功은 없다. (盡說貴人能壓煞,亡劫多時依舊貧,自衰竊氣難憑貴,煞凶貴善又無功.)

예) 命造

丙 甲 庚 辛

寅 申 寅 亥

寅亥가 六合하기 때문에 망신과 겁살을 삼키고 動하니 凶하게 되었다. 그러므로 일생동안 공부를 하였지만, 中風(중풍)때문에 급제를 못하였다. 만일 貴人이 없었더라면 틀림없이 惡死했을 것이다.

예)命造

壬 甲 壬 己

申 寅 申 巳

귀양을 간 관리이다. (如辛亥庚寅甲申丙寅,緣亥寅六合,合起呑啖亡劫爲凶.故一生修讀,竟中風不第.若無貴人,決然惡死.又己巳壬申甲寅壬申,刺配吏也.)

五行에서 많은 神煞을 사용하지 않지만, 劫煞 臨官은 반드시 일찍 발달하고 煞이 2~3개로 重하면 權이 되어 癆瘵(노채~말기폐병)으로 몸을 망치며 그리고 骨熱(골열~뼛속이 화끈거리는 증상)한다 (五行不用多神煞,劫煞臨官須早發,煞自爲權三兩重,癆瘵身亡兼骨熱.)

帝旺을 거듭 만나도 煞과 같으니, 七傷五勞(칠상오노)하여 九泉을 헤매며, 生地인 劫煞이 重重한 사람은 일찍 죽고, 臨官 帝旺은 오히려 삶이 연장된다. (重逢帝旺亦如煞,七傷五勞下九泉,生劫重重人早死,臨官帝旺尙遲延.)

예) 命造
戊 壬 辛 辛
申 申 丑 未
　일찍 발달하였으나 피를 토하는 폐병을 얻었다.

예) 命造
戊 戊 庚 甲
午 辰 午 戌
　몸에 병을 항상 달고 살았다. (如辛未辛丑壬申戊申,早發而嘔血癆病,甲戌庚午戊辰戊午,亦病纏身.)

日과 月에서 德을 보면 禍는 반드시 가벼워지고, 煞이 와서 나(我)를 剋하면 망설임이 없으며, 日時의 망신과 겁살은 술을 탐하는데, 다만 長生 및 貴人을 좋아한다. (日月逢德禍必輕,煞來剋我也無迍,日時亡劫貪盃酌,只喜長生及貴人.)

日時에 망신 겁살이 모두 있으면 酒色을 탐하여 병이 나고, 단지 藝術(예술)이나 九流術業(구류술업)에 적당하며, 月과 日에서 天 月德을 보면 설령 禍가 있더라도 가볍게 된다. (日時帶亡劫全者,主貪酒色成疾,只宜藝術九流,月日逢天月德,縱有禍亦輕.)

寅申 巳亥를 만일 전부 보고 長生을 만나지 못하면 命을 연장하기 어렵다. 담대하고 지략이 높아도 끝내는 치욕을 당하고, 결과에 대해 하늘을 원망함이 없지는 않다. (寅申巳亥若達全,長生不遇命難延.謀高膽大終遭辱,結果應無莫怨天.)

아래 韓 平原의 命造를 보라.

예) 命造

丙 己 辛 壬

寅 巳 亥 申

　大貴하였으나 斬首(참수)를 면할 수 없었는데, 평민 이였다면 결코 참수 당하지는 않았다.

예) 命造

辛 壬 丙 甲 (胎:丁巳)

亥 午 寅 申

　또 褚 沖夷 한림원의 命인데, 辛巳年 禍를 당했다. (如韓平原,壬申辛亥己巳丙寅,如此大貴,不免斬首,常人必無結果.又褚沖夷翰林命,甲申丙寅壬午辛亥,丁巳胎,辛巳年被禍.)

　劫煞과 孤辰이 同柱(동주)하는 것을 두려워하고, 隔角이 쌍으로 오면 머뭇거리게 된다.

丑命이 寅을 만나고

辰命이 巳를 만나고

戌人이 亥를 만나고

未人이 申을 만나는 것인데, 초년에는 필시 부자집안 이였으나, 중년에는 논밭을 팔고 자신도 형벌을 당하고, 자식을 잃고 喪妻(상처)하며 다시 父親을 剋하는데, 日時에 모여 싸우면 타인에게 복종하지 않는다. (劫孤二煞怕同辰,隔角雙來便見迍.丑命見寅辰見巳,戌人逢亥未達申,初年必主家豪富,中主賣田刑及身,喪子喪妻還剋父,日時鬪湊不由人.)

　丑이 寅을 보는 경우가 例가 되는데, 劫煞과 孤辰(고신=고진)을 말하는 것이고, 刑 剋하여 고독하고 빈한하여 승도나 구류술업을 하는 사람이다.

예) 命造

己 丙 庚 癸

亥 申 申 未

　중년에 모였던 [재물이]흩어지고, 멀리 유배를 가서 사망했다.

己未 壬申의 한 命에서 申 時를 만날 경우에는 오히려 貴人이 있으므로 無妨(무방)하지만, 父母를 刑 剋하며 자식이 없다. (丑見寅爲例,謂之劫帶孤辰,主刑剋孤貧,僧道九流人庶幾.一命癸未庚申丙申己亥,中年退散,喪身遠配,一命己未壬申又見申時,卻有貴人不妨,但刑剋父母無子.)

　劫煞 孤辰이 貴人과 長生을 겸하면 권세를 떨치고 福과 壽를 누린다. 만약 長生이 貴氣를 만나지 못하면 백수(白手)로서 장원(莊園)을 관리한다. (劫孤帶貴長生兼,便主威權福壽全.若不長生逢

貴氣,也應白手置莊田.)

가령 辛丑이 丁亥 壬寅을 보면 관리가 되고 戊寅을 보면 먼저 官司(관사~관아, 소송, 논쟁)를 범하지만 후에 富를 이룬다. 丁亥는 臨官(건록)인데 또 合을 하니 貴人의 힘이 두터운 것이다. (如辛丑見丁亥壬寅者爲官,見戊寅,先犯官司,後富.緣丁亥是臨官又合,貴力重也.)

27. 인신사해사궁호환신살寅申巳亥四宮互換神煞-4

三命은 强弱을 구분한지가 오래되며 亡神과 劫煞이 가장 凶惡하여 무리(煞)들이 모여서 자신을 공격하면 심히 상서롭지 못하니, 가난하지 않으면 도랑에 빠져 요절한다. (古老三命分强弱,劫煞亡神最凶惡,聚衆攻身大不祥,不貧即夭塡溝壑.)

聚衆(무리가 모인 것)은 망신 겁살과 고진 과숙 격각 파전 파택 대모 현침등과 같은 종류이다. 가령 己卯가 庚申을 보거나 癸卯가 丙申을 보면 더욱 심한데, 자신을 尅하기 때문인 것이다. (聚衆乃亡劫,同孤寡,隔角破田破宅大耗懸針等類.如己卯見庚申,癸卯見丙申尤甚,緣尅主也.)

망신 겁살은 모두 적당하지 않은데, 黨(망신겁살)을 지어 生年을 尅해서는 안 된다. 羅紋(나문)이 다투지 않아도 凶惡하며 生死榮枯(생사영고)가 目前(목전~눈앞)에 있다. (亡神劫煞不宜全,莫敎得黨尅生年.羅紋不戰也凶惡,生死榮枯在目前.)

예) 命造
壬 壬 辛 癸
寅 寅 酉 酉
소뿔에 받혀서 5개월 동안 병을 앓다가 후에 사망했다. (如癸酉辛酉壬寅壬寅,被牛觸出骨,病五月而後死.)

무릇 凶神이 年을 尅해서는 안되는데, 年을 尅하면 禍가 연속해서 일어난다. 神煞은 각각 輕重을 구분하고, 내가 煞을 尅하면 煞은 權으로 변한다. (凡是凶神莫尅年,尅年便主禍連綿.煞神各自分輕重,我尅他兮煞變權.)

凶神과 惡煞은 마땅히 尅하여 추방하고, 吉神과 貴人은 마땅히 받아들여야한다. (凶神惡煞宜尅出,吉神貴人宜尅入.)

大富와 大貴함은 煞 權에 의거하는데, 主가 먼저 居한 후에 煞이 居해야 한다. 단 망신과 겁살이 天元(천원)에 秀氣를 띠면 어지러운 나라를 편안히 다스리는 뛰어난 현인이 된다. (大富大貴

憑煞權,煞宜居後主宜先,單逢亡劫天元秀,定亂安邦作大賢.)

아래 고평장의 명조를 보라.

예) 命造

丙 丙 庚 癸
申 子 申 酉

酉는 主가 되어 앞에 있고, 申은 煞이 되어 뒤에 있으니, 庚申 煞은 制를 당하고, 丙申 鬼는 病인데 金이 旺하므로 貴한 것이다. (如賈平章,癸酉庚申丙子丙申,酉爲主在前,申爲煞在後,庚申煞受制,丙申鬼病,金旺,故貴.)

최고 凶한 것은 卯 酉가 寅 申을 보는 것인데, 卯가 申을 보는 것은 煞이 懸針을 동반하고 파택 파전이 대모(원진)를 아우르는데, 집을 떠나고 고향을 떠나 의지할 데가 없이 가난하다. (最凶卯酉見寅申,卯見申兮煞帶針,破宅破田幷大耗,離居離祖更孤貧.)

온전히(卯酉가) 寅 申을 보면 반드시 破家하고, 평소에 집을 꾸밀 때에 사치스럽고 화려한 것을 좋아하여 설령 부귀하여도 오래가지 못하며 祖業(가업)이 관리가 아니라도 쉽게 무너진다. (全見寅申必破家,平生造屋愛奢華,設居富貴應不久,祖業非官火炬花.)

命宅 祿宅에서 망신과 겁살을 함께하면 좋지 않고, 卯 酉生의 사람이 寅 申을 보는 것은 좋지 않으며 破宅煞이라 한다. 만약 망신 겁살 현침 대모(원진) 격각 과숙이 그 위에 있고 寅 申을 같이 보면 집을 꾸미고 낭비하는 것을 좋아한다. 만약 官 訟事(관 송사)에 빠지지 않더라도 반드시 허물어져 먼저는 富하지만 나중에는 가난하다.

예) 命造

甲 庚 癸 乙
申 寅 未 酉

女命인데 겨우 혼인은 하였으나 화재로 집을 燒失(소실)하고, 송사로 인해 논밭을 팔고 고향을 떠났다. (命宅祿宅,不宜同亡劫,卯酉生人,不宜見寅申,謂之破宅煞.若亡劫懸針大耗隔寡在其上,見全寅申者,愛造屋費.若非官司抄沒,必主燒毀,先富後貧.如乙酉癸未庚寅甲申女命,纔嫁夫,火燒其屋,因訟賣盡田園而離祖.)

子午生 사람의 한 예를 들면, 巳 亥가 日時에 있으면 어찌 감당하겠으며 主를 剋하고 다시 무리를 지으면 혐의하니 재산이 파산되는 것은 의심할 여지가 없다. (子午生人一例推,巳亥那堪在日時,剋主更嫌他有黨,耗財破產決無疑.)

예) 命造

甲 癸 癸 戊 胎~甲寅

寅 巳 亥 午

　胎月 역시 甲寅으로 煞이 무리를 지으니 3차례나 軍에 투신하였으나 후에 거지가 되었다.

예) 命造

丁 癸 癸 戊

巳 巳 亥 午

　1土가 2水를 制하고 火가 거듭해서 臨官(건록)하니 富는 충분했으나 고독하였으며 고향을 떠났다.　(如戊午癸亥癸巳甲寅, 又甲寅胎, 是煞得黨, 三次投軍, 後作丐者.戊午癸亥癸巳丁巳, 一土制二水, 火復臨官, 富足而孤, 離祖.)

　上宮에 망신과 겁살이 있으면 妻를 刑하며 파쇄가 임관해도 같은 예로서 추리하고, [妻를] 尅한 후에 유부녀를 따르는데 天干이 納音을 生 助하면 반드시 재혼한다.　(上宮亡劫主刑妻, 破碎臨官一例推, 尅後依前婚室女, 干生音助歲必低.)

　日은 上宮이 되며 時는 帝座가 된다. 가령 [日時에서] 亡劫 大敗 臨官 帝旺을 보면 모두가 妻를 尅하며, 天干에서 生助하고 納音이 또 生하면 유부녀와 재혼하거나 그렇지 않으면 妾으로 妻를 삼는다.　(日爲上宮, 時爲帝座. 如見亡劫大敗臨官帝旺, 皆主尅妻, 天干助生, 納音又生, 主再婚室女, 不然, 或以妾爲妻.)

27. 인신사해사궁호환신살寅申巳亥四宮互換神煞-5

　貴人 祿 馬가 상궁에 더해 있으면, 妻는 반드시 현명하여 집안을 일으키고, 다시 食祿이 합을 兼하면 허리는 버드나무와 같고 얼굴은 꽃과 같다.　(貴人祿馬上宮加, 妻必賢能內克家, 更有食祿兼帶合, 腰如楊柳面如花.)

　상궁(日柱)에서 祿 馬나 혹 貴人 食神을 보면 반드시 처는 현명하여 내조를 잘하는데, 더불어 6합하여 합이 動하면 미모의 처를 얻어 가정을 이룬다.　(上宮見祿馬, 或貴人食神, 必主妻賢內助, 更兼六合合起, 主得美貌成家之妻.)

　망신 겁살 고진 과숙이 同宮하여 모이면 필연적으로 육친을 尅 害한다. 日상에서 그것(망신 겁살 고진 과숙)을 보면 처는 어리석고 못생기고, 時상에서 그것을 보면 자식은 참되지 못한데 더불어 三刑이 같은 자리에 있으면 僧道가 아니면 고독하고 가난하다.　(亡劫孤寡湊同辰, 六親尅害必然眞, 日上逢之妻愚樸, 時上逢之子未眞, 更與三刑同位到, 若非僧道主孤貧.)

망신 겁살은 본래 고독한 것인데, 고진 과숙 삼형이 같은 자리에 놓이면 틀림없이 六親이 어려워진다. 日상에서는 妻를 훼하며 時상에서는 자식을 훼하므로 반드시 妻는 아둔하고 자식은 어긋나게 된다. (亡劫本孤,更値孤寡三刑同位,決然難爲六親.日上剋妻,時上剋子,必然妻愚子拗.)

무릇 公門(공문)에 놓여 煞이 있는데 만일 망신 겁살을 만나면 형벌을 당하기 쉽고, 計孛火羅(계패화라)가 四正에 임하면 천리 밖으로 유배되어 억울하게 죽는다. (凡處公門休帶煞,若逢亡劫便遭刑,計孛火羅臨四正,千里徙流枉喪身.)

공문에서 망신 겁살을 보는 것은 마땅하지 않으며 日時에서 모두 보면 반드시 유배되어 죽는다. 만약 격각과 합하여도 역시 유배를 당한다. (凡處公門,不宜見亡劫,日時全見,必主配死.如隔見有合,亦主徙流,更火羅計孛守四正者,准上文.)

祿馬는 衝을 싫어하며 6合은 좋아하고, 煞은 合을 꺼리며 刑 衝을 기뻐한다. 煞이 合을 만나게 되면 凶煞이 되며, 祿 馬가 刑 衝하면 吉이 도리어 凶이 된다. (祿馬嫌衝宜六合,煞神忌合喜刑衝.煞神遇合爲凶煞,祿馬刑衝吉反凶.)

예)命造
己 己 乙 甲
巳 亥 亥 子
合煞하여 살해를 당하였다.

예)명조
庚 甲 丙 己
午 寅 寅 亥
甲寅과 己亥가 쌍으로 合을 하는데, 만약 身을 훼했다면 일찍 사망했을 것이다. 겁살이 훼을 하지 않으니 52세까지 감옥(형무소)에 있다가 사망했다. (如甲子乙亥己亥己巳.是合煞,被人煞死.如己亥丙寅甲寅庚午,甲寅與己亥爲雙合,若更剋身則早死,今劫不剋,五十二歲坐獄而死.)

하나의 겁살이나 망신을 보는 사이에 咸池(함지) 및 貴神(귀인)이 있으면 醫(의원) 卜(복) 巫(무당) 師(군사) 또는 거간꾼(사고파는 사람 사이에 끼어들어 흥정을 붙이는 일을 하는 사람)이 되며 命에 순응하며 살아가면(인연에 따라 살아가면) 형벌을 면한다. (單逢劫煞或亡神,間有咸池及貴神,醫卜巫師或牙儈,隨緣度日免孤刑.)

日時에서 一位의 亡神이나 劫煞을 보고 貴人의 生旺함이 없으며 그리고 死 絶地를 만나면 酒

色을 탐하며 藝術(예술)방면으로 나간다. (日時單見一位亡劫,無貴人生旺,而逢死絕之地,主貪盃好色,術藝人方可.)

회두파쇄煞은 아름답지 않으나, 煞은 도리어 朝元의 禍가 멀어지지 않고, 酉 丑의 두 宮에 煞이 모여들면 剋이 거듭 重하여 壽(수명)가 길지 않다. (回頭破碎煞非佳,煞反朝元禍不賖,酉丑兩宮攢煞轉,孤剋重重壽不遐.)

酉命의 사람이 寅 申 巳 亥의 日時를 보고, 丑命의 사람이 辰 戌 丑 未의 日時를 보면 회두파쇄라 하여 교활하여 요절하는데 剋을 받으면 30세를 넘기지 못한다. (酉命人見寅申巳亥日時,丑命人見辰戌丑未日時,謂之回頭破碎,主狡猾命夭,受剋者不滿三十.)

子午 卯酉가 만약 蛇(巳)를 보고 長生이 되면 반드시 벼슬을 받는다. 煞이 死絕되어 모이면 백정의 가문이 된다. (子午卯酉若逢蛇,受氣長生必拜麻.煞神死絕相攢聚,宜作屠行賣肉家.)

아래 진학사의 命造를 보라.

예) 命造
辛 辛 壬 庚
卯 巳 午 子
중앙 정부에서 벼슬을 하였으며 나오게 된 것은 煞氣가 太重하기 때문이다.

예) 命造
辛 乙 丁 己
巳 卯 卯 卯
돼지를 잡는 백정의 가문이다. (如陳學士,庚子壬午辛巳辛卯,自中庭拜麻而又出之,緣煞氣太重.如己卯丁卯乙卯辛巳,殺豬屠戶.)

쌍어 쌍녀(雙女)는 주로 쌍태인데, 命에 寅申 월패(孛) 계도(計)가 침범하면 남녀인생의 여정에서 朔望(삭망)을 만나며, 望(보름)이 지나면 하나는 자식(男兒)이며 하나는 여식애가 된다. (雙魚雙女主雙生,命入寅申孛計侵,男女兩途達朔望,望過一子一爲陰.)

[참고~월패:孛, 계도:計, 火羅(화라):癸, 자기:辛 朔望: 초하루와 보름, 雙魚宮:十二宮의 하나. 黃道 經度 330~360度 사이에 있고, 11月 下旬 저녁에 남쪽 하늘에 보이는 데, 春分點이 이 별자리 안에 든다.]

삼형과 격각이 空亡되고 화개가 重하면 양자가 되며, 반드시 쌍태이거나 서출(庶出~첩의 소생)

인데, 그렇지 않으면 두 아버지에게 절을 한다. (三刑隔角更空亡,華蓋重併主過房,必是雙生或庶出,不然重拜兩爺娘.)

巳는 雙女이고 亥는 雙魚가 되는데, 蛇(뱀)은 머리가 둘이고, 魚(물고기)는 눈이 둘에 견주게 되므로 쌍어 쌍녀로 이름 하였다. 命에 寅 申 巳 亥를 모두 갖추어 命이 성립하고 화라 계도 월패가 命에 자리하거나, 화개가 공망이 되고 三刑 孤辰 隔角이 되면 대부분 쌍태이다. 만일 그렇지 않으면 서출이나 양자이거나 혹은 부모형제를 剋 害한다. (巳爲雙女,亥爲雙魚,以蛇有兩頭,魚有比目,故名.命帶巳亥寅申成立命,及火羅計孛坐命,華蓋併於空亡,三刑孤隔,多是雙生.不然,庶出過房,或剋害父母兄弟.)

27. 인신사해사궁호환신살寅申巳亥四宮互換神煞-6

쌍진일살(雙辰一煞)은 최고의 刑 傷인데 천간은 같은 천간이고 지지는 雙辰이다. 6害와 더불어 망신 겁살을 보면 叢林(총림)의 禮空王이다. 거듭 보면 偏生하거나 타인에게 양육되고 남자는 홀아비 여자는 과부가 된다. 단지 雙辰煞이 重犯해야하며 그리고 平頭煞도 같은 예이다. (雙辰一煞最刑傷,干帶同干支帶雙.六害併逢亡劫煞,叢林之內禮空王.重拜偏生併寄養,男當鰥寡女居孀.只爲重犯雙辰煞,更有平頭一例詳.)

雙辰은 干支가 두 자리인데 孤獨하고 剋함이 많다.

예) 命造
丙 丙 癸 癸
申 申 亥 亥
　망신 겁살로서 쌍진살이라 하는데, 長老(장로)이다.

예) 命造
丁 己 丁 乙
卯 卯 亥 亥
　이 命은 노비이다.

예) 命造
己 丁 乙 己
酉 酉 亥 亥
　이 命은 입양아(양자)이다.
(雙辰者,干支兩位是也,多主孤剋.如癸亥癸亥丙申丙申.謂之亡劫雙辰煞,是一長老.如乙亥丁亥己卯丁卯,是一奴婢,如己亥乙亥丁酉己酉,是一過房.)

고진 과숙은 당해 낼 수가 없는데, 범하면 늙어서 자식을 먼저 보내게 되며 함께 살려면 姓을 2~3번 바꾸어야하고 僧道가 되어 공방(空房)을 지키면 좋다. (寡宿孤辰不可當,犯全送老沒兒郎,共活卻宜三兩姓,好爲僧道守空房.)

[고진 과숙이] 空亡을 슴하거나 羊刃을 슴하거나 咸池를 슴할 경우, 공망은 총명하고 刃은 사납고 어리석으며 刃을 슴한 나문(羅紋)이면 惡死하며 만약 官의 형벌을 면할지라도 미치광이가 된다. (合空合刃合咸池,空主聰明刃狼愚,合刃羅紋身惡死,官刑苟免主顚痴.)

대6합 소6합, 대3합 소3합, 화개 雙합 단합, 내합 외합, 순합 反합이 있는데, 공망을 슴하면 사람이 간교하며, 양인을 합하고 다시 나문이 중첩하고 互換하면 惡死한다.

예) 命造
乙 庚 庚 乙
酉 辰 辰 酉
犯法행위를 하여 徒刑[오형(五刑)의 하나. 1-3년간 복역(服役)하는 형벌(刑罰). 이를 다시 5등(等)으로 나누고 곤장(棍杖) 열 대 및 복역 반년을 한 등(等)으로 했음.]을 받진 않았으나 반드시 相破하여 병이 있었다. (有大六合小六合,大三合小三合,華蓋雙合單合,內合外合,順合反合,合空亡,主人奸巧,合羊刃,更羅紋重疊互換,主惡死.如乙酉庚辰庚辰乙酉.非犯法徒刑,必破相有疾.)

함지와 슴을 하지 않으면 풍류가 있지만, 합을 하면 간음하여 늙도록 부끄러움을 모른다. [함지와] 슴하고 다시 나를 剋하게 되면 장풍(腸風) 소갈증으로 상하게 된다. (咸池不合也風流,合起奸淫老不羞.有合更兼來剋我,腸風消渴病爲仇.)

함지는 주로 腸風[결핵성(結核性)의 치질(痔疾)이 원인(原因)이 되어 똥을 눌 때에 피가 나오는 병(病)]인데, 天干을 剋하고 納音을 剋하면 주로 消渴증이다.

예) 命造
丁 辛 己 庚
酉 巳 丑 辰
일생동안 가장 음란 하였는데, 巳 酉 丑3합으로 桃花를 動하게 한 것이다.
(咸池主腸風,干剋及納音剋,主消渴.如庚辰己丑辛巳丁酉.一生最淫,以巳酉丑三合,合起桃花也.)

天干은 합하는 힘이 가볍고 3합은 마땅히 深淺을 분별해야하며 順合이 反合으로 되돌아오는지 살펴야하고 吉凶禍福을 자세히 밝혀야 한다. (干頭帶合力還輕,三合應須辨淺深,順合也還觀反合,吉

凶禍福要詳明.)

가령 天干은 合하고 地支는 合하지 않으면 單合이 되고, 戌命인이 日時에서 寅 午를 보면 反合이 되며 禍福은 일반적으로 단정한다. (如天干合,地支不合,爲單合,戌命人,時日見寅午爲反合,禍福一般斷.)

망신과 겁살은 眞6合을 하는 것은 좋지 못하고, 合이 있으면 마땅히 귀인이 있어야하는데, 귀인을 보지 못하고 겸하여 자신을 剋하게 되면 타인을 살인하지 않으면 자신이 살해를 당한다. (亡劫不宜眞六合,有合還宜有貴人,不遇貴人兼剋主,他不殺人人殺身.)

망신과 겁살은 절대로 合을 하여서는 안 되며 그리고 身主를 剋해서도 안 된다.

예) 命造
己 己 癸 壬
巳 亥 卯 戌

비록 合을 하지 않았지만 오히려 己 陰土가 있어 壬 陽水를 剋하고, 地支에서 衝을 만나므로 凶하여 참수(斬首)되었다. 李 太尉[태위~ 옛날, 무관 중 제일 높은 벼슬]의 命이다. 또 丁巳 壬申은 天干 地支가 6合인데 合이 巳가 申을 刑하니 動하여 酒色으로 破家했다. 한 女命인데, 壬申年이 己巳 日을 만나서 창녀가 되었다. (亡劫切不宜合,亦不宜剋主.如壬戌癸卯己亥己巳.雖不合,卻有己之陰土,剋壬之陽水,地支逢衝,故主凶,斬首,此李太尉命也.又丁巳壬申,天干地支六合,合起巳刑申,酒色破家.一女命,壬申年見己巳日爲娼.)

貴人을 合하고 다시 官을 동반하면 소년시절에 평보(平步)로 출세하고, 祿을 合하고 干頭에 겸하여 祿을 얻으면 3宮을 끌어당겨 福있는 사람이다. (合貴之中更帶官,少年平步上雲端,合祿干頭兼得祿,三宮鉤起福人看.)

예) 命造
戊 丙 己 辛
戌 午 亥 未

貴人을 合하며 그리고 官을 合하여 소년시절부터 일찍이 벼슬길에 천거되었다.

예) 命造
丙 甲 辛 辛
寅 午 丑 未

젊은 시절에 벼슬길에 들고 丙寅 年에 좋았다.
(如辛未己亥丙午戊戌,謂之合貴又謂合官,少年貢擧.如辛未辛丑甲午丙寅.早年入仕,緣爲丙寅勝也.)

貴人이 剋하면 가장 아름다운데 祿 馬도 같으니 모두 자랑할 만하다. 剋함이 적은데 다시 6合을 만나면 부귀영화(富貴榮華)를 누린다. (貴人剋入最爲佳,祿馬如斯皆可誇.微剋更兼逢六合,管敎富貴享榮華.)

무릇 귀인 록 마가 나를 剋하는 경우를 剋入이라 하는데, 剋이 있고 또 合을 동반하면 妙하게 되는 것이다. (凡貴人祿馬宜剋我,謂之剋入,有剋而又帶合,斯至妙矣.)

28. 자오묘유사궁호환신살子午卯酉四宮互換神煞-1

함지가 五行중에서 4位면 편야도화로 시샘할 정도로 아름답다. 男女가 편야도화를 만나면 모두 酒色에 빠지고, 교태가 있고 아름다우며 춘풍(春風)을 즐긴다. (咸池四位五行中,徧野桃花鬪嫩紅.男女遇之皆酒色,爲其嬌艶弄春風.)

子午 卯酉는 中天을 점령하며, 咸池와 羊刃煞은 서로 이어져 있다. 甲 庚 壬 丙 人이 子 午 卯 酉를 만나면 강개(慷慨~감정이나 정서가 격앙됨)하며 풍류에 취하고 악기를 즐긴다. (子午卯酉占中天,咸池羊刃煞相連.甲庚壬丙人相遇,慷慨風流醉管絃.)

무릇, 함지가 많으면 성품이 교모하며 다시 풍류를 즐기고 용모는 화려한꽃에 견줄만하다. 성질은 급하며 藝術을 業으로 함이 많고 집단속이 아니더라도 오히려 성공한다. (凡是咸池多性巧,更主風流貌比華,性急又兼多業藝,是非林裏反成家.)

함지살은 사람의 성품이 교모하고 성급한데, 풍류를 좋아하고 재능이 있고 용모가 뛰어나며 예술에 능하다. (咸池殺,主人性巧性急,愛風流,愛才貌,能藝術.)

함지살은 염정[북두칠성 또는 9성중의 다섯째 별. 文曲星의 아래, 武曲星의 위에 있다.]이라 하는데, 水를 만나면 요사스럽고 음란하며, 沐浴지의 進神으로 貴人을 보면 반드시 경국, 경성지색이다. (咸池一煞號廉貞,逢水妖嬈主亂淫,沐浴進神仍見貴,必敎傾國與傾城.)

함지살은 하늘의 염정성[북두칠성 또는 9성중의 다섯째 별. 文曲星의 아래, 武曲星의 위에 있다.]이다. 무릇 命에서 이를 만날 경우에 水를 보는 것은 간음(奸淫~겁탈, 강간하다.)하여 가장 좋지 않고, 다시 沐浴地에 놓이고 進神을 만나면 경국, 경성지색의 미모이다. (咸池煞,乃天之廉貞星也.凡命遇之,最不宜見水,主奸淫,如更在沐浴之鄉,逢進神傾國傾城貌也.)

도삽도화는 미색이 뛰어나다. 月 日 時가 3合하고 거꾸로 年에서 함지(도화)를 보는 것이 도삽

도화이며, 풍류와 기개가 뛰어나지만 간사하여 투기하고, 성품은 총명하지만 어진사람과 어질지 못한 사람이 있다. (倒揷桃花色更鮮.日時月裏反朝年,風流倜儻人奸妬,性巧聰明賢不賢.)

가령, 卯人이 寅 午 戌을 月 日 時에서 보거나, 酉人이 申 子 辰을 月 日 時에서 보면 반대로 年에서 [도화를]만난 것이니 도삽도화라 한다. 사람은 성품이 교모하고 총명하지만 성질이 급하여 每事 수용하지 못하고, 賢淑(현숙)하나 어질지 못한 부분이 있다. (如卯人見寅午戌月日時,酉人見申子辰月日時,反朝於年,謂之倒揷桃花.主人性巧聰明,性急不能容事,多賢淑而有不賢處也.)

함지가 착란(錯亂)하면 예술인인데, 休囚하여 鬼를 띠면 진정한 예술인이 된다. [함지가] 空亡되고 生旺하면 심성이 교모한데, 文武에 능하여 귀신을 꾸짖는다. (錯亂咸池藝術人,休囚帶鬼最爲眞.空亡生旺心偏巧,能武能文罵鬼神.)

함지가 있으면 주로 예술을 한다. 만일 [함지가] 旺宮에 있으면 필시 예술에 뜻을 두고 뛰어난 선비가 된다. [함지가] 空亡되고 鬼를 동반하여 死絶되어 無氣하면 반드시 시골의 무당이나 노동자가 된다. (咸池主藝術.如在旺宮,必術藝精奇,高秀之士.如空亡帶鬼,無氣死絶,必村巫或粗工.)

양인 함지가 日時에 놓이면 心性이 신령스럽고 교묘하여 매사에 아는 것이 많고, 旺宮이면 성급하며 敗宮이면 완만하니 숙질(고질병)과 풍류가 겸하고 있다. (羊刃咸池在日時,心靈性巧事多知,旺宮性急敗宮緩,宿疾風流兼有之.)

가령 甲戌 人이 卯를 보면 함지 양인이라 하고, 그리고 庚申이 酉를 보거나 庚辰이 酉를 보는 종류인데 사람은 학식이 많고 능력이 뛰어나지만, 질병을 면할 수 없다. (如甲戌人見卯,謂之咸池羊刃,又庚申見酉,庚辰見酉之類,主人多學多能,未免帶疾.)

함지의 본성은 간사하고 음란한데, 申 子 辰이 癸酉金(검봉 金)을 보거나 亥 子水人은 色情(색정)이 깊으니 酒色(술과 여자)을 탐하여 病으로 상심하는 것이 두렵다. (咸池爲性本邪淫,申子辰逢癸酉金,亥子水人情色重,恐耽花酒病傷心.)

日時에 함지가 하나 둘로 重하면 명칭이 歲煞이라하여 도리어 凶을 만난 것이다. 水火가 暴亡(포망~갑자기 망함)하면 고향을 떠나 죽고, 저주받은 온황(瘟黃~몸빛이 누렇게 되어 죽는 돌림병)으로 善終(선종)하지 못한다. (日時咸池一兩重,名爲歲煞反遭凶.暴亡水火離鄕死,詛呪瘟黃不善終.)

歲煞은 곧 咸池인데 日時에 놓이면 父가 惡死한다.

歲煞이 火에 屬하면 불에 의해 죽고,
歲煞이 水에 屬하면 물에 의해 죽고,

歲煞이 土에 屬하면 염병(돌림병)으로 죽고,

歲煞이 木에 屬하면 맞아 죽고,

歲煞이 金에 屬하면 칼에 의해 죽으니 각각의 五行으로 이를 추론하면 된다.

(歲煞者,卽咸池,在日時,主父惡死.屬火,主火死,屬水,主水死,屬土,主瘟死,屬木,主打死,屬金,主刃死,各以五行推之.)

28. 자오묘유사궁호환신살子午卯酉四宮互換神煞-2

日上에서 咸池가 旺神(왕기)을 띠고, 음착양차와 華蓋가 함께하면 妻家에는 재앙이 생기고 아울러 차림새가 추한데, 만약 刑을 당하지 않으면 타인을 유혹한다. (日上咸池帶旺神,陰錯陽差華蓋幷,妻家惹禍兼裝醜,若不刑離誘外人.)

무릇, 日上의 함지가 다시 陰錯陽差이거나 화개 파쇄가 놓이면 妻가 불량하고, 妻의 醜함으로 인하여 수치를 당한다. 만약 大家(명문가)일지라도 처의 부모형제는 차림새가 누추하다. (凡日上咸池,更有陰錯陽差,華蓋破碎在其上,皆主妻不良,因妻獲醜受辱.若大家,亦主與妻之兄弟父母裝醜.)

천상의 귀인을 문성이라 하는데 年 時에서 호환(互換~서로 교환)되면 福氣가 두텁고, 사주에서 나문(羅紋)이 중첩하게 보고 생왕하면 풍진(楓震)을 고대한다. (貴人天上號文星,互換年時福氣深,四柱羅紋重疊見,重逢生旺侍楓震.)

天乙貴人은 천상에서 지존성(至尊星~지존이 되는 별))이다. 만약 年과 時上에서 호환되어 보면 吉한데 다시 생왕하면 最上이 된다.

예) 命造
己 辛 己 丙 /// 壬 壬 丙 辛
亥 未 亥 申 /// 寅 午 申 巳
모두(두 사주)가 호환하여 귀인을 보는데, 앞에 命은 有氣하여 宰相이고, 뒤의 命은 無氣하여 太守가 되었다.

소동파학사의 명조이다.

예) 命造
己 癸 辛 丙
卯 亥 丑 子
水는 亥에서 임관(건록)되고, 대체적으로 五行에서 제일귀한 것은 福氣가 官이 되고 아울러 호환귀인을 보는 것이다. 둘째로 귀한 것은 權煞이 官이 되는 것이지만 재상은 불가하다. 셋째로 귀한 것은 秀氣인 것이다. (天乙貴,乃天上至尊星也.若年與時上互換見之則吉,更得生旺有氣爲上.如丙申己亥辛未己亥,辛巳丙申丙(壬)午壬寅,俱互換見貴,前命有氣,宰相,後命無氣,太守.蘇東坡學士,丙子辛丑癸亥己卯,水臨官亥,大抵五行第一貴者,福氣爲官,倂根互換貴人.第二貴者,權煞爲官,不可拜相. 第三貴者,秀氣而已.[丙은 誤記])

귀인이 6합을 하는데 陰陽이 있는데, 陰貴가 陽을 보면 특히 기뻐한다. 만약 羅紋을 보고 겸하여 有氣하면 소년시절부터 천부적으로 이름을 날린다. (貴人六合有陰陽,陰貴達陽喜異常.若見羅紋兼有氣,少年天府姓名香.)

나문귀인은 年과 時가 호환하는 것이다. 甲이 丑을 보면 陽貴이며 未를 보면 陰貴가 된다.

예) 命造
戊 癸 辛 甲
午 未 未 寅
합을 하여 陰貴가 動함으로서 재력가의 여인을 얻었다.
(羅紋貴人,年時互換是也.甲見丑爲陽貴,未爲陰貴.如甲寅辛未癸未戊午,合起陰貴,主得女人財力.)

進神白虎가 양인을 겸하는 것은 歲煞 현침 파쇄와 같다. 누가 陰陽의 참된 조화를 알겠는가? 乾坤이 감응(感應)하여 저절로 상통(相通)하는 것이다. (進神白虎兼羊刃,歲煞懸針破碎同.誰識陰陽眞造化,乾坤感應自相通.)

子午 卯酉에는 4개의 진신과 4개의 羊刃 白虎 歲煞 咸池 將星이 있으며, 2개의 현침 파쇄가 있는데, 乾坤의 造化로 각각의 禍福이 있다. (子午卯酉,有四個進神,四個羊刃,四個白虎,歲煞咸池將星,兩個懸針破碎,乾坤造化,各主禍福.)

진신은 기이하다할 수 없으나 중간에 묘리(妙理~오묘한 이치)가 있음을 누가 알겠는가? 祿 貴 官이라야 비로소 길한 것이며 日時에 함지(咸池)가 들면 패가(敗家)한다. (進神不可例言奇,中間妙理有誰知.進祿貴官方是吉,敗家時日進咸池.)

예컨대, 辛未가 甲子를 보는 것인데 咸池가 되어 고독하며 가난하다. (如辛未見甲子是,進咸池主孤貧.)

현침 대모(원진)는 무익하며 羊刃 咸池는 더욱 불길하다. 설령 天乙貴人을 보더라도 거꾸로 酒色을 貪하여 이룰 수 없다. (進針進耗皆無益,羊刃咸池尤不吉,設達天乙貴人臨,起倒無成貪酒色.)

가령, 辛未가 甲午를 보면 귀인이 현침을 동반한다. (如辛未見甲午,是貴而帶懸針.)

進神이 命에 들면 無益하며 대모(원진)는 더욱 不吉하다. 만약 暴敗와 咸池를 만나면 논밭을 다 팔아서 酒色을 즐긴다. (進神入命本無益,翻作耗神尤不吉.若逢暴敗與咸池,賣盡田園耽酒色.)

진신 현침 양인이 日상에 있으면 생이별 사별하여 "三妻之命"으로서 시에 있으면 자식이 없다. (進神懸針羊刃,在日上,主生離死別,三妻之命,在時無子.)

진신양인은 반드시 官을 만나야 하며, 日상에서는 처를 잃고 한탄함을 되풀이 하고, 時상에서는 자식을 장사지내고 울부짖는다. 三刑이 함께 있으면 군대에 들어가고 군대에 들어가지 않으면 죽을 운수인데, 느리고 빠른 것은 모름지기 運에 한정된다. (進神羊刃必遭官,日上屢教歌鼓盆,時上號爲埋子煞.三刑同到入軍門,不入軍門身惡殯,遲早須當運限論.)
* 鼓盆(고분~북을 쳐서 울리게 한다는 뜻으로 " 아내의 죽음"을 뜻한다.)

進神양인이 다시 현침 폭패 삼형을 띠면 반드시 죄를 지어 군대에 들어가며 그렇지 않으면 惡死한다.

예) 命造
己 庚 庚 甲
卯 午 午 子
44세에 凶死하였다.[卯 양인, 현침, 子 卯삼형을 함께 본다.] (進神羊刃更帶懸針暴敗三刑,必主因公得罪,入於軍門,不然惡死.如甲子庚午庚午己卯,四十四歲凶死.)

28. 자오묘유상궁호환신살子午卯酉四宮互換神煞-3

백호 胎神은 기상이 출중하며, 木人이 癸酉면 목소리가 큰데 다시 양인 비인을 겸하여 보면, 꾸짖을 때에 사람의 입은 비수와 같다. (白虎胎神氣象豪,木人癸酉便聲高,更逢羊刃兼飛刃,罵殺時人口似刀.)

木을 剋하는 것을 日時에서 만나면 멍청한 아내를 얻고 또 妻를 刑한다. 치아가 말라 터져도 여전히 말은 많으며, 조화롭게 울려야 福壽를 비로소 허용한다. (剋木如達在日時,娶妻糊塗又刑妻.焦牙爆齒仍多口,方許和鳴福壽齊.)

백호살은 곧 五行의 胎地인 것이다. 가령 庚申(石榴木) 庚寅(松柏木)의 木이 癸酉日時를 보는 종류들이다. (白虎煞卽五行胎神是也.如庚申庚寅之木,見癸酉日時之類.)

陰착陽차는 효도하기위해 장가들며, 외조부가 둘이거나 혹 데릴사위가 된다. 그렇지 않으면 妻를 剋하거나 혹자는 강제로 사위가 된다고 한다. (陰錯陽差因孝娶,外祖兩重或入贅.不然決要剋其妻,或者殘房來作婿.)

陰착陽차는 風流를 즐기진 않으니 夫婦가 부자유스럽고, 효도로 장가든 것이기에 寒房은 아니지만 억지로 사위가 된 것이기에 兩家(양가)는 미워한다. (陽差陰錯不風流,花燭迎郎不自由,不是寒房因孝娶,殘房入舍兩家仇.)

여인이 [음착양차를] 보아도 역시 남자와 같은데, 眞假(두 시어머니)의 시어머니를 함께하거나 혹 재취가 되고, 아니라면 자신의 몸을 체벌하여 남과 잘 어울리지 못하며, 외가(外家)가 영락(零落~몰락하다.)하는 것은 전생의 인연 때문이다. (女人逢者亦依然,眞假公姑或續絃,否則有刑身寡合,外家零落是前緣.)

음착양차煞은 가장 凶한데, 日時와 年月에서 서로 만나면 안 되고, 孛星(乙木)에 임한다면 高位(높은 지위)이나 2~3개로 [음착양차가] 重하면 중매쟁이가 된다. (陰錯陽差煞最凶,日時年月莫相逢,孛星若也臨高位,自作媒人兩三重.)

예) 命造
癸 壬 丁 丁
卯 戌 未 亥
처음의 아내는 딸을 낳고 반년 만에 죽고 다시 아내를 얻었다.

예) 命造
丙 丁 庚 丙
午 丑 寅 子
역시 3명의 妻에게 장가들었다. (如丁亥丁未壬戌癸卯,頭妻偏生女,半年而死,復娶一妻.如丙子庚寅丁丑丙午,亦娶三妻.)

음착양차가 이치적으로는 훨씬 미약하지만 도화제왕은 따라갈 수 없는데, 부녀자들 때문에 소송이 생기게 되고 외조부 때문이 아니면 妻 때문이다. (陰錯陽差理更微,桃花帝旺莫相隨,惹起官司因婦女,不因外祖便因妻.)

무릇, 음착양차가 도화살이 되면 제왕의 자리에 놓이는데 [上文이 정확하다.]여자들로 인해 송사가 생기는 것이 명확하다. <아래의 예 명조를 보라.>

예) 命造

戊 辛 己 庚
子 卯 丑 午

　3차례나 여인 때문에 관 송사(官 訟事)를 일으켰다.

예) 命造

壬 辛 壬 辛
辰 酉 辰 亥

　여인 때문에 송사를 겪고 破家했다.

예) 命造

己 丙 戊 癸
亥 子 午 亥

　여인 때문에 사건을 일으켰다. 그[陰錯陽差煞의] 증거가 이와 같다.

(凡錯差會桃花煞,在帝旺之位,准上文.如庚午己丑辛卯戊子,三次招女人官司.如辛亥壬辰辛酉壬辰,因女人官司破家.如癸亥戊午丙子己亥,因女人起事.其驗如此.)

　日時에 양인이 있으면 반드시 처를 생이별이나 사별하고, 互換한 현침살이 한 곳으로 모이면 등이 곱사라면 유배나 태형을 면한다. (日時羊刃貼身隨,必主生離死別妻,互換懸針攢一處,駝腰狗背免流笞.)

　여자가 양인을 보면 반드시 요절하거나 몸이 상하는데, 강물에 투신하거나 나무에 목을 맨다. 만일 天 月德이 구원하면 凌屍나 血光死는 면한다. (女子逢之必夭傷,投河自縊樹頭亡.如逢天月德來救,免得凌屍死血光.)

　日時가 양인이면 妻를 剋하고, 만일 자신을 剋하면 첫 번째 妻와는 생이별하며 두 번째 妻는 사별한다. 가령 丙午 生이 甲午를 보면 貼身이 되고, 年月日의 양인이 時에 모이거나 혹 3곳[年月時]의 양인이 日에 모여도 上文과 같다.

예) 命造

戊 壬 丙 丙
申 午 申 寅

　18세에 목이 잘렸다.

예) 命造<坤命>

庚 丁 甲 丙

午 亥 午 寅

　　女命으로, 日에 煞이 있었으나, 비록 자살은 면하였지만 도리어 早産死(일직 애기를 낳다가 애기가 죽음)하여 결국은 핏빛을 보았다. (日時羊刃,主剋妻,若來剋身,主生離一妻,死二妻.如丙午生見甲午之類,爲貼身,年月日之刃聚於時,或三處刃聚於日,准上文.如丙寅丙申壬午戊申,十八割頸,又女命,丙寅甲午丁亥庚午,爲有日煞,雖免自縊凌尸,卻早生産死,終見血光.)

28. 자오묘유사궁호환신살子午卯酉四宮互換神煞-4

　　옛사람의 견해는 양인은 남자에게만 적합한데, 성내지 않고 성품은 엄격하며 조급하지 않다. 대체적으로 공손하며 관대하고 청렴하며 강직한 사람으로 富貴하며 편안함을 누린다. (古言羊刃只宜男,不怒而威性不忙.寬栗剛廉人梗槪,管敎富貴享安康.)

예) 命造
乙 乙 乙 庚
酉 酉 酉 戌
　　조규승상의 명조인데, 3重으로 旺氣를 띠며 양인이 화개 함지 현침과 함께 있지 않으니 권력을 가졌다. 이 命은 종화(從化)하여 得局한 것이기에 大貴하다. (如趙葵丞相,庚戌乙酉乙酉乙酉,帶三重旺氣,羊刃不倂華蓋咸池懸針之類,主有權.此命作從化得局看,所以大貴.)

　　이리가 식사할 때 고래가 물마시듯 하는 것은 어떤 것인가? 양인이 거듭 있고 망신과 겁살이 많거나 계도(壬) 월패(乙) 화라(癸)가 4正에 임하는 것인데, 그러나 배는 부를지라도 풍파는 당한다. (狼餐鯨飮是如何,羊刃重重亡劫多,計孛火羅臨四正,只圖醉飽任風波.)

　　4正은 子午 卯酉인 것이다. (四正子午卯酉是也.)

　　神煞이 많은 것과 없는 것은 바뀌지 않는데, 다른 것[신살]이 모이면 다르게 나누어 살피고, 나눈 것이 열리면 禍福이 모두 분산되고, 煞이 모이면 凶命이 되어 살아남지 못한다. (神煞無多不易論,看他攢聚看他分,分開禍福皆分散,聚煞攢凶命不存.)

예) 命造
丁 癸 丁 甲
巳 卯 卯 戌
　　일생동안 富는 충분하였으나 자식이 없었다. 神煞이 너무 많아서 合하지 못하고 분산되어 壽(수명)가 50을 넘지 못하였다.

예) 命造

甲 丙 壬 丙

午 子 辰 寅

凶煞이 모여 貧賤하였으며 요절했다. (如甲戌丁卯癸卯丁巳,一生富足,無子.謂之分散,不合太多,壽不滿五十,如丙寅壬辰丙子甲午,謂之攢凶聚煞,貧賤早夭.)

日中에 양인이 화개를 겸하면 먼저 한사람에게 시집간 妻가 이로운데, 갑자기 죽거나 寒房(부부 금슬이 싸늘함)의 禍를 免하며, 용모는 매우 아름답고 들리는 名聲은 적절하다. (日中羊刀兼華蓋,只利妻先嫁一人,卒急寒房方免禍,貌如太美便風聲.)

6己의 生人이 未日을 볼 경우, 만약 己亥 己卯 己未人이 이를 얻으면 上文과 같다. (六己生人見未日,若己亥己卯己未人得之,准上文.)

신살이 공망이 되면 가장 좋고, 흉살이 공망이면 크게 길하고 창성하며, 祿 馬 貴人이 [공망되면] 福을 감하고, 만일 相衝하면 자세하게 나눈다. (煞神最喜落空亡,凶煞空亡大吉昌,祿馬貴人還減福,如達相衝另一詳.)

공망이 生旺하면 반드시 총명하고, 死絶되면 말이 어눌하여 참되지 못하고, 공망이 전부면 空 속에서 發하는데 공문은 藝術이나 九流人이다. (空亡生旺必聰明,死絶嘍囉語不眞,犯盡空亡空裏發,公門藝術九流人.)

공망은 상충하면 공망이 안되며 마땅히 生旺하여야 하고 死絶됨을 꺼린다. (空亡遇相衝則不空,宜生旺,忌死絶.)

귀인 록마는 헛되지 않으며 신살은 권력이 높은 자리에 있으니 祿 馬 煞神은 貴를 얻은 것과 같은데, 禹門級浪化龍魚. (貴人祿馬事非虛,神煞權高首位居,祿馬煞神如得貴,禹門級浪化龍魚.)

귀인 록마가 旬中에 있으며 공망과 충을 하지 않고 스스로 生旺하며 겸하여 合을 하면 桃花가 부질없이 魚龍을 연모하게 된다.. (貴人祿馬在旬中,不帶空亡不帶衝,自旺自生兼帶合,桃花浪裏變魚龍.)

死絶 休囚하면 無益(무익)하며, 충격과 공망은 힘을 감하고,任是侯門將相兒,只可隨緣度終日. (休囚死絶均無益,衝擊空亡皆減力,任是侯門將相兒,只可隨緣度終日.)

예) 命造

己 辛 己 丙

亥 未 亥 申

　貴人의 자리가 長生이며 또 煞이 旬중에 있으므로 大貴하였다.

예) 命造

壬 庚 庚 己

午 午 午 亥

　祿이 매우 많은데 死絶되므로 道人이 되었다.

(如內申己亥辛未己亥,是貴人上帶長生,又煞在旬內,所以大貴.如己亥庚午庚午壬午,祿太多而達死絶,所以爲道人.)

28. 자오묘유사궁호환신살子午卯酉四宮互換神煞-5

　年 月 日 時가 모두 같은 旬은 한집안의 같은 형제이다. 만약 祿 馬가 같은 旬내에 있으면 과거에 급제하여 이름을 드날려 兩親을 드러낸다. (年月日時共一旬,還同兄弟一家人.若兼祿馬同旬內,金榜揚名顯二親.)

　四柱에서 五行이 모두 본래의 旬에 있고 祿 馬나 官貴를 만나면 吉하며, 양인과 破碎를 만나면 凶하고, 뛰어나지만 不實하다. (五行四柱皆在本旬,遇祿馬官貴則吉,遇羊刃破碎則凶,秀而不實.)

　사람의 성격이 쾌활한 것은 어째서인가? 임관하고 生旺한 馬가 더 많은 것이고, 사물을 갖추고 사람을 사귈 때 강개함이 많고, 함지는 시원하게 트이는데 다시 소리가 섞여 시끄럽다. (爲人性快是如何.生旺臨官馬更多,待物接人多慷慨,咸池疎爽更嘍囉.)

　구교 삼형 망신과 겁살이 나란히 있으면 사람이 교활하며 또 음침하다. 日時와 年月에 重하게 보면 속내의 음침함이 深海와 같다. (勾絞三刑亡劫倂,爲人狡猾更沉吟.日時年月如重見,內蘊機關似海深.)

　가령 甲申生이 乙亥 辛巳를 보는 종류인데, 사람이 간교하여 일할 때 거짓이 많다. (如甲申生,見乙亥辛巳之類,主人奸巧,作事多詐.)

　平頭가 곧장 天干을 점령하며 양인 현침煞이 다투어 모이고, 相剋 相衝하여 旺氣가 없으면 털과 뿔을 가진 짐승으로 본다. (平頭一路占天干,羊刃懸針煞鬪攢,相剋相衝無旺氣,披毛帶角畜生看.)

　天干이 一路면 平頭煞인데, 가령 丙午 丁未의 종류로 地支가 중첩하여 양인 현침이 一位에 모이니 필히 傷殘하여 命을 傷하고 그렇지 않으면 畜生이다.

예) 命造

癸 乙 乙 癸

未 丑 卯 丑

이것은 돼지의 命이다. (天干一路是平頭煞,如丙午丁未之類,地支重疊帶羊刃懸針聚一位,傷主命, 必傷殘,不然畜生.如癸丑乙卯乙丑癸未是豬命.)

戊庚이 많으면 披毛이며, 元辰이 중첩한 命은 견고하지 못하고, 계도 월패 화라가 비추면 말 양 돼지 개라도 달아나기 어렵다. (戊庚多者定披毛,重疊元辰命不牢,計孛火羅如守照,馬羊猪犬數難 逃.)

戊庚의 두 글자는 피모대각살이 되고, 흉악함이 두려우니 畜生(짐승)과 같다. (戊庚兩字爲披毛 帶角殺,凶頑可畏,如畜生也.)

四柱에서 胎를 刑하면 父는 반드시 傷하고, 母腹에서 사망하고, 戊 庚이 隔角과 平頭煞이면 背의 靑天을 암시하여 壽가 길지 않다. (四柱刑胎父必傷,當於母腹便身亡,戊庚隔角平頭煞,背指靑 天壽不長.)

무릇 四柱에서 胎를 刑하면 일찍 父를 剋하여 不吉하고, 다시 隔角과 平頭煞이 있으며 三刑 이 공망되고 五行이 無氣하면 畜生이 많이 된다.

예) 명조

戊 庚 戊 庚

寅 寅 寅 寅

이것은 개의 命이다. (凡四柱刑胎者早剋父,不吉,更有隔角平頭,三刑空亡,五行無氣,多是畜生.如戊 (庚)寅庚(戊)寅庚寅戊寅,是太命.)
[첨언:오행의 순환법칙으로 보아 庚寅과 戊寅이 서로 바뀐 것으로 誤記인 것 같다.]

29. 진술축미사궁호환신살辰戌丑未四宮互換神煞-上

辰戌 丑未는 4印인데 戊 己가 이를 얻으면 주로 신의(信義)에 치우치고, 甲 乙이 [辰 戌 丑 未 를]보면 비루하며 탐욕스럽고, 丙 丁이 [辰 戌 丑 未를]보면 가난하며 질병이 많고, 庚 辛의 格에 서는 [辰 戌 丑 未를 보면] 母가 아이를 낳게 된다. 煞이 丑宮에 모이면 단명함이 많다. (辰戌丑 未爲四印,戊己得之偏主信,甲乙若逢鄙且貪,丙丁或遇多貧病,庚辛格號母生兒.聚煞丑宮多短命.)

戊己는 土에 속하며 4印으로 나아가면 本宮이 되어 신의를 주관한다. 甲 乙이 4印을 보면 財가 되는데 財는 庫에 들어있어 탐욕스럽고 비루한 사람이다. 丙 丁이 4印을 얻으면 도기(盜氣~ 氣를 빼앗김)되어 가난하지 않으면 요절한다. 庚 辛이[4印을 보면] 자식이 母腹(어머니 뱃속)으로 되돌아가는 것이 되는데, 혹 4位가 완전하지 못하고 死絶地에 있게 되면 사람은 勾絞가 되어 術數를 부린다. 煞이 丑宮에 모여 있으면 요절함이 많다. (戊己屬土,邁四印爲本宮,主信.甲乙逢之爲財,財入庫,主人貪鄙.丙丁得之竊氣,不貧則夭.庚辛爲子歸母腹,或四位不全,在死絶之地,主人勾絞使術數,或聚煞在丑宮,多夭折.)

천강대살은 辰宮을 차지하고, 크게 吉한 경우는 원래 丑중에 있고, 吉이 적은 경우는 煞이 항상 未상에 있으며, 河魁는 戌에 그 자취가 있고, 四柱에서 4가지 煞을 알지 못하면 덧없는 인생의 吉凶을 정하기 어렵다. (天罡大煞占辰宮,大吉原來在丑中,小吉煞常居未上,河魁在戌定其踪,不知四柱四般煞,難定浮生吉與凶.)

人命에 辰 戌 丑 未가 있고 다시 별도로 煞이 있으면 孤剋한다. (人命辰戌丑未全,更有別煞,主孤剋.)

四柱에 [辰戌丑未의] 4衝에는 모두 刃이 있고, 3刑 華蓋는 보통 같고, 만약 丑 未를 보고 天干에 모이면 金谷園(금곡원~ 진나라 석숭의 별장이름)의 富貴한 노인이다. (四柱四衝皆有刃,三刑華蓋一般同.若逢丑未干頭會,金谷園中富貴翁.)

辰 戌 丑 未의 4位에는 華蓋 羊刃 飛刃 墓庫인데 3刑이 모두 있다.

예) 命造
己 辛 甲 甲
丑 未 戌 辰
예컨대 이러한 命은, 아직 福을 누리지 않는 적이 없다.[반드시 福을 향유한 命이라는 뜻] (辰戌丑未四位,華蓋羊刃飛刃墓庫,三刑若全帶.如甲辰甲戌辛未己丑之類,未有不享福者.)

戌이 重한데 戌을 보며 未가 未를 보고, 丑이 重한데 丑을 보며 辰이 辰을 보게 되면, 時上에 중첩하여 華蓋煞을 만나니 남녀가 봄에는 空亡되어 적막하고, 다시 羅火(癸) 孛(乙) 與氣(辛)가 있어 만일 身에 임하더라도 命은 일반적인 논리이다. [월패:乙, 계도:壬, 火羅(화라):癸, 자기:辛] (戌重見戌未見未,丑重見丑辰見辰,時上疊逢華蓋煞,男女空亡寂寞春,更有羅火孛與氣.若臨身命一般論.)

華蓋는 청한(淸閑)한 예술인이며, 休囚와 生旺의 2가지로 論하는데, 文章(문장) 醫(의) 卜(복)을 겸한 스승이 되고, 구류 승도는 日時에 [華蓋가]있으면 정말로 된다. (華蓋淸閑藝術人,休囚生旺兩

- 326 -

般論,文章醫卜兼師術,九流僧道日時眞.)

華蓋는 自墓 및 相生하는 것을 좋아하는데, 그래서 淸閑한 福을 누리고 그렇지 않으면 僧 道 나 九流術業을 한다. 예컨대, 庚辰의 종류로서 自墓가 되지 못하니 단지 시골무당이나 엉성한 예 술인인 것이다. (華蓋喜於自墓及相生,乃可享淸閑之福,否則僧道九流.如庚辰之類,不能自墓,只是村 巫粗藝人也.)

華蓋나 咸池가 兼하여 鬼를 띤다면 기능공(기술이 뛰어난 장인)이 되지 않으면 스승이 된다. 五行에서 鬼는 적고 有氣하면 머리에 黃冠(황관~평민들이나 도사, 야인을 이른다.)을 쓰지 않고 승복을 입는다. (華蓋咸池兼帶鬼,不爲巧匠便爲師.鬼少五行兼有氣,不頂黃冠便著緇.)

묘고가 華蓋를 만나면 福과 壽의 근본이 되고 육친은 오랑캐처럼 孤 剋한다. 日은 妻로 時는 자식으로 輕重을 구분하고, 벼슬이 제후에 봉해지지 않는 것을 분명히 알 수 있다. (墓庫逢華福 壽基,六親孤剋似華夷.日妻時子分輕重,官不封侯定可知.)

예) 命造
甲 己 甲 甲
戌 未 戌 戌

이는 墓庫가 華蓋를 보아 福과 壽는 누렸지만 父母를 剋하고 妻와 자식을 刑하는 것을 면하지 못하였다. 나를 剋하는 것은 重하고 나를 合하는 것은 輕하니 벼슬이 제후(승상, 정승)에 이르지 못했다. (如甲戌甲戌己未甲戌,是墓庫逢華蓋,主享福壽,未免克父母,刑妻子.剋我者重,合我者輕,爲官 不至封侯.)

29. 진술축미사궁호환신살辰戌丑未四宮互換神煞-中

앞에서 한 말은 丑位는 寅을 만나는 것을 두려워하고, 戌人은 亥를 꺼리며 未는 申을 싫어하 고, 辰人은 巳를 싫어하여 孤辰 劫煞이 되니 祿貴가 臨해야 福神이 된다. (前言丑位怕逢寅,戌人 嫌亥未嫌申,辰人嫌巳爲孤劫,祿貴臨玆是福神.)

劫煞 孤辰의 2煞이 다시 長生을 띠고 貴祿을 만나면 더욱 좋다. (劫孤二煞,更帶長生,逢貴祿尤 好.)

土旺한데 辰 戌과 함께 丑 未가 命에 많이 보면 성격이 집요하고, 飛刃 三刑이 같은 자리가 되면, 성질이 惡하며 剛하여 성질이 급하다. (土旺辰戌幷丑未,凡命逢之多性執,飛刃三刑同位見,性 惡性剛兼性急.)

외모를 살펴보면 온화할 것 같으나 몹시 화를 내면 어찌 감당을 하겠는가? 만일 妻를 刑하고 아울러 자식을 剋하지 않는다면 육친으로 인해 氣血이 조화롭지 못하게 된다. (觀之外貌似溫和, 怒髮衝冠奈觸何,若不刑妻幷剋子,因親氣血不調和.)

辰 戌 丑 未는 土에 속하니 따라서 성질이 집요한데, 1~2개는 있어도 꺼리지 아니하고, 단지 양인 비인이 있으면 上文과 같다. (辰戌丑未屬土,所以性執,不拘單逢雙逢,但有羊刃飛刃,准上文.)
[怒髮衝冠(노발충관):노한 머리털이 冠을 추켜올린다는 뜻으로, 몹시 성낸 모양을 이르는 말. 怒發大發]

羊刃이 4宮에서 2~3개가 있으면 귀머거리나 벙어리이거나 혹은 장풍(腸風)이 있고, 三刑이 같은 자리에서 손상당하면 배우자가 없거나 좋게 죽지 못한다. (羊刃四宮三兩重,音聾瘖瘂或腸風,三刑同位來傷主,不配應當不善終.)

이미 羊刃이 많은데 또 三刑이 함께 와서 主를 손상하면 妻子를 刑할 뿐만 아니라 좋게 죽지 못한다. (旣多羊刃,又有三刑同來傷主,不但刑妻子,且不善終也.)

飛刃이 比和하면 主는 권력을 가지며 공론에서 말이 적은데 강직하여 공명정대하니, 공경하여 우러러보고 사모하여, 가세가 융성하니 遠近으로 명성을 전하게 된다. (飛刃比和便主權,爲人公議寡於言,剛方正大多欽仰,聲勢肥家遠近傳.)

가령 羊刃을 있으면 나를 剋하지 않아야 하고 他가 旺하여 강한地支에 있는 것을 원하지 않고 他가 약하면 나에게 항복하여 福이 되고, 他가 강하고 내가 약하면 禍가 된다. 가령 甲寅(대계水)水가 辛卯(송백 木)木을 보는 종류가 이것이다. (如帶羊刃不要剋我,仍不要他旺在强地,他弱則降我爲福,他强我弱則禍,如甲寅水見辛卯木之類是也.)

飛刃이 와서 三刑을 하면 사납고 포악하여 친하지 않아, 죽이기를 좋아하며 속이기를 좋아하고 武를 좋아한다. 단지 他가 敗해야 내가 生成된다. (帶來飛刃幷三刑,凶狠强梁不可親,好殺好欺仍好武,只宜他敗我生成.)

刑剋이 重重하면 양자가 되는 것이 좋으며, 옛 사람의 말은 辰 戌은 魁罡(괴강)으로 조업을 破하고 고향을 떠나야 비로소 이로우며 吉하고, 단지 예술과 牙郞이 마땅하다. (刑剋重重好過房,古言辰戌是魁罡,破祖離鄕方吉利,只宜藝術與牙郞.)

辰은 天罡(천강) 또는 地網(지망)이 된다. 戌은 天魁(천괴)가 되며 또 天羅(천라)가 된다. 辰 戌

日時는 고독하지 않는 者가 없을 것이고 中 末年에는 자신의 분수를 지키는 것이 좋다. 예컨대 相剋하면 예술이나 空門(공문~佛家의 道를 지칭)이 되는 것이 좋다. (辰爲天罡又爲地網,戌爲天魁又爲天羅.辰戌日時,未有不孤者也,中末年,只宜守己.如相剋,只宜藝術空門人.)

辰은 능히 酉와 合하고 酉는 卯를 衝하며 辰 卯는 6害가 된다. 未가 와서 午를 合하며 午 는 子를 衝하니 子 未는 일반적인 情으로 양자가 아니라 母를 따라서 가거나, 혹은 僧 道가 되거나 혹은 외롭고 가난하게 된다. (辰能合酉酉衝卯,辰卯之中六害生,未來合午午衝子,子未之中一般情,不是過房隨母嫁,或爲僧道或孤貧.)

이상은 6害를 말한 것이다. (以上名暗六害.)

29. 진술축미사궁호환신살辰戌丑未四宮互換神煞-下

五行귀살의 승패를 살피며 전투복항의 輕重을 구분하고, 他가 약하고 내가 강해야 비로소 福을 얻으며, 鬼가 강하고 내가 약하면 凶하게 된다. 鬼가 많으면 다만 術(예술) 醫(의료) 卜(점사)에 종사하여 헛된 계책으로 일만 만들고, 鬼가 강궁을 점령하여 旺地에 있으면 낙양에 꽃이 피지만 봄이 얼마 남지 않았다. (五行鬼煞看輸贏,鬪戰伏降分重輕,他弱我强方得福,鬼强我弱便爲凶.鬼多只利術醫卜,空裏營謀事事成,鬼占强宮居旺地,洛陽花發又殘春.)

鬼煞은 모두 身을 剋해선 안되며 强宮을 점령하면 戰鬪 伏降(전투복항)을 구분하여야 한다. 만일 鬼가 많으면 九流일 뿐이고, 敗宮에 鬼가 많고 身이 强宮에 있으면 재능은 있으나 일이 뜻과 같이 잘되지 않는다. (鬼煞皆不剋身,及占强宮,要分戰鬪伏降.如鬼多只宜九流,敗宮鬼多,身居强位,纔發又不如意.)

鬼가 없으면 造化를 이룰 수 없고, 煞이 없으면 어찌 자신에게 권력이 있겠는가? 단지 鬼가 많고 겸하여 衆煞이 두려운 것이고, 凶이 많고 吉이 적은 것이 허물이 된다. (無鬼不能成造化,無煞安能身有權,只怕鬼多兼煞衆,凶多吉少便爲愆.)

鬼가 强하다고 凶하다고만 할 수는 없으며, 鬼가 항복하면 他家를 제압하여 功이 있다. 格을 말하면 降伏한 神을 보호하여야 겸손하며 富貴한 福이 번성한다. (鬼强不可例言凶,鬼伏他家受制功.格曰伏降神內保,謙恭富貴福興隆.)

貴人 祿馬가 있으면 온화하며 神煞은 맹렬한데, 命中에 鬼가 없으면 造化를 이루지 못하고 煞이 없으면 權柄(권병~권력으로써 사람을 마음대로 좌우할 수 있는 힘)을 이루지 못한다. 그러나 두려운 것은 [鬼煞이]많으면 秀氣가 분산되어 吉하지 않는 것이다. (貴人祿馬主溫和,神煞主猛烈,

命中無鬼不成造化,無煞不成權柄.但恐多則分秀氣,不爲吉也.)

他가 와서 나를 剋하면 내가 강한 곳에 있어야하는데, 내가 强宮을 점령해야 방해받지 않는다. 鬼는 敗지이고 원국에서 身强해야 富貴하고 명성이 높으며 壽命도 길다. (他來剋我我居强,我占强宮又不妨.鬼敗本强身富貴,名高仍且壽延長.)

母가 자식을 많이 낳으면 母는 虛한데 母가 强宮에 있으면 虛하지 않게 된다. 母旺子衰는 四季로 구분하고 9重(누터우면 즉 四季를 얻어)하면 城안에서 편인하게 미문디. (母生了廣母當虛,母占强宮又不虞.母旺子衰分四季,九重城裏任安居.)
[첨언~모왕자쇠도 득령 득시 득세하여 신강하면 吉하다는 말]

가령 金人이 土는 母가 되고 水는 자식이 된다.

예) 명조
乙 乙 乙 庚 胎-丙子
酉 酉 酉 戌

金이 4水[乙酉(泉中水)~3개 胎의 丙子(澗下水)~1개 도합 4水]를 生하여 母가 많은 자식을 生한다. 그런데 오히려 기쁜 것이 子는 衰하고 母가 旺하여 害가 되지 않는다. 하물며 金이 8月에 生하니 추절에 得令하고, 煞은 得地하지 못하고 身은 得地하니 子는 母의 氣를 盜氣할 수 없으므로 貴하게 되었다. (如金人見土爲母,見水爲子.如庚戌乙酉乙酉乙酉,丙子胎.是金生四水,母生子廣.卻喜子衰母旺而不爲害.況金生八月,是得令之秋,煞不得地,而身得地,子不能竊母之氣,故貴.)

母는 아이를 낳을 때에 4季節로 구분하여 보는데, 子旺하여 强宮이면 母는 도리어 衰하게 된다. 여름의 木人이 旺성한 火를 만나면[木焚飛灰하므로] 가도사벽[家徒四壁: 집안이 4벽뿐이 라는 뜻으로, 집안 형편이 매우 어렵다는 것을 이르는 말.]의 재앙을 당하게 된다. (母分四季産嬰孩,子旺强宮母卻衰.夏月木人逢火旺,家徒四壁致凶災.)

무릇, 上에서 下를 生하게 되면 곧 脫氣되어 不吉하다. 가령 木命이 戊午를 만난 종류로서 더구나 夏月이면 火가 다시 得時(때를 얻어)하여 子旺하고 母衰하니 가난하지 않으면 요절하게 된다. (凡上生於下,乃脫氣不吉.如木命達戊午之類,況是夏月,火復得時,乃子旺母衰,不貧則夭.)

隔角 三刑 剋 害가 많으면 조상을 떠나서 마침내 보금자리를 만들어 스스로 자립하여 기특하지만 골육은 도리어 不和하게 된다. (隔角三刑剋害多,直須離祖號行窠,自爲自立方奇特,骨肉仍敎內不和.)

신체발부(身體髮膚)는 부모로부터 받은 것인데, 현명한사람은 신체를 보호하여 훼손시키지 않는다. 진퇴존망(進退存亡)의 도리를 깨달으면 吉한 사람이 되어 凶함이 慶事와 福으로 변하게 된다. (身體髮膚因父母,賢哲保身無毁傷.進退存亡能覺悟,吉人凶變作禎祥.)

12宮의 神煞을 古人(옛 선인)들은 소중하게 생각했다. 그러나 반드시 근본은 왕상휴수와 五行의 생극제화와 財 官 印 食을 근본으로 하여 貴人 祿 馬를 참작하고, 그러한 후에 神煞의 輕重을 비교하여 헤아려야 하는 것이다. 만약 오직 神煞만으로 論하면 왜곡하는 것이다. 따라서 應天歌를 취하여 三命에 작은 도움이 되고자 하였다. (右十二宮神煞,古人所重.然必以主本旺相休囚,五行生剋制化,本之以財官印食,參之以貴人祿馬,　然後看神煞輕重較量可也.若專論神煞則誣矣.故取應天歌,以爲三命之一助云.)

30. 전투복강형충파합戰鬪伏降刑衝破合-1

전투는 힘이 兩停하여야 상서로우며 양변이 相制하여야 영화로움이 시작된다. 夫妻가 균등하고 화순(和順)하여야 쉽게 입신양명(立身揚名)의 원대한 포부를 펼친다. [相稱:서로 대응하여 균형이 잡혀 있음, 또는 그런 상태.] (戰鬪爲祥力兩停,兩邊相制始爲榮.夫妻相稱仍和順,平步靑雲萬里程.)

전투하면 福이 3만근임을 알아야 하며, 四柱에서 힘이 서로 비슷하여 구분하지 못하면 멀리 사막까지 명성을 떨치고 사장(詞場-문단)에서 필진(筆陣~문장의 짜임새)은 천군을 휩쓴다. (要知戰鬪福千鈞,四柱相停力不分,沙漠宣威聲萬里,詞場筆陣掃千軍.)

전투가 福格이 된다. 무릇 五行은 싸우지 않으면 體는 항상 主가 되지만 전투를 하면 주객이 뒤바뀌게 된다.

예) 命造
辛 庚 癸 己
巳 寅 酉 巳

대림목[己巳]은 癸酉(검봉金)이 두려운데 日主는 庚寅(松柏木)의 旺木으로 己巳 大林木은 庚寅(송백木)에 빌붙어 自立하여 主가 되니 癸酉의 세력은 고립되어 대적할 수 없는 것이다. 또 辛巳(백랍金)金은 [癸酉(검봉金)金을] 도우니 자립하여 主가 된다. 己巳(대림木)木은 약하며 庚寅(松柏木)은 강하고, 癸酉(劍鋒금)金은 剛하며 辛巳(백랍金)金은 또 弱하니, 강약이 서로 비슷하여 양변(兩邊~양쪽)의 힘이 균정(均整)하였다. 나를 剋하는 者는 夫가 되고, 剋을 받는 者는 妻가 되는데 夫妻는 강유(剛柔)가 상제(相濟)되는 것이므로 전투하는 중에 오히려 福을 얻는 것이다. (此戰鬪爲福格也,凡五行不戰,則體常爲主,遇戰鬪則迭爲賓主.己巳癸酉庚寅辛巳,大林木懼癸酉劍金,日爲主,

主乃庚寅旺木,己巳林木依附庚寅,自立爲主,癸酉勢孤,不能敵也.又有辛巳金爲之輔,主自立爲主.己巳主弱而庚寅强,癸酉金剛,辛巳又弱,强弱相等,兩邊力停.我剋者爲夫,受剋者爲妻,夫妻剛柔相濟,所以戰鬪之中,反得福也.)

五行이 싸움을 더 많이 만나면 서로 대립하여 相衝하니 쉽게 투쟁(鬪爭)하게 된다. 싸움이 만일 왕성하지 않으면 禍가 되며, 힘이 比等하면 반드시 둘이 함께 오르게 된다. (五行遇戰主多更,相對相衝便鬪爭.鬪若不贏翻作禍,力停須看兩相登.)

刑衝은 전투하니 흐름(승패)을 論하는데, 四柱가 편파적이고 힘이 균등하지 않으면, 어부중에도 물에 빠지는 재앙을 방비함이 있어야하므로 형을 만날까 두려우니 소송을 가까이 하지 말라. [鼠牙=鼠牙雀角=雀角 鼠牙(소송 재판)] (刑衝戰鬪論輸贏,四柱偏頗力不停,漁腹有災防溺水,鼠牙莫近恐遭刑.)

이 전투는 禍格이 되는 경우이다.

예) 명조
壬 己 己 壬
申 巳 酉 午

楊柳[壬午]木이 가을에 태어나고, 白帝(가을을 맡아보는 서쪽의 神)가 권력을 잡았으니 金이 得勝한 때이니 木이 극히 쇠약하다. 巳 申 酉모두가 金局이 되었다. 더구나 壬申(검봉금)金이 土를 얻어 그 세력이 늘어났다. 己巳(大林木)木이 또 壬申(劍鋒금)金과 合하여 動하니 신체가 손상되는 재앙이므로 38세에 물에 빠져 사망하였다. (此戰鬪爲禍格也.一命,壬午己酉己巳壬申,楊木生秋月,白帝司權,金得勝之時,木極衰弱.巳申酉皆金局.況壬申金得土以滋其勢.己巳又合起壬申,爲禍傷身,故三十八歲溺水而死.)

상궁(日)에서 月을 刑하며 月이 年을 刑하고 鬼가 휴수(休囚)하면 세력은 자신에게 기우는데, 제좌(時)에서 만일 다시 日을 剋하게 되면 서로가 번갈아가며 가두니 福이 하늘을 덮을 듯하다. (上宮刑月月刑年,鬼在休囚勢自偏,帝座若還仍剋日,遞相關鎖福滔天.)

항복하여 福格이 되는 경우이다. [아래 명조를 보라]

예) 命造
己 乙 甲 乙
卯 酉 申 巳

乙酉(천중水)는 敗地의 水이며 甲申(泉中水)에서 生하여 乙巳(覆燈火)火를 剋하니, 火는 오히려 그 자리를 얻지 못하고 水가 반대로 이겨서 鬼가 무리를 지으니 귀소(鬼嘯)라고 한다. 그런데 己卯(성두土)土를 좋아하는 것은 먼저 乙酉(泉中水)를 破하고 甲申(천중水)水를 制하여 상호간에 相制(상제)하여 禍가 되질 않으니 도리어 吉하게 된 것이다. (此伏降爲福格也. 如乙巳甲申乙酉己卯, 乙酉敗水, 生於甲申, 而剋乙巳之火, 火卻不得其位, 而水反勝, 鬼得其黨, 謂之鬼嘯. 卻喜己卯土, 先破乙酉水, 復制甲申, 互換相制, 不能爲禍, 反以爲吉也.)

降伏은 아래에서 年을 刑하면 福이 되는데, 제좌(時)가 강하면 오직 권세를 가지고 마음이 너그러워 살이 찌고 많은 福을 받아, 자손도 榮貴(영귀)하며 경사로움을 겸전한다. (伏降爲福下刑年, 帝座居強獨主權, 心廣體胖膺百福, 子孫榮貴慶雙全.)

예) 命造
辛 甲 丙 甲
未 申 寅 子

土가 水를 制하고 水는 火를 制하며 火가 金을 制하니 모두가 반대로 되어 福이 되니, 반드시 누대(累代)에 걸쳐 高官이 되며 福과 壽(수명)가 대단한 사람이다. (如甲子丙寅甲申辛未, 是土制水, 水制火, 火制金, 皆反爲福, 必主簪纓累代, 福壽人也.) [簪纓:높은 벼슬과 부귀의 상징]

鬼가 나를 공격할 때 鬼는 강하고 내가 약할 때에는 세력을 감당할 수 없다. 鬼煞이 모두 有氣하면 空亡되지 않고 合하면 최고의 재앙이 된다. (鬼來攻我鬼居強, 我弱之時勢莫當. 鬼煞兩般俱有氣, 不空有合最爲殃.)

鬼가 專旺을 만나면 천강량(강한 대들보로 멋대로 함)이 되고, 身弱하면 내가 도리어 항복한다. 만약 空亡이 되면 禍를 면하는데, 도우고 구원해 주는 것이 없으면 오래 살기 어렵다. (鬼逢專旺擅強梁, 身弱名爲我反降. 若遇空亡應免禍, 如無援救命難長.)

항복하여 禍格이 되는 경우이다. [아래 명조를 보라]

예) 命造
己 辛 辛 辛
亥 卯 卯 未

鬼가 强宮에 있지만 오히려 辛이 空亡이 되어 좋다. 그래서 비록 富貴하지도 않았지만 또한 재앙도 없었으나, 50이 되지 않아 사망하였다. (此伏降爲禍格也. 如一命, 辛未辛卯辛卯己亥, 鬼在強宮, 卻喜辛爲空亡, 故雖不能富貴, 亦無災禍, 未滿五十而死.)

30. 전투복강형충파합戰鬪伏降刑衝破合-2

母가 鬼物에게 손상을 당하면 자식이 와서 구하는데, 자식이 母의 원한을 갚기 위해 좌우를 물리친다. 鬼物인 賊이 刑 衝한 것을 破하는 것으로 鬼物이 刑 衝한 것을 破하여 福과 壽를 누리게 된다. (母被鬼傷子來救,子報母冤排左右.破其鬼賊衝其刑,破鬼衝刑爲福壽.)

衝破하여 福格이 되는 경우이다.

예) 命造
丁 癸 癸 戊
巳 巳 亥 午
土 水 水 火

癸巳는 水가 絕되지만 癸亥의 冬月은 水가 왕성한 때가 되어 戊午 火를 剋하여 火가 無氣하다. 더군다나 巳는 破祿이 되고 亥는 破宅이 되어 貧賤하게 된다. 이제 좋은 것은 丁巳(사중土) 土가 身을 剋하는 癸巳를 물리치고 癸亥를 衝破한 것이니, 이에 子가 와서 母를 구원하므로 일생토록 부유한 사람인 것이다. (此衝破爲福格也,如戊午癸亥癸巳丁巳,癸巳之絕水,歸於癸亥冬月水勝之時,而剋戊午無氣之火.況巳爲破祿,亥爲破宅,合主貧賤.今喜丁巳土,就身剋退癸巳,衝破癸亥,乃子來救母,一生富足人也.)

鬼煞이 와서 刑하면 衝을 해야 하고, 서로 간에 衝破하면 오히려 功이 된다. 文章은 독보적으로 왕찬[王粲(177 ~ 217)~중국 後漢 말기 위나라의 시인]에 견주어 과시하고 富貴兼全하여 석숭에 비교할만하다. [石崇: 중국(中國) 진(晉)나라 때의 부호였던 석숭에서 온 말로, 부자(富者)를 비유하여 일컫는 말.] (鬼煞來刑要帶衝,交相衝破卻爲功.文章獨步誇王粲,富貴雙全比石崇.)

예) 命造
癸 癸 乙 乙
亥 巳 酉 亥

鬼를 衝破하여 도리어 福이 되고, 일생토록 부유하며 예의가 바르다. (如乙亥乙酉癸巳癸亥,衝破其鬼反爲福,一生富而好禮,名冠鄕閭.)

祿馬를 破하고 庫를 破하여 吉神을 破하면 구조하는 것이 없다. 神煞이 상잔(相殘~서로 싸우고 해침)하면 파택(破宅)과 같아 걸인이 된다. (破其祿馬破其庫,破了吉神無救助.神煞相殘破宅同,作丐人間無限數.)

墓庫중에 祿 馬가 해침을 받고 다시 命宅을 衝하는 것은 보통이다. 만일 吉星이 없더라도 강하고 바른 자리에 있으면 살아갈 방도는 다만 범단(范丹~청백하지만 가난한 선비의 표상)과 같다. (墓庫中爲祿馬殘,更衝命宅一般般.如無吉曜居强正,活計猶如一范丹.)

衝破하여 禍格이 되는 경우이다. 가령 鬼가 나를 剋하는 것은 吉神을 상잔(傷殘)하는 것으로 格에 구원해주는 것이 없다.

예) 命造
甲 癸 癸 戊 胎~甲寅
寅 巳 亥 午
水 水 水 火

3水는 癸亥에 귀의(歸依~돌아와 의지함)하여 戊午(天上火)火를 剋하니 祿宅과 命宅이 破해 졌는데 이에 구학망신(溝壑亡神) 예상겁살(翳桑劫煞)이 되어 3차례나 군대에 들어갔으나 후에 거지가 되어 굶어 죽었다. (此衝破爲禍格也.如鬼剋我,謂之傷殘吉神,格無救助.如戊午癸亥癸巳甲寅,又甲寅胎,三水歸依癸亥,而剋戊午之火,破了祿宅命宅,乃溝壑亡神,翳桑劫煞,三次投軍,後作丐,餓而死.)

刑煞이 空亡이 되며 아울러 制함이 있는데, 刑이 身에 들지 않으면 福이 모이게 된다. 同宮에서 상제(相制)하여 구원을 얻는데, 도움을 얻으면 경사롭고 길한 징조가 된다. (刑煞落空兼有制,刑不入身爲福會.同宮相制主得援,得援附主爲祥瑞.)

刑을 制 하여 福格이 되는 경우이다.

예) 命造
丁 甲 甲 甲
卯 寅 戌 子

甲戌(산두火)鬼煞이 空亡이 되고, 탄함(呑啗)과 과숙(寡宿)도 空亡인데, 甲寅(대계水)水가 丁卯(노중火)火를 剋 退시켜 甲子(해중金)金을 감히 손상하지 못하니 안에서 구원을 얻으므로 오히려 福이 된 것이다.
(此制刑爲福格也,如甲子甲戌甲寅丁卯,甲戌鬼落空亡,呑啗寡宿空亡,甲寅水剋退丁卯之火,不敢傷甲子之金,內主得其援,反爲福也.)

刑을 制하고 도움을 받으려면 空亡이 되어야하고, 身을 剋하지 않아야 福祿이 창성하게 된다. 金과 玉이 집에 가득한 富貴한 사람이 되고, 소년시절에 뛰어나 계수나무가지를 꺾어 향기를 맡는다.[소년시절에 즉 일찍이 과거에 급제한다.] (制刑得援要空亡,不克身兮福祿昌.金玉滿堂人富貴,少年高折桂枝香.)

예) 명조

乙 壬 癸 庚 胎~甲戌

巳 戌 未 寅

甲戌과 壬戌이 동궁하고, 水火가 相爭하며 그리고 기쁜 것은 甲戌(산두火)이 乙巳(覆燈火)에 귀착하여 癸未를 刑하지 않으며 壬戌의 세勢는 고독하여 刑하지 못하는 것이므로 富貴한 것이다. (如庚寅癸未壬戌乙巳,甲戌胎,甲戌壬戌同宮,水火相爭,又喜甲戌歸於乙巳,不能刑于癸未,壬戌勢孤,刑而不入,故主富貴.)

戰鬪刑衝은 큰 敵이 되는데, 敵을 이겨야 비로소 吉한 것이다. 투신하여 鬼 賊중에 있으면 비명횡사하거나 집안이 망하고 법을 어겨 형벌을 받는다. (戰鬪刑衝爲大敵,敵得勝時方是吉.投身如在鬼賊中,橫死家亡刑憲及.)

刑으로 禍格이 되는 경우이다.

예) 命造

壬 癸 辛 辛

子 酉 丑 酉

癸酉(검봉金) 辛酉(石榴木)는 동궁으로 전투하고 本身을 刑하며, 本家는 鬼에게 항복하여 鬼에게 제압되는 것이니 被殺당하였다. (此惹刑爲禍格也.如辛酉辛丑癸酉壬子,癸酉辛酉同宮戰鬪,刑於本身,就家降鬼,爲鬼所制,被人殺死.)

30. 전투복강형충파합戰鬪伏降刑衝破合-3

刑으로 발생한 禍가 가장 좋지 않은데, 힘이 동궁에 머무르면 싸워 손상되고, 身이 만일 鬼物인 賊에게 항복되면 破家하는 것을 벗어나기 어려우며 그리고 자신은 죽는다. (惹刑爲禍最非良,停力同宮盡鬪傷,身若就降降鬼賊,難逃家破更身亡.)

力停한 것은 一位는 刑할 수 없고, 2~3位에서 1位를 刑하여야 확실한 刑이 된다.

예) 命造

乙 己 辛 辛

丑 丑 丑 酉

己丑(벽력火)火를 얻어 재앙을 막았다. (力停者,一位不能刑,二三位刑一位,乃眞刑也.如辛酉辛丑己丑乙丑,得己丑之火,以救其禍.)

6합에 대해 전부를 아는 사람이 적은 것은 예로부터 신선(神仙= 仙人)은 비밀을 발설하지 않았기 때문이다. 祿馬貴人이 旬내에서 合하면 合하는 중에 福이 증가하여 福이 무궁하다. (十般六合少人知,自古神仙不泄機.祿馬貴人旬內合,合中添福福無涯.)

합에서 福格이 되는 경우이다. 六合에 대해서는 충분히 이미 前者에 설명하였다.

예) 명조
戊 癸 辛 甲
午 未 未 寅

이것은 小六合으로 貴人을 合하여 動하니 음귀인의 도움을 얻어 富貴하고 福과 壽를 누렸다. (上六合爲福格也.十般六合,已解前.如甲寅辛未癸未戊午,此爲小六合,合起貴人,而得陰人之助,致富貴福壽.)

六合으로 나타나는 조짐을 하나의 例로서 추리하면, 6합하는 가운데에서 더하거나 손해되는 것은 함지이다. 공명의 향배를 헤아린다면, 장마가 내릴 것인가는 구름이 끼지 않으면 비는 내리지 않는다. (六合爲祥一例推,合中增損爲咸池.功名擬向爲霖用,不爲雲行雨不施.)

참으로 수려함을 얻은 命造인데,

예) 命造
癸 壬 壬 戊
卯 申 戌 戌

金이 이길 수 없고 木이 반대로 이기는데, 합하는 가운데에서 咸池 卯가 增損(더하고 감하는 것)되는 것은 좋지 않다. 그리고 咸池가 身을 剋하여 비록 총명한 사람일지라도 결국에는 福을 감하고, 또 壬申(검봉金)은 木을 傷하게 하고, 四柱에서 土의 구원이 없으니 합하는 중에 福이 減해지는 것이다. (如眞得秀,戊戌壬戌壬申癸卯,金不能勝,而木反勝,合中不喜咸池增損,又且剋身咸池.雖人聰明,畢竟是感福,又壬申傷木,柱無土救,是爲合中減福.)

神煞을 합하면 凶한데 神煞의 어떠한 모양도 같고, 각각의 煞과 各宮에는 禍福이 따르는 것은, 鬼神이 재촉한 것이지 사람 때문은 아닌 것이다. (合來神煞便爲凶,神煞如何一樣同,各煞各宮專禍福,鬼神催使不由人.)

六合하여 禍格이 되는 경우이다.

예) 命造

辛 甲 丙 己
未 寅 寅 亥

甲과 己가 合하고, 寅과 亥가 合하는데, 合하여 망신 탄함 고진이 動하였다. 그러므로 감옥에서 억울하게 죽었는데, 평소에 소송을 지나치게 좋아한 것이다. (此六合爲禍格也.如己亥丙寅甲寅辛未,甲與己合,寅與亥合,合起亡神呑啖孤辰.故主枉死於獄,平日喜訟之過也.)

六合하여 재앙이 되는 것은 감당할 수 없고, 官符(관부) 亡身 劫煞은 마찬가지로 상세히 살핀다. 여인에게 미혹되며 술과 아울러 새 기르기를 좋아하고, 소송을 좋아하여 종신토록 수갑을 차고 죽는다. (六合爲災不可當,官符亡劫一般詳.迷花戀酒幷籠養,好訟終身桎梏亡.)

예) 명조
丁 乙 丙 庚
亥 酉 戌 子

咸池와 羊刃이 合하고 평소에도 사람 같지 않으며 폭력을 좋아하고 歌舞酒色(가무주색)에 빠져 살기를 좋아하다가 31세에 獄死하였다. (如庚子丙戌乙酉丁亥,合咸池羊刃,平日不如人而好武,好籠養歌舞酒色,三十一坐獄死.)

生旺하여 旺한 가운데에서 福과 지혜가 생기고, 旺의 속에는 오히려 鬼가 相制하여야 하는데, [鬼를] 制하여야 비로소 福과 壽를 누리는 사람으로 한결같이 重해야 길한 조짐이 된다. (生旺旺中生福慧,旺裏反宜鬼相制,得制方爲福壽人,一重方可爲祥瑞.)

生旺하여 福格이 되는 경우이다.

예) 命造
庚 壬 癸 甲
子 戌 酉 寅

부친이 태평제상(太平宰相)인데, 腹中에 貴煞을 감추어 진 것이라 하는데, 胎속에서 官人(벼슬아치) 부르짖고(암시하고) 있다. 이것이 生旺한 가운데 鬼의 제함을 얻은 것이다. (此生旺爲福格也.如甲寅癸酉壬戌庚子,其父爲太平宰相,可謂腹中藏貴煞,胎裏叫官人.是生旺中得鬼制是也.)

30. 전투복강형충파합戰鬪伏降刑衝破合-4

生旺한 것이 日時에 있어 상서로우며, 鬼가 와서 제어하면 오히려 서로 좋고, 도화가 셋이 바로 드러나면 장원급제하여 높은 벼슬을 하게 된다. (生旺爲祥在日時,鬼來制御卻相宜,桃花直透三層浪,桂子高攀第一枝.)

예) 命造

庚 壬 乙 乙

子 辰 酉 酉

　庚子(벽상土)土가 自旺하고 그리고 鬼가 身을 剋하여 상제(相制)하니 生旺하여 鬼를 制하는 福이 된다. 따라서 일찍 과거에 합격하였다. (如乙酉己酉壬辰庚子,然庚子土自旺,又帶鬼剋身相制,是生旺鬼制之福.故主早年登第.)

　五行은 生旺한 것이 많으면 좋지 않은데 2~3중이면 필히 過하여(지나쳐서) 禍를 만난다. 旺한데 만일 제어하지 못하면 폐병에 전염되어 염라대왕을 대면한다.["폐병 걸려 죽는다."는 말을 어렵게도 한다.] (五行生旺不宜多,三兩重逢禍必過.旺裏若還無制御,傳尸癆瘵面閻羅.)

　生旺하여 禍格이 되는 경우이다.

예) 命造

甲 己 辛 丁

子 亥 亥 亥

　동궁에서 戰鬪하니, 빈천했을 뿐만 아니라 폐병에 걸려 16살에 사망하였다. (此生旺爲禍格也,如丁亥辛亥己亥甲子,同宮戰鬪,非惟貧賤,又且癆瘵,十六歲死.)

　長生 제왕을 거듭 보면 福이 변하여 재앙이 되고 반대로 되는 것은 아니다. 鬼를 다른 곳에서 制하면 재앙을 減하는데 설사 富貴하더라도 凶을 초래한다. (長生帝旺見重重,變福爲災反不中,得鬼制他方減禍,縱饒富貴也招凶.)

예) 命造

辛 甲 辛 己

未 午 亥 未

　소년시절에 적공랑 출신으로 벼슬을 하지 못하고 사망하였다. (如己未辛亥甲午辛未,是少年迪功郎出身,未改官而亡.)

　死中득모하고 절처봉생하면 부귀영화가 특별하다. 청렴정직하며 온화하고 난폭하지 않으며 젊은 나이에 자의를 입는 것이니 즉 흑두재상[黑頭宰相~머리가 검은 재상, 젊은 재상]이 된다. (死中得母絶逢生,富貴榮華別樣新.廉簡直溫無燥暴,朱衣元是黑頭人.)

　死絶하여 福格이 되는 경우이다. 가령 金人이 戊寅(성두土)土을 보면 絶處逢生이 되고, 庚子(벽상土)土를 보면 死中得母가 되며, 庚午(노방土)土를 보면 敗中有救되어 모두 福이 되는 것이다. (此死絶爲福格也.如金人見戊寅爲絶處逢生,見庚子爲死中得母,見庚午爲敗中有救,皆爲福矣.)

사람들의 말에 의하면, 死絶이 가장 凶하다 하는데, 死中에 生하게 되면 福이 오히려 높게 되고, 심략침기(深略沉機~생각이 깊고 중후함)하고 사람이 신중하며, 강녕(康寧~건강하고 편안함)하고 福과 壽命이 풍족한 사람이다. (人言死絶最爲凶,起死爲生福反崇,深略沉機人謹重,康寧福壽足盈豊.)

무릇, 命에서 死中得母 絶處逢生 敗中有救하게 되면 사려가 깊고 신중하여 큰 福을 누린다. (凡命死中得母,絶處逢生,敗中有救,主人沉機謹厚,而享大福.)

死絶되고 鬼가 다시 손상하면 어찌 견딜 것이며, 鬼가 强한 자리에 있으면 어찌 당해낼 수가 있겠는가? 만약 또 祿宅이 모두 衝破된다면 일자리를 잃고 집안이 망하여 고향을 떠나서 죽는다. (死絶那堪鬼更傷,鬼居强位豈能當.若還祿宅皆衝破,失業亡家死異鄉.)

死絶하여 禍格이 되는 경우이다.

예) 命造
壬 戊 庚 己
午 午 午 亥

단지 木이 午에서 死할 뿐 아니라 祿도 午에서 死하니, 전답을 모두 팔아먹고 길에서 죽었다. [己亥(평지木)木의 死地와 祿을 말한다.] (此死絶爲禍格也.如己亥庚午戊午壬午,非惟木死於午,而祿死於午,賣盡田園,死於道路.)

死絶하고 거듭 鬼를 다시 만나며 祿宮 命宅이 아울러 刑衝하면, 만일 四正의 吉星이 없으면 조업을 떠나 의지할 곳이 없게 된다. (死絶重重鬼更逢,祿宮命宅併刑衝,若還四正無吉曜,定主伶仃別祖宗.)

예) 命造
癸 癸 壬 戊
亥 亥 戌 午

단지 火만 亥에서 絶할 뿐 아니라 命宅과 祿宅도 破하였으니 반드시 祖業을 떠난 사람이다. 干支가 戰鬪降伏과 刑 衝 破 合은 神煞중에서 가장 중요한 것이므로 더불어 살펴봐야한다. (如戊午壬戌癸亥癸亥,非惟火絶在亥,而且破命宅,祿宅,定是離祖人也.干支戰鬪降伏,刑衝破合,乃神煞中之最要者,故併及之.)

제3권 終